DUMONT

Nach dem Tod ihres Vaters will Julie Jacobsen nur noch eins: raus aus der Tristesse ihres provinziellen Zuhauses. Das Sommercamp an der Ostküste bedeutet für sie den Eintritt in eine neue Welt, die Welt der Kunst, Kreativität und Freiheit, verkörpert durch die interessantesten Menschen, denen sie je begegnet ist: Ethan, Jonah, Cathy, Ash und Goodman, fünf junge New Yorker, die sie wegen ihrer Schlagfertigkeit und ihres schwarzen Humors in ihre privilegierte Clique aufnehmen. Die Jahre und Jahrzehnte vergehen, aber nicht jeder der »Interessanten«, wie sie sich selbst nennen, kann aus seiner Begabung das machen, was er sich als Jugendlicher erträumte …

Meg Wolitzer zeigt an ihren Protagonisten die ganze Tragik und die ganze Komik der Existenz. Ein großer Roman über das Wesen der Kunst und der Freundschaft vor dem Panorama des Amerika der letzten vierzig Jahre.

Meg Wolitzer, geboren 1959, veröffentlichte 1982 den ersten von bisher elf Romanen, darunter mehrere ›New York Times‹-Bestseller. Zwei ihrer Romane wurden verfilmt. Sie ist verheiratet, hat zwei Söhne und lebt in New York City.

Meg Wolitzer

DIE INTERESSANTEN

Roman

Aus dem Englischen von
Werner Löcher-Lawrence

DUMONT

Von Meg Wolitzer sind bei DuMont außerdem erschienen:
Die Stellung
Die Ehefrau

Sechste Auflage 2017
DuMont Buchverlag, Köln
Alle Rechte vorbehalten.

Die amerikanische Originalausgabe erschien 2013 unter dem Titel
›The Interestings‹ bei Riverhead, New York.
All rights reserved including the right of reproduction
in whole or in part in any form.
This edition published by arrangement with Riverhead Books,
a member of Penguin Group (USA) LLC,
a Penguin Random House Company.
© 2013 Meg Wolitzer

»What Have They Done to the Rain« von Malvina Reynolds,
Abdruck mit freundlicher Genehmigung:
© 1962 Schroder Music Co. (ASCAP). Renewed 1992.
Text und Musik von Malvina Reynolds. Alle Rechte vorbehalten.

© 2014 für die deutsche Ausgabe: DuMont Buchverlag, Köln
Umschlaggestaltung: Lübbeke Naumann Thoben, Köln
Umschlagabbildung: © Lynn Buckley
Satz: Angelika Kudella, Köln
Gesetzt aus Stempel Garamond und der Gotham
Druck und Verarbeitung: CPI books GmbH, Leck
Gedruckt auf säurefreiem und chlorfrei gebleichtem Papier
Printed in Germany
ISBN 978-3-8321-6339-6

www.dumont-buchverlag.de

Für meine Eltern, die mich dort hinschickten.
Und für Martha Parker, die ich dort kennengelernt habe.

While riding on a train goin' west
I fell asleep for to take my rest
I dreamed a dream that made me sad
Concerning myself and the first few friends I had

> Bob Dylan, *Bob Dylan's Dream*

… nur wenig Talent zu haben … war eine furchtbar lästige Sache … nur ein wenig besonders zu sein, bedeutete, die meiste Zeit zu viel zu erwarten.

> Mary Robison, *Yours*

Teil eins

AUGENBLICKE DER FREMDHEIT

Eins

In einer warmen Nacht Anfang Juli in jenem lange verpufften Jahr trafen sich die Interessanten zum allerersten Mal. Sie waren erst fünfzehn, sechzehn und begannen, sich mit zögerlicher Ironie so zu nennen. Julie Jacobson, eine Außenseiterin, vielleicht sogar ein Freak, war aus schwer verständlichen Gründen ebenfalls eingeladen worden. Sie saß auf dem ungefegten Boden in einer Ecke und versuchte, unaufdringlich, aber nicht kläglich zu wirken, was ein schwieriger Balanceakt war. In dem genial entworfenen, aber billig gebauten Tipi stand die Luft an Abenden wie diesem, wenn kein Wind durch die Fliegenfenster drückte. Julie Jacobson hätte gerne ein Bein ausgestreckt oder den Unterkiefer hin- und hergeschoben, was mitunter ein befriedigendes Knacken in ihrem Schädel verursachte. Aber sie riss sich zusammen. Wenn sie keine Aufmerksamkeit erregte, würde sich auch keiner fragen, was sie eigentlich hier machte. Und sie wusste nur zu gut, dass es keinerlei Grund für sie gab, hier zu sein. Sie hatte es kaum fassen können, dass Ash Wolf ihr früher am Abend an den Waschbecken zugenickt und sie gefragt hatte, ob sie sich nicht mit ihr und ein paar von den anderen treffen wolle. *Ein paar von den anderen.* Schon die Worte hatten es in sich gehabt.

Julie hatte sie perplex und mit tropfendem Gesicht angesehen und sich dann schnell mit einem dünnen Handtuch von zu Hause abgetrocknet. *Jacobson* hatte ihre Mutter mit einem roten Wäschestift auf den runzeligen Rand geschrieben, und ihre unsichere Schrift wirkte etwas tragisch.

»Klar«, hatte Julie instinktiv gesagt. Was, wenn sie Nein gesagt hätte, fragte sie sich hinterher mit einem seltsam angenehmen

Grauen. Was, wenn sie die leicht hingeworfene Einladung abgelehnt und einfach so weitergemacht hätte wie bisher, dumpf und unbeirrbar, wie betrunken, blind, eine Schwachsinnige, die dachte, das bisschen Glück, das sie habe, reiche vollkommen aus? Aber ihr »Klar« an den Waschbecken im Mädchenwaschraum hatte sie hergebracht und in die Ecke dieser fremdartigen, ironischen Welt versetzt. Die Ironie war ihr neu, und sie schmeckte merkwürdig gut, wie eine bis dahin nicht existente Sommerfrucht. Bald schon würden sie und die anderen ständig ironisch reagieren und unfähig sein, eine unschuldige Frage ohne einen leicht abfälligen Unterton zu beantworten. Doch mit der Zeit sollte sich das Abfällige geben, in die Ironie sollte sich Ernsthaftigkeit mischen, die Jahre würden kürzer werden und verfliegen. Und dann, nicht viel später, würden sich alle verschreckt und traurig in ihren starren, fertigen Erwachsenen-Ichs wiederfinden und kaum eine Chance haben, sich noch einmal neu zu erfinden.

An jenem Abend jedoch, lange vor dem Schrecken, der Trauer und der Verfestigung, als sie im Jungen-Tipi Nummer drei saßen und ihre Kleider immer noch bäckersüß von den letzten Trocknerumdrehungen zu Hause rochen, sagte Ash Wolf: »So sitzen wir hier jeden Sommer. Wir sollten uns einen Namen geben.«

»Warum?«, fragte Goodman, ihr älterer Bruder. »Damit die Welt erfährt, wie unglaublich *interessant* wir sind?«

»Wir könnten uns *Die unglaublich Interessanten* nennen«, sagte Ethan Figman. »Wie wäre das?«

»Die Interessanten«, sagte Ash. »Das passt.«

Damit war es entschieden. »So lasst uns denn von diesem Tag an«, sagte Ethan, »weil wir eindeutig die interessantesten Leute sind, die verdammt noch mal je *gelebt* haben, weil wir einfach so verdammt *faszinierend* und unsere Hirne so übervoll mit intellektuellen Überlegungen sind – lasst uns als *Die Interessanten* bekannt sein! Und alle, die uns begegnen, sollen tot vor uns zusammenbrechen, weil wir so verdammt interessant sind.« Mit lächerlicher Feierlichkeit hoben sie Pappbecher und Joints, und Julie wagte es, auch ihren Becher mit W & T – einem süßen, bunten Mix aus Wodka und dem Getränkepulver Tang – vor sich hochzuhalten und bedeutsam zu nicken.

»Kling«, sagte Kathy Kiplinger.

»Kling«, antworteten die anderen.

Der Name war ironisch gemeint, und die improvisierte Taufzeremonie spaßhaft angeberisch, trotzdem, dachte Julie Jacobson, sie waren wirklich interessant. Diese Teenager um sie herum, alle aus New York City, waren wie die Mitglieder eines Königshauses oder französische Filmstars. Eigentlich sollten alle in diesem Camp etwas Künstlerisches haben, doch soweit sie es beurteilen konnte, war das hier der heiße, kleine, innere Kreis. Julie hatte noch nie solche Leute getroffen. Sie waren nicht nur im Vergleich mit den Bewohnern von Underhill interessant, dem New Yorker Vorort, in dem sie aufgewachsen war, sondern auch verglichen mit all den anderen *da draußen*, die ihr in diesem Moment schlecht gekleidet, drittklassig und durch und durch abstoßend vorkamen.

Wenn einer von ihnen in jenem Sommer 1974 aus der tiefen Konzentration auftauchte, mit der sie in ihre Einakter, ihre Animationen, Tanzsequenzen oder ihr Gitarrenspiel versunken waren, schien es ihm, als starrte er auf ein Horrorszenario, und zog es vor, schnell wieder wegzusehen. Zwei Jungen im Camp hatten Ausgaben von *All the President's Men* auf dem Bücherbrett über ihrem Bett stehen, neben großen Spraydosen mit dem Insektenschutzmittel Off und kleinen Fläschchen Benzoylperoxid gegen Akne. Das Buch war nicht lange vor Beginn des Camps herausgekommen, und wenn sich die Gespräche in den Tipis abends in rhythmischem Masturbieren oder im Schlaf verloren, lasen sie im Licht ihrer Taschenlampen und dachten: Solche Drecksäcke, kaum zu glauben!

Das war die Welt, in die sie eintreten sollten: eine Welt der Drecksäcke. Julie Jacobson und die anderen hielten an der Schwelle zu dieser Welt inne, aber was sollten sie auch tun? Einfach hineingehen? Später im Sommer würde Nixon davontaumeln und eine schleimig feuchte Spur hinterlassen, und das ganze Camp würde ihm auf einem alten Panasonic-Fernseher dabei zusehen, den die Besitzer des Camps in den Speisesaal gerollt hatten. Manny und Edie Wunderlich waren zwei alternde Sozialisten von sagenumwobenem Ruf in der kleinen, dahinschwindenden Welt alternder Sozialisten.

Die Interessanten saßen im Jungen-Tipi drei zusammen, weil die Welt unerträglich war, sie selbst aber nicht. Julie erlaubte sich eine weitere kleine Bewegung, verschränkte die Arme auf die eine, dann auf die andere Weise. Noch immer wandte sich ihr niemand zu und bestand darauf zu erfahren, wer dieses unbeholfene, rothaarige Mädchen eingeladen hatte. Noch immer wollte niemand, dass sie ging. Sie sah sich im dämmrigen Tipi um, wo alle träge auf den Etagenbetten und hölzernen Bodenlatten saßen, wie Leute in einer Sauna.

Der grobschlächtige, ungewöhnlich hässliche Ethan Figman, dessen Züge leicht platt gedrückt wirkten, als presste er das Gesicht gegen eine unsichtbare Glaswand, hockte mit schlaff geöffnetem Mund und einer Schallplatte auf dem Schoß da. Er war einer der Ersten, die ihr aufgefallen waren, als ihre Mutter und ihre Schwester sie vor ein paar Tagen hergefahren hatten. Er hatte einen weichen Jeanshut aufgehabt und alle um sich herum auf dem Rasen begrüßt, hatte bei den Koffern mit angefasst, sich von den Mädchen in platonische Umarmungen ziehen lassen und den Jungen kumpelhaft die Hände geschüttelt. Die Leute riefen: »Ethan! Ethan!«, und er wandte sich ihnen nacheinander zu.

»Der Kerl sieht lächerlich aus«, hatte Julies Schwester Ellen leise gesagt, als sie nach ihrer vierstündigen Fahrt von Underhill aus ihrem Dodge Dart gestiegen waren und auf dem Rasen standen. Er sah tatsächlich lächerlich aus, doch Julie hatte das Gefühl, diesen ihr völlig unbekannten Jungen beschützen zu müssen.

»Nein, tut er nicht«, sagte sie. »Er sieht ganz normal aus.«

Sie waren Schwestern, nur sechzehn Monate auseinander, aber Ellen, die Ältere, hatte dunkle Haare, ein verschlossenes Gesicht und überraschend vernichtende Ansichten, die nur zu oft in dem kleinen Ranchhaus zu hören waren, in dem die beiden mit ihrer Mutter Lois lebten. Ihr Vater Warren war im Winter an Bauchspeicheldrüsenkrebs gestorben. Julie würde nie vergessen, wie es gewesen war, so nahe mit einem Sterbenden zusammenzuleben, besonders, was es bedeutet hatte, das einzige, pfirsichfarbene Bad mit ihrem armen Vater teilen zu müssen, der es, sich entschuldigend, ständig in Beschlag gehalten hatte. Mit vierzehneinhalb hatte sie ihre erste Periode bekommen, viel später als alle, die sie kannte. Doch fast immer, wenn sie ins Bad musste, war es besetzt. Mit einer Riesenschachtel Kotex in ihrem Zimmer hockend, hatte sie über den Gegensatz nachgedacht zwischen sich, die »ins Frausein eintrat«, wie es in dem Film hieß, den ihnen ihre Gymnastiklehrerin vor langer Zeit schon gezeigt hatte, und ihrem Vater, der in etwas ganz anderes eintrat, an das sie nicht denken wollte, das ihr aber ständig vor Augen stand.

Im Januar war er gestorben, was eine zermürbende Qual, jedoch auch eine Erleichterung gewesen war, die sich gleichermaßen nicht fassen und nicht vergessen ließ. Der Sommer kam, und die Leere blieb. Ellen wollte nirgends hin, aber Julie konnte nicht einfach den ganzen Sommer mit diesem Gefühl zu Hause sitzen und ihrer Mutter und ihrer Schwester zusehen, die sich genauso fühlten. Es hätte sie verrückt gemacht, beschloss sie. In letzter Minute dann schlug ihre Englischlehrerin dieses Camp vor, das noch einen freien Platz hatte und Julie ein Stipendium gewährte. Niemand in Underhill fuhr in Camps wie dieses, nicht nur weil es sich keiner leisten konnte, es wäre einfach niemand auf die Idee gekommen. Alle blieben zu Hause und fuhren in die dürftigen örtlichen Tagescamps, lagen stundenlang im Schwimmbad, jobbten bei Carvel oder hingen in ihren drückend heißen Häusern herum.

Niemand hatte wirklich Geld, und niemandem schien es viel auszumachen. Warren Jacobson hatte in der Personalabteilung von Clelland Aerospace gearbeitet, ohne dass Julie eine Vorstellung davon gehabt hätte, was genau das bedeutete, aber immerhin hatte er so viel verdient, dass die Familie einen Pool in dem kleinen Garten hinter dem Haus anlegen und unterhalten konnte. Und als Julie plötzlich dieser Platz in einem Sommercamp angeboten wurde, bestand ihre Mutter darauf, dass sie ihn annahm. »Wenigstens einer in dieser Familie sollte etwas Spaß haben«, sagte Lois Jacobson, die frische, unsichere Witwe von zweiundvierzig Jahren. »Das hatte schon eine Weile keiner mehr.«

An diesem Abend im Jungen-Tipi drei schien Ethan Figman so selbstsicher wie auf dem Rasen am ersten Tag. Selbstsicher, sich seiner Hässlichkeit, die ihn ein ganzes Leben begleiten würde, jedoch wahrscheinlich bewusst, begann er, auf der Plattenhülle auf seinem Schoß Joints zu drehen. Er tat es gekonnt. Es sei sein Job, sagte er, und es gefiel ihm ganz offensichtlich, etwas mit seinen Händen tun zu können, auch wenn er gerade keinen Kugelschreiber oder Bleistift in ihnen hielt. Er zeichnete Trickfilme und verbrachte Stunden damit, die Seiten der kleinen, ihm ständig hinten in den Gesäßtaschen steckenden Spiralnotizbücher mit kurzen Filmen zu füllen. Jetzt kümmerte er sich liebevoll um winzige Mengen Korn, Stängel und Blüten.

»Figman, mach schneller, die Eingeborenen werden unruhig«, sagte Jonah Bay. Julie wusste noch so gut wie nichts über die Freunde, aber sie wusste, dass Jonah, ein gut aussehender Junge mit blauschwarzem, schulterlangem Haar und einem Lederbändchen um den Hals, der Sohn der Folksängerin Susannah Bay war.

Lange Zeit sollte seine berühmte Mutter Jonahs Hauptunterscheidungsmerkmal bleiben. Er hatte es sich angewöhnt, wahllos ein »Die Eingeborenen werden unruhig« einzustreuen, wobei es diesmal wenigstens ansatzweise zu passen schien. Alle waren unruhig, wenn auch keiner ein Eingeborener war.

An diesem Juliabend war Nixon noch einen Monat davon entfernt, wie ein verrottetes Gartenmöbel vom Rasen des Weißen Hauses entfernt zu werden. Gegenüber von Ethan saß Jonah mit seiner Stahlsaitengitarre zwischen Julie Jacobson und Cathy Kiplinger eingeklemmt, die sich den ganzen Tag im Tanzstudio bewegte und streckte. Cathy war kräftig und blond und weit fraulicher, als es den meisten Fünfzehnjährigen angenehm gewesen wäre. Zudem war sie »emotional viel zu anstrengend«, wie jemand später einmal unverblümt bemerkte. Sie gehörte zu der Art Mädchen, die Jungen einfach nicht in Ruhe lassen können. So unermüdlich wie automatisch stellten sie ihr nach. Manchmal drückten sich ihre Brustwarzen wie die Knöpfe eines Sofakissens durch den Stoff ihres Gymnastikanzugs, und alle mussten sie ignorieren, wie Brustwarzen in ihrer Unberechenbarkeit eben zu ignorieren waren.

Über ihnen allen, oben auf einem der Etagenbetten, lag Goodman Wolf, ausgestreckt eins dreiundachtzig groß, sonnenempfindlich, und wirkte mit seinen kräftigen Beinen in Khaki-Shorts und Büffelsandalen fast übertrieben maskulin. Wenn diese Gruppe einen Führer hatte, dann war er es, und im Moment mussten alle zu ihm aufsehen. Zwei anderen Jungen, die im Tipi Nummer drei wohnten, war vor dem Treffen der Freunde hier höflich, aber mit Nachdruck gesagt worden, sie sollten sich den Abend über nicht blicken lassen. Goodman wollte Architekt werden, hatte Julie gehört, allerdings schien er zu wenig darüber nachzudenken, wie es kam, dass Gebäude stehen blieben oder Hängebrücken das Gewicht all der Autos tragen konnten, die über sie fuhren. Er war körperlich nicht ganz so atemberaubend wie seine Schwester, denn sein gutes Aussehen wurde durch seine unreine, stopplige Haut etwas getrübt. Aber trotz seiner Unvollkommenheiten und seiner zur Schau gestellten Faulheit besaß er eine beeindruckende Präsenz. Im vorangegangenen Sommer war Goodman während einer Vorstellung von *Warten auf Godot* oben auf die Beleuchtungsplattform geklettert und hatte die Bühne für volle drei Minuten in Dunkelheit getaucht, nur weil er neugierig gewesen war, was geschehen würde – wer schreien und wer lachen und wie viel Ärger er bekommen würde. Im Dunkeln sitzend hatte sich mehr als eines der Mädchen insgeheim vorgestellt, wie Goodman auf ihr lag. So groß wie ein Holzfäller, der versuchte, ein Mädchen zu vögeln, oder nein, mehr wie ein *Baum*, der versuchte, ein Mädchen zu vögeln.

Viel später sollten die Leute, die einmal im Camp mit ihm gewesen waren, übereinstimmend sagen, es ergebe Sinn, dass Goodman Wolf derjenige sei, dessen Leben einen so beunruhigenden Verlauf genommen habe. Natürlich waren sie überrascht, wenn auch nicht so sehr, wie sie versicherten.

Die Wolfs kamen, seit sie zwölf und dreizehn waren, in dieses Sommercamp, das übrigens *Spirit-in-the-Woods* hieß. Sie waren wichtige Bestandteile davon. Goodman war groß, direkt und verunsichernd, Ash zart und offenherzig, eine Schönheit mit langem, glattem hellbraunem Haar und traurigen Augen. Manchmal nachmittags, mitten im Improvisationskurs, wenn die Klasse sich in einer erfundenen Sprache unterhielt oder muhte und blökte, lief Ash Wolf plötzlich aus dem Theater zurück in ihr leeres Mädchen-Tipi, legte sich aufs Bett, aß Junior Mints und schrieb in ihr Tagebuch.

Ich fange an zu glauben, dass ich zu viel fühle, schrieb Ash zum Beispiel. *Die Gefühle fließen wie Wasser in mich hinein, und ich bin ihnen hilflos ausgeliefert.*

Heute Abend hatte sich die Fliegentür mit einem Zittern hinter den Jungen geschlossen, und dann waren die drei Mädchen von der anderen Seite des Kiefernwäldchens gekommen. Insgesamt waren sie zu sechst in der spitz nach oben zulaufenden Zeltkonstruktion, die nur von einer einzigen Glühbirne erleuchtet wurde. Den ganzen Sommer über würden sie sich hier so oft wie möglich treffen und die nachfolgenden anderthalb Jahre auch immer wieder in New York City. Einen gemeinsamen Sommer würden sie hier noch haben. Während der etwa dreißig Jahre danach trafen sich nur noch vier von ihnen. Sie trafen sich, wann immer sie konnten, aber natürlich war das etwas völlig anderes.

Julie Jacobson war zu Beginn dieses ersten Abends noch nicht zu der weit besser klingenden Jules Jacobson geworden, die Verwandlung fand erst eine kleine Weile später statt. Als Julie hatte sie sich immer *völlig falsch* gefühlt. Sie war schlaksig, und ihre Haut lief schon bei der kleinsten Herausforderung rot und fleckig an: wenn sie etwas verlegen machte, wenn sie heiße Suppe aß oder eine halbe Minute in die Sonne ging. Ihr rehfarbenes Haar hatte erst kürzlich im La-Beauté-Salon in Underhill eine Dauerwelle bekommen. Jetzt schämte sie sich für die Pudelfülle auf ihrem Kopf. Die stinkende chemische Prozedur war die Idee ihrer Mutter gewesen. Während des Jahres, in dem ihr Vater starb, war Julie unablässig damit beschäftigt gewesen, ihre gesplissten Haare zu zwirbeln, und ihr Haar hatte sich wild gekräuselt. Manchmal entdeckte sie ein einzelnes, zahllose Male gespaltenes Haar, und sie riss daran und lauschte dem Knacken, wenn es wie ein winziger Zweig zwischen ihren Fingern brach. Es war ein Gefühl wie ein stiller Seufzer.

Irgendwann sah ihr Haar wie ein geplündertes Nest aus. Ein Haarschnitt und eine Dauerwelle könnten helfen, meinte ihre Mutter, doch als sich Julie im Spiegel des Salons sah, rief sie: »Ach du Scheiße!«, und rannte hinaus auf den Parkplatz. Ihre Mutter lief ihr hinterher und meinte, es werde sich geben und schon morgen nicht mehr so weit abstehen.

»Oh, Schatz, das bleibt nicht so *pusteblumig!*«, rief Lois Jacobson ihr über die Autos hinweg hinterher.

Jetzt, hier unter diesen Leuten, die seit zwei, drei Jahren in dieses Theater-und-Kunst-Sommercamp in Belknap, Massachusetts, kamen, wirkte Julie, die pusteblumige, pudelige Außenseiterin aus dem unbekannten Ort knapp hundert Kilometer östlich von New York City, überraschend spannend. Allein, indem sie hier waren, zu dieser vorbestimmten Zeit in diesem Tipi, verführten sich die sechs gegenseitig mit Größe – oder der Annahme möglicher Größe. Schlummernder Größe.

Jonah Bay zog einen Kassettenrekorder über den Boden, schwer wie ein Atomkoffer. »Ich habe ein paar neue Kassetten«, sagte er. »Wirklich gute akustische Musik. Hört euch nur diesen Riff an, ihr werdet staunen.« Die anderen lauschten pflichtbewusst, weil sie seinem Geschmack vertrauten, auch wenn sie ihn nicht verstanden. Jonah schloss die Augen beim Zuhören, und Julie betrachtete ihn in seinem Zustand der Versenkung. Die Batterien verloren bereits an Kraft, und die Musik schien von einem ertrinkenden Musiker gespielt zu werden, doch Jonah, offenbar ein begabter Gitarrist, gefiel das, und so mochte Julie es auch. Sie nickte mit dem Kopf zum Rhythmus der Musik. Cathy Kiplinger verteilte weitere W&Ts, den eigenen schüttete sie in eine zusammenklappbare Campingtasse von der Sorte, die nie richtig sauber wurde. Jonah meinte, sie sehe aus wie eine Miniaturausgabe des Guggenheim-Museums. »Und das ist nicht als Kompliment gemeint«, fügte er hinzu. »Eine Tasse sollte nicht zusammenklappbar und wieder zu öffnen sein. Es ist bereits ein vollkommenes Objekt.« Wieder nickte Julie, wie zu allem, was gesagt wurde.

Während der ersten Stunde sprachen sie über Bücher, vor allem von unzugänglichen europäischen Schriftstellern. »Günter Grass ist letztlich *Gott*«, sagte Goodman Wolf, und die beiden anderen Jungen stimmten ihm zu. Julie hatte noch nie von Günter Grass gehört, aber das würde sie niemals zugeben. Sollte sie jemand fragen, würde sie darauf bestehen, dass auch sie Günter Grass liebe, aber, und das wollte sie zu ihrem Schutz hinzufügen: »Ich habe nicht so viel von ihm gelesen, wie ich gern hätte.«

»Für mich ist Anaïs Nin Gott«, sagte Ash.

»Wie kannst du das sagen?«, fragte ihr Bruder. »Die ist so voller hochgestochener Mädchenscheiße. Ich hab keine Ahnung, warum die Leute sie lesen. Anaïs Nin ist die schlechteste Autorin, die je gelebt hat.«

»Anaïs Nin und Günter Grass haben beide einen Umlaut im Namen«, bemerkte Ethan. »Vielleicht liegt da der Schlüssel zu ihrem Erfolg. Ich besorge mir auch einen.«

»Wie kommst du dazu, Anaïs Nin zu lesen, Goodman?«, fragte Cathy.

»Ash hat mir gesagt, ich soll was von ihr lesen«, antwortete er. »Und ich mache alles, was meine Schwester sagt.«

»Vielleicht ist *Ash* ja Gott«, sagte Jonah mit einem schönen Lächeln.

Ein paar von ihnen sagten, sie hätten Taschenbücher mit ins Camp gebracht, die sie für die Schule lesen müssten. Ihre Leselisten für den Sommer ähnelten sich, mit robusten, pubertätsfreundlichen Schriftstellern wie John Knowles und William Golding. »Wenn man sich's richtig überlegt«, sagte Ethan, »ist *Herr der Fliegen* das genaue Gegenteil von Spirit-in-the-Woods. Das eine ist der totale Albtraum und das andere Utopia.«

»Yeah, die sind diametral verschieden«, sagte Jonah, denn das war ein anderer Ausdruck, den er gern benutzte. Aber, dachte Julie, wenn jemand »diametral« sagte, *musste* dann nicht »entgegengesetzt« folgen?

Über die Eltern wurde auch geredet, allerdings weitgehend mit Verachtung. »Ich glaube einfach nicht, dass mich die Trennung meiner Mutter und meines Vaters etwas angeht«, sagte Ethan Figman und saugte nass an seinem Joint. »Die beiden sind komplett mit sich selbst beschäftigt, was bedeutet, dass sie mir so gut wie keine Beachtung schenken. Besser könnte es für mich nicht sein. Obwohl es nicht schlecht wäre, wenn mein Vater hin und wieder was zu essen im Kühlschrank hätte. Wie ich höre, ist es der letzte Schrei, für sein Kind was zu essen zu haben.«

»Komm ins Labyrinth«, sagte Ash, »da wirst du bestens umsorgt.« Julie hatte keine Ahnung, was das »Labyrinth« sein mochte – ein exklusiver privater Club in der Stadt mit einem langen, gewundenen Eingang? Sie konnte nicht fragen und riskieren, als unwissend dazustehen. Wobei, auch wenn sie nicht wusste, warum gerade sie eingeladen worden war: Dass Ethan Figman hier war, schien genauso unerklärlich. Er war ein unscheinbarer Wicht, und seine Unterarme leuchteten vor lauter Ausschlag wie eine brennende Zündschnur. Ethan zog niemals sein Hemd aus. Die freie Zeit zum Schwimmen jeden Tag verbrachte er unter dem heißen Blechdach des Trickfilm-Schuppens. Sein Lehrer Old Mo Templeton hatte offenbar in Hollywood für Walt Disney persönlich gearbeitet und sah auf schon unheimliche Weise aus wie der alte Gepetto in Disneys *Pinocchio*.

Als Julie die Wirkung von Ethan Figmans nass gelutschtem Joint spürte, stellte sie sich vor, wie sich sein Speichel mit ihrem auf der Zellebene verband, und das widerte sie so an, dass sie lachen musste und dachte: Wir sind alle nicht mehr als ein wimmelnder, in sich zusammenfallender Zellhaufen. Ethan, stellte sie fest, sah sie eindringlich an.

»Hmm«, sagte er.

»Was?«

»Verräterisches insgeheimes Kichern. Du da drüben solltest es vielleicht etwas ruhiger angehen lassen.«

»Ja, vielleicht sollte ich das«, sagte Julie.

»Ich behalte dich im Auge.«

»Danke«, sagte sie, und Ethan wandte sich wieder den anderen zu. In ihrem unsicheren berauschten Zustand hatte sie das Gefühl, dass Ethan sich zu ihrem Beschützer gemacht hatte. Sie blieb bei ihren berauschten Gedanken und sah eine Collage menschlicher Zellen das Tipi füllen und diesen hässlichen, freundlichen Jungen formen, das gewöhnliche Nichts, das sie selbst war, das hübsche, zarte Mädchen gegenüber von ihr, den ungewöhnlich anziehenden Bruder des schönen Mädchens, den leise sprechenden, sanften Sohn einer berühmten Folksängerin und zu guter Letzt auch die sexuell selbstbewusste, etwas sperrige Tänzerin mit der blonden Haarmähne. Sie alle waren nichts als zahllose Zellen, die sich verbunden hatten, um diese besondere Gruppe zu formen – und Julie Jacobson, dieses unscheinbare Nichts, liebte diese Gruppe, wie sie plötzlich beschloss. Sie war in sie verliebt und würde es für den Rest ihres Lebens bleiben.

Ethan sagte: »Wenn meine Mutter meinen Vater verlassen und meinen Kinderarzt vögeln will, wollen wir hoffen, dass er sich die Hände mit Seife gewaschen hat, nachdem er die Finger im Arsch eines Kindes stecken hatte.«

»Moment mal, Figman, wir müssen also annehmen, dass dein Kinderarzt seinen Patienten die Finger in den Arsch schiebt, deinen eingeschlossen?«, sagte Goodman. »Ich hasse es, das sagen zu müssen, Mann, aber das darf er nicht. Das ist gegen den hippokratischen Eid. Du weißt schon: Erstens, keine Finger in den Arsch.«

»Nein, das macht er nicht. Ich wollte nur eklig sein, damit ihr mir zuhört«, sagte Ethan. »So bin ich eben.«

»Okay, kapiert: Dich ekelt die Trennung deiner Eltern also an«, sagte Cathy.

»Was Ash und ich nicht wirklich nachvollziehen können«, sagte Goodman, »weil unsere Eltern so glücklich wie frisch Verheiratete sind.«

»Ja. Mom und Dad geben sich vor unseren Augen praktisch Zungenküsse«, sagte Ash, tat angewidert und klang doch stolz.

Julie hatte die Wolfs am ersten Tag des Camps kurz gesehen, und die beiden hatten einen kraftvollen, jugendlichen Eindruck auf sie gemacht. Gil war Investmentbanker bei der neuen Firma Drexel Burnham und Betsy, seine künstlerisch interessierte, hübsche Frau, offenbar eine ambitionierte Köchin.

»Du tust so, Figman«, fuhr Goodman fort, »als wäre dir deine Familie scheißegal, tatsächlich aber ist sie das nicht. Ich denke, du leidest unter ihr.«

»Nicht, dass ich das Gespräch von der Tragödie meines kaputten Elternhauses abbringen möchte«, sagte Ethan, »aber es gibt weit größere Tragödien, über die wir reden könnten.«

»Zum Beispiel?«, fragte Goodman. »Dein komischer Name?«

»Oder das Massaker von My Lai«, sagte Jonah.

»Oh, der Sohn der Folksängerin kommt auf Vietnam, wann immer es geht«, sagte Ethan.

»Schnauze«, sagte Jonah, doch er war nicht sauer.

Einen Moment lang waren alle still. Es war verblüffend schwer zu sagen, wie man sich verhalten sollte, wenn Grausamkeit plötzlich auf Ironie traf. Offenbar machte man am besten eine Pause, wartete und fing dann mit etwas anderem neu an, auch wenn es schrecklich war. Ethan sagte: »Nur um das klarzustellen: Ethan Figman ist kein so fürchterlicher Name. Goodman Wolf ist viel schlimmer. So heißen Puritaner. *Goodman Demut Wolf, Ihr werdet am Silo verlangt.*«

In ihrem bekifften Zustand dachte Julie, das sei alles Ulk oder das, was in ihrem Alter als Ulk durchging. Das geistige Level war nicht sehr hoch, aber der Geist war aktiver und bereitete sich auf seinen Einsatz vor.

»An der Schule unserer Cousine in Pennsylvania«, sagte Ash, »gibt es ein Mädchen, das Crema Seamans heißt.«

»Das erfindest du jetzt«, sagte Cathy.

»Nein, tut sie nicht«, sagte Goodman. »Es stimmt.« Ash und Goodman wirkten plötzlich aufrichtig und ernst. Falls sie eine gemeinsame geschwisterliche Nummer abzogen, hatten sie eine überzeugende Masche entwickelt.

»Crema Seamans«, wiederholte Ethan nachdenklich. »Das klingt wie eine Suppe aus verschiedenen … Samenflüssigkeiten. Ein Sperma-Medley. Den Geschmack musste Campbell's sofort wieder aus dem Angebot nehmen.«

»Hör auf, Ethan, du bist mal wieder komplett eklig«, sagte Cathy Kiplinger.

»Nun, Ethan ist Künstler«, sagte Goodman.

Alle lachten, und dann sprang Goodman ohne jede Vorwarnung von seinem oberen Bett und brachte das ganze Tipi zum Wackeln. Mit einem Satz stand er auf dem Fußende von Cathy Kiplingers Bett, genauer gesagt auf ihren Füßen, sodass sie sich verärgert aufsetzte.

»Was soll das?«, fragte sie. »Du zerquetschst mir die Füße. Und du riechst. Gott, was ist das, Goodman? *Cologne?*«

»Ja. Es heißt ›Canoe‹.«

»Also, ich find's eklig.« Aber sie stieß ihn nicht weg. Er blieb stehen und griff nach ihrer Hand.

»Widmen wir Crema Seamans einen Augenblick der Andacht«, hörte sich Julie sagen. Nicht ein Wort hatte sie heute Abend sagen wollen, und kaum dass sie sprach, fürchtete sie, einen Fehler gemacht zu haben. Sie sollte sich da nicht hineinbegeben. *In was?*, dachte sie. In *sie*. Aber vielleicht hatte sie ja auch keinen Fehler gemacht. Die anderen sahen sie aufmerksam an, schätzten sie ab.

»Das Mädchen aus Long Island spricht«, sagte Goodman.

»Goodman, die Bemerkung lässt dich irgendwie schrecklich wirken«, sagte seine Schwester.

»Ich bin irgendwie schrecklich.«

»Nun, es lässt dich irgendwie *nazi*-schrecklich wirken«, sagte Ethan. »Als benutztest du eine Art Code, um alle daran zu erinnern, dass Julie Jüdin ist.«

»Ich bin auch Jude, Figman«, sagte Goodman. »Genau wie du.«
»Nein, bist du nicht«, sagte Ethan. »Denn auch wenn dein Vater Jude ist, deine Mutter ist es nicht. Du brauchst eine jüdische Mutter, sonst werfen sie dich in den Abgrund.«

»Die Juden? Die sind nicht gewalttätig. Die Juden haben das My-Lai-Massaker nicht auf dem Gewissen. Im Übrigen habe ich nur Spaß gemacht«, sagte Goodman. »Jacobson weiß das, oder? Ich habe sie nur etwas hochgenommen, stimmt's, Jacobson?«

Jacobson. Es war aufregend zu hören, wie er sie so nannte, obwohl sie nie gedacht hätte, dass das ein Junge tun würde. Goodman sah sie an, und sie musste sich zurückhalten, um nicht aufzustehen, die Hand auszustrecken und die Weiten seines goldenen Gesichts zu berühren. Sie war einem Jungen, der so großartig aussah wie er, noch nie so lange so nahe gewesen. Julie wusste nicht, was sie tat, als sie ihre Tasse erneut hob, aber er sah sie immer noch an, wie alle anderen auch.

»Oh, Crema Seamans, wo immer du seiest«, sagte sie laut, »dein Leben wird tragisch enden. Viel zu früh wirst du einem Unfall zum Opfer fallen … einem Unfall mit einem Tier-Entsamungsgerät.« Das war eine zweideutige, unsinnige Bemerkung mit einem erfundenen Wort, doch überall aus dem Tipi kamen anerkennende Geräusche.

»Seht ihr, ich wusste, ich habe sie nicht ohne Grund eingeladen«, sagte Ash und wandte sich an die anderen. »*Entsamung*, weiter so, Jules!«

Jules. Da war sie, genau in diesem Moment: die mühelose Verschiebung, die alles veränderte. Die schüchterne, unbedeutende Julie Jacobson, die zum ersten Mal in ihrem Leben zustimmendes Johlen geerntet hatte, war plötzlich, leichthin zu *Jules* geworden, was ein weit besserer Name für eine sich unbeholfen fühlende Fünfzehnjährige war, die verzweifelt nach Beachtung lechzte. Die Leute hier hatten keine Ahnung, wie sie normalerweise genannt wurde. Während der ersten Tage im Camp hatten sie kaum von ihr Notiz genommen, obwohl sie, die Neue, natürlich alle genau studiert hatte. In einer neuen Umgebung war es möglich, zu jemand anderem zu werden. *Jules* hatte Ash sie genannt, und sofort folgten ihr alle anderen. Julie war jetzt Jules und würde es immer bleiben.

Jonah Bay zupfte an den Saiten der alten Gitarre seiner Mutter. Susannah Bay hatte in den späten Fünfzigern in diesem Camp Gitarrenunterricht gegeben, bevor ihr Sohn geboren wurde. Seitdem tauchte sie jeden Sommer unverhofft auf, auch nachdem sie berühmt geworden war, und gab ein improvisiertes Konzert. Offenbar würde es in diesem Sommer nicht anders sein. Niemand wusste, wann sie kam, nicht einmal ihr Sohn, aber sie kam. Jonah spielte ein paar vorbereitende Töne, gefolgt von einem raffinierten Zupfen, dabei schien er seinem Tun kaum Beachtung zu schenken. Er gehörte zu den Menschen, deren musikalische Fähigkeiten völlig mühelos und ungezwungen wirkten, wie angeboren.

»Wow«, sagte Jules oder formte das Wort wenigstens mit den Lippen – sie war nicht sicher, ob sie ihm einen Ton verlieh, während sie Jonah zusah. Jules stellte sich vor, dass er in ein paar Jahren so berühmt wie seine Mutter sein würde. Susannah Bay würde ihn in ihre Welt ziehen, ihn auf die Bühne rufen, es war unvermeidlich. Im Moment schien es so, als wollte er eines der Lieder seiner Mutter anstimmen, zum Beispiel *The Wind Will Carry Us*, doch stattdessen spielte er *Amazing Grace* zu Ehren des Mädchens aus der Schule von Goodman und Ash Wolfs Cousine in Pennsylvania, ob es nun existierte oder nicht.

Sie hatten kaum mehr als eine Stunde zusammengesessen, als eine der abendlichen Patrouillen ins Zelt kam, eine kurzhaarige Weblehrerin und Rettungsschwimmerin aus Island namens Gudrun Sigurdsdottir. Gudrun hatte eine klobige, unzerstörbare Stablampe dabei, die aussah, als wäre sie dazu gedacht, beim nächtlichen Eisfischen benutzt zu werden. Gudrun warf einen Blick in die Runde und sagte: »Also dann, meine jungen Freunde, ich stelle fest, dass ihr Pot geraucht habt. Das ist absolut nicht cool, auch wenn ihr es vielleicht annehmt.«

»Sie irren sich, Gudrun«, sagte Goodman. »Das ist nur der Geruch von meinem ›Canoe‹.«

»Wie bitte?«

»Von meinem *Cologne*.«

»Nein, nein. Ich würde sagen, ihr feiert hier eine Pot-Party«, fuhr Gudrun fort.

»Nun«, sagte Goodman. »Richtig ist, dass es eine pflanzliche Komponente gab. Aber jetzt, da Sie uns auf unseren Fehler aufmerksam gemacht haben, wird so etwas nicht wieder vorkommen.«

»Das mag ja so sein, aber ihr verkehrt auch mit dem anderen Geschlecht«, sagte Gudrun.

»Wir *verkehren* nicht«, sagte Cathy Kiplinger, die sich auf dem Bett neben Goodman aufgesetzt hatte. Beiden schien es nichts auszumachen, so nahe beieinander gesehen zu werden.

»Nein? Dann sage mir doch bitte, was ihr hier macht!«

»Wir halten eine Versammlung ab«, sagte Goodman und stützte sich auf einen Ellbogen.

»Ich weiß, wann ich zum Besten gehalten werde«, sagte Gudrun.

»Doch, das stimmt. Wir haben eine Gruppe gebildet, und die wird unser Leben lang bestehen«, sagte Jonah.

»Nun«, sagte Gudrun, »ich möchte nicht, dass ihr nach Hause geschickt werdet, also brecht das jetzt ab. Und ihr Mädchen geht bitte sofort zurück auf eure Seite hinter den Kiefern.«

So traten die drei Mädchen hinaus und ließen das Tipi in einem langsamen, losen Verbund hinter sich, den Strahl ihrer Taschenlampen auf den Weg vor sich gerichtet. Jules lief den Pfad entlang, hörte jemanden »Julie?« sagen, blieb stehen und drehte sich um.

Der Lichtkegel ihrer Lampe fiel auf Ethan Figman, der ihr gefolgt war. »Ich meine, Jules«, sagte er, »ich war nicht sicher, wie du lieber genannt wirst.«

»Jules ist okay.«

»Gut. Also, Jules?« Ethan kam näher und blieb so dicht vor ihr stehen, dass sie das Gefühl hatte, in ihn hineinsehen zu können. Die anderen Mädchen gingen ohne sie weiter. »Bist du nicht mehr ganz so high?«, fragte er.

»Nein, es geht wieder, danke.«

»Es sollte eine Kontrollmöglichkeit dafür geben. Einen Knopf seitlich am Kopf, den man drehen kann.«

»Das wäre gut«, sagte sie.

»Kann ich dir etwas zeigen?«, fragte er.

»Deinen Kopfknopf?«

»Haha. Nein. Komm mit, es geht schnell.«

Sie ließ sich den Hügel hinunter zum Trickfilm-Schuppen führen. Ethan Figman öffnete die unverschlossene Tür. Drinnen roch es nach Plastik, leicht verbrannt, und Ethan schaltete das Neonlicht ein, das den Raum stotternd in seiner ganzen Pracht zeigte. Überall hingen Zeichnungen: Zeugnisse der Arbeit dieses absonderlich begabten Fünfzehnjährigen, und hier und da fiel auch etwas Aufmerksamkeit für die Arbeit der anderen Trickfilmschüler ab.

Ethan fädelte einen Film in einen Projektor und schaltete das Licht aus. »Also«, sagte er, »was ich dir gleich zeige, ist der Inhalt meines Gehirns. Schon als kleines Kind habe ich nachts im Bett gelegen und mir einen Trickfilm vorgestellt, der in meinem Kopf spielt. Die Geschichte ist folgende: Da ist dieser schüchterne kleine Junge namens Wally Figman. Er lebt bei seinen sich ständig streitenden, schrecklichen Eltern, und er hasst sein Leben. Also holt er jeden Abend, wenn er endlich allein in seinem Zimmer ist, einen Schuhkarton unter dem Bett hervor, und in dem ist dieser winzig kleine Planet, eine Parallelwelt namens Figland.« Er sah sie an. »Soll ich weitererzählen?«

»Natürlich«, sagte sie.

»Eines Abends findet Wally Figman heraus, dass er die Fähigkeit besitzt, in den Schuhkarton hineinzuschlüpfen. Sein Körper schrumpft zusammen, und er tritt in die kleine Welt ein, in der er plötzlich kein unscheinbarer Winzling mehr ist, sondern ein erwachsener Mann, der Figland kontrolliert. Im Fighaus – da wohnt der Präsident – sitzt eine korrupte Regierung, und Wally muss das in Ordnung bringen. Oh, und habe ich schon gesagt, dass der Film komisch ist? Es ist eine Komödie. Oder soll wenigstens eine sein. Du verstehst schon, denke ich. Oder vielleicht auch nicht.« Jules wollte antworten, doch Ethan redete nervös immer weiter. »Egal, das ist auf jeden Fall *Figland*, und ich weiß nicht mal, warum ich dir den Film zeigen will, aber ich tu's, und jetzt geht es los«, sagte er. »Ich hatte heute Abend im Tipi die Idee, es könnte die vage Möglichkeit geben, dass du und ich, dass wir etwas gemeinsam haben. Du weißt schon, ein Einfühlungsvermögen, und dass du den Film vielleicht magst. Aber ich warne dich, vielleicht hasst du ihn auch. Sei auf jeden Fall ehrlich. So in der Art«, sagte er mit einem nervösen Lachen.

Auf dem Laken an der Wand leuchtete das helle Rechteck eines Trickfilms auf. FIGLAND stand da zu lesen, und Comicfiguren begannen herumzuhüpfen und zu plappern, und ihre Stimmen klangen alle ein wenig wie die von Ethan. Die Wesen auf dem Planeten Figland waren entweder wurmartig, phallisch oder misstrauisch schielend, auf jeden Fall aber hinreißend, während Ethan selbst im überschüssigen Licht des Projektors anrührend hässlich aussah und die fleckige, raue Haut auf seinem Arm ihren eigenen dermatologischen Cartoon zu tragen schien. Die Wesen auf Figland fuhren Straßenbahn, spielten an Straßenecken Akkordeon, und ein paar brachen ins Figmangate Hotel ein. Die Dialoge waren gleichzeitig böse und witzig. Ethan hatte eine Figland-Ausgabe von Spirit-in-the-Woods geschaffen, mit jüngeren Versionen seiner Personen in einem Sommercamp. Jules sah, wie sie ein Lagerfeuer entzündeten, sich zu zweit davonschlichen, um zu knutschen, und einmal schliefen sogar zwei miteinander. Die buckelnden, ruckenden Bewegungen und der Schweiß, der durch die Luft spritzte und Anstrengung zeigen sollte, waren ihr endlos peinlich, aber die Peinlichkeit wurde gleich von Ehrfurcht überdeckt. Kein Wunder, dass Ethan hier im Camp so geliebt wurde. Er war ein Genie, das sah sie jetzt. Sein Film war faszinierend – sehr schlau und sehr witzig. Dann war er zu Ende, und das Ende der Filmspule schlug gegen das Gehäuse des Projektors.

»Gott, Ethan«, sagte Jules zu ihm, »das ist toll – und irrsinnig witzig.«

Ethan strahlte sie an, offen und unkompliziert. Es war ein bedeutender Augenblick für ihn, aber sie verstand nicht, warum. Unglaublicherweise schien ihm ihre Meinung wichtig zu sein. »Du findest ihn wirklich gut?«, fragte er. »Ich meine, nicht einfach nur technisch gut, weil da gibt es viele. Du solltest nur sehen, was Old Mo Templeton kann. Er ist so eine Art Ehrenmitglied von Disneys ›neun alten Männern‹. Wenn man so will, ist er der zehnte.«

»Das ist wahrscheinlich wirklich dumm von mir«, sagte Jules, »aber ich weiß nicht, was das bedeutet.«

»Oh, das weiß hier keiner. Es gab neun Trickfilmzeichner, die mit Walt Disney die großen Klassiker gemacht haben, Filme wie *Schneewittchen*. Mo kam später dazu, aber er war offenbar bei vielen Sachen dabei. In den Sommern, in denen ich hier war, hat er mir alles beigebracht, und ich meine *alles*.«

»Das sieht man«, sagte Jules. »Ich finde es toll.«

»Die Stimmen sind auch alle von mir«, sagte Ethan.

»Das habe ich gemerkt. Man könnte den Film im Kino zeigen oder im Fernsehen. Er ist wundervoll.«

»Das macht mich so froh«, sagte Ethan. Er stand lächelnd vor ihr, und sie lächelte ebenfalls. »Was soll man da sagen?«, fuhr er mit sanfterer, belegter Stimme fort. »Du findest ihn toll. *Jules Jacobson findet meinen Film toll.*« Und während sie es noch genoss, den fremden Namen laut ausgesprochen zu hören, und während ihr bewusst wurde, dass sie sich damit weit besser fühlte als mit der dummen, alten *Julie Jacobson*, tat Ethan etwas absolut Erstaunliches: Er schob seinen dicken Kopf auf sie zu, drängte mit seinem massigen Körper nach und drückte sich von Kopf bis Fuß an sie. Sein Mund legte sich auf ihren. Sie hatte schon gespürt, dass er nach Pot roch, doch so ganz aus der Nähe war es noch schlimmer, da dünstete er etwas Pilziges, Fiebriges, Überreifes aus.

Sie zuckte mit dem Kopf zurück und sagte: »Moment mal, *was?*« Er hatte sich wahrscheinlich überlegt, dass sie sich irgendwie ähnlich waren: Er war beliebt, aber etwas eklig, sie war noch neu, kraushaarig und unscheinbar, hatte jedoch bereits die Aufmerksamkeit und Zustimmung der anderen erlangt. Sie konnten sich zusammentun, sie konnten sich verbinden. Die Leute würden sie als Paar akzeptieren, es würde sowohl logisch als auch ästhetisch Sinn ergeben. Auch wenn sie ihren Kopf von seinem gelöst hatte, drückte sein Körper immer noch gegen ihren, und er fühlte sich wie ein Klumpen an – »ein Klumpen Kohle«, könnte sie den anderen Mädchen in ihrem Tipi sagen und sie so zum Lachen bringen. »Es war ähnlich wie … Wie heißt das Gedicht aus der Schule noch? *Meine letzte Herzogin?*«, würde sie sagen, um so auch gleich etwas Wissen zu demonstrieren. »Es war wie *Mein erster Penis.*« Jules wich einige Zentimeter von Ethan zurück, sodass sie sich nicht mehr berührten. »Es tut mir wirklich leid«, sagte sie. Ihr Gesicht glühte. Es musste an etlichen Stellen rot geworden sein.

»Ach, vergiss es«, sagte Ethan mit heiserer Stimme, und sie sah, wie sich sein Ausdruck änderte, als hätte er kurzerhand beschlossen, in seinen Selbstschutz-Ironie-Modus zu schalten. »Dir muss nichts leidtun. Ich denke, ich finde schon einen Weg, mit meinem Leben klarzukommen. Einen Weg, mich nicht gleich umzubringen, weil du nicht mit mir rumknutschen wolltest, Jules.« Sie sagte nichts, sondern sah hinunter auf ihre gelben Clogs auf dem staubigen Schuppenboden. Eine Sekunde lang dachte sie, er würde sich wütend abwenden und sie dort stehen lassen und dass sie dann allein durch das Wäldchen zurückmüsste. Jules sah sich über herausstehende Baumwurzeln stolpern, und am Ende würde Gudrun Sigurdsdottir mit ihrer schweren Stablampe nach ihr suchen und sie finden, wie sie zitternd an einen Baum gelehnt dahockte. Aber Ethan sagte: »Ich will deswegen kein Theater machen. Ich meine, seit Anbeginn der Zeit sind Leute von anderen zurückgewiesen worden.«

»Ich habe noch nie im Leben jemanden zurückgewiesen«, sagte Jules mit fester Stimme. »Obwohl«, fügte sie hinzu, »ich so was auch noch nie jemandem erlaubt habe. Was ich meine, ist, ich war noch nie in so einer Situation.«

»Oh«, sagte er. Er stapfte neben ihr den Hügel hinauf. Oben angekommen, wandte er sich ihr zu, und sie rechnete mit einer sarkastischen Bemerkung, doch er sagte nur: »Vielleicht liegt es gar nicht an mir, dass du es nicht mit mir tun willst.«

»Wie meinst du das?«

»Du sagst, du hast noch nie jemanden zurückgewiesen oder es einem erlaubt«, sagte er. »Du bist also völlig unerfahren und deshalb vielleicht nur nervös. Deine Nervosität könnte deine wirklichen Gefühle verbergen.«

»Glaubst du das?«, fragte sie zweifelnd.

»Es könnte sein. Das geht Mädchen manchmal so«, sagte er übertrieben erfahren. »Ich mache dir einen Vorschlag.« Jules wartete. »Überleg es dir noch einmal«, sagte Ethan. »Verbring mehr Zeit mit mir, und wir sehen, was geschieht.«

Es war eine vernünftige Bitte. Sie konnte mehr Zeit mit Ethan Figman verbringen und mit dem Gedanken spielen, Teil eines Paares zu werden. Ethan war etwas Besonderes, und ihr gefiel es, dass er sie ausgesucht hatte. Er war ein Genie, und das zählte bei ihr eine ganze Menge, wie sie begriff. »Also gut«, sagte sie schließlich.

»Danke«, sagte Ethan und fügte fröhlich hinzu: »Fortsetzung folgt.«

Er brachte sie bis zu ihrem Zelt. Jules ging hinein, stand da und machte sich bettfertig. Sie zog ihr T-Shirt aus und öffnete den BH. Auf der anderen Seite des Tipis lag Ash Wolf bereits im Bett. Ihr Schlafsack war mit rotem Flanell gefüttert und mit lassoschwingenden Cowboys bedruckt. Jules nahm an, dass er einmal ihrem Bruder gehört hatte.

»Wo warst du noch?«, fragte Ash.

»Oh, Ethan Figman wollte mir einen seiner Filme zeigen. Und dann haben wir angefangen zu reden, und es wurde ... Es ist schwer zu erklären.«

Ash sagte: »Das klingt ja geheimnisvoll.«

»Nein, es war nichts«, sagte Jules. »Ich meine, es war was, aber es war merkwürdig.«

»Ich weiß, wie sie sind«, sagte Ash.

»Wer?«

»Diese merkwürdigen Momente. Das Leben ist voll von ihnen«, sagte Ash.

»Wie meinst du das?«

»Nun«, sagte Ash, stand auf und setzte sich neben Jules. »Ich habe immer das Gefühl gehabt, dass man sich während seines ganzen Lebens auf die großen Momente vorbereitet, verstehst du? Aber wenn sie dann da sind, fühlt man sich manchmal total unvorbereitet, oder sie sind nicht so, wie man gedacht hat. Und das ist es, was sie merkwürdig macht. Die Wirklichkeit ist ganz anders als die Fantasie.«

»Das stimmt«, sagte Jules. »Genau so ging es mir eben.« Überrascht sah sie das hübsche Mädchen neben sich an. Es schien, dass

Ash sie verstand, dabei hatte Jules ihr gar nichts erzählt. Der ganze Abend bekam eine außergewöhnliche Bedeutung – oder viele verschiedene außergewöhnliche Bedeutungen.

Ein erster Kuss, hatte Jules gedacht, sollte einen wie ein Magnet mit der anderen Person verbinden, und Magnet und Metall sollten in einem zischenden Gebräu aus Silber und Rot verschmelzen. Der Kuss eben hatte nichts dergleichen getan. Jules hätte Ash gern alles darüber erzählt, und sie begriff, dass so eine Freundschaft begann: Eine Person gesteht einen Moment der Merkwürdigkeit, und die andere Person beschließt, zuzuhören und die Situation nicht auszunutzen. Jules und Ash wurden Freunde. Sie sprachen auf diese indirekte Weise miteinander über sich selbst, und dann versuchte Ash, sich an einem Mückenstich auf ihrem Schulterblatt zu kratzen, kam aber kaum heran und bat Jules, etwas Galmei-Lotion daraufzustreichen. Ash zog sich den Ausschnitt ihres Nachthemds herunter, und Jules tupfte etwas von der hellrosa Flüssigkeit auf den Stich. Sie roch wie nichts sonst, appetitlich und penetrant zugleich.

»Warum, glaubst du, riecht dieses Galmei-Zeugs so?«, fragte Jules. »Meinst du, es riecht wirklich so, oder haben den Geruch nur ein paar Chemiker in einem Labor zufällig für die Tinktur ausgesucht, und jetzt denken alle, so riecht Galmei nun mal?«

»Keine Ahnung«, sagte Ash.

»Vielleicht ist es wie mit Ananasbonbons«, sagte Jules.

»Wovon redest du?«

»Na ja, die schmecken überhaupt nicht nach Ananas, aber wir haben uns so an sie gewöhnt, dass wir denken, so schmeckt Ananas, verstehst du? Und an richtige Ananas denkt kein Mensch mehr. Höchstens vielleicht noch auf Hawaii.« Sie machte eine Pause und sagte: »Ich würde irrsinnig gerne mal Poi probieren. Schon seit ich in der vierten Klasse zum ersten Mal davon gehört habe. Man isst es mit den Händen.«

Ash sah sie an und begann zu lächeln. »Das sind seltsame Überlegungen, Jules«, sagte sie. »Aber auf eine gute Weise. Du bist witzig«, fügte sie nachdenklich gähnend hinzu. »Alle haben das heute Abend gedacht.« Jules' Witzigkeit schien Ash Wolf entgegenzukommen. Es war genau das, was sie, neben der Galmei-Lotion, von Jules brauchte. In Ashs Familie und Welt war alles perfekt und glatt, und hier gab es ein witziges Mädchen, das in seiner Unbeholfenheit und Eifrigkeit amüsant, tröstend und wirklich rührend war. Die anderen Mädchen im Tipi führten ihre eigenen Gespräche, gleich neben ihnen, doch Jules hörte kaum, was sie sagten. Sie waren nichts als ein Hintergrundgeräusch, das wahre Drama spielte sich zwischen ihr und Ash Wolf ab. »Du schaffst es noch, dass ich vor Lachen durchdrehe«, sagte Ash. »Aber versprich mir, dass du mich nicht zum Durchdrehen bringst.« Jules wusste nicht, was sie meinte, doch dann begriff sie: Ash hatte ihrerseits einen Witz machen wollen, ein Wortspiel. »Ich meine ... mach mich nicht wahnsinnig«, erklärte Ash, und Jules lächelte höflich und versprach, das werde sie nicht.

Jules dachte an die Mädchen, mit denen sie zu Hause befreundet war, an ihre Milde, ihre Treue. Sie sah sie vor sich, wie sie in der Schule zu ihren Spinden gingen, das Haar trugen sie mit Spangen gebändigt oder in wilden Dauerwellen, ihre Cordjeans machten beim Gehen ein leise reibendes Geräusch. Sie sah sie alle vor sich, unbemerkt und unsichtbar. Es war, als verabschiedete sie sich von diesen Mädchen hier in diesem Zelt mit Ash Wolf auf ihrem Bett.

Der Beginn ihrer Freundschaft wurde kurz von Cathy Kiplinger unterbrochen, die ins Tipi kam, ihren großen, komplizierten BH auszog und ihre beiden Frauenbrüste befreite. Jules dachte, dass diese Kugeln genauso wenig in dieses konisch geformte Tipi passten wie ein eckiger Pflock in ein rundes Loch. Jules wünschte, dass Cathy nicht hier bei ihnen wäre und auch Jane Zell nicht und die düster dreinblickende Nancy Mangiari, die manchmal Cello spielte, als wäre sie auf einer Kinderbeerdigung.

Wäre sie allein mit Ash hier zusammen gewesen, hätte sie ihr alles erzählt. Aber sie waren von den anderen umgeben, und jetzt reichte Cathy Kiplinger in ihrem langen rosa T-Shirt einen Heidelbeerkuchen herum, den sie nachmittags in der Bäckerei im Ort gekauft hatte, und dazu eine verbogene Gabel aus dem Speisesaal. Jemand – war es die stille Nancy oder vielleicht Cathy? – sagte: »Gott, der schmeckt wie Sex!«, und alle lachten, auch Jules, die sich fragte, ob Sex, wenn er wirklich gut war, tatsächlich ein Genuss wie ein Heidelbeerkuchen war, so klebrig und so weich.

Das Thema Ethan Figman war damit für den Abend gestorben. Der Kuchen machte ein paarmal die Runde, alle bekamen blaue Lippen, wie ein eigener Stamm, und dann legten sie sich in ihre Betten, und Jane Zell erzählte ihnen von ihrer Zwillingsschwester, die unter einer furchterregenden neurologischen Störung litt und sich manchmal wieder und wieder ins Gesicht schlug.

»O mein Gott«, sagte Jules, »wie schrecklich!«

»Sie sitzt völlig ruhig da«, sagte Jane, »und plötzlich fängt sie an, sich zu ohrfeigen. Wo immer wir hingehen, macht sie eine Szene, und die Leute flippen aus, wenn sie es sehen. Es ist fürchterlich, aber ich habe mich daran gewöhnt.«

»Man gewöhnt sich an alles«, sagte Cathy, und die anderen stimmten ihr zu. »Ich zum Beispiel tanze«, fuhr Cathy fort, »aber ich habe diese riesigen Brüste. Es ist, als trüge ich Postsäcke mit mir herum. Aber was soll ich machen? Ich will trotzdem tanzen.«

»Und du solltest tun, was du willst«, sagte Jules. »Wir alle sollten in unserem Leben versuchen zu tun, was wir wollen«, fügte sie mit plötzlicher, unerwarteter Überzeugung hinzu. »Ich meine, wozu sonst der ganze Aufwand?«

»Nancy, warum holst du nicht dein Cello und spielst uns etwas vor?«, sagte Ash. »Etwas mit Atmosphäre. Etwas Stimmungsvolles.«

Obwohl es bereits spät war, holte Nancy ihr Cello aus der Gepäckecke, setzte sich mit weit geöffneten Beinen aufs Bett und spielte voller Konzentration den ersten Satz einer Cello-Suite von Benjamin Britten. Cathy kletterte auf eine Truhe, den Kopf gefährlich nahe an der schrägen Decke, und begann, sich mit den langsamen, freien Bewegungen einer Go-go-Tänzerin in einem Käfig zu winden. »So mögen es die Jungs«, sagte Cathy selbstbewusst. »Sie wollen sehen, wie du dich bewegst. Sie wollen deine Brüste hin und her schwingen sehen, als könntest du sie damit vor den Kopf schlagen und ausknocken. Sie wollen, dass du dich verhältst, als hättest du *Macht*, obwohl du weißt, dass sie gewinnen würden, wenn es zum Kampf käme. Sie sind so durchschaubar, du musst nur ein bisschen mit den Hüften wackeln, dich im richtigen Rhythmus wiegen, und schon hast du sie in der Hand. Dann sind sie wie Zeichentrickfiguren, denen die Augäpfel an Federn aus dem Kopf springen. So wie bei Ethans Filmhelden.« Wie eine Schlange bewegte sich ihr Körper unter dem rosa T-Shirt, und hin und wieder schob sich der Stoff so hoch, dass eine Andeutung von Schamhaardunkelheit sichtbar wurde.

»Wir sind das Moderne-Musik-und-Porno-Tipi!«, rief Nancy begeistert. »Ein Rundum-Service-Tipi, das die künstlerischen und die perversen Bedürfnisse jedes Mannes befriedigt!«

Die Mädchen waren in Hochstimmung, überdreht. Die schlichte Musik und das Lachen trieben aus dem Zelt und wanden sich zwischen den Bäumen hindurch hinüber zu den Jungen, eine Nachricht in der Dunkelheit, vor der Nachtruhe. Jules überlegte, dass sie nichts mit Ethan Figman gemeinsam hatte. Aber sie war auch nicht wie Ash Wolf. Sie existierte irgendwo auf der Achse zwischen Ethan und Ash, weniger widerwärtig, aber auch weniger begehrenswert – weder von der einen noch von der anderen Seite vereinnahmt. Es war richtig gewesen, sich nicht auf Ethans Seite zu schlagen, einfach nur, weil er es wollte. Wie er gesagt hatte: Ihr musste nichts leidtun.

Während der nächsten paar Wochen des zweimonatigen Camps verbrachten Ethan und Jules viel Zeit miteinander. Wenn sie nicht mit Ash zusammen war, dann mit ihm. Einmal saßen sie im abendlichen Dämmerlicht am Swimmingpool, um den Kamin des großen grauen Hauses der Wunderlichs auf der anderen Seite der Straße schwirrten Fledermäuse, und sie erzählte ihm vom Tod ihres Vaters. »Wow, erst zweiundvierzig war er?«, fragte Ethan und schüttelte den Kopf. »Himmel, Jules, das ist noch so jung, und es ist so traurig, dass du ihn nie wiedersehen wirst. Er war dein *Dad*. Wahrscheinlich hat er dir all die kleinen Liedchen vorgesungen, oder?«

»Nein«, sagte Jules und ließ die Finger durchs kalte Wasser fahren. Aber da erinnerte sie sich plötzlich, dass ihr Vater doch einmal ein Lied für sie gesungen hatte. »Halt«, sagte sie überrascht. »Einmal schon. Ein Volkslied.«

»Welches?«

Sie begann, mit unsicherer Stimme zu singen:

»Just a little rain falling all around,
The grass lifts its head to the heavenly sound,
Just a little rain, just a little rain,
What have they done to the rain?«

Sie hielt unvermittelt inne. »Sing weiter«, sagte Ethan, und Jules fuhr verlegen fort:

»Just a little boy standing in the rain,
The gentle rain that falls for years.
And the grass is gone,
The boy disappears,
And rain keeps falling like helpless tears,
And what have they done to the rain?«

Als sie fertig war, sah Ethan sie immer noch an. »Das schafft mich«, sagte er. »Deine Stimme, der Text, alles zusammen. Du weißt, worum es in dem Lied geht, oder?«

»Um den sauren Regen, denke ich«, sagte sie.

Er schüttelte den Kopf. »Atomversuche.«

»Weißt du eigentlich alles?«

Er zuckte erfreut mit den Schultern. »Ach«, sagte er, »ich kenne das Lied aus der Zeit, als es herauskam. Da war Kennedy Präsident, und die Regierung hat all die überirdischen Atomversuche gemacht. Dadurch kam Strontium 90 in die Atmosphäre, und der Regen hat es auf die Erde gespült, wo es ins Gras drang und von den Kühen gefressen wurde, und die haben Milch gegeben, die von Kindern getrunken wurde. Von kleinen radioaktiven Kindern. Es war ein Protestlied. War dein Dad politisch engagiert? Ein Linker?«, fragte er. »Das ist ziemlich cool. Mein Dad ist ein verbitterter Trauerkloß, seit meine Mom ihn verlassen hat. Du weißt doch, die Kämpfe zwischen Wally Figmans Eltern in meinem Zeichentrickfilm? Das Schreien und Jammern? Ich denke, du kannst dir vorstellen, woher ich meine Ideen habe.«

»Mein Vater war nicht politisch«, sagte Jules. »Und er war bestimmt kein Linker, wenigstens kein engagierter. Ich meine, er war Demokrat, aber sicher kein radikaler«, sagte sie und musste über die Absurdität der Vorstellung lachen. Doch dann brach sie ab und dachte, dass sie ihren Vater gar nicht so gut gekannt hatte. Warren Jacobson war ein ruhiger Mann gewesen, seit zehn Jahren bei Clelland Aerospace angestellt. Einmal hatte er seinen Töchtern, ohne dass sie gefragt hatten, erklärt: »Meine Arbeit, das bin nicht ich.« Jules hatte jedoch nicht nachgehakt und gefragt, was er damit meinte. Sie hatte ihn so gut wie nie nach etwas über sich gefragt. Er war dünn und blond gewesen, hatte seine Last getragen, und dann war er mit zweiundvierzig gestorben. Der Gedanke, dass sie ihn nie richtig würde kennenlernen können, wühlte sie auf, und dann weinten sie, Jules und Ethan, gemeinsam, was zu unvermeidlichem Küssen führte, das diesmal längst nicht so schlimm war, schließlich schmeckten beide gleichermaßen nach Rotz und Wasser, und es kümmerte Jules nicht, dass sie keine Erregung verspürte. Sie war einfach nur verzweifelt, weil ihr Vater tot war. Ethan ahnte, dass das genau die Art Vorspiel war, die Jules Jacobson brauchte.

So ging es weiter mit ihnen, und Jules rechnete damit, dass es noch mehr solche Momente geben würde. Jules' Leben veränderte sich im Camp schnell, wie in einem Daumenkino ging es voran. Sie war ein Niemand gewesen, und jetzt gehörte sie fest zu diesem Freundeskreis und wurde für ihren bis dahin unbekannten verschlagenen Humor bewundert. Jules war interessant, war Ashs dicke Freundin, und Ethan betete sie an. Zudem war sie mit ihrer Ankunft zu einer Schauspielerin geworden, hatte sich in Stücken versucht und Rollen übernommen. Dabei hatte sie erst nicht einmal vorsprechen wollen. »Ich bin auch nicht annähernd so gut wie du«, sagte sie zu Ash, aber Ash erwiderte: »Du weißt doch, wie du bist, wenn wir alle zusammen sind? Wie toll das ist? Sei auf der Bühne einfach genauso. Komm aus dir heraus. Du hast nichts zu verlieren, Jules. Ich meine, wenn nicht jetzt, wann denn dann?«

Die Theatergruppe würde Edward Albees *Der Sandkasten* aufführen, und Jules bekam die Rolle der Grandma. Sie spielte sie als uraltes, aber lebendiges Weib und sprach mit einer Stimme, die sie neu in sich entdeckt hatte. Ethan erteilte ihr Sprechunterricht und erklärte ihr, wie er die Stimmen für *Figland* geschaffen hatte. »Du musst genau so sprechen, wie du es in deinem Kopf hörst«, sagte er. Sie hatte noch nie eine Frau getroffen, die so alt war wie die Grandma, die sie spielte. In der Vorstellung wurde sie von zwei Schauspielern auf die Bühne getragen und sanft abgesetzt, und noch bevor sie ein Wort sagte, fing das Publikum an zu lachen, allein wegen ein paar wiederkäuender Bewegungen. Das Lachen rief neues Lachen hervor, sodass einige der Zuschauer bei ihrem ersten Satz laut losprusteten, darunter eine leicht erregbare Kursleiterin, die förmlich schrie. Jules sei ein *Kracher*, sagten alle, als es vorüber war. Ein absoluter Kracher.

Das Lachen verzauberte sie dieses und jedes nachfolgende Mal. Es machte sie stärker, ernster, entschlossener, sie verzog keine Miene. Später dachte Jules, dass dieses prustende, anerkennende Lachen sie von dem traurigen Jahr geheilt hatte, das hinter ihr lag. Aber nicht allein das Lachen hatte sie geheilt, es war das ganze Camp, als wäre es eines jener alten europäischen Kurbäder.

Eines Abends sollten alle auf dem großen Rasen zusammenkommen, weitere Informationen dazu gab es nicht. »Ich wette, die Wunderlichs werden verkünden, dass es zu einem Syphilis-Ausbruch gekommen ist«, sagte jemand.

»Oder vielleicht ist es wegen Mama Cass«, meinte jemand anderes. Cass Elliot, die Sängerin von The Mamas and the Papas, war ein paar Tage zuvor gestorben, offenbar war sie an einem Schinkensandwich erstickt. Das mit dem Schinkensandwich sollte sich als Gerücht erweisen, gestorben war sie jedoch tatsächlich.

»Wann geht es denn endlich los? Die Eingeborenen werden unruhig«, sagte Jonah, während sie warteten.

Ethan und Jules saßen zusammen auf einer Decke. Er legte den Kopf an ihre Schulter und war neugierig, wie sie reagieren würde. Zunächst reagierte sie gar nicht. Daraufhin legte er den Kopf in ihren Schoß, machte es sich bequem und sah in den dunkler werdenden Himmel und zu den im Wind ruckenden, zwischen den Bäumen aufgehängten japanischen Lampions hinauf. Wie auf ein Stichwort begann Jules über seinen Lockenkopf zu streichen, und bei jedem neuen Mal schloss er glücklich die Augen.

Manny Wunderlich trat vor die Versammlung und sagte: »Hallo, hallo! Ich weiß, ihr fragt euch, was eigentlich los ist, und so halte ich mich nicht lange mit großen Vorreden auf, sondern stelle euch unseren ganz besonderen Überraschungsgast vor.«

»Seht doch«, sagte Ash ein Stück neben ihnen. Jules reckte ihren Kopf, damit sie zwischen den Leuten vor ihr hindurchsehen konnte, und sah eine Frau in einem abendroten Poncho mit einer Gitarre um den Hals über den Rasen kommen, um ihren Platz auf dem Podium einzunehmen. Es war Jonahs Mutter, die Folksängerin Susannah Bay! Sie war auf eine Art schön, wie nur wenige Mütter schön waren, mit langem, glattem schwarzem Haar, das genaue Gegenteil von Jules' Mutter mit ihrem Topfschnitt und den Polyester-Hosenanzügen. Die Leute applaudierten.

»Einen guten Abend, Spirit-in-the-Woods!«, sagte die Folksängerin ins Mikrofon, als sich alle beruhigt hatten. »Habt ihr einen guten Sommer?« Eine Reihe bestätigender Rufe waren zu hören. »Glaubt mir, ich weiß, das hier ist der beste Ort auf der Welt. Ich habe selbst ein paar Sommer hier verbracht. Nichts ist dem Himmel so nahe wie dieser kleine Fleck Erde.« Dann schlug sie laut ihre Gitarre an und begann zu singen. Ihre Stimme war live genauso kräftig wie auf ihren Platten, und sie sang einige Lieder, die alle kannten, dazu ein paar Folksong-Klassiker, bei denen das Publikum mitsingen sollte. Vor ihrem letzten Lied sagte sie: »Ich habe heute Abend einen alten Freund mitgebracht, der gerade in der Gegend war, und ich möchte ihn einladen, zu mir auf die Bühne zu steigen. Barry, würdest du bitte kommen? Barry Claimes, liebe Leute!«

Unter Applaus trat der terrierbärtige Folksänger Barry Claimes, ehedem Mitglied des Sechzigerjahre-Trios The Whistlers und im Sommer 1966 zufällig kurz der Freund von Susannah Bay, mit einem Banjo um den Hals aufs Podium zu ihr. »Hallo, Lads und Ladies!«, rief er der Menge entgegen. Die Whistlers hatten bei ihren Konzerten und auf den Plattencovern immer Rollis und Mützen getragen, aber Barry hatte mit Beginn seiner Solokarriere 1971 damit aufgehört. Er trug ein weiches, kariertes Hemd, das ihn wie eine Art Bergsteiger aussehen ließ, schob sich sein gewelltes braunes Haar hinter die Ohren, winkte den Camp-Bewohnern freundlich zu und fing an, Banjo zu spielen. Susannah stimmte auf der Gitarre mit ein. Die beiden Instrumente kamen zusammen und zogen sich verschämt wieder zurück, kamen erneut zusammen und intonierten schließlich das Vorspiel zu Susannahs Erkennungslied. Erst leise, dann kräftiger begann sie zu singen:

»Ich wandere durchs Tal, ich wandere durchs Grün
Und versuche zu verstehen, warum ich dir nicht genüge.
Wolltest du mich so, wie sie war?
Wohnt allein das in deinem Herzen?
Ich bete, dass der Wind uns ...
Dass der Wind uns ... auseinanderträgt ...«

Nach der sehr gefühlvollen und herzlich aufgenommenen Vorstellung standen alle herum und tranken rosa Punsch aus einem großen Metallbottich. Winzige Fruchtfliegen schwirrten über die Oberfläche des Punsches, all das andere Ungeziefer war in der hereinbrechenden Dunkelheit nicht zu sehen. Die Menge der Insekten in diesem Sommer war gewaltig: Sie fanden sich in Punschschüsseln und Salaten und ließen sich sogar von den mit offenem Mund Schlafenden verschlingen. Susannah Bay und Barry Claimes mischten sich unter ihr Teenager-Publikum. Die beiden alten Freunde und Exgeliebten wirkten glücklich, leicht erhitzt, natürlich – altehrwürdige Gestalten einer Gegenkultur, denen mit Wertschätzung begegnet wurde.

»Wo ist Jonah?«, fragte jemand. Ein Mädchen sagte, es habe gehört, dass er während der Vorstellung zurück ins Tipi gegangen sei und über Übelkeit geklagt habe. Einige Leute sagten, es sei zu schade, dass er sich ausgerechnet in dieser Nacht der Nächte nicht wohlfühle. Wenn man Susannah sah, war klar, woher Jonah sein gutes Aussehen hatte, auch wenn es in seiner jungenhaften Form noch zögernd und bescheiden wirkte.

Jules war ganz aufgeregt und steif, so nahe bei Jonahs Mutter. »Ich war noch nie in der Nähe einer solchen Berühmtheit«, flüsterte sie Ethan zu. Es war ihr klar, dass sie wie eine Landpomeranze klang, aber es war ihr egal. In Ethans Gegenwart fühlte sie sich entspannt, genau wie mit Ash. Es erschreckte sie immer noch, dass dieses hübsche, zarte, weltkluge Mädchen aus ihrem Tipi so viel Zeit mit ihr verbrachte, aber ihre Freundschaft war unbestreitbar völlig unkompliziert, offen und real. Abends vor dem Schlafengehen setzte sich Ash zu Jules aufs Bett, und Jules brachte sie zum Lachen, hörte ihr aber auch zu. Ash war aufmerksam, stand ihr bei einer Reihe von Dingen mit Rat zur Seite und war nie rechthaberisch. Manchmal flüsterten sie noch so lange, nachdem das Licht ausgegangen war, miteinander, dass die anderen Mädchen sich beschwerten.

Ethan schlürfte seinen Punsch, als wäre es Brandy in einem Brandyglas, warf den Pappbecher anschließend in einen Mülleimer und legte Jules den Arm um die Schultern. »Wenn Susannah singt, ›dass der Wind uns auseinanderträgt‹, ist das ungeheuer traurig«, murmelte er.

»Das ist es wirklich.«

»Es lässt mich an Leute denken, die einander ihre Leben widmen, und dann geht einer von ihnen oder stirbt.«

»So habe ich das noch gar nicht gesehen«, sagte Jules, die den Text an dieser Stelle nie richtig verstanden hatte, besonders nicht, wie ein einzelner Wind zwei Leute auseinandertragen konnte. »Ich weiß, es mag kleinlich klingen, aber würde der Wind sie nicht *zusammentragen*?«, fragte sie. »Ich meine, *ein* Windstoß, der bläst doch nur in eine Richtung, oder?«

»Hmm. Lass mich nachdenken.« Ethan zog kurz die Stirn kraus. »Ja, du hast recht. Es ergibt keinen Sinn. Trotzdem ist es sehr melancholisch.«

Er war düster gestimmt, sah sie an und fragte sich, ob seine

Melancholie dazu führen würde, dass sie ihm erneut entgegenkam. Als er sie Augenblicke später – sie standen etwas von den anderen abgewandt – küsste, wies sie ihn nicht zurück. Er war auf alles vorbereitet, wie ein Arzt, der seiner Patientin ein wenig von einem Allergen verabreichte und auf eine Reaktion wartete. Er schlang die Arme um sie, und Jules wollte sich dazu zwingen, ihn als ihren Liebsten zu akzeptieren, denn er war klug und witzig und würde immer gut zu ihr sein, immer leidenschaftlich. Aber ihren Gefühlen nach war er nur ihr Freund, ihr wundervoller, begabter Freund. Sie gab sich solche Mühe, seine Gefühle zu erwidern, wusste jedoch, dass es wohl nie so weit kommen würde. »Ich kann es nicht immer wieder versuchen«, brach es aus ihr hervor. »Es ist zu schwer, und ich will es nicht.«

»Du weißt nicht, was du willst«, sagte Ethan. »Du bist verwirrt, Jules. Du hattest dieses Jahr einen großen Verlust zu verkraften, und es kommt immer noch in Phasen – Elisabeth Kübler-Ross und so weiter.« Er grinste und fügte hinzu: »Die hat auch einen Umlaut.«

»Das hat nichts mit meinem Vater zu tun, okay, Ethan?«, sagte Jules etwas zu laut, und ein paar Leute sahen neugierig zu ihnen herüber.

»Okay«, sagte Ethan. »Ich kapier's schon.«

In diesem Moment platzte Goodman Wolf ins Licht der Lampions, zusammen mit einem Mädchen aus dem Töpferkurs, dem Schmollmund aus Mädchen-Tipi vier, die immer Ton unter den Fingernägeln hatte. Die beiden blieben am Rand des Kreises stehen, das Mädchen hob den Kopf seinem entgegen, Goodman beugte sich hinab, und dann küssten sie sich, die Gesichter dramatisch erleuchtet. Jules sah, wie sich Goodmans Mund von ihrem löste, mit einem Film ihres farblosen Lipglosses auf seinen Lippen, wie Butter, wie eine Auszeichnung. Jules hätte schwören können, es zu erkennen, auch aus der Entfernung. Sie stellte sich vor, Ethans Gesicht und Körperteile mit denen Goodmans zu vertauschen. Sie stellte sich sogar vor, sich mit Goodman auf eine rohe, geschmacklose *Figland*-Weise zu erniedrigen, und sah die Schweißtropfen von ihren miteinander verbundenen, plötzlich nackten Körpern fliegen. Der Gedanke überschwemmte sie mit Gefühlen, dem Licht aus Ethans Projektor gleich. Gefühle konnten einen mit solch einer Kraft überkommen, das hatte sie hier schon gelernt. Nein, sie würde niemals Ethans Freundin sein können, und es war richtig, dass sie ihm gesagt hatte, sie werde es nicht länger versuchen. Natürlich wäre es aufregend, Goodman Wolfs Freundin zu sein, doch auch dazu würde es nie kommen. Es würde in diesem Sommer zu keinen Paarbildungen in ihrem Kreis kommen, keinen leidenschaftlichen Teilmengen, und wenn das in mancher Hinsicht auch traurig war, war es andererseits doch solch eine Erleichterung, denn so konnten sie jetzt in ihr Jungen-Tipi zurückkehren, zu sechst, und ihre Plätze in ihrem vollkommenen, unbeschädigten, lebenslangen Kreis einnehmen. Das ganze Tipi würde beben, als könnte ihre Art von Ironie, als könnten ihre Gespräche und ihre Freundschaft das kleine hölzerne Gebäude vom Boden lösen und abheben lassen.

Zwei

Talent und Begabung, diese schwer fassbaren Dinge, waren seit über einem halben Jahrhundert immer wieder Thema am Essenstisch von Edie und Manny Wunderlich. Sie bekamen nie genug davon, und hätte jemand die Wortfrequenzen in den Gesprächen dieses mittlerweile älteren Paares gemessen, wäre ihm aufgefallen, dass »Talent« und »Begabung« regelmäßig darin auftauchten. Obwohl sie, wie Manny Wunderlich dachte, als er außerhalb der Camp-Saison im nicht ausreichend geheizten Wohnzimmer des großen grauen Hauses saß, obwohl sie mitunter eigentlich »Erfolg« meinten.

»Sie war so ein Talent«, sagte seine Frau, als sie ihm einen Löffel Kartoffelbrei auf den Teller gab und mit dem Löffel aufs Porzellan schlug, damit sich der Brei löste, der offenbar nicht auf den Teller wollte. Als sie sich 1946 in Greenwich Village auf einer Party kennengelernt hatten, war sie Tänzerin in einer Modern-Dance-Truppe gewesen und nur mit einem Laken bekleidet durch ihr Schlafzimmer in der Perry Street gesprungen, eine Efeuranke ins Haar geflochten. Im Bett kratzten ihre schwieligen Füße über seine Beine. Edie war eine prachtvolle junge Avantgarde-Frau, was damals noch eine Vollzeitbeschäftigung sein konnte, in der Ehe legte sich ihre Wildheit dann aber. Und zu Mannys großer Enttäuschung wuchsen ihre hausfraulichen Fähigkeiten nicht in dem Maße an, wie ihre sexuellen und künstlerischen zurückgingen. Edie erwies sich als fürchterliche Köchin, und während ihres ganzen Lebens war das von ihr Gekochte oft das reine Gift. Als sie Spirit-in-the-Woods 1952 eröffneten, wussten beide, dass eine Voraussetzung für das Gelingen ihres Unternehmens darin bestand, einen ausgezeichneten Koch zu finden. Wenn das Essen nicht gut war, würde niemand kommen wollen. Edies schüchterne Cousine zweiten Grades, Ida Steinberg, eine Überlebende »jener anderen Art von Camp«, wie jemand geschmackloserweise gesagt hatte, wurde angeheuert, und im Sommer aßen die Wunderlichs königlich. Aber während des übrigen Jahres, wenn Ida nur bei besonderen Veranstaltungen gelegentlich zum Löffel griff, lebten sie wie zwei Leute in einem Gulag: von klebrigen Eintöpfen und Kartoffeln in verschiedenen Darreichungsformen. Das Essen war schlecht, die Unterhaltung jedoch immer angeregt, wenn sie dasaßen und an die vielen jungen Menschen dachten, die über die Jahre durch das steinerne Tor gekommen waren und in ihren Tipis geschlafen hatten.

Zuletzt, als sich das Jahr 2009 näherte, konnten sie sich nicht mehr an alle erinnern, nicht einmal an die meisten von ihnen, doch einige glänzten immer noch in der Düsternis der wunderlichschen Erinnerung.

Manny hatte die Camp-Bewohner über die Jahrzehnte unbewusst in Kategorien eingeordnet. Er brauchte nur einen Namen, und schon begannen der Denkprozess und die Klassifizierung. »W*er* war solch ein Talent?«, fragte er.

»Mona Vandersteen. Du erinnerst dich an sie. Sie war drei Sommer über hier.«

Mona Vandersteen? *Tanz*, dachte er plötzlich. »Tanz?«, fragte er vorsichtig.

Seine Frau sah ihn mit zusammengezogenen Brauen an. Ihr Haar war so weiß wie seines und seine außer Kontrolle geratenen Augenbrauen, und er konnte nicht glauben, dass dieses dicke, zähe alte Huhn das Mädchen war, das ihn kurz nach dem Zweiten Weltkrieg in der Perry Street so geliebt hatte wie niemand sonst. Das Mädchen, das auf dem Bett mit dem eisernen weißen Kopfteil gesessen und ihre Schamlippen für ihn geöffnet hatte. So etwas hatte er noch nie gesehen, und seine Knie hätten ihm beinahe den Dienst versagt. Sie saß da, schob die Lippen wie zwei kleine Vorhänge auseinander und lächelte ihn an, als wäre es das Natürlichste auf der Welt. Er starrte sie an, und sie sagte: »Na, komm schon!«, ohne jede Spur von Schüchternheit.

Wie ein Riese hatte Manny den Raum mit einem großen Schritt durchmessen und sich auf sie geworfen. Seine Hände wollten sie noch weiter öffnen, sie zerteilen und gleichzeitig besitzen – widersprüchliche Ziele, die während der nachfolgenden Stunde im Bett miteinander versöhnt wurden. Sie umfasste den Rahmen des Kopfteils und öffnete und schloss die Beine um ihn. Er dachte, sie könnte ihn töten, zufällig oder mit Absicht. An jenem Tag und noch lange danach war sie wild, aber am Ende ließ die Wildheit nach.

Das Einzige, was von diesem leichten, beweglichen Mädchen noch übrig war, war die Käsereibequalität ihrer Fersen. Seit den frühen Sechzigern war Edie eher stämmig, und das lag nicht an einer Mutterschaft, denn die Wunderlichs hatten keine Kinder bekommen können, was durchaus schmerzlich war. Doch all die Teenager, die ins Camp kamen, hatten den Schmerz gelindert. In ihren mittleren Jahren schien sich Edies Körper nach dem Vorbild einer Pyramide neu zu formieren. Nein, begriff Manny eines Tages, sie glich den Tipis, die er durchs Fenster auf der anderen Seite der Straße sehen konnte, den Tipis, die all die Zeit gehalten hatten und nie repariert werden mussten, nie auch nur irgendeine Wartung brauchten, weil sie so einfach, so elementar und genügsam waren.

»Mona Vandersteen war keine Tänzerin«, sagte Edie jetzt. »Denk noch mal nach.«

Manny schloss die Augen und überlegte. Verschiedene Mädchen aus dem Camp tauchten gehorsam vor ihm auf, Musen gleich: Tänzerinnen, Schauspielerinnen, Musikerinnen, Weberinnen, Glasbläserinnen, Grafikerinnen. Er rief sich ein ganz spezielles Mädchen vor Augen, das seine Arme in einem Eimer mit lila Färbemittel hatte, und spürte ein altes Zucken in seiner Hochwasserhose, obwohl es nichts als eine Phantomregung war. Er nahm Hormone gegen Prostatakrebs, von denen er knospende Brüste wie ein Mädchen bekommen hatte und die Art von Hitzewallungen, über die sich seine ziemlich einfältige Mutter immer beschwert hatte, während sie sich mit einer Zeitschrift in ihrer Brooklyner Wohnung Luft zugefächelt hatte. Manny war körperlich eine Katastrophe, chemisch *kastriert* – sein junger Arzt hatte das Wort tatsächlich munter gebraucht –, und fast nichts mehr brachte ihn auf Touren. Er sprach sich den Namen Mona Vandersteen vor, und ein neues Bild trat ihm vor die Augen.

»Sie hatte gewelltes blondes Haar«, sagte er mit falscher Sicherheit zu seiner Frau. »Damals in den Fünfzigern, sie gehörte zu den ersten Gruppen im Camp. Spielte Flöte und kam später ... ins Boston Symphony Orchestra.«

»Es waren die Sechziger«, sagte Edie und schien ein wenig ungehalten. »Und sie hat Oboe gespielt.«

»Was?«

»Sie hat Oboe und nicht Flöte gespielt. Ich erinnere mich so gut daran, weil sie einen Rohrblattatem hatte.«

»Was ist ein Rohrblattatem?«

»Ist dir nie aufgefallen, dass Holzbläser, die Rohrblätter benutzen, einen ganz bestimmten schlechten Atem haben? Ist dir das nie aufgefallen, Manny? Wirklich nicht?«

»Nein, Edie, das ist es nicht. Ihr Atem ist mir nie aufgefallen, auch nicht der von jemand anderem«, sagte er fromm. »Ich erinnere mich nur, dass sie so begabt war.« Er wusste auch noch, dass sie schmale Hüften und einen großen, ansprechenden Hintern hatte, aber das sagte er nicht.

»Ja«, sagte Edie, »sie war äußerst talentiert.« Gemeinsam aßen sie ihre mit einem Schimmer brauner Soße bedeckten Kartoffeln und dachten jeder für sich an Mona Vandersteen, die für eine Weile zu wahrer Größe aufgestiegen war. Wenn sie allerdings in den Sechzigern im Boston Symphony Orchestra gespielt hatte, wer wusste dann, was sie heute machte oder ob sie nicht bereits in ihrem Grab lag?

Die Wunderlichs waren älter als alle anderen, hielten wie Gott und seine Frau aus, weißhaarig, und wohnten immer noch im Haus gegenüber vom Camp. Die zusammenbrechende Wirtschaft war ein Unglück für alle Sommercamps. Wer gab heute noch siebentausend Dollar dafür aus, dass seine Kinder töpfern lernten? Vor ein paar Jahren hatten die Wunderlichs einen jungen, energiegeladenen Mann eingestellt, der die Planung übernahm und das Tagesgeschäft betreute, aber ihre Angebote stießen nur mehr auf eine erbärmliche Nachfrage. Sie wussten nicht, was sie tun sollten, nur, dass die Situation alles andere als gut war und am Ende in eine Krise münden würde.

Doch was immer geschehen würde, sie wollten das Camp nicht verkaufen. Dafür liebten sie es zu sehr. Es war ein kleines Utopia, und die Kinder, die herkamen, schienen sich selbst auszuwählen, waren immer von der gleichen Art und in gewisser Weise selbst Utopisten. Das Camp musste bestehen bleiben und seinem wertvollen Ziel dienen, Kunst in die Welt zu tragen, Generation für Generation.

Jedes Jahr zu Weihnachten füllten ehemalige Camp-Bewohner den Briefkasten der Wunderlichs mit Berichten über ihr Leben. Edie oder Manny gingen ans Ende der Auffahrt, öffneten die schwergängige Klappe des silbernen Kastens und brachten die Post ins Haus, wo Edie ihrem Mann die Briefe laut vorlas. Manchmal übersprang sie einzelne Zeilen oder ganze Absätze, weil es zu langweilig wurde. Die Wunderlichs waren nicht sonderlich am Familienleben ihrer ehemaligen Gäste interessiert: Von welchem College die Kinder angenommen worden waren und wer einen Bypass bekommen hatte – hatten sie denn nicht alle ein schweres Leben? Und wenn man eine Krise durchgemacht hatte, warum dann noch darüber schreiben? Es reichte zu überleben. Manchmal dachte Manny, die Camper sollten ihnen Weihnachtsbriefe schicken, in denen es allein um den Beweis ihres großen Talents ging, durch Dias, Tonaufnahmen, Manuskripte. Beispiele dafür, was er oder sie in den Jahren und Jahrzehnten nach dem Aufenthalt in Spirit-in-the-Woods geschaffen hatte.

Allerdings gelangte man da auf unsicheres Terrain, denn wer konnte schon sagen, ob es der Geist des Camps gewesen war, der schlummernde Talente in den Kindern geweckt und angeregt hatte, oder ob diese Talente nicht auch ohne das Camp aufgeblüht wären? Meist nahm Manny Wunderlich ersteren Standpunkt ein, obwohl er in letzter Zeit, während sein Kopf und seine Brauen immer noch weißer wurden (was ihm ein verschneites, täuschend mildes Aussehen gab), sich und seine Frau immer öfter als die Schaffner eines Talent-Zuges sah, welche die Fahrkarten vieler hochbegabter Kinder abgeknipst hatten, die auf ihrem Weg zu Größerem durch Belknap, Massachusetts, gekommen waren. Ernüchtert dachte er, dass Spirit-in-the-Woods seine Sommergäste hauptsächlich mit Nostalgie befrachtet hatte. Unten auf einer Karte schrieb ein Camper zum Beispiel Folgendes:

Lieber Manny und liebe Edie,
ihr sollt wissen, dass ich jeden Tag meines Lebens an meine Sommer im Camp denke. Obwohl ich in Paris, Berlin und sonst wo aufgetreten bin und mir das Barranti-Stipendium im letzten Jahr die Freiheit geschenkt hat, mich wirklich auf mein Libretto zu konzentrieren und nicht mehr am Konservatorium unterrichten zu müssen, war nichts so wundervoll wie Spirit-in-the-Woods. Nichts! Mit all meiner Liebe …

Wann immer Manny Wunderlich verzagte, in sich zusammensank und sein Herz in sich arbeiten spürte, sah er über die Straße auf den Winterrasen und zu den Spitzen der Tipis hinüber. Er hatte das Gefühl zu fallen, und allein die Stimme seiner Frau konnte ihn zurückholen, als zöge sie an seinen Hosenträgern, als füllte ihn eine frühere, sexuell durchtriebene Version Edies mit neuer Lebenskraft. »Manny«, rief sie ihm aus einer anderen Zeit zu. »Manny.«

Hinter dem Schleier seiner glasigen Augäpfel hob er den Blick und sah in ihre festen blauen Augen. »Was?«, fragte er.

»Ich habe dich verschwinden sehen«, sagte sie. »Lass uns über jemand anderen sprechen. Wir haben heute sehr interessante Post bekommen, einen neuen Weihnachtsbrief.«

»Also gut«, sagte er und wartete. An welchen ehemaligen Camper würde er sich nun erinnern müssen? An einen Flötisten, eine Tänzerin, einen Sänger, eine surreale Bühnenbildnerin? Alle kamen hier früher oder später wieder durch.

»Der Brief wird dir gefallen«, sagte seine Frau. »Er ist von Ethan und Ash.«

»Oh!«, sagte er und schwieg angemessen andächtig.

»Ich werde ihn dir vorlesen«, sagte sie.

Drei

Der Umschlag war aus so dickem, glattem Pergamentpapier, als wäre er mit Lanolin und besonderen Ölen eingerieben worden, und blieb ein, zwei Tage auf dem kleinen Post- und Schlüsseltisch in der Diele der Jacobson-Boyds liegen, bevor sie beschlossen, ihn zu öffnen. Viele Jahre lang war das ihre Art gewesen, mit der Unzulänglichkeit ihres Lebens im Vergleich zu dem im jährlichen Weihnachtsbrief Geschilderten umzugehen. Immer wenn sie einen der Umschläge öffneten, hatte Jules das Gefühl, eine Flammenwand könne daraus emporschlagen und die Luft um sie herum verbrennen. Mit ausreichend Zeit und zunehmendem Alter ging der Neid auf die Freunde jedoch zurück, und sie lernte, damit umzugehen. Dennoch erlaubte sich Jules auch heute noch ein kleines Anschwellen jenes sehr alten Gefühls, wenn der neue Brief kam. Dabei waren Ashs und Ethans Schilderungen nie selbstverliebt und angeberisch. Schon ganz zu Beginn schienen sich die beiden bewusst zu zügeln, als wollten sie ihre Freunde nicht mit den Einzelheiten ihres Glücks überwältigen.

Ashs und Ethans Brief ging jedes Jahr in der schützenden Hülle eines robusten quadratischen Umschlags in die Post, der auf der Rückseite eine Adresse trug, unter der sie nicht mehr als ein paar Wochen des Jahres anzutreffen waren: *Bending Spring Ranch, Cole Valley, Colorado.*

»Was für eine Ranch ist das überhaupt?«, hatte Dennis Jules gefragt, als die beiden sie gekauft hatten. »Eine Viehranch? Eine Ferienranch? Was meinst du?«

»Es ist eine *Steuer*-Ranch«, hatte sie geantwortet. »Da züchten sie niedrige Steuerklassen. Es ist die einzige Ranch ihrer Art auf der Welt.«

»Du bist ein Ekel«, erwiderte er und meinte es nicht ernst, doch sie wussten beide, dass sich Jules' Neid nicht kontrollieren ließ. Er war ein fieses, wucherndes Ding, das Besitz von ihr ergriff, und sie vermochte nur sarkastisch darüber zu witzeln, um die ihm innewohnende Feindseligkeit zu vertreiben und die Freundschaft mit Ash und Ethan nicht zu zerstören. Ohne ihre Witze, den Sarkasmus und die dahingemurmelten Kommentare wäre sie kaum damit zurechtgekommen, wie viel Ash und Ethan im Vergleich zu ihr und Dennis hatten. Und so erzählte sie immer weiter vom Leben auf der »Steuer-Ranch« und dass sie Helfer angestellt hätten, um die kleinen Steuerklassen mit dem Lasso einzufangen, wenn sie davonlaufen wollten. Sie beschrieb auch, wie die Ranchbesitzer Ash und Ethan auf ihrer Veranda saßen und ihren Helfern zufrieden bei der Arbeit zusahen. »Kein einziger Kinderarbeiter ist auf der Ranch zu finden«, sagte Jules zu Dennis. »Darauf sind die beiden Besitzer besonders stolz.«

Ihr Szenario unterstellte letztlich, dass Ash und Ethan faule und gelegentlich grausame Arbeitgeber waren, obwohl die beiden doch dafür gepriesen wurden, respektvoll und großzügig mit ihren Leuten umzugehen, und das nicht aus einem Reflex heraus, sondern aus Überzeugung. Im Übrigen war bekannt, dass Ash und Ethan ständig arbeiteten, an immer neuen Projekten künstlerischer und wohltätiger Art. Selbst Ethan, der zur Zeit des Weihnachtsbriefs 2009 auf mehr als zwei Jahrzehnte voller Erfolge zurückblicken konnte, hörte niemals auf und wollte es auch nicht. »Wenn du zu arbeiten aufhörst, stirbst du«, hatte er einmal bei einem Abendessen gesagt, und alle am Tisch hatten ihm mit düsterer Miene zugestimmt. Aufzuhören bedeutete den Tod. Aufzuhören bedeutete, aufzugeben und die Schlüssel zur Welt anderen zu übergeben. Einem kreativen Menschen blieb nichts, als ständig in Bewegung zu bleiben, in einem Leben unaufhaltsam vorwärtsgerichteten Strebens und Sich-Regens, bis es nicht mehr ging.

Ethan Figmans Ideen waren heute so viel mehr wert als noch 1984, als er nur drei Jahre nach seinem Abschluss an der School of Visual Arts in New York einen Vertrag über einen Trickfilm mit dem Titel *Figland* abgeschlossen hatte. Nachdem der Pilot fertig und erfolgreich getestet worden war, bestellte das Fernseh-Network eine ganze Staffel. Ethan bestand darauf, selbst die Stimme von Wally Figmans amüsant-wütendem Vater zu sprechen und auch die von Vizepräsident Sturm, einer Nebenfigur. Darüber hinaus bestand er darauf, in New York zu bleiben, statt nach Los Angeles zu ziehen, und nach langen, angespannten Diskussionen gab der Sender erstaunlicherweise nach und eröffnete ein Studio in Midtown Manhattan. *Figland* wurde während der Ausstrahlung der ersten Staffel ein sensationeller Erfolg, wobei nur wenige Leute eine Ahnung davon hatten, dass Ethan sein Handwerk im Trickfilm-Schuppen eines Sommercamps gelernt hatte, unter Anleitung von Old Mo Templeton, der, so dachte Jules, zu seinen Lebzeiten wahrscheinlich niemals Young Mo Templeton genannt worden war. Ethan dagegen blieb während all der Jahre seines Erfolges jung. Mit fünfzig wirkte er noch so unscheinbar wie mit fünfzehn, nur seine Locken waren dünner geworden und zu einem silbrigen Gold verblichen. Ethans Unscheinbarkeit wurde zu einer Art Gütesiegel. Hin und wieder erkannte ihn jemand auf der Straße und sagte: »Hallo, Ethan«, ganz so, als würden er oder sie ihn persönlich kennen. Ethan trug zwar immer noch T-Shirts mit Siebdruckbildern, einige seiner Hemden waren jedoch aus teuren Stoffen, die den Materialien japanischer Lampions glichen. Zu Beginn seines Erfolgs ermutigte Ash ihn, in besseren Läden einzukaufen, in richtigen Geschäften und nicht »an irgendwelchen Straßenständen«, wie sie sagte. Und nach einer Weile schien er seine neuen Sachen auch tatsächlich zu mögen, obwohl er es niemals zugegeben hätte.

Ethan hatte so viele Ideen, dass sie Tourette-Silben glichen, die in ungeordneten Ausrufen und Ausbrüchen ausgespuckt werden mussten, und viele von ihnen, eigentlich die meisten, machten sich irgendwie bezahlt. Nachdem der Erfolg seiner Trickfilmserie fest etabliert war, wurde er Mitte der Neunziger ein Aktivist gegen Kinderarbeit und gründete in Indonesien eine Schule für Kinder, die aus Fabriken befreit worden waren. Ash stand auch dabei an seiner Seite, und das Engagement der beiden war aufrichtig und langfristig, nicht nur von kurzer Dauer, bis ihnen langweilig wurde. Im Moment nahm Ethan das zweite Jahr der Meisterseminare in Angriff, einer einwöchigen, von ihm ins Leben gerufenen Sommerveranstaltung im kalifornischen Napa, bei der Politiker, Wissenschaftler, Silicon-Valley-Visionäre und Künstler einer privilegierten Zuhörerschaft neue Ideen präsentierten. Das erste Jahr war ein Erfolg gewesen. Zwar rangierten die Meisterseminare immer noch einige Stufen unter anderen ähnlichen Veranstaltungen, doch hatten sie schnell Beachtung gefunden, und obwohl es erst Dezember war, war der nächste Termin schon fast ausgebucht.

Jules und Dennis Jacobson-Boyd lasen den 2009er-Weihnachtsbrief von Figman und Wolf an einem Abend kurz vor den Festtagen. New York City befand sich in seiner jährlichen Krise: Der Verkehr kam nicht voran, und von außerhalb stammende Familien mit wahren Sträußen von Einkaufstüten kreuzten über die Bürgersteige. Trotz der kriselnden Wirtschaft kamen die Leute zu den Festtagen immer noch hierher, sie konnten einfach nicht anders. Konservenmusik klang über die Straßen, einschließlich der schrecklichen Unsinns-Weihnachtslieder aus den Fünfzigern, die einen »mit Todessehnsucht erfüllen«, wie eine von Jules' Kundinnen es ausgedrückt hatte. Alle New Yorker ärgerte die vorübergehende Besetzung ihrer Stadt, denn sie zwang sie in einen Zustand auferlegter Feierlichkeit. Jules war gerade nach Hause gekommen, nachdem sie die letzte Kundin des Tages und damit auch der Woche empfangen hatte. Vor Jahren schon hatten viele Therapeuten, sie eingeschlossen, aufgehört, das Wort »Patient« zu verwenden. »Kunden« zu haben kam ihr trotzdem immer noch etwas unnatürlich vor, das Wort sorgte dafür, dass sie sich wie eine Geschäftsfrau fühlte, wie jemand im »Consulting«, einem Bereich, den sie nie wirklich verstanden hatte, obwohl sie und Dennis durch Ethan und Ash über die Jahre verschiedene Leute kennengelernt hatten, die davon lebten. Niemand wollte heute mehr ein Patient sein, alle wollten Kunden sein. Oder eigentlich: Berater.

Ihre letzte Kundin heute war Janice Klammer gewesen, deren Name ein wenig amüsant war, wollte Janice doch ihre Therapiestunde nie beenden. Wie ein Beuteltier klammerte sie sich an einem fest, ihre Anhänglichkeit war rührend und mitunter irritierend. Seit vielen Jahren schon kam sie zu Jules, anfangs hatte sie noch an der NYU Jura studiert, Angst vor der sokratischen Methode bekommen und kein Wort mehr herausgebracht, wenn sie von einem einschüchternden Professor aufgerufen wurde. Ursprünglich hatte Janice eine akademische Laufbahn einschlagen wollen, war dann aber die überbeanspruchte, unterbezahlte Anwältin einer Umweltgruppe geworden und machte ständig Überstunden, um die Welt vor der Deregulierung zu retten. Bei Jules sank sie in ihrem Sessel zusammen und strahlte nichts als Hoffnungslosigkeit aus.

»Ich ertrage es nicht, ohne Intimität zu leben«, hatte Janice kürzlich gesagt. »Den ganzen Tag sitze ich in Besprechungen, kämpfe gegen die engherzige Gesetzgebung der Republikaner und falle dann allein ins Bett und schlinge um Mitternacht den Rest Phat Thai hinunter. Und wenn ich in meiner Wohnung einen Vibrator benutze ... Wissen Sie, ich hatte doch noch nicht die Zeit, etwas an die Wände zu hängen, und deshalb hallt es so. Ist es jämmerlich, das zuzugeben? Besonders das mit dem Hallen des Vibrators? Oder klingt es einfach nur, nun, traurig?«

»Natürlich nicht«, hatte Jules geantwortet. »Und den Vibrator sollte Ihnen Ihr Arbeitgeber zur Verfügung stellen, wenn er so viel von Ihnen verlangt, dass Sie keine Zeit für ein Privatleben haben. Und auch, wenn Sie die Zeit finden«, fügte sie schnell noch hinzu. Die beiden Frauen hatten über die Vorstellung, dass all ihre überarbeiteten Geschlechtsgenossinnen einen Vibrator bekamen, lachen müssen. Einige Therapeutinnen waren eher der mütterliche Typ, mit weitem Kaftan und einem breiten Schoß. Andere schienen bewusst frostig, klinisch und distanziert bleiben zu wollen, als besäße Kälte allein schon heilende Eigenschaften. Jules fühlte sich als Therapeutin weder besonders mütterlich noch distanziert. Sie war sie selbst, in konzentrierter Form, und ihre Kundinnen sagten ihr manchmal, sie sei witzig und ermutigend, was ein Kompliment sein sollte, es aber, wie sie zu ihrem Unbehagen wusste, nicht ganz war.

Heute hatte Janice während der Sitzung über ein bekanntes Thema gesprochen, die Einsamkeit, und vielleicht lag es an den Festtagen, dass die Unterhaltung so mit Verzweiflung aufgeladen gewesen war. Janice sagte, sie habe keine Ahnung, wie es die Leute schaffen, Jahr um Jahr ohne eine intime Berührung oder ein intimes Wort auszukommen. »Wie machen sie das, Jules?«, fragte sie. »Wie mache *ich* es? Ich sollte zu einer Intimitäts-Prostituierten gehen.« Sie legte eine Pause ein und sah sie mit einem schroffen Lächeln an. »Aber vielleicht tue ich das ja schon«, sagte sie und deutete auf Jules.

»Wenn ich eine Intimitäts-Prostituierte bin«, sagte Jules leichthin, »sollte ich Ihnen viel, viel mehr in Rechnung stellen.« Jules' Sätze waren im Regelfall niedrig. Das neue, stärker reglementierte Konzept der Krankenkassen hatte alles verändert, und die meisten von ihnen zahlten nur noch für eine Handvoll Sitzungen. Und natürlich nahmen viele Leute mittlerweile Medikamente, statt eine Therapie zu machen. Jules traf sich regelmäßig mit ein paar befreundeten

Therapeuten, um darüber zu reden, wie sich das Klima im Vergleich zum letzten Jahr verschlechtert hatte. Aber alle praktizierten weiter, versuchten, die Kosten niedrig zu halten, oder teilten sich ihre Behandlungsräume. Sie hielten durch. Die Menschen, die zu Jules kamen, hatten zu kämpfen, und ihrer Therapeutin ging es nicht anders.

Jetzt war sie zu Hause, nach einer Sitzung mit etwas Lachen und ein paar Tränen. Sie und Dennis wohnten seit über zehn Jahren in einer modernen, bescheidenen Wohnung in den Neunzigern auf der West Side. In ihrer Straße gab es Brownstones, einige Vorkriegshäuser und schmale, anonyme Apartmenthäuser wie ihres, dazu ein Pflegeheim, vor dem die alten Leute bei Sonnenschein in ihren Rollstühlen aufgereiht saßen und die bleichen, rosafarbenen Gesichter mit geschlossenen Augen ins Licht hoben. Die Wohnung gehörte Jules und Dennis. Zwei Avenues weiter gab es einen überladenen Supermarkt mit engen Gängen, und auch der Central Park war nicht weit. Sie hatten sich an diesem Ort auf Dauer eingerichtet, hatten ihre Tochter Rory hier großgezogen, in die örtliche staatliche Schule geschickt und waren mit ihr in den Park gegangen, wo sie herumrennen und Ball spielen konnte.

Jules schloss die Tür hinter sich, die Wohnung war erfüllt von dem Aroma verschiedener Gewürze. Offenbar machte Dennis sein gedämpftes Fünf-Gewürze-Hähnchen. Jules stand da und betrachtete die Post, die heute gekommen war, einen langweiligen Stapel Rechnungen und Briefe – und darunter den quadratischen, schon seit einigen Tagen ungeöffneten Umschlag.

Der Weihnachtsbrief.

Jules trug ihn in die Küche. Dennis, der in seinem Rutgers-Sweatshirt am Herd stand, wirkte auch heute zu groß für den kleinen Raum. Er hatte einen robusten, massigen Körper und bewegte sich entsprechend. Sein Gesicht schien er nicht haarfrei halten zu können. »Mein Sprossentier« hatte sie ihn zu Anfang im Bett genannt, vor zwanzig Jahren, nach den getöpferten Tieren, auf denen man Sprossen ziehen konnte und die damals in Mode waren. Dennis war groß, schwarzhaarig, männlich und »kunstfrei«, das heißt, er verspürte keinerlei gesteigertes Bedürfnis nach Kunst oder verfeinerter Ästhetik. Am Wochenende spielte er mit seinen Freunden gern Touch Football, eine etwas zahmere Football-Variante, und hinterher kamen sie manchmal auf ein Bier und eine Pizza in die Wohnung, wo sie sich ohne erkennbare Ironie abklatschten. Wie einige seiner Freunde war Dennis Ultraschalltechniker. Er hatte diesen Beruf nicht gewählt, weil er schon mit dem Wunsch aufgewachsen war zu erfahren, was unter der Haut der Menschen lag, sondern weil er nach einem emotionalen Tiefschlag am College, von dem er sich nur langsam erholte, in der U-Bahn die überzeugende Anzeige einer Schule für Ultraschalltechniker gesehen hatte. Heute, Jahrzehnte später, arbeitete er in einer hektischen Klinik in Chinatown. Manchmal kaufte er auf dem Nachhauseweg in einem der chinesischen Straßenläden dort etwas Sternanis, lange Bohnen oder eine verdrehte Wurzel, die wie die Hand eines alten Zauberers aussah. Seine Nähe zu diesen Händlern verlieh auch ihm selbst etwas Exotisches.

Dennis wandte sich vom Herd ab und trat mit tropfendem Löffel in der Hand auf sie zu. »Hallo«, sagte er und küsste sie. Ihre Lippen saugten sich aneinander, federnd, und blieben einen Moment lang so.

»Hallo«, sagte auch Jules endlich. »Es riecht gut hier. Wann bist du nach Hause gekommen?«

»Vor einer Stunde. Direkt von einer Beckenuntersuchung. Oh, es sind zwei Nachrichten auf dem Anrufbeantworter. Von deiner Mutter und von Rory. Deine Mutter sagt, es ist nicht nötig, sie zurückzurufen, sie wollte sich nur mal melden und fragen, ob du von Rory gehört hast. Und Rory sagt, sie ist sicher bei Chloe in New Hampshire angekommen und dass der Verkehr nicht schlimm war.«

»Sie sollten College-Studenten nicht ans Steuer lassen«, sagte Jules. »Unerfahren, wie sie sind, setzen sie sich in die kaputten Wagen, die ihre Eltern nicht mehr wollen. Das macht mich ganz krank.«

»Mich macht ganz krank, dass sie irgendwann ausziehen müssen«, sagte Dennis, doch das traf in ihrem Fall nicht ganz zu. Zwar hatte es sie schwer getroffen und verunsichert, dass Rory ins College ging und plötzlich nicht mehr bei ihnen wohnte, aber ihre Tochter war immer schon äußerst selbstständig und kaum zu Hause gewesen. Als sie Rory upstate ins College brachten, hatte es sich ein wenig so angefühlt, als entließen sie ein Tier zurück in die Wildnis.

»Aber ihr geht's gut«, sagte Dennis. »Sie wollen langlaufen und werden viel Spaß haben.« Endlich sah er, was Jules in der Hand hielt. »He, der Brief«, sagte er.

»Ja«, sagte sie. »Der Brief von unseren Freunden, den Ranchern.«

»Willst du dieses Jahr immer noch, dass ich ihn dir vorlese? Ist das immer noch so eine Sache für dich?«

»Oh nein, ich bin darüber weg«, sagte sie. »Aber ich mag es so. Es ist eines unserer wenigen Weihnachtsrituale, nachdem du kein richtiger Katholik mehr bist und ich keine richtige Jüdin mehr.«

»Okay, aber warte. Ich habe einen Wein gekauft«, sagte er.

»Oh, gut. Danke, Schatz.«

Er ging zum Schrank, schenkte zwei Gläser Rotwein ein und setzte sich mit seiner Frau an den Küchentisch, der kaum groß genug war, um an ihm zu essen. Schnee wehte gegen das schmale Fenster. Beide sagten nichts, als Dennis den Brief mit dem Finger aufriss und das ochsenblutrote Futter des Umschlags sichtbar wurde. Jules musste unversehens an Ashs Schlafsack im Camp mit dem suggestiven roten Futter denken. Der Brief war wie immer mit einer weihnachtlichen Zeichnung geschmückt. Dieses Mal waren es die Heiligen Drei Könige, plump und exzentrisch mit ihren

Umhängen und großen Hüten, von denen einer verrückter als der andere war. Jules und Dennis studierten und bewunderten die Zeichnung gemeinsam. Am Rand standen winzige Kommentare, hingeworfene Witze über die kaputte Wirtschaft, zusammen mit kleinen Haufen anthropomorphen Harzes, aus denen Sprechblasen sprossten: »Hallo, ich bin der Weihrauch. Nun, eigentlich bin ich das Weihrauch-Monster, aber das bringen alle durcheinander.«

Einmal hatte ein Adventskalender mit im Umschlag gesteckt, hinter dessen Türen wundervolle Cartoon-Szenen zum Vorschein kamen. In einem anderen Jahr ertönte beim Öffnen des Briefes die Titelmelodie von *Figland*, allerdings war die Technik noch nicht so weit fortgeschritten, und es klang, als wären winzige Kinder in den Brief gesperrt, die »iii-iii-iii« sangen. 2003 war denkwürdigerweise eine rosa Puderwolke aus dem Brief gestiegen, was offenbar einige Empfänger erschreckt hatte, die dachten, es sei eine Briefbombe, was wiederum Ethan und Ash entsetzte, die es nur für einen coolen Effekt gehalten hatten. Also wurden die Weihnachtsbriefe wieder zahm, enthielten aber nach wie vor eine klassische Ethan-Figman-Zeichnung und einen detaillierten Bericht über die Geschehnisse des vergangenen Jahres.

Zu Anfang waren die Briefe in einem schalkhaften, witzigen Ton gehalten gewesen, sie wurden jedoch bald schon zu einem ernsteren Projekt. Jules und Dennis selbst hatten nie einen Weihnachtsbrief verschickt. Abgesehen davon, dass ihnen schon die Idee an sich abgedroschen vorkam, war es ihnen lange eher durchwachsen ergangen und eine Zeit lang geradezu katastrophal, doch das lag eine Weile zurück. In der Regel verliefen ihre Jahre mittlerweile ohne besondere Höhen und mitunter leicht enttäuschend. Was hätten sie und Dennis zu schreiben? *In den letzten Monaten hat Jules zwei Kunden verloren, deren Kassen nicht länger für die Behandlung psychischer Leiden zahlen.* Oder: *Dennis arbeitet auch weiter in der Klinik in Chinatown, die so unterbesetzt ist, dass in die-*

ser Woche ein Patient sieben Stunden lang auf seine Behandlung warten musste. Oder vielleicht: *Unsere Tochter Rory studiert an der staatlichen Universität in Oneonta, hat keine Vorstellung, was sie als Hauptfach wählen soll, und wohnt mit einem Mädchen zusammen, das in der Highschool Ballkönigin war.*

Für Ethan Figman und Ash Wolf verliefen die Jahre anders, und sie genossen es ganz offensichtlich, zu Weihnachten all ihren Freunden davon zu schreiben. Jules fragte sich, ob sie beim Verfassen der ersten Briefe nebeneinandergesessen und abwechselnd zum Inhalt beigetragen hatten – Ash besaß damals in Yale eine hellblaue Smith-Corona-Schreibmaschine und bekam ein paar Jahre später einen kaugummifarbenen Mac. Heute, wo Ashs und Ethans Leben derartige Ausmaße angenommen hatte, konnte Jules sie sich nur in einem riesigen Raum vorstellen, in dem sie sich an einem Tisch gegenübersaßen, der einmal ein Redwood-Baum oder eine Riesen-Geode gewesen war. Immer wieder standen sie auf, gingen hin und her und sagten: »Wenn wir über die Fahrt nach Bangalore schreiben, klingt das zu selbstbezogen? Oder sogar angeberisch?«

Aber vielleicht war ihr Weihnachtsbrief ja auch nicht länger ein wirkliches Gemeinschaftsprojekt. Vielleicht las Ash ihn laut vor, während Ethan auf einem Laufband vor einer Fensterfront trabte und zustimmend nickte, was ihn in ihrer beider Vorstellung zu ihrem Koautor machte. Oder vielleicht las Ethan ihn auch seiner Assistentin Caitlin Dodge vor, die ein paar textliche Vorschläge machte und ihn dann an jeden auf der Liste schickte. Jules wurde bewusst, dass sie nicht mal mehr grob einzuschätzen vermochte, wer den Weihnachtsbrief von Figman und Wolf alles bekam. Sie hatte den Überblick darüber verloren, wie viele es möglicherweise waren, genau wie sie seit Jahren schon nicht mehr sagen konnte, wie viele Leute mittlerweile die Erde bevölkerten.

Die Größe des Freundeskreises von Ash und Ethan ließ sich nicht online recherchieren. Wie viele Leute betrachteten die beiden als ihre Freunde? Was war nötig, um ihr Freund zu werden? Jules gehörte unverbrüchlich zum engsten Freundeskreis. Sie hatte alles mitbekommen, was zwischen den beiden während dreier Dekaden in New York City und auch in den zehn Jahren davor abgelaufen war, in den Tipis, im Theater und im Speisesaal von Spirit-in-the-Woods. Jules gehörte auf ewig dazu, wie nur äußerst wenige Leute, die später hinzugestoßen waren. Wahrscheinlich waren alle, die diesen Brief bekamen, dankbar. Alle warteten auf den Weihnachtsbrief von Ethan Figman und damit auch von Ash Wolf. Hunderte, vielleicht sogar mehrere Tausend Menschen erwarteten ihn.

Liebe Freunde,
schon diese Worte geben uns zu denken, bekommen wir doch das ganze Jahr über zahllose Briefe, die mit einem »Liebe Freunde« beginnen und um eine Spende für die eine oder andere Sache bitten. Und meist sind wir nicht wirklich mit den Briefschreibern befreundet. Aber ihr seid unsere echten Freunde, und wir lieben euch, also vergebt uns, dass wir euch ein weiteres Mal eine so detaillierte Darstellung der letzten zwölf Monate aufdrängen. Revanchiert euch, wenn ihr mögt, ja, wir hoffen, dass ihr es tut.
Wir schreiben diesen Brief auf unserer Ranch in Colorado, wo wir uns mit beiden Kindern und einer Reihe großer Darsteller verstecken. Ash, die als Regisseurin an einer Produktion der Troerinnen *für das Open-Hand-Festival arbeitet, hat die gesamte Besetzung eingeladen, und erstaunlicherweise sind alle gekommen und haben ihren geschäftigen Alltag hinter sich gelassen.*
Sämtliche Zimmer sind also mit Troerinnen belegt. Wir sind begeistert, denn schon beim Kauf der Ranch hatten wir die Vorstellung, sie könnte einmal zu so etwas wie einem Arts Center werden (oder auch einem Arts Centre, *wie Ash,*

sie gibt es zu, etwas hochtrabend dachte), und jetzt ist es geschehen (tatsächlich mit britischer Beteiligung).
Abends heizen wir den Herd gehörig ein, und die Schauspieler stehen mit den Hühnern auf. Griechische Tragödie! Unnötige gewaltsame Tode! Heuwagenfahrten! Was kann man daran nicht mögen? Was Ethan betrifft, so nimmt er über die Festtage eine lange geplante Auszeit und hofft, all die Bücher zu lesen, die ihm von Stadt zu Stadt gefolgt sind, von Land zu Land und von einem Flugzeug ins andere, für die er aber nie die Zeit hatte. Er hat eine Geschichte der Minor-League-Baseball-Anlagen auf seinem E-Reader und eine präzise Darstellung der String-Theorie (was immer das sein mag: Fragt Ethan ... aber nicht vor Januar). Vielleicht schafft er es diesmal, sich durch die Seiten zu kämpfen, wobei er sich ständig darüber aufregt, dass ihm sein E-Reader nur anzeigt, wie viel Prozent des Buches er schon gelesen hat, nicht aber, wie viele Seiten. Das hält er für zweiundneunzigprozentigen Schwachsinn.
Eine weit wichtigere Entwicklung ist, dass die Anti-Kinderarbeit-Initiative ein weiteres Jahr des Wachstums hinter sich hat, dank der Güte und Barmherzigkeit der Menschen, denen auch wir »Liebe Freunde«-Briefe geschrieben haben. (Für die wir aber kaum einen Bruchteil von dem empfinden, was wir für euch empfinden. Ehrlich.) Das ist hier jedoch nicht der angemessene Ort, um über die grundlegende Arbeit zu berichten, die die Initiative leistet. (Bitte informiert euch unter a-cli.net näher darüber.) Sagen wir einfach, dass wir in unserem New Yorker Büro eine außerordentlich engagierte Belegschaft haben, die sich ungeheuer in die Sache einbringt und uns immer wieder in Erstaunen zu versetzen versteht. Wir wünschten, wir könnten mehr Zeit vor Ort verbringen, aber dieses Jahr war sehr ergiebig für Figland. Die Serie

nähert sich einem Vierteljahrhundert zur besten Sendezeit (oy!), und der Erfolg geht erstaunlicherweise weiter.
Wir haben in diesem Jahr ständig gearbeitet und waren in Indien, China und Indonesien. In Indonesien waren wir mit unseren Mitarbeitern und ein paar hilfreichen Leuten von UNICEF. Es ging um den Ausbau der Keberhasilan-Schule, deren stolze Mitgründer wir sind (Keberhasilan heißt »Erfolg«). Und wir haben uns auch ein paar Tage nur für uns freischaufeln können. Die ernüchternde Tragödie der Kinderarbeit ließ sich natürlich nicht durch die gute Zeit aufwiegen, die wir hatten. Aber der allerbeste Weg, das Problem anzugehen, besteht in der Aufklärung der Leute. Und das versuchen wir auch weiter zu leisten.
Mit Aufwallungen unerträglichen Stolzes wollen wir euch jetzt von unserer Tochter Larkin Figman erzählen, die es geschafft hat, neunzehn Jahre mit einem Namen zu überleben, der irgendwo zwischen einem misanthropischen englischen Dichter des letzten Jahrhunderts und einem gewissen Trickfilmdarsteller schwebt. Freunde, sie ist eine unglaubliche junge Frau! Wie schon früher hat sie uns bei dem indonesischen Teil unserer Reise begleitet und an der Keberhasilan ausgeholfen, musste dann aber gleich wieder ins College. Wie viele von euch wissen, ist sie in Yale, an der Alma Mater ihrer Mutter, wohnt in Davenport und studiert Theaterwissenschaften und Kunstgeschichte. Wir würden sie auch lieben, wenn sie ein Mathe-Freak wäre, doch das ist sie ganz sicher nicht. Ihr jüngerer Bruder Mo ist dagegen einer, wie ihr wisst, aber wir lieben ihn deswegen nicht weniger. Er geht auf die Corbell School in New Hampshire und ist der Ansicht, die Fernsehserie seines Vaters könnte VIEL besser sein. Die Stücke, bei denen seine Mom Regie führt, findet er langweilig, aber er erduldet uns dennoch.

Wieder etwas ernster wollen wir hier noch anfügen, dass wir bald einige wichtige Neuigkeiten über die »Stiftung für Armut« verkünden werden, haben doch einige von euch gefragt, wie sie helfen können.

Der Brief hatte noch eine weitere eng bedruckte Seite, aber was da stand, wusste Jules bereits, telefonierte sie doch meist mehrmals in der Woche mit Ash und stand auch mit Ethan in regem E-Mail-Kontakt. Die beiden Paare gingen zusammen essen, wann immer sie konnten, was nicht mehr so oft der Fall war, doch das machte nichts. Sie waren sich nahe, wie durch ein Siegel miteinander verbunden, und ihre Leben waren mittlerweile viel zu verschieden, als dass Jules noch ein andauerndes Neidgefühl hätte aufrechterhalten können. Im Grunde hatte sie ihren Neid aufgegeben, hatte ihn sich auflösen lassen, um nicht mehr chronisch davon geplagt zu werden. Trotzdem, wenn der Weihnachtsbrief kam und Stück für Stück die Einzelheiten des außergewöhnlichen Lebens von Ethan und Ash auflistete, gab sich Jules wieder einigen dunklen Gedanken hin.

Als Dennis zum Ende seiner Lesung kam, sah Jules, dass die Flasche Wein leer war. Es war nicht mal ein guter gewesen, sie kauften nie guten Wein, sondern nahmen mit, was um die neun Dollar kostete, worauf sie sich eher zufällig geeinigt hatten. Während Dennis den Brief vorlas, hatte Jules unablässig getrunken. Ohne dass ihr wirklich bewusst gewesen wäre, was sie tat, hatte sie die Hand gehoben und gesenkt, gehoben und gesenkt, und jetzt summte eine unangenehm dumpfe, leichte Trunkenheit in ihr. Wieder machte sie den dummen, unfreundlichen Witz, den sie über die Jahre schon verschiedentlich gemacht hatte. »Warum nennen sie es »Stiftung *für* Armut«? Heißt das nicht, dass sie dafür sind?«

»Ja, das hätte längst jemand ändern sollen«, murmelte Dennis zustimmend.

»Weißt du was, Dennis? Ich bin zwar über meinen dummen Neid auf die beiden so gut wie weg, aber der Brief lässt ihn jedes Mal kurz wieder den Kopf heben. Erinnerst du dich an letztes Jahr? Wir haben den Brief gelesen, etwas getrunken und sind durch den Schnee auf dem Riverside Drive spaziert. Dann habe ich gewitzelt, dass ich in eine Schneewehe falle und an einer Mischung aus Unterkühlung und Neid sterbe. Das würde im gerichtsmedizinischen Bericht stehen, haben wir gesagt.«

»Richtig«, sagte Dennis und lächelte wieder. »Aber du bist nicht gestorben und kommst auch jetzt drüber weg.« Er lächelte sie oft mit so etwas wie mitfühlender Zuneigung an, ihre ganze Ehe über hatte er das getan. »Egal«, sagte er, »zu Weihnachten wird immer alles schlechter, und dazu kommt die ganz gewöhnliche Winterdepression, oder? Das macht mir jedes Jahr wieder Sorgen.«

»Die trifft dich nicht. Dir geht es gut«, sagte sie.

»Dir auch«, sagte Dennis und legte die Brille zur Seite.

Ihre Zunge fühlte sich wie losgelöst an, und ihr ganzer Mund schien in Gefahr auseinanderzufallen, als sie sprach. »Es ist nur mein gewohnter Rückfall«, sagte sie. »Ich bin sicher, es geht vorbei.«

»Es ist schließlich nicht so, als wäre dir neu, wovon sie schreiben«, sagte Dennis. »Du kennst doch längst sämtliche Einzelheiten.«

»Aber sie laut ausgesprochen zu hören oder auf dem Papier zu sehen, stößt mich noch mal mit der Nase darauf. Ich kann es nicht ändern. Trotz all meiner gewonnenen Weisheit bin ich ein Kleingeist, der völlig voraussehbar reagiert.« Sie hielt inne und sagte: »Du weißt, dass ich die beiden liebe. Ich muss sicher sein, dass du das weißt.«

»Gott, natürlich. Das musst du nicht extra sagen.«

»Weißt du noch, wie viel schlimmer es war?«

»Aber gewiss«, sagte er.

Sie aß sein Fünf-Gewürze-Huhn, und es war perfekt gelungen, das Fleisch zart wie ein Nappa-Geldbeutel, erklärte sie ihm – »nicht dass ich je einen Geldbeutel gegessen hätte, aber ich wette, er wäre genauso zart« –, und doch spürte Jules, wie ihre Stimmung noch tiefer sank. Ash und Ethan hatten einen eigenen Koch, der all ihre Vorlieben und Abneigungen kannte. Dennis benutzte in ihrer kleinen Küche die chinesischen Zutaten, die er auf dem Weg zur U-Bahn in der Canal Street fand, nachdem er in der Klinik den ganzen Tag über mit seiner Sonde durch das auf diversen Körperteilen der Patienten verteilte warme Gel gefahren war. Er hatte sich viel Mühe gegeben mit seinem Huhn, genau wie sie sich mit Janice Klammer und den anderen Kunden des Tages abgemüht hatte, während drüben in Cole Valley, Colorado, die Figman-und-Wolf-Ranch vor Geschäftigkeit und guter Arbeit nur so vibrierte. Ash und Ethan waren niemals untätig, niemals im Stillstand, und was sie machten, wurde ausnahmslos zu etwas Wundervollem. Wenn sie Hühnchen kochten, ernährte es einen ganzen Subkontinent.

Jules fuhr mit dem bestrumpften Fuß über die Küchenfliesen, die niemals ganz sauber wurden. Es waren billige Fliesen, und sosehr man sie auch schrubbte, sie behielten doch dieses milchige Gelb, das einem sagte, dass es in diesem Haushalt nicht genug Geld oder Aufmerksamkeit für die Details gab. Hier kniete keine Frau mit gebeugtem Rücken und reinigte die Fliesen jede Woche neu. Jules seufzte, dieser heftige neuerliche Ausbruch ihres uralten Ash-und-Ethan-Neides machte sie zu einer schändlichen Person. Und es war ja nicht so, als hätten Ash und Ethan nicht auch ihre Probleme. Zunächst einmal hatten sie einen Sohn mit einer autistischen Störung. Wenn der Weihnachtsbrief auch nicht Bezug darauf nahm, wussten die Empfänger doch längst darüber Bescheid.

Vor langen Jahren, Mo war damals erst drei gewesen, hatte Jules Ash zu einer zweitägigen Untersuchung des Jungen begleitet. Hinauf nach New Haven ins Yale Child Study Center war sie mit ihr gefahren, weil Ethan sagte, er müsse nach L.A. und könne die Reise nicht verschieben. Ein schwarzer Range Rover mit Fahrer brachte die beiden Frauen in Ashs alte Universitätsstadt, und unterwegs sagte Ash: »Das ist also meine große Rückkehr nach New Haven. Nicht um mit einem alten Professor zu lunchen oder einen Vortrag zu halten, sondern um in Erfahrung zu bringen, was mit meinem unkommunikativen, unglücklichen kleinen Jungen ist.« Was sie damit meinte, war: Es ist schrecklich. Mo konnte sie nicht hören, er trug Kopfhörer und lauschte der CD zu einem Bilderbuch über ein Lastauto, das von zu Hause fortgelaufen war. Er liebte diese CD. Die beiden Frauen sahen ihn eine Weile an, dann löste Ash ihren Sicherheitsgurt, beugte sich zu Mo hinunter und drückte ihm ihr Gesicht in den weichen weißen Nacken. Er wand sich, um sich von ihr zu befreien, stellte jedoch fest, dass der Sicherheitsgurt ihn nicht ließ, und hörte schnell auf zu protestieren.

Jules wusste, dass Mo am nächsten Tag seine Diagnose bekommen würde, und es schien letztlich klar, wie sie lauten würde. Dennoch war ihnen erst, kurz bevor Ash den Termin vereinbart hatte, der Gedanke gekommen, dass Mo im »Spektrum« liegen könnte, wie man neuerdings leichthin sagte, genau wie die Leute von einer »Chemo« redeten – beides wurde den Tücken der modernen Zeit zugeordnet. Vorher hatte Mo vor allem ängstlich und abwesend gewirkt und aus Gründen zu schreien und zu weinen begonnen, die er nicht erklären konnte. Ein älterer, berühmter Kinderpsychologe hatte Stunden damit zugebracht, ihn zu fragen, was ihm Angst mache, wenn er nachts im Bett liege.

Am Ende des nächsten Tages, auf der Rückfahrt von New Haven, heulte Ash in ihr Handy. Jules saß betreten neben ihr, sah aus dem Fenster und wünschte, sie müsse den beiden nicht zuhören. Ash sagte zu Ethan: »Nein, ich weiß, du liebst mich, das meine ich *nicht*«, und dann: »Ich weiß, du liebst auch ihn, das steht nicht infrage, Ethan. Ich muss einfach nur weinen. Nein, er hört eine CD, er hat die Kopfhörer auf. Die Sache geht komplett an ihm vorbei. Wenn es mir doch auch nur so ginge.« Dann hörte sie Ethan eine Weile zu, sagte plötzlich: »In Ordnung«, und gab Jules das Telefon, die sie überrascht ansah.

»Was?«, flüsterte Jules. »Warum will er mit mir reden? Das ist doch ganz und gar eure Sache.«

»Ich weiß nicht. Sprich einfach mit ihm.«

»Hallo, Jules, hör mal«, sagte Ethan am anderen Ende mit angespannter Stimme. »Kannst du heute Abend bei Ash bleiben? Ist das irgendwie möglich? Ich habe ein so schlechtes Gewissen, dass ich nicht mitkommen konnte, und mir ist klar, dass es eine große Bitte ist, aber ich möchte nicht, dass sie allein sein muss. Ich meine, ich weiß, die Kinder sind da und Rose und Emanuel, aber ich fände es wirklich toll, wenn du auch da wärst. Weil du …«, seine Stimme zitterte etwas, »… weil du sie daran erinnern kannst, weißt du, dass wir bisher immer alles geschafft haben. Das haben wir, von allem Anfang an, mit ihren Eltern und mit Goodman. Erinnere sie daran, okay? Sie ist so niedergeschlagen. Vielleicht kannst du ihr versichern, wie ich es schon versucht habe, dass Mo ein gutes Leben haben wird. Das ist sicher. Wir haben die nötigen Mittel, und es wird okay sein. Wir sorgen dafür. Bitte, sag ihr das. Aber sag es später, wenn Mo nicht mehr da ist und womöglich etwas hört, okay?«

Jules blieb über Nacht in Ethans und Ashs Haus in der Charles Street mit dem Personal und den wunderbar schmeckenden Speisen, die wie durch einen bloßen Wunsch vor ihnen auftauchten. Sie saß bei Ash im Untergeschoss des Hauses neben dem kompakten Langschwimmbecken, während Ash ihre kurzen, eintönigen Bahnen schwamm. Lange schwamm sie so, den Kopf über Wasser, hielt manchmal zwischendurch an und sah zu Jules auf: »Du meinst, es wird alles gut?«

»Ja«, sagte Jules und griff nach Ashs nasser Hand. »Das wird es. Ich weiß es.«

Sie meinte es so. In Ashs Leben wurde immer alles gut. Endlich konnte sich die Familie wieder voranbewegen. Nachdem sie bisher einen allgemein emotional anfälligen Sohn gehabt hatten, gab es jetzt eine Diagnose: eine tief greifende Entwicklungsstörung, nicht weiter spezifiziert. Er liege im Autismus-Spektrum, hatten die Ärzte erklärt, und damit konnte ihm endlich geholfen werden. Die Familie Figman-Wolf würde sich wieder fangen, genau wie sie es immer getan hatte, genau wie sich auch die Familie Wolf vor langen Jahren gefangen hatte. Aber der Verlust von Möglichkeiten war unleugbar immer schmerzhaft, zum Beispiel als Ashs Bruder Goodman in einer einzigen Nacht sein Leben ruinierte und dann impulsiv weiterwütete, ganz so, als wollte er auch die Leben aller anderen um sich herum ruinieren.

Bis 2009 hatte Jules Ash in so gut wie allen wichtigen Momenten ihrer Familiengeschichte beigestanden, und sie wusste, wie viel ihre Freundin gelitten hatte. Dennoch konnte sie auch an diesem Abend, nachdem sie mit Dennis den letzten Weihnachtsbrief gelesen hatte, ihren leichten Neid nicht so schnell loswerden, wie sie gerne wollte. Sie und Dennis gingen früh zu Bett, und Ethans Zeichnung der Heiligen Drei Könige sah von der Heizung zu ihnen herüber. Es war einer jener frostigen Abende, und sie hielten einander, doch die kräftigen Arme ihres Mannes vermochten Jules nicht wirklich warm zu halten, wie ihre Arme wohl auch ihn nur unzureichend wärmten. Weit weg, im Herd einer Ranch in Colorado, glühte ein Feuer und erfüllte den Raum.

Vier

Dennis Boyds erste ernste Depression lag anderthalb Jahre zurück, als er und Jules Jacobson sich bei einer Dinnerparty im Spätherbst 1981 kennenlernten. Sie war im September nach dem College in die Stadt gezogen und versuchte, als Schauspielerin – Ash meinte, sie sollten jetzt »Schauspieler« sagen – Fuß zu fassen, als »Charaktertype« in komischen Rollen, wobei ihr das rötliche Haar half. Eine jüngere Lucille Ball zu geben würde sie allerdings nicht sehr weit bringen, das wusste Jules. Depressionen waren nichts, worüber sie und ihre Freunde je nachdachten. Es ging um ihre Aushilfsjobs, Vorsprechtermine, ihr Studium, die Schwierigkeiten, eine bezahlbare Wohnung zu finden, und die Frage, ob man mit jemandem, mit dem man mehr als einmal schlief, bereits eine Beziehung hatte. Sie eroberten die Welt, indem sie ausprobierten, was auszuprobieren war, mentale Probleme und Krankheiten waren dabei kein Thema. Jules war zu naiv, um etwas über mentale Krankheiten zu wissen, die sich nicht in auf den Straßen zu beobachtenden aggressiven männlichen Formen oder einer plathschen Verzweiflung bei den Frauen niederschlugen. Von anderen psychischen Defekten hatte sie nie gehört.

Isadora Topfeldt, die Gastgeberin der Dinnerparty, hatte Jules vor dem Abend ein paar Dinge über Dennis Boyd erzählt, wobei sie seine depressive Phase ausließ. Als sie die verschiedenen Leute aufzählte, die kommen würden, sagte sie nur: »Oh, und mein Nachbar von unten, Dennis Boyd. Du weißt schon, ich habe dir von ihm erzählt.«

»Nein.«

»Aber ganz bestimmt. *Dennis*. Der mächtige alte Dennis.« Isadora schob das Kinn etwas vor und breitete erläuternd die Arme aus. »Ein Bär mit dickem schwarzem Haar. Er ist *normal*, verstehst du?«

»Normal? Wie meinst du das?«

»Oh, genau wie du und ich und die meisten Leute, die wir kennen, nicht normal sind. Dennis ist das Gegenteil. Schon sein Name: Dennis Boyd. Wie zwei nebeneinanderstehende Holzblöcke: Dennis. Boyd. So könnte jeder auf dieser Welt heißen. Er ist … dieser *Typ*. Hat mit Kunst und Kultur nichts am Hut, was ihn von einer Menge Leute unterscheidet, die wir kennen. Er arbeitet als Aushilfe in einer Klinik, beantwortet das Telefon und hat keine Ahnung, was er mit seinem Leben anfangen soll. Stammt aus Dunellen in New Jersey, Arbeiterklasse, ›die Eisenwarenklasse‹, hat er, glaube ich, mal gesagt. Er war in Rutgers. Sagt nicht sehr viel. Man muss ihm in gewisser Weise alles aus der Nase ziehen. Manchmal spielt er mit seinen Freunden im Park Football«, fügte Isadora hinzu, als wäre das ein besonders exotisches Detail.

»Warum hast du ihn eingeladen?«

Isadora zuckte mit den Schultern. »Ich mag ihn«, sagte sie. »Weißt du, wie er wirklich aussieht? Wie ein junger Cop.«

Isadora Topfeldt und Dennis Boyd wohnten auf der West Side, in einem schmalen Mietshaus ohne Lift in der 85. Straße, direkt bei der Amsterdam Avenue. Zu Beginn der Achtziger war das noch eine etwas zweifelhafte Gegend. Jeder, der auf der Upper West Side lebte, wusste zu erzählen, dass er schon einmal ausgeraubt oder doch fast ausgeraubt worden war. Es war eine Art Initiationsritus. Isadora, eine laute, breitschultrige Frau, die gerne altmodische Kleider trug, hatte ihren Nachbarn Dennis bei den Briefkästen kennengelernt, und die beiden hatten sich verschiedentlich in ihrer Wohnung unterhalten. Vor nicht allzu langer Zeit, nach einem langen Schweigen, hatte Dennis Isadora schließlich etwas steif erzählt, was ihm im College passiert war, und obwohl Isadora für gewöhnlich auch alles ausplauderte, hatte sie Jules oder einem der anderen Gäste doch nichts von Dennis' depressiver Phase und seiner stationären Behandlung gesagt, weil es, wie sie später erklärte, Dennis gegenüber unfair gewesen wäre.

Jules hatte ihren universitären Abschluss an der State University of New York in Buffalo gemacht, und nachdem sie einen Sommer über wieder bei ihrer Mutter in Underhill gewohnt hatte, wo alles noch so wie immer und doch leicht anders war – das italienische Familienrestaurant war jetzt ein Nagelsalon, das Dress Cottage ebenfalls, die Wanczyks von nebenan waren beide kurz nacheinander an Herzanfällen gestorben, und ihr Haus gehörte jetzt einer iranischen Familie –, fand sie ein extrem billiges Studio-Apartment im West Village. Das Haus schien einen sehr mangelhaften Brandschutz zu haben, aber es lag in der *City*. Endlich konnte sie sagen, dass sie an dem Ort lebte, aus dem ihre Freunde von Spirit-in-the-Woods stammten. Jetzt unterschied sie sich nicht mehr von ihnen.

Ash und Ethan wohnten direkt gegenüber im East Village, und ihr Studio-Apartment, ihre erste gemeinsame Wohnung, war nicht besser als ihres. Es hatte einen funktionierenden offenen Kamin, doch das Zimmer war winzig, mit einem Hochbett und einem einfachen Schreibtisch darunter. Alle wohnten in winzigen Apartments. Nach dem Ende der Ausbildung war das der erste Schritt, und die Erbärmlichkeit von Jules' Einzimmerwohnung war nichts, wofür sie sich hätte schämen müssen. Sie kellnerte abends im La bella Lanterna, einem Café, in dem die gerade aus der Vorstadt hergezogenen Kids diesen Sprudel namens *Aranciata* bestellten, wobei sie das *R* wie Italiener über die Zunge rollen ließen. Wenn sich die Gelegenheit bot, ging Jules tagsüber zu Vorsprechterminen. Nur einmal wurde sie danach zurückgerufen, aber sie ging dennoch weiter hin.

Ihre Freunde waren zu nett, um ihr zu sagen, dass sie sich vielleicht etwas anderes suchen sollte. Normalerweise waren es die Eltern, die einem unaufgefordert Testbögen für die Aufnahme ins

Jurastudium gaben, und wenn der Sohn oder die Tochter widerwillig oder gar wütend reagierten, sagten sie abwehrend: »Wir wollten nur, dass du etwas hast, worauf du notfalls zurückgreifen kannst.« Die Welt der Juristen war voll mit Zurückgreifenden, die des Theaters nicht. Niemand griff je aus Not erfolgreich aufs Theater zurück. Auf die Bühne musste man unbedingt wollen.

Zu Beginn ihrer Zeit in New York hatte Jules tatsächlich gedacht, dass sie es unbedingt wollte. Ihre drei Sommer in Spirit-in-the-Woods hatten diesen Wunsch in ihr verankert, und er hatte sich gehalten. Sie hatte Selbstvertrauen auf der Bühne gewonnen und war manchmal geradezu kühn gewesen. Ihre soziale Unbeholfenheit war zu etwas geworden, das anderen ein gewollter Effekt zu sein schien. Manchmal trug sie merkwürdige elfenhafte Kleider, eine John-Lennon-Brille zum Lesen und kurze, weite Röcke, die sie als »Dirndl« bezeichnete. »Dir gefällt es einfach, ›Dirndl‹ zu sagen«, warf Ethan ihr vor und hatte recht damit. Jules machte oft eigenwillige Bemerkungen, nicht mal richtige Witze, und stellte überrascht fest, dass die meisten anderen Schauspieler nicht witzig waren, sodass sie ein dankbares Publikum abgaben. Sie musste nur einen Satz sagen, der einen vage ethnischen oder komischen Anschein hatte. »Meine *Kishkas*, meine *Kishkas*«, hatte sie einmal gesagt, als sie von einem Frisbee in den Bauch getroffen wurde, und alle um sie herum waren in Lachen ausgebrochen. Doch Jules wusste, dass sie mogelte, weil sie nicht wirklich witzig, sondern nur beinahe witzig gewesen war.

Ethan verstand den Unterschied, als sie ihm davon erzählte. »Ja, das ist eine Art Mogelei«, stimmte er ihr zu, »dein Jüdischsein auf so billige Art zu benutzen.«

Im ersten Jahr nach dem College nahmen Jules und Ash gemeinsam Schauspielunterricht, im Privatstudio der legendären Yvonne Urbaniak, die in ihren späten Siebzigern war und einen Turban trug, was für eine Frau, wenn sie nicht gerade eine makellose Statur und Haltung besaß, wenig schmeichelhaft war und für gewöhnlich auf eine Chemotherapie hindeutete. »Sie ist Isaak Dinesens Stunt-Double«, sagte Jules immer. Yvonne war äußerst charismatisch und dabei zu plötzlicher Grausamkeit fähig. »Nein, nein, nein!«, hatte sie mehr als einmal zu Jules gesagt. Ash war einer der Stars der Klasse, Jules gehörte zu den Schlechtesten. »Definitiv eine der beiden Letzten«, sagte Jules einmal. Ash murmelte etwas Gegenteiliges, aber nicht mit Nachdruck.

Zusammen mit zehn anderen Leuten trafen sich Jules und Ash donnerstagabends im karg möblierten Zimmer eines Brownstones zum Unterricht, lasen Szenen, machten Übungen, und ziemlich oft weinte jemand. Gelegentlich war es Ash. Jules weinte dort nie, aber manchmal, wenn sie sah, wie einer der anderen Schauspieler während einer Übung von seinen Gefühlen überwältigt wurde, verspürte sie eine nervöse Spannung und den plötzlichen Wunsch zu lachen. Ihr fehlte die emotionale Bindung ans Schauspielern, und so versuchte sie sich einzureden, dass sie als komische Schauspielerin solch eine Bindung nicht brauchte. Dass sie nichts als ein lustiges Fohlen sein müsse, das gewinnend über die Bühne trapst. Aber auch darin war Jules nicht gut genug.

Nach dem Unterricht aßen sie und Ash noch spät in einem Restaurant im East Village, wo die Wareniki, die ukrainische Version fetter Piroggen, auf gebutterten, ovalen Tellern herumrutschten. Diese Essen waren ein Ziel und eine Erleichterung. Nach der Anspannung des Unterrichts waren Jules die Stärke und der ölige Glanz willkommen, den man von der Gabel lecken konnte, und natürlich genoss sie es auch, Ash gegenüberzusitzen, mit niemandem sonst um sich.

»Ich sollte aufhören«, sagte Jules.
»Nein, das solltest du nicht. Du bist so gut.«
»Nein, bin ich nicht.«

Ash ermutigte Jules immer und ignorierte die Wahrheit. Vielleicht war sie ja mit fünfzehn ganz gut gewesen, doch das war ein kurzes, ungewöhnliches Aufflammen gewesen. Ihr erster Abend auf der Bühne im Camp, als die Alte im *Sandkasten*, war ihr bester gewesen, und schon in den Sommern danach wurde sie schwächer. Am College hatte sie verschiedene Rollen bekommen und sehen können, wo sie stand. Einige Schauspieler waren entschlossen, jedoch ohne Talent, andere hoch talentiert, aber zerbrechlich, und die Welt musste sie entdecken, bevor sie sich duckten und verschwanden. Und dann waren da Leute wie Jules, die sich bemühten und denen man die Mühe ansah. »Mach weiter«, sagte Ash. »Nur um das geht es, oder?« Und Jules machte weiter, ohne jeden Erfolg oder eine Ermutigung, die nicht von ihren Freunden kam.

Dennoch, solange sie in Yvonnes harten Unterricht und zu all den sinnlosen Vorsprechterminen ging, konnte Jules Jacobson als »Schauspielerin« bezeichnet werden, und so wurde sie bei Isadora Topfeldts Dinnerparty denn auch Dennis Boyd vorgestellt. Dennis seinerseits wurde von Isadora »mein Nachbar, eine sehr nette Aushilfe in der Klinik« genannt. Beide sagten schüchtern Hallo. Wer 1981 zweiundzwanzig war und jemanden vom anderen Geschlecht traf, dachte nicht an die Möglichkeit, ein Paar zu bilden. Ash und Ethan waren das einzige Paar in ihrem Alter, das Jules kannte, und die beiden zählten nicht, denn sie waren wie niemand sonst. Das irgendwie absonderliche Kindheitsliebe-Phänomen von Ash und Ethan ließ sich nicht ganz erklären.

Die Dinnerparty mit Dennis fand an einem jener Abende statt, zu denen es Anfang der Achtzigerjahre anfallartig kam, als alle kochen lernten und es bei Essenseinladungen komplizierte Dinge gab, allerdings innerhalb enger Grenzen, besaßen doch alle die gleichen beiden Kochbücher. Hähnchen Marbella war allgegenwärtig. Pflaumen, diese ungeliebten Früchte, käferförmig, glänzend und fleischig, fanden endlich ihren Kontext. Koriander war ebenfalls für eine kurze Zeit überall und schuf aufgeregte Bekenntnisse, ob man ihn nun mochte oder nicht, wobei einer immer unweigerlich sagte: »Schmeckt wie Seife.« An jenem Abend leckten die Kerzen mit roten Wachszungen über Isadoras Tischdecke und Fensterbank, wo sie eine ewige Kruste zurückließen, doch das machte nichts. Isadoras billige Möbel und auch die Wohnung selbst würden zurückbleiben, wenn sich das Leben-Ausprobieren erschöpft hatte und neue Wünsche die alten ersetzten. Alle hassten Ronald Reagan, der Ekel schien einheitlich, und es überraschte Jules Jacobson, dass ihn andere Menschen im Land, offenbar eine Mehrheit, mochten. Nixon war absolut grotesk gewesen, und soweit sie sehen konnte, stand ihm Reagan mit seinem geölten Haar und den gepolsterten Schultern in nichts nach. Reagan wirkte wie Nixons schwachköpfiger Onkel.

»Ist euch aufgefallen«, hatte Jules einmal zu ihren Freunden gesagt, »dass Reagans Kopf abgeschrägt ist? Er hat eine Form wie die Gummispitze der Flasche mit diesem braunen Kleber. Wie heißt das Zeug noch? ... Ach ja, *Mucilage*.« Alle lachten. »Unser Präsident mit dem Mucilage-Kopf«, sagte sie. »Apropos«, fuhr sie fort und fügte gleich noch etwas an, was sie einmal im Camp zu Ethan gesagt hatte: »Ist euch eigentlich klar, dass Bleistifte wie Collies aussehen? Ihr wisst schon, die Hunde, wie Lassie?« Nein, es war niemandem klar. Jemand holte einen Bleistift, und Jules zeigte ihnen, dass er, von der Seite betrachtet, einen zottigen orangefarbenen Pony hatte, wie das Fell eines Collies, und dazu eine schwarze Spitze, die einer Collieschnauze glich. Ja, ja, jetzt sahen es alle, aber sie dachten noch an den Mucilage-Kopf und daran, dass sie, zu ihrer Verzweiflung, jetzt in seinem Amerika lebten.

Das Haus am Cindy Drive, das immer schon klein und ein wenig schäbig gewesen war, war fürchterlich *postcollege* gewesen. Seit Jules' Vater 1974 gestorben war, hatte ihre Mutter es nicht ausreichend gut erhalten können. Der Briefkasten hing schief, und vorn auf der Veranda lag ein Keramikkürbis, der bis obenhin mit vergilbten Ausgaben des *Underhill Clarion* gefüllt war. Lois ließ Jules keinen Moment in Ruhe, kaum dass sie durch die Haustür kam, und bei Tisch schien sie eifrig zu studieren, wie Jules aß. Es war absolut nervtötend gewesen. In New York fühlte sich Jules so gut, weil sie meist unbeobachtet und unbeurteilt blieb. Selbst das magere androgyne Wesen in dem billigen Friseursalon im Village blickte einen kaum an, während er oder sie einem die Haare schnitt, sondern sah meist in den Spiegel und quer durch den großen Kellerraum in dem alten Industriegebäude hinüber zu einem anderen mageren androgynen Wesen. Ein Lied von den Ramones zerrte an den Stühlen, und man konnte die Augen schließen und der Musik und dem seltsam befriedigenden Geräusch lauschen, mit dem einem das nasse Haar vom Kopf getrennt wurde.

Isadoras Partygäste hatten fast alle Stachelhaare, wie Hunde, die gerade von einem Hundekampf im Regen kamen. Dennis Boyd nicht. Er saß Jules Jacobson hinter einer dicken, an eine dorische Säule erinnernden Kerze gegenüber und hatte normales, gewelltes schwarzes Haar, dazu ein dunkel verschattetes, leicht unrasiertes Gesicht mit tief liegenden dunklen Augen und Ringen, die fast schon an Blutergüsse erinnerten. Es war nicht klar, was oder wer er war. Er wohnte in diesem Haus und arbeitete in einem Job, aus dem er herauswachsen würde. Es war eine Zeit im Leben, dachte Jules, in der man vielleicht noch nicht wusste, wer man war, aber das war in Ordnung. Man beurteilte die Leute nicht nach ihrem Erfolg, sondern nach ihrem Erscheinen. Niemand, den sie kannten, war mit zweiundzwanzig schon erfolgreich, niemand hatte eine schöne Wohnung, besaß etwas von Wert, trug teure Kleider oder hatte auch nur ein Interesse daran, viel Geld zu verdienen. Die Zeitspanne zwischen zwanzig und dreißig war oft erstaunlich fruchtbar. Große Dinge konnten in diesen zehn Jahren geschehen. Nach dem College schaltete man einen Gang höher. Man war nicht berechnend ehrgeizig, sondern einfach begierig, willig und noch nicht müde.

Isadoras mächtiger Nachbar Dennis unterschied sich etwas von den anderen. Er war noch in seinen Arbeitssachen, und sein zerknittertes weißes Hemd mit dem geknöpften Kragen ließ Jules an saubere Baumwolllaken denken. Dennis wirkte solide, wie Isadora gesagt hatte, und ja, es stimmte, dass sein kurzer, konservativer Haarschnitt, die kräftigen Arme und der New-Jersey-Akzent auch ihrer Vorstellung von einem jungen Cop nahekamen. Es war nicht schwer, ihn sich in Uniform vorzustellen. Wobei er auch schüchterner war als alle anderen im Raum. Außer Isadora waren da noch Janine Banks, die Isadora von zu Hause kannte, und ein Bursche namens Robert Takahashi aus dem Kopierladen, in dem sie jobbte. Robert war klein und gut aussehend, hatte abstehendes schwarzes Babyhaar und war gebaut wie eine kompakte Actionpuppe. Er sei schwul, hatte Isadora gesagt, und stamme aus einer traditionellen japanischen Familie, die er mit seinem Coming-out tief beschämt habe, die aber seitdem kein Wort mehr darüber verlieren würde. Wenn er nach Pittsburgh fuhr, um seine Familie zu besuchen, nahm er immer seinen Freund mit, so er denn gerade einen hatte, und seine Mutter kochte Udon-Nudeln und Aal in einer guten Soße und verwöhnte die beiden Männer.

Einen Moment lang dachte Jules, Robert sollte vielleicht ihren Freund Jonah Bay kennenlernen, doch sie dachte nicht, dass Jonah schon so weit war, jemanden kennenzulernen, nachdem er den Sommer mit Mitgliedern der Vereinigungskirche, den Moonies, auf einer Farm in Vermont verbracht hatte. Er war in die Kirche hineingezogen worden, als er nach seinem Abschluss am MIT noch in Cambridge wohnte. Aus Gründen, die keiner verstand, war Jonah der Indoktrination zum Opfer gefallen und zu den Moonies auf die Farm gezogen, von wo ihn seine Freunde vor einem Monat zurück nach New York hatten bringen können, um ihn zu »deprogrammieren«. Er war noch nicht wieder gesellschaftstauglich und brauchte Ruhe, als hätte er einen Schlaganfall erlitten.

Robert Takahashi begann von einem seiner Freunde im Kopierladen zu erzählen, Trey Speidell, der sehr krank sei. Es sei äußerst verstörend, wie sie es herausgefunden hätten, sagte Robert. Eines Abends waren sie nach der Arbeit zu zweit ins Saint gegangen und hatten unter der durchlöcherten Planetariumskuppel des Clubs angefangen zu tanzen. Hemden wurden ausgezogen und Poppers genommen, obwohl es doch ein normaler Wochentag war – aber warum auch nicht? Es war 1981, und die beiden waren junge Männer mit frisch geschnittenen Haaren, die jeden Tag aufstanden, um Jobs zu erledigen, für die sie keinerlei Hirn brauchten. Sie konnten ruhig lange aufbleiben, tanzen und herumspringen. Auf die schnellen Lieder folgten langsame, und sie rieben sich aneinander und landeten in Treys kleiner Wohnung, die er sich mit anderen teilte.

»Wir haben herumgemacht«, sagte Robert. »Es war toll.« Alle lauschten aufmerksam, als erzählte er eine Seefahrergeschichte. »Trey ist extrem süß, glaubt mir.«

»Das ist er tatsächlich«, sagte Isadora.

»Hinterher war es dämmrig im Zimmer, und ich bin ihm mit dem Finger über die Schulter gefahren und habe so was gesagt wie: ›Folge den Punkten.‹ Und er sagte: ›Was?‹ Und ich: ›Deine Muttermale.‹ Da war er beleidigt und ging ins Bad, um mir zu beweisen, dass er keine hatte, und ich folgte ihm, und er drehte sich ins Licht, und da waren diese großen lila Flecken, als hätte sie ihm gerade einer mit einem Edding auf die Haut gemalt. Am nächsten Tag ist er in der Mittagspause zum Dermatologen gegangen und kam nicht wieder zurück zur Arbeit. Jetzt liegt er im Krankenhaus, und sie sagen, es ist Krebs. Eine wirklich seltene Art. Sie haben Ärzte aus anderen Krankenhäusern hinzugezogen, selbst einen aus Frankreich.«

Gerade noch sei Trey Speidell gesund gewesen, erzählte Robert, in toller Verfassung, sechsundzwanzig, und schon liege er im St. Vincent's auf einer Spezialstation für schwierige Fälle. Robert hatte Angst, dass es in der Lüftungsanlage von Copies Plus einen Giftstoff gab, der Trey vergiftet hatte und bald auch die anderen Angestellten vergiften würde, so wie die Legionärskrankheit die Teilnehmer an dem Veteranentreffen getötet hatte. Er sorgte sich, dass er und Isadora die Nächsten sein würden. »Ich denke, wir sollten Montag bei Copies Plus kündigen«, sagte er. »Um da rauszukommen. Es ist sowieso ein fürchterlicher Laden.«

»Du bist ja völlig neurotisch«, sagte Isadora. »Einer unserer Arbeitskollegen hat Krebs, Robert. Es bekommen ständig Leute Krebs, selbst junge.«

»Die Schwester im St. Vincent's meinte aber, den bekämen nur alte Leute.«

»Meine Schwester Ellen hatte letztes Jahr eine Gürtelrose«, sagte Jules. »Die sollten eigentlich auch nur alte Leute kriegen.«

»Genau«, sagte Isadora. »Danke, Jules. Dass Trey Speidell irgendeinen Alterskrebs hat, bedeutet nicht, dass es eine Copies-Plus-Epidemie geben wird.«

»Kennt ihr meine Angriffsstrategie, wenn ich mir wegen etwas Sorgen mache?«, fragte Dennis plötzlich, und dass seine Stimme in der Unterhaltung auftauchte, überraschte Jules, weil er bisher weniger als die anderen gesagt hatte. Alle sahen ihn erwartungsvoll an, und er schien ein wenig zurückzuzucken. »Nun«, sagte er unsicher, »dann probiere ich es mit einer Verhaltensmodi.«

»Verhaltens*modi*?«, sagte Isadora. »Was ist das? Das klingt nach den *Swinging Sixties*.«

»Eine Modifikation ... Es bedeutet, dass du versuchst, dir zu überlegen, was an deiner Reaktion realistisch ist und was nicht«, sagte Dennis. Er leckte sich die Lippen. Die Aufmerksamkeit machte ihn nervös.

»Damit kenne ich mich aus«, sagte Jules. »Ich habe eine Hausarbeit darüber geschrieben, für einen Psychologiekurs.«

»*Jules und Dennis sitzen in einem Baum und k-ü-s-s-e-n sich*«, sang Isadora völlig unangemessen, und Robert und Janine stöhnten und schimpften, aber Jules und Dennis sagten nichts, sondern sahen auf ihre Teller. Dann wandte sich Isadora wieder Robert zu und sagte: »Ich glaube, du musst lockerer werden, Robert. Wir alle müssen das. Deshalb habe ich uns auch einen hübschen fetten Spliff zum Nachtisch gekauft.«

Niemand schien sehr an Isadoras Spliff interessiert. Jules hatte keine Ahnung, was das überhaupt war. Isadora belud ihre Gespräche öfter mit ungewohnten umgangssprachlichen Ausdrücken. Robert Takahashi blieb für den Rest des Abends launisch und zerstreut, was Isadora umso gesprächiger machte, als habe sie Angst, das Schweigen im Raum könne eine der ersten Dinnerpartys verderben, die sie in ihrem Leben gab. Der so normal aussehende Dennis Boyd schien zu schwer für seinen schwachen kleinen Esszimmerstuhl, den Isadora für wenig Geld auf dem Third Avenue Bazaar gekauft hatte. Jules fürchtete, der Stuhl könnte unter Dennis zusammenbrechen, was ihm sicher ungeheuer peinlich wäre, und sie wollte nicht, dass er sich noch unwohler fühlte, als er es offensichtlich schon tat.

Nach Roberts emotionaler, furchterregender Geschichte über Trey Speidell und der sich darauf kurz ausbreitenden trüben Stimmung dominierte Isadora den Abend. Ihre Freundin Janine stimmte mit ein, und die beiden erzählten Geschichten von ihrem Highschool-Job als Burger-Braterinnen. Alle saßen auf ihren wackligen Stühlen fest und mussten den beiden zuhören, und am Ende wurde es so langweilig, dass Jules eine eigene Geschichte beitrug, von ihrem Job, den sie im zweiten Jahr in Buffalo gehabt hatte. »Mein Hauptfach war Theaterwissenschaft, daneben habe ich Psychologie studiert«, erklärte sie den Anwesenden. »Ich bin in Stücken aufgetreten und habe für einen Psycho-Prof gearbeitet, der Experimente mit anderen Studenten machte, die jeweils zwanzig Dollar dafür bekamen. Bei einem Experiment musste ich die Probanden bitten, die emotional schmerzlichste Erfahrung zu beschreiben, die sie je gemacht hatten. ›Das wird alles vertraulich behandelt‹, habe ich ihnen gesagt.«

Jules erzählte den Gästen der Dinnerparty, wie die ihr unbekannten Studenten, die sie höchstens mal auf dem Campus gesehen hatte, ihr freimütig über Trennungen von ihren Highschool-Liebsten berichtet hatten, vom Tod ihrer Mutter oder in einem Fall vom tödlichen Tauchunfall eines kleinen Bruders. Dabei war das, was sie sagten, bedeutungslos, die Probanden wussten nicht, dass das Einzige, worauf Jules achtgab, ihre Körpersprache war. Sie beobachtete ihre Hände und ihre Kopfbewegungen und notierte sich alles. Nach einer Weile begannen die aufwühlenden emotionalen Berichte für Jules wie gewöhnliche Enthüllungen zu klingen. Der Schmerz der Befragten wurde zu etwas, das Jules greifbar schien und das sie weder unterschätzte noch leichtnahm. Sie stellte sich vor, einer dieser Studenten zu sein und vom lange vergangenen Tod ihres Vaters zu erzählen, die Stimme so zerbrechlich und zitternd wie die der Leute ihr gegenüber. Sie waren erleichtert, ihr von ihrem Schmerz erzählen zu können, wobei es gar nicht so sehr darauf ankam, wie gut sie ihnen zuhörte.

Während des Essens stieß Dennis Boyds Knie einige Male von unten an den Tisch, und zwar so heftig, dass alles erzitterte. »Dennis, hör auf damit, wir veranstalten hier keine Séance«, sagte Isadora und schlug ihm auf den Arm. Sie mochte es, Männer zu schlagen, angeblich aus Zuneigung.

Jules fragte: »Was macht Dennis denn?«

»Er ruckelt herum«, sagte Isadora. »Mit dem Bein. Wie ein kleiner Junge.«

»Ich bin ja auch ein Junge«, sagte Dennis. »Oder war mal einer.«

»Nicht alle Jungen ruckeln mit den Beinen«, sagte Jules und machte einen zaghaften Flirtversuch. Warum signalisierte eigentlich gerade neckisches Verhalten Flirtbereitschaft und sexuelles Interesse? Warum ging das nicht mit Ernsthaftigkeit? Oder Melancholie?

»Dieser Junge schon«, sagte Isadora. »Ständig, glaub's mir.«

Etwa ein Jahr später verließ Isadora New York, reiste herum, schlief auf den Sofas von Freunden von Freunden – das war Couch-Surfing, bevor es zu einer anerkannten Aktivität wurde – und schickte Jules und Dennis groteske Postkarten mit Sehenswürdigkeiten wie dem Hamburger-Museum oder dem »wahren« Haus der alten Frau, die in einem Schuh wohnte. »Wahren?«, fragte Jules Dennis, als die Karte bei ihnen ankam. »Wie kann die alte Frau in dem Schuh ein *wahres* Haus haben? Es gibt sie doch gar nicht. Das ist ein Kinderreim.« Gemeinsam lachten sie über Isadora. Dann, nach 1984, hörte niemand mehr ein Wort von ihr. Und viel später, 1998, als Jules in Zeiten des Internets auf die Idee kam, auf Yahoo nach ihrem Namen zu suchen, fand sie nur einen einzigen Verweis auf eine »I. Topfeldt«, die in Pompano, Florida, einen Hundesalon besaß. Konnte das Isadora sein? Sie erinnerte sich nicht, dass Isadora je etwas von einer Liebe zu Hunden erzählt hätte. Damals hatte so gut wie niemand, den sie in New York City kannte, einen Hund gehabt. Aber das Leben nahm die Menschen und schüttelte sie durch, bis sie am Ende selbst für ihre ehemaligen Freunde kaum mehr zu erkennen waren. Dennoch bedeutete es Macht, einmal jemanden gekannt zu haben.

Jules suchte Isadora noch ein weiteres Mal im Internet, 2006, und rechnete mit der gleichen Hundesalon-Information, was seltsam beruhigend gewesen wäre. Wenn man jemanden aus seiner Vergangenheit online lokalisierte, war das so, als fände man ihn in der Vitrine eines Museums. Er war noch da, und das Medium erweckte den Anschein, als würde es ihn immer geben. Aber als Jules Isadoras Namen dieses Mal eingab, war der oberste Treffer eine vier Jahre alte Todesanzeige, die von einem Verkehrsunfall auf einem Highway außerhalb von Pompano berichtete. Verkehrsunfälle schienen immer außerhalb von Orten zu geschehen, von denen man irgendwann einmal gehört hatte, niemals in ihnen. Im Übrigen war es eindeutig die richtige Isadora Topfeldt. Sie war dreiundvierzig Jahre alt gewesen, hatte an der State University of New York in Buffalo studiert und war nur von ihrer Mutter überlebt worden. »Dennis«, rief Jules mit angespannter, lauter Stimme, als sie die Todesanzeige auf dem Computer vor sich hatte und nicht ganz sicher war, wie sie darauf reagieren und was sie fühlen sollte. Sie wollte weinen, wusste aber nicht recht, warum. »Sieh doch.«

Er kam und stellte sich hinter sie. »Oh nein«, sagte er. »Isadora.«
»Ja. Durch die wir uns kennengelernt haben.«
»Oh, das tut mir so leid.«
»Mir auch.« Jules und Dennis wunderten sich über den Nebel aus Traurigkeit, der sie umfing und eindeutig so viel größer war als alle Zuneigung, die sie einmal für Isadora Topfeldt empfunden hatten.

Bei jener ersten Dinnerparty hatte Dennis Boyd seiner späteren Frau mit leicht feucht wirkenden Augen gegenübergesessen, und jedes Mal, wenn sein Blick zu ihr schweifte, gab ihr sein Interesse einen weiteren angenehmen Stich. Es war lange her, seit sie einen Jungen – oder einen Mann, wie man mittlerweile sagte – wirklich gemocht hatte. Im College oben in Buffalo waren die Männer draußen immer dick angezogen gewesen, was ihren Körpern etwas Asexuelles gab, und drinnen trugen sie zünftige Flanellhemden und tranken Bier. Es wurde erstaunlich viel Kicker gespielt, und nur der Pac-Man-Automat hinten in Crumley's Bar, wo sich alle freitag- und samstagabends trafen, übte eine ähnliche Anziehungskraft aus. Jules hatte vage nach Erbrochenem riechende sexuelle Begegnungen mit zwei uninteressanten Typen gehabt – die Jungs in Theaterwissenschaft waren alle schwul – und hinterher ausführlich in einer der Kabinen in ihrem Wohnheim geduscht, mit Flipflops, um sich keinen Fußpilz zu holen.

Ihre Mitbewohnerinnen waren so übel gewesen, wie man es sich nur vorstellen konnte, vor allem aber schlampig und unakademisch. Was für ein Pech, dass Jules bei ihnen gelandet war. Es roch nach Lockenstäben, und die Mädchen schrien sich mit einer Hingabe und Verachtung an, als wäre das Wohnheim eine offene Anstalt für Geistesgestörte. »LECK MIR DIE MÖSE, AMANDA. DU BIST SOLCH EIN STINKENDER SACK SCHEISSE!«, hatte einmal eine quer durch den Aufenthaltsraum geschrien. Um die aufgerissenen Sitzsäcke und dem Sony-Trinitron-Fernseher herum lagen alte Pizzakartons und natürlich die Lockenstäbe, wie die Schwerter von Rittern, die gerade ihren freien Tag hatten.

Durch den ersten Schnee zu Beginn ihres Studiums war Jules Jacobson zur Telefonzelle gegenüber vom Wohnheim gestapft, hatte den Apparat mit Münzen vollgestopft und Ash Wolf in Yale angerufen. Als Ash abnahm, konnte Jules ihre ernste Zielgerichtetheit spüren. »Hallo«, sagte Ash mit der zerstreuten, distanzierten Stimme eines Menschen, der gerade ein Referat über Molière schrieb.

»Ash, ich hasse es hier«, sagte Jules. »Die Uni ist riesig. Weißt du, wie viele Studenten es hier gibt? Zwanzigtausend. Es ist eine Stadt, in der ich niemanden kenne. Ich bin wie eine Einwanderin, die ganz allein nach Amerika gekommen ist. Mein Name ist Anna Babuschka. Bitte komm und rette mich.« Ash lachte, wie immer, und ihr Lachen war für Jules der Höhepunkt ihres Anrufes. Die Tatsache, dass sie Ash selbst über die Entfernung zum Lachen bringen konnte, machte sie ein wenig stolz. Noch in ihrem Unglück fühlte sie einen kleinen Zipfel Macht.

»Oh, Jules«, sagte Ash. »Es tut mir leid, dass du so aufgebracht bist.«

»Ich bin nicht aufgebracht. Ich bin unglücklich, und ich meine es ernst.«

»Gib Buffalo eine Chance, okay? Du bist erst zweieinhalb Monate dort.«

»Was in Hundejahren ein ganzes Jahrzehnt ist.«

»Du könntest in eine Studentenberatung gehen.«

»Da war ich schon. Aber ich brauche mehr als das.« Jules hatte fünf Sitzungen mit einer ungepflegten Sozialarbeiterin namens Melinda verbracht, die so lieb war wie die liebste Mutter und mitfühlend genickt hatte, während Jules über die Dummheit des College-Lebens hergezogen war. Hinterher konnte sie sich kaum erinnern, was Melinda gesagt hatte, doch die Zeit mit ihr war tröstend und notwendig gewesen, und Jules übernahm ganz sicher unbewusst einiges von Melindas Stil, als sie selbst ihre eigene Praxis aufmachte.

»Man muss sich ans College gewöhnen«, sagte Ash. »Ich habe mich zu Anfang genauso gefühlt, aber es ist besser geworden.«

»Du bist in Yale, Ash. Das ist etwas völlig anderes. Hier sind ständig alle zugedröhnt.«

»Hier trinken sie auch zu viel«, sagte Ash. »Glaub's mir. Wenn du ganz genau hinhörst, kannst du die Leute in Davenport kotzen hören.« Aber alles, was Jules hören konnte, war ein Streichholz, das angesteckt wurde. Mit einer Zigarette in der Hand sah Ash oft aus wie eine rauchende Elfe oder ein delinquenter Engel.

»Hier trinken die Leute das Bier direkt aus dem Fass«, sagte Jules. »Und nächste Woche soll es achtzig Zentimeter Schnee geben. Bitte, komm mich am Wochenende besuchen, bevor ich lebendig begraben werde.«

Ash überlegte. »Am Wochenende? Gott, es wäre so schön, dich zu sehen. Ich hasse es, dass wir immer noch nicht am selben Ort wohnen.«

»Ich weiß.«

»Also gut. Wir kommen am Freitag zu dir hoch.«

Wir. Ash Wolf und Ethan Figman waren im Sommer vorm letzten Highschool-Jahr zu »wir« und »uns« geworden, was alle schockte, und es war mit dem »wir« noch nicht wieder vorbei, obwohl die beiden seit dem Herbst auf zwei verschiedene Colleges gingen.

Wie versprochen standen Ash und Ethan am Freitag in Jules' Wohnheim in Buffalo: Ash klein, schön und strahlend, Ethan tranig und zerknittert nach der langen Fahrt. Sie hatten ein paar Notvorräte aus New York mitgebracht, die Jules' Upstate-Einsamkeit heilen sollten. Die Bagels waren kaum mehr zu zerschneiden, und der Schalotten-Frischkäse hatte sich etwas verflüssigt, nachdem er die ganze Fahrt über vor dem Vordersitz neben der Heizung des alten Wagens von Ethans Vater gestanden hatte. Aber die drei störten sich nicht weiter daran, saßen essend in Jules' winzigem, aus Betonsteinen gemauertem Wohnheimzimmer und hatten die Tür geschlossen, damit sie die Stimmen ihrer schrecklichen Mitbewohnerinnen nicht hören mussten.

»Okay, ich verstehe, was du meinst. Du musst von diesen Frauen weg«, sagte Ash leise. »Schon ein Blick nach da draußen sagt mir, dass du nicht übertrieben hast.«

»Hör zu, finde heraus, wer die klügsten Köpfe in deinen Seminaren sind«, sagte Ethan. »Hör auf das, was sie sagen, und dann folg ihnen nach der Veranstaltung und schmeiß dich an sie ran.«

»Sie soll sich an sie *ranschmeißen*?«, fragte Ash.

»Äh, nein, so habe ich es nicht gemeint«, sagte Ethan. »Gott, es tut mir leid. Ich bin so ein Idiot.«

In den Tagen nach dem Wochenende begann Jules seinem Rat zu folgen, entfloh ihren Mitbewohnerinnen, wo es nur ging, stellte fest, dass es um sie herum überall Nester ernsthafter Intelligenz gab, was sie in ihrem Unglück nicht erkannt hatte. Sie nahm Blickkontakt mit einigen Studenten aus ihrer Einführungsveranstaltung in Psychologie auf und bildete eine Studiengruppe mit ihnen. Im Seminarraum und hinterher in der Mensa saßen Jules, Isadora Topfeldt und ein paar weitere leicht alternative Typen auf Baukastenmöbeln zusammen und sprachen darüber, wie sehr sie ihre Mitbewohner hassten. Dann gingen sie in eine Kneipe namens Barrel auf der anderen Seite des Campus und tranken so viel wie die Leute im Crumley's. Das war upstate New York, wo sich der Schnee in Schichten türmte wie auf einer der außer Kontrolle geratenen Zitronen-Baiser-Torten in der Vitrine im Underhill Diner. Sie tranken und tranken und fühlten sich wohl, und es war, als gehörten sie einem gemeinsamen Stamm an, wenn sie sich auch nicht sonderlich nahekamen.

Im November 1981 dann, volle einundzwanzig Jahre vor Isadora Topfeldts Tod und zu einer Zeit, als sie sich noch nicht aus den Augen verloren hatten, saß Jules an Isadoras Dinnerparty-Tisch in deren Wohnung in der 85. Straße.

Isadora kratzte mit einer Gabel über den Boden einer Servierplatte und hielt einen Rest Essen in die Höhe. »Gibt es etwas Traurigeres als den letzten Fetzen ungegessenes Hühnerfleisch auf einer Dinnerparty?«

»Hmm«, sagte Jules. »Ja. Den Holocaust.«

Es entstand eine Pause, gefolgt von einem etwas unentschiedenen Lachen. »Du bringst mich immer noch halb um«, sagte Isadora und fuhr, an den Tisch gewandt, fort: »Jules war im College immer urkomisch.«

»Es ging nicht anders«, sagte Jules. »Ich habe da mit den übelsten Frauen zusammengewohnt. Da musste ich mir meinen Humor erhalten.«

»So, so«, sagte Dennis. »Und wie war Isadora im College?«

»Dennis, das College ist gerade erst vorbei«, sagte Isadora. »Ich war nicht anders als heute. Und pass auf dein Bein auf«, warnte sie ihn, als es so aussah, als würde er sein Knie gleich wieder hochschnellen lassen.

»Ja«, sagte Jules. »Sie war genauso.« Aber natürlich mochte sie Isadora jetzt weniger, denn sie brauchte sie nicht mehr so sehr und sah sie in einem klareren Licht. Ash und Ethan und, seit er kürzlich zu ihnen zurückgekehrt war, auch Jonah waren jetzt die Freunde, mit denen sie redete und die sie regelmäßig sah. »Wie ist sie denn jetzt?«, fragte Jules. »Du bist schließlich ihr Nachbar.«

»Oh, sie schafft es, dass ich mir vor Angst in die Hosen mache«, sagte Dennis. Einen Augenblick lang herrschte Schweigen, und dann lachten beide gleichzeitig, wie um den zufälligen Moment der Wahrheit zu kaschieren.

Dennis verließ die Party früher, weil er, wie er sagte, am nächsten Morgen bei einem Touch-Football-Spiel im Central Park mitmachen musste. Keiner der anderen konnte sich vorstellen, am Wochenende früh aufzustehen, und schon gar nicht, um Sport zu treiben. »Ein Trupp Leute trifft sich da auf der Schafswiese«, erklärte er, sah Robert Takahashi an und sagte: »Ich hoffe, deinem Freund geht es bald wieder besser.« Und dann verschwand er mit einem Lächeln, das entweder allen oder – möglicherweise – speziell Jules galt, hinunter in seine Wohnung.

Kaum dass er aus der Tür war, begann Isadora über ihn zu reden. »›Ein Trupp Leute‹, klingt das nicht toll?«, fragte sie. »Ich weiß, er scheint aus einfachen Teilen konstruiert zu sein, aber ich meine nicht aus dümmlichen Teilen, sondern nur nicht aus so kaputten wie wir. Die Wahrheit ist jedoch komplizierter. Klar, er ist völlig normal, spielt Touch Football und scheint nicht so hilfsbedürftig, wie wir es immer sind ...«

»Vielleicht du«, sagte Robert Takahashi.

»Aber er hat Depressionen. Er hat mir erzählt, dass er in seinem dritten Jahr in Rutgers ein wirkliches Tief hatte, im Grunde einen Zusammenbruch. Er hat seine Veranstaltungen nicht mehr besucht und keine seiner Arbeiten abgegeben. Als er dann endlich zum Gesundheitsdienst ging, war er wochenlang kaum in der Mensa gewesen – ich meine, seine Karte war nicht gescannt worden –, und er hatte sich fast ausschließlich von ungekochten Nudeln ernährt.«

»Wie kannst du Nudeln essen, ohne sie zu kochen?«, fragte Janine. »Braucht man da kein Wasser?«

»Ich habe keine Ahnung, Janine«, sagte Isadora ungeduldig. »Der Gesundheitsdienst sah auf jeden Fall, in was für einem Zustand er war, und sie haben seine Eltern angerufen. Und dann haben sie eine medizinische Pause für ihn arrangiert und ihn ins Krankenhaus eingeliefert.«

»In ein psychiatrisches Krankenhaus?«, fragte Robert Takahashi. »Himmel!« Ein ehrfürchtiges, besorgtes Schweigen breitete sich am Tisch aus, wabernd wie die Luft über den Kerzen.

»Ja«, sagte Isadora. »In das, in dem auch all die Dichter waren. Nicht dass Dennis Boyd ein Dichter wäre, das wohl kaum«, fügte sie völlig unnötigerweise hinzu, wie Jules dachte. »Trotzdem haben sie ihn bis hoch nach New England gebracht, weil der Psychologe von Rutgers seiner Familie erklärt hat, das Krankenhaus da hätte eine besonders gute Jugendabteilung. Und die Versicherung hat es bezahlt. Hinterher ist er zurück aufs College gegangen und hat seinen Abschluss nachgeholt, mit Sommerkursen und Zusatzunterricht. Er war nicht besonders gut, aber sie haben ihm seinen Abschluss gegeben.«

»Was für ein Krankenhaus war das, in das alle Dichter gingen?«, fragte Jules.

»Du weißt schon, das berühmte in den Berkshires«, sagte Isadora.

»Langton Hull?«, fragte Jules überrascht. Dennis war tatsächlich im psychiatrischen Krankenhaus Langton Hull gewesen, in Belknap, der kleinen Stadt, an die Spirit-in-the-Woods grenzte.

Gegen Ende des Abends machte Isadora mit der Maschine, die sie von ihren Eltern bekommen hatte, Espresso. Sie hatte allerdings noch nicht richtig heraus, wie es ging. Endlich holte sie den versprochenen Joint heraus und sagte: »Auf geht's«, wobei sie den Kopf zu einem stummen Reggae vorrucken ließ, während sie den

Joint weiterreichte. »Stellt euch vor, ich habe eine dieser merkwürdigen gestrickten Rasta-Mützen auf und mein Haar daruntergestopft«, sagte Isadora. »Stellt euch vor, ich bin schwarz.«

Jules hatte den Großteil ihres Pot-Rauchens bereits als Teenager hinter sich gebracht, in den Siebzigern, genug für ein ganzes Menschenleben. Es hatte sie erschöpft, und der Gedanke, jetzt einen Joint zu rauchen, war wenig ansprechend. Sie stellte sich vor, wie sie zu viel redete, aus sich herausging, laut und sogar etwas anzüglich wurde. Allein von der Vorstellung fühlte sie sich beschmutzt und unglücklich, sodass sie kaum etwas von dem Rauch einatmete. Robert Takahashi schien es genauso zu machen, offenbar wollte er ebenfalls lieber klar bleiben. Nur Janine und Isadora saugten an dem Riesenjoint, als wäre es eine Zitze, lachten und machten unverständliche Privatwitze über ihre gemeinsame Burger-Braterinnen-Vergangenheit.

Als sie das Haus verließ, traf Jules Dennis Boyd noch einmal auf der Treppe. Er brachte den Müll nach unten. Um nicht zu sagen: »Wir haben über dich geredet, und dabei habe ich herausgefunden, dass du in Langton Hull warst. Hast du je von Spirit-in-the-Woods gehört?«, sagte sie: »Hallo. Du hast die Kekse verpasst.«

»Schade, ich mag Kekse«, sagte er. »Allerdings versuche ich ihnen aus dem Weg zu gehen. Krieg ein bisschen einen Bauch und will noch nicht aussehen wie mein Dad. Oder überhaupt jemals.« Zur Illustration klopfte er sich mit der einen Hand auf den Bauch, während er in der anderen den verknoteten weißen Plastikmüllbeutel hielt, der innen nass zu sein schien. Er trug jetzt ein grünes Sweatshirt und Jeans, Nach-der-Party-Klamotten. Wie sich herausstellen sollte, war er wegen der Medikamente gegen seine Depressionen in der Mitte etwas füllig. Antidepressiva waren damals noch ziemlich grob und schlugen mit einem großen, plumpen Hammer zu.

»Und du hast Isadoras Spliff verpasst«, sagte Jules mit einem Lächeln, von dem sie hoffte, dass es sardonisch wirkte. Sie würde nichts gegen Isadora Topfeldt sagen, es sei denn, Dennis machte den Anfang, doch sie nahm an beziehungsweise hoffte, dass es ihm genauso ging.

»Ich glaube nicht, dass ich den Ausdruck kenne. *Spliff?* Du meinst Pot, richtig?«

»Ja.«

»Magst du noch was trinken oder so?«, fragte Dennis Boyd, und Jules sagte: Nein, danke, sie sei müde, ihr Magen randvoll und es passe kein Schluck mehr in sie hinein. Es stimmte, sie versuchte aufzupassen nach der vierjährigen Sauferei überall um sie herum in Buffalo. Dabei hatte er nur gemeint, ob sie nicht noch mit zu ihm kommen wolle, aber sie war nicht auf die richtige, erwachsene Antwort gekommen. Die Einladung hatte sie überrascht, und so sagte sie Nein, obwohl ihr sofort bewusst wurde, dass sie tatsächlich gern mit in seine Wohnung gekommen wäre. Sie wollte sehen, wie er wohnte, und die bescheidene Sammlung seiner Besitztümer begutachten. Sie wettete, dass er ordentlich, überlegt und irgendwie rührend war.

»Okay«, sagte er. »Also, viel Spaß dann noch. Wir sehen uns.«

»Bis dann«, sagte sie. Hätte sie ihn eingehender betrachtet und gesehen, wie jung, stämmig und unfertig er tatsächlich noch war, mit dem Müllbeutel in der Hand und den Ärmeln seines Sweatshirts, die zu kurz waren und über den kräftigen, haarigen Handgelenken endeten, hätten sie vielleicht schon an diesem Abend etwas miteinander angefangen. So aber dauerte es fast noch zwei Monate, während denen sie ihre getrennten Leben führten, als bereiteten sie sich auf nichts vor, doch am Ende war es so viel.

Als Jules Jacobson Dennis Boyd das nächste Mal auf der Straße sah, war es Winter. Wieder hielt er eine Plastiktüte in der Hand. Jules war auf dem Weg zu Copies Plus, um eine Szene aus einem

Stück für ein Vorsprechen zu kopieren. Sie sah den Hals einer braunen Flasche aus Dennis' Einkaufstüte ragen und war gerührt, als ihr bewusst wurde, dass es sich um Bosco handelte, den Schokoladensirup, der seit ihrer Kindheit aus ihrem Leben verschwunden war. Er hatte Bosco und Tortilla-Chips gekauft. Jules erinnerte sich an Isadoras indiskrete Geschichte über Dennis' Aufenthalt in der psychiatrischen Klinik und dachte, dass er immer noch nicht gut auf sich aufpasste. Aber wer tat das schon? Jules hatte ihrer Mutter schwören müssen, eine Krankenversicherung abzuschließen, den Antrag und den Scheck aber nie an Prudential geschickt. Jules war nicht versichert, und nicht nur das, sie hatte auch den Herd in ihrer abscheulichen kleinen Küche noch nie benutzt. Nur einmal hatte sie einen mit Reis gefüllten Strumpf darauf warm gemacht, weil sie einen steifen Hals hatte. Die Vorstellung, dass der große, dunkle, unrasierte Dennis Boyd nicht richtig auf sich achtete, erschreckte sie dennoch.

»Ich komme mit«, sagte Dennis, und Jules sagte Okay. Die Eingangsglocke des Kopierladens klingelte, sie traten ein und standen gemeinsam in dem großen weißen Raum, in dem es scharf nach Toner roch. Isadora Topfeldt trug ihr rotes Angestellten-Poloshirt, hatte sich das Haar zu zwei Mädchenzöpfen gebunden und sah noch spleeniger und randständiger aus als das letzte Mal, als Jules sie gesehen hatte. Isadora schien durch die Schlasch-Schlasch-Geräusche der Kopierer und die über die Vorlagengläser fahrenden Lichter zu einem Angestellten-Zombie zu mutieren. Hinter ihr stand ihr Freund Robert Takahashi und richtete die Ecken der Kopien von jemandem aus. Jules sagte Hallo und erinnerte ihn daran, dass sie sich bei Isadora kennengelernt hatten.

»Hey, hi«, sagte er und lächelte.

»Und wie geht es hier?«, fragte sie. »Ist dein Kollege noch krank?«

»Trey. Er ist vor Kurzem gestorben.«

»O mein Gott.«

Robert sagte mit unsicherer Stimme: »Ich sehe ja ein, dass er nicht wegen der Lüftung hier Krebs bekommen hat. Aber es war alles sehr merkwürdig und ging so schnell. Ich muss einfach immer wieder daran denken.«

»Das tut mir wirklich leid«, sagten Jules und Dennis wie aus einem Mund, und Robert begann vor ihren Augen zu weinen. Alle fühlten sich unwohl, und keiner wusste, was er sagen sollte, und so blieben sie eine Weile stumm. Endlich stellte Dennis seine Lebensmitteltüte auf die Theke und umarmte Robert Takahashi, wie er auch einen Football umarmen würde, mit dem er über die Wiese im Central Park rannte. Dieser große, kräftige Kerl in der dicken Winterjacke und der kleine, gut aussehende Asiate in seinem roten Polohemd boten einen bemerkenswerten Anblick. Auch wenn die Geste äußerst befangen wirkte, war sie doch ehrlich gemeint, und Robert schien dankbar dafür. Dennis ließ los, Jules tätschelte den Arm des Weinenden, und Robert wandte sich wieder den Papierstapeln um sich herum zu, war es doch trotz aller Trauer ein normaler Arbeitstag.

Jules hatte das Gefühl, diesen Ort gleich wieder verlassen zu müssen, an dem ein so junger Mensch krank geworden war, tödlich krank, diesen Ort, an dem eine so unangenehme wie uninteressante Person arbeitete und dazu jemand, der vor Trauer nicht ein noch aus wusste. Es war ein Ort, der sie die Begrenztheit ihres Lebens spüren ließ und dass sie keine Ausnahme war. Als Jules sich umdrehte, mit Dennis den Laden verließ und mit zu ihm in seine Wohnung ging, wo sie miteinander schlafen würden, stellte sie sich vor, dass sie all die Grenzen hinter sich ließen, alles Unangenehme und sogar den Tod, den Tod durch einen seltenen geriatrischen Krebs oder irgendeinen anderen Grund, und ins Unerkundete, weit Offene vordrangen. Dennis drückte die Plastiktüte mit einem Arm an sich, fasste ihre Hand, und sie begannen zu rennen.

Sex mit zweiundzwanzig war idyllisch. Sex mit zweiundzwanzig war kein College-Sex, der eine ganze Ladung Unsicherheit mit sich brachte, Nervosität und Scham. Sex mit zweiundzwanzig hatte auch nichts mehr mit der Zwölfjährigen zu tun, die in ihrem schmalen Bett lag und sich darüber wunderte, wie merkwürdig es war, dass man so etwas empfinden konnte, einfach weil man *das* tat. Und Sex mit zweiundzwanzig glich auch nicht dem mit zweiundfünfzig, der Jahrzehnte später mitten in der langen Jacobson-Boyd-Ehe eine plötzliche angenehme Überraschung sein konnte, die einen von ihnen aus dem Schlaf aufweckte.

Sex mit zweiundzwanzig, nun, das war wirklich etwas, dachte Jules, und Dennis dachte offenbar das Gleiche. Beide hatten noch vollkommene Körper, zumindest waren sie vollkommen genug. Das sollten sie allerdings erst später erkennen, damals sahen sie es noch nicht. Befangen, zutiefst verlegen, aber so erregt zogen sie sich an diesem Tag zum ersten Mal füreinander aus. Sie standen neben dem Hochbett in seiner Wohnung, und Jules sorgte dafür, dass er vor ihr die Leiter nach oben kletterte, damit er sie nicht von hinten sah. Denn sonst hätte er, wenn sie ein Bein auf die nächste Sprosse setzte, gesehen, wie sich ihr intimster Teil kurz öffnete und sichtbar wurde. Das Haar, der Schatten, der Lippendruck, der verkniffene kleine Anus – wie hätte sie ihm gerade diese Ansicht zeigen können?

»Nach Euch, großzügiger Herr«, sagte sie und machte eine weit ausholende Geste mit dem Arm. O Gott, hatte sie das wirklich gesagt? Und warum? Tat sie so, als sei sie eine viktorianische Prostituierte? Dunkel und wollig schaukelte Dennis die Leiter hinauf, und sie sah zu, wie sein Körper die männliche Version dessen vorführte, was er bei ihr gesehen hätte. Seine Hoden bewegten sich, wenn sie nicht sogar schwangen, und sein dauniger Hintern teilte sich in zwei, als er die Knie anhob und die senkrechte Leiter hinauf ins Bett unter der Decke stieg. Dennis Boyds Hochbett reichte so weit hinauf, dass sie nicht aufrecht in ihm sitzen, sondern nur krumm dahocken oder daliegen konnten, allein oder aufeinandergestapelt wie zwei Autos.

Das Bett regte zu Intimitäten an, die Jules nicht gewohnt war und die sie erschreckten. Dennis sagte: »Ich möchte dich ansehen«, und sein Gesicht war ihr so nahe, dass er sie wirklich ganz sehen konnte.

»O Gott, musst du?«, sagte sie.

»Ja, ich muss«, sagte Dennis ernst.

Sie hoffte, keine Pickel am Kinn zu haben, und versuchte sich zu erinnern, was sie am Morgen von sich im Spiegel gedacht hatte. Dennis, wie sie sah, brauchte schon wieder eine Rasur. Er war wirklich kräftig, hatte einen mächtigen Brustkasten, einen großen Schwanz und Schamhaar wie ein kleines schwarzes Lendentuch, doch soweit sie wusste, war er innerlich unsicher. Bei ihrem Lauf vom Copyshop hierher hatten sie sich wie zwei Menschen gefühlt, die einer höllischen, in einer Sackgasse endenden Zukunft entronnen waren.

Dieser Mann war als Erster die Leiter hinaufgeklettert und hatte sie seine Hoden und den dichten schwarzen Zwirn sehen lassen, der sie wie eine Art atavistischer Schutz umschloss. Die Schlüpfrigkeit dieser Bällchen in ihrem dünnen Beutel ließ sogar einen großen, starken, athletischen Mann verwundbar erscheinen. Aber das war eine Illusion. Er war nicht so verwundbar, sondern eher kraftvoll mit ihr, und danach lächelte er und war glucklich, dass er ihr einen soliden, nicht vorgetäuschten Orgasmus verschafft hatte. Sie sagte: »Oh, oh, oh!«, und er sagte: »Du bist wundervoll!« Das war sie, weil ihm ihre Empfänglichkeit ein gutes, erfolgreiches Gefühl gab. Er war zufrieden mit der Größe seines Penis, das musste er nicht extra sagen, sie sah es auch so.

Eine Stunde später lagen sie immer noch im Bett und tranken leicht mit Bosco verfeinerte Milch aus großen Rutgers-Scarlet-

Knights-Gläsern. Ein wenig davon tropfte ihnen über die Hälse, lagen sie doch etwas flach da wie zwei Skiopfer im Streckverband und erzählten sich in groben Zügen ihre Leben. Sie erfuhr von seiner Familie in Dunellen, von seiner Mutter, dem Vater und den drei Brüdern. Die Boyds besaßen einen Eisenwarenladen namens B & L, und zwei von Dennis' Brüdern wollten das Geschäft weiterführen. Dennis konnte mitmachen, wenn er wollte, doch er erklärte Jules, das mit seinem Leben anzufangen, wäre der »Tod der Seele«. Sie war erleichtert, als er das sagte. Ein Mann, der vom »Tod der Seele« sprach, war kompliziert. Er trank aus College-Football-Gläsern und machte sich rudimentäre Gedanken darüber, wie er für sich sorgen sollte. Seine Familie hatte nie Geld besessen, aber zu Weihnachten hatten sie sich reich beschenkt, das Haus mit Rokoko-Lichtern und einer beschallten Krippe geschmückt. Es gab große Festtagsfeiern, bei denen alle stundenlang im Wohnzimmer saßen. Doch das waren keine glücklichen Erfahrungen, langweilig und nervig sei es gewesen, sagte Dennis. Überhaupt sei es immer zu Spannungen gekommen, weil niemand die anderen wirklich gemocht habe. »Meine Brüder und ich haben uns die ganze Zeit geprügelt«, erklärte er ihr.

»Und? Tut ihr es immer noch?«

»Nein, das war früher«, sagte Dennis, »sonst wären wir komplette Arschlöcher, und das versuche ich nicht zu sein. Ich bin mit genug Arschlöchern groß geworden.« Leicht besorgt fügte er hinzu: »Sehe ich aus wie eines?«

»Nein, ganz und gar nicht«, sagte Jules, aber sie wusste, warum er fragte. Er hatte das typische Aussehen der jungen Männer, die sie in ihrer Kindheit rudelweise in den Malls gesehen hatte und dann überall in der Welt, einschließlich des Colleges. Sie hatte sich nie davon angezogen gefühlt, nicht in Verbindung mit normaler Männlichkeit, doch bei ihm war es anders. Er hatte Schwierigkeiten gehabt, war aber robust, stark, verlässlich. Sie musste an ihren

Vater denken. Der Krebs hatte Warren Jacobson zu einem schmalen Hemd werden lassen, ohne Substanz, und je weiter die Krankheit voranschritt, desto weiter schwand er dahin. Als kleines Mädchen hatte Jules ihn für groß und stark gehalten. Sie dachte daran, wie er nach der Arbeit nach Hause gekommen war und hören wollte, wie es seinen Töchtern in der Schule ergangen war.

»Erzählt mir, was ihr an neuer Mathe durchgenommen habt«, forderte er sie auf. So hatten sie sich damals ausgedrückt und waren sich nicht bewusst gewesen, dass man dadurch, dass man etwas »neu« nannte, bereits sein Altsein heraufbeschwor. Warren Jacobson war sehr präsent gewesen, und dann war er plötzlich nicht mehr da, und als sich die Jahre ohne ihn mehrten, wurde es immer schwerer, sich seine Gegenwart vorzustellen. Jules' Vater war Vergangenheit, die Gegenwart ließ sich nicht festhalten, sie erlaubte es nicht. Aber hier war Dennis Boyd, die personifizierte Gegenwart, und bei ihm im Bett wurde ein alter, töchterlicher Teil von Jules' Denken mit Starthilfekabeln neu in Gang gesetzt. Sich das vorzustellen: ein Mann, der nicht wieder verschwinden würde! Ein kräftiger, verlässlicher, ultrapräsenter Mann. Ihren Vater hatte sie mit fünfzehn verloren, ein wenig später hatte Ethan Figman versucht, sie zu sich zu holen, und wenn das auch nett gewesen war, so hatte es doch körperlich absolut nicht gestimmt.

Und jetzt Dennis, dieser kräftige Kerl ohne offensichtliche besondere Talente und ohne das verzweifelte Verlangen, sich in einer bestimmten Richtung hervorzutun – irgendwie vermochte er, was Ethan nicht vermocht hatte. Sie wurde von Dennis absorbiert und war ihm bereits ergeben. Er war fürsorglich, gut und ohne Ironie, was zu ihrer Überraschung etwas war, das sie anzog, und das nach all den Jahren unablässigen adoleszenten Ironischseins. Jules lag neben ihm und fragte sich, wann sie ihn wiedersehen konnte. Dennis hatte nichts ästhetisch Herausragendes und nichts Hintergründiges, bis auf seine Schüchternheit, die reizend war. Er polterte ruhig durch diese Welt. Setzte er sich auf einen wackligen Stuhl, konnte der zusammenbrechen. Drang er mit seinem großen, dicken Penis in eine Frau ein, musste er dafür sorgen, es im richtigen Winkel zu tun, sonst schrie sie womöglich vor Schmerz auf. Er musste vorsichtig sein, sich abstimmen. Als Jungen hatten er und seine Brüder ihre Mutter angeschrien: »Ma! Mach uns Makkaroni mit Käsesoße!« Ihren Vater, der finster vorm Fernseher hockte und sich Fußball und Dokumentarsendungen über das Dritte Reich ansah, schrien sie niemals an. Sie hatten Angst vor ihm, bis heute.

Als Dennis bei seiner Lebensgeschichte zu seinem Aufenthalt in Langton Hull kam, wurde seine Stimme unsicher, und er sah Jules an. Würde das, was er ihr jetzt erzählte, ihren Handel platzen lassen? War er zu unausgeglichen für sie, und würde sie in ihm immer den stationär behandelten Patienten im Bademantel sehen, der um fünf sein Krankenhausessen bekam? Zu Beginn einer Romanze mit solch einem Bild konfrontiert zu werden, machte es einer Frau vielleicht unmöglich, sich davon zu erholen. Tatsächlich beschäftigte sie kein Bild von ihm, sondern nur die Frage, ob sie ihm sagen sollte, dass sie bereits durch Isadora von seinen Depressionen und seiner Behandlung erfahren hatte. In welchem Fall sie ihm gestehen musste, dass sie auf der Dinnerparty im Herbst, nachdem er gegangen war, über ihn geredet hatten.

»Oh«, sagte sie, blickte besorgt und berührte seinen Arm auf die gleiche unpassende Weise, wie sie Robert Takahashis Arm im Kopierladen berührt hatte.

Noch am selben Abend, nachdem sie sich endlich getrennt hatten, rief Jules Ash an und sagte, kaum dass ihre Freundin abgehoben hatte: »Ich habe mit jemandem geschlafen.« Sie und Ash telefonierten fast täglich und sahen einander einmal in der Woche im Schauspielunterricht, manchmal auch öfter. Ash arbeitete Teilzeit im Büro ihres Vaters, sie machte die Ablage. Der schlimmste Job der Welt, sagte sie und ging wie Jules auch zum Vorsprechen. Kürzlich hatte sie eine Rolle als Meerjungfrau in einem experimentellen Stück bekommen, das eine Woche lang vor dem New York Aquarium auf Coney Island aufgeführt werden sollte, und offenbar waren die Leute daran interessiert, sie auch für ihre nächste Produktion zu engagieren. Es war ein Anfang, wobei sie kaum ein Taschengeld dafür bekam, aber Gil und Betsy Wolf zahlten die Miete für die Wohnung, die sie und Ethan sich teilten. Ethan arbeitete als Trickfilmzeichner für Industriefilme und verdiente nur unregelmäßig. Irgendwann werde er einen richtigen Job in einem Trickfilmstudio bekommen, sagte er. Bis dahin übernahm er viele kleine Jobs und zeichnete ständig in den Spiralnotizbüchern herum, die er hinten in der Hose stecken hatte.

»Mit wem?«, fragte Ash argwöhnisch.

»Warum klingst du so schockiert? Es soll schon Leute gegeben haben, die mich nackt sehen wollten.« Im Hörer knirschte es, und der Ton brach kurz ab. Ash und Ethan hatten vor einer Weile eines der neuen schnurlosen Telefone von Ashs Eltern geschenkt bekommen, aber das schwere, klobige Ding schien sein Geld kaum wert zu sein, denn die Verbindung wurde jedes Mal schlecht, bevor das Gespräch noch richtig in Gang gekommen war.

»Wer wollte was sehen?«, fragte Ash. »Ich konnte dich einen Moment lang nicht hören.«

»Mich, nackt.«

»Ach so. Na ja, klar. Natürlich. Nur hast du mit niemandem geschlafen, seit du hier in der Stadt bist«, sagte Ash. »Und wenn du mir früher von einem erzählt hast, blieben es für mich immer unsichtbare Geliebte.«

»Sag nicht ›Geliebte‹.«

»Ich sage immer ›Geliebte‹.«

»Ich weiß. Du und Ethan – ihr seid ›Geliebte‹. Ich habe den Ausdruck nie gemocht, es dir nur nicht gesagt.«

»Noch irgendetwas, das du nicht magst?«, fragte Ash.

»Nichts. Ich mag alles an dir.« Das stimmte tatsächlich. Ash hatte so wenig an sich, das beanstandbar war, und selbst dass sie von »Geliebten« sprach, konnte ihr nicht vorgehalten werden. Mit Ash zu reden und ihr von Dennis zu erzählen war auf seine Weise fast genauso schön wie das Ins-Bett-Gehen mit Dennis. »Er ist so ungeheuer präsent«, wollte sie sagen, doch dann hätte Ash sie gebeten, das genauer zu erklären, und Jules hätte es nicht gekonnt. Vielleicht deutete seine Gegenwärtigkeit auf ein Fehlen von Zukunft hin, vielleicht hatte er noch keine Pläne für sich, war nur jetzt hier, und sie konnte nicht auf ihn zählen. Aber sie wusste, dass das nicht stimmte.

Bald schon, nahm Jules an, würde es ein gemeinsames Dinner geben, wahrscheinlich in einem billigen indischen Restaurant in der East 6th Street. Alle würden äußerst zuvorkommend und gesprächig sein, und Ash und Ethan würden Dennis über ihre heißen Teller Tandoori hinweg mit Liebe überschütten. Dennoch würden sie sehen, wie anders Dennis war, und trotz aller Vorwarnungen ein wenig überrascht sein. Vielleicht kam jemand auf David Hockneys Swimmingpools zu sprechen. »Was für Pools?«, würde Dennis fragen, völlig ungeniert, und Ash würde erklären, dass David Hockney ein Maler sei, der oft schöne türkisfarbene Swimmingpools male, und warum gingen sie nicht alle zusammen in seine Ausstellung? »Klingt gut«, würde Dennis sagen, und später, wenn der Abend vorbei war, zu Jules: »Deine Freunde sind so nett! Lass uns mit ihnen in die David-Hackney-Ausstellung gehen«, worauf Jules leise »Hockney« erwidern würde. Und sie würden sagen, wenn sie Jules tags darauf anriefen: »Er ist offenbar verrückt nach dir, und darauf kommt es an.«

Er hatte nichts mit Kunst und Kultur im Sinn und wollte nicht unbedingt Schauspieler, Trickfilmer, Tänzer oder Oboist werden. Er war kein Jude, nicht mal zur Hälfte, und so gut wie niemand in seinem Leben war wie Jules oder einer ihrer Freunde. Isadora Topfeldt kam ihnen noch am nächsten, wobei sie eher versponnen als künstlerisch war. Jules traf in New York hin und wieder jemanden von Spirit-in-the-Woods, rein zufällig, und wann immer das geschah oder wenn Ash jemanden aus dem Camp traf, riefen sie einander an und sagten mit dramatischer Stimme: »Ich habe jemanden gesehen.« Alle ehemaligen Camper, auch die, mit denen sie nicht befreundet gewesen waren, repräsentierten die Welt der Kunst und der künstlerischen Möglichkeiten. Seit dem College jedoch fühlte sich die Wirklichkeit anders an als alles vorher. Kunst und Kultur waren zwar immer noch von zentraler Bedeutung, aber jetzt mussten sie auch darüber nachdenken, wovon sie leben wollten, und sie taten es mit einer gewissen Verachtung für das Geld, allerdings ermöglichte es ihnen, so zu leben, wie sie leben wollten. Nichts war mehr so konzentriert wie im Camp, die Leute verliefen sich, zogen auseinander. Sie mochten zwar miteinander befreundet bleiben, stellten sich aber gleichzeitig auf die Wirklichkeit im Land ein, die ganz anders aussah, wenn man auf sich gestellt war. Dennis war kein Künstlertyp, aber sehr klug und voller positiver Bereitschaft. Er war kein Arschloch. Sie wollte mit ihm zusammen sein, wollte ihn berühren, mochte seinen Geruch, sein Bett hoch unter der Decke und wie sehr er ihre Gesellschaft genoss. Dennis war lernbegierig, er wollte herausfinden, wie alles funktionierte. »Gestern Abend habe ich auf Kanal dreizehn eine Dokumentation über die Stanislavski-Methode gesehen«, sagte er. »Hast du es je damit probiert?« Oder: »Ich habe mich zwanzig Minuten lang mit diesem Mann auf der Straße unterhalten, der gegen die Apartheid protestierte, und er hat mir all diese Buchtipps gegeben. Nächtelang habe ich gelesen, und es war äußerst erschreckend und traurig.« Es gab kein Leben, das Dennis unbedingt leben wollte, nur sicher eines ohne Depressionen.

Und es würde weitere gemeinschaftliche Abendessen geben, und Ash, Ethan und Jonah würden Dennis ganz in ihrer Welt willkommen heißen. Jonah würde vielleicht weniger oft dabei sein, weil er es als etwas unangenehm empfand, wenn alle bis auf ihn zu zweit waren. Paare neigten dazu, sich diesem einen besonders zuzuwenden, als versuchten sie, dafür zu sorgen, dass er sich in seinem Alleinsein besser fühlte – als wäre es ein unnatürlicher Zustand. Jules überlegte, mit ihrem billigen Geschirr und Besteck in ihrer kleinen Wohnung eine eigene Dinnerparty zu geben. Sie konnten auf ihren Annäherungen an ein Erwachsenenmobiliar sitzen und eine Vierer- oder Fünferrunde bilden. Jules stellte sich vor, wie sie später einmal an diese Zeit in ihren Leben zurückdenken würden, wie durch eine klare, sauber polierte Linse darauf zurückblicken würden: auf all die Gespräche, die sie geführt, all den Hummus, den sie gegessen hatten. All das billige Essen, die billigen Utensilien und anspruchslosen Ausschmückungen ihrer frühen und mittleren Zwanziger.

»Ist es ernst?«, wollte Ash am Telefon wissen, nachdem Jules mit Dennis geschlafen hatte. Schließlich hatte auch Ash in dem Moment, als sie mit Ethan geschlafen hatte, gewusst, dass es ernst war. Oder vielleicht auch schon vorher.

»Ja«, sagte Jules und sah Dennis Boyds dunkles Gesicht über sich, die Decke nur Zentimeter darüber. »Vorsicht«, hatte sie zu ihm gesagt und die Hand auf seinen Kopf gelegt. »Ich will nicht, dass du dir den Schädel anschlägst.«

»Nein, mit lädiertem Schädel wäre ich nutzlos für dich«, antwortete er, und sie sorgte sich, dass er dachte, sein Kopf sei ja schon einmal kaputt gewesen, im College, in gewisser Weise, wenn er auch repariert worden war, und dass sie, Jules, nichts davon wusste, obwohl sie es natürlich tat.

»Er hatte einen Nervenzusammenbruch, Ash, und hat mir alles darüber erzählt, ohne zu wissen, dass ich es schon vorher wusste«, sagte Jules plötzlich eilig. »Was denkst du: Soll ich ihm sagen, dass ich es schon wusste, oder ist es eine bedeutungslose … Halbwahrheit, und ich sollte nicht länger daran denken?«

»Sag es ihm«, sagte Ash vorbehaltlos. »Es geht nicht anders. Er muss wissen, was du weißt. Du kannst nicht mit einem Geheimnis beginnen.«

»Das sagst *du*?«, sagte Jules leichthin, aber doch scharf.

Ein langes Schweigen folgte. »Ja«, sagte Ash endlich.

Merkwürdig, dachte Jules später, dass sie da nicht nachgesetzt oder versucht hatte, Ash zu dem Eingeständnis zu bringen, dass es heuchlerisch von ihr war, so eine Position einzunehmen. Aber vielleicht war es noch merkwürdiger, dass Ash, was ihre eigene Situation betraf, keinerlei Bedenken zu haben schien. Über die Jahre fragte sich Jules immer wieder, ob sich Ash noch an das Gespräch erinnerte oder ob sie einen Weg gefunden hatte, Widersprüchen gegenüber unempfindlich zu reagieren und sie wieder zu vergessen. Jetzt am Telefon vertiefte Jules das Thema nicht weiter, ging es in diesem Moment doch ganz und gar nicht um Ash. Es ging um Jules und Dennis, und sie stellte fest, dass sie Ashs Rat zustimmte: Ja, sie musste Dennis sagen, was sie wusste.

»Ich habe dir kürzlich nicht ganz die Wahrheit gesagt«, erklärte sie Dennis, als sie sich das nächste Mal sahen. Sie hatten sich im Central Park verabredet und wollten in den Zoo. »Ich wusste schon von deinem … Zusammenbruch, als du mir davon erzählt hast«, sagte sie noch an der Kasse. »Ich hätte nicht so überrascht tun dürfen. Isadora hat es allen erzählt, nachdem du gegangen warst.«

»Hat sie das? Du machst Witze. Oh, das ist übel«, sagte er. »Das ist immer meine Angst, wenn ich einen Raum verlasse: Dass alle das eine über dich sagen, das du nicht erträgst.« Sie liefen den Pfad durch den leicht mitgenommen wirkenden Zoo entlang, gingen durch den gewundenen Eingang des Pinguin-Hauses, und er sagte: »Aber jetzt ist es nicht mehr so schlimm. Es scheint mir nicht mehr so viel auszumachen.«

»Wirklich?«

Dennis nickte und zuckte mit den Schultern. Der Mann, der in seinem dritten Jahr in Rutgers zusammengebrochen war, war nicht mehr der, der nackt mit ihr im Bett gelegen hatte. Sein früheres Ich hatte sich erholt, und so konnte er sich um jemand anderen kümmern und auch selbst um Hilfe bitten, wenn es nötig war.

Dennis wirkte sehr anziehend auf Jules, ohne dass sie Ash richtig hätte erklären können, warum, aber dann musste sie an den Abend denken, als sie Ash und Ethan zum ersten Mal zusammen gesehen hatte, an den Abend, an dem sie sprachlos gedacht hatte: Was? Was? Zur Liebe gehörte, dass man sie niemand anderem erklären musste. Das konnte man verweigern. Wenn man jemanden liebte, hatte man nicht mehr unbedingt das Gefühl, überhaupt noch jemandem etwas erklären zu müssen.

»Ich weiß, meine Familiengeschichte ist eher düster«, sagte Dennis, als sie ins nasskalt-graue Heiligtum der Pinguine traten. Die muskulösen, entschlossenen kleinen Tiere schossen wie Schnellboote durchs trübe Wasser, von staunenden Schulkindern beobachtet, die, im Fischgestank stehend, Hände, Nasen und offene Münder gegen das Glas drückten. Es fühlte sich ungesetzlich an, nicht mehr selbst in der Schule zu sein und die Freiheit zu haben, an einem normalen Werktag mit einem Mann in den Zoo zu gehen – oder ins Bett. Dennis und Jules hielten sich hinter den Kindern. Er stand mit den Händen in den Taschen da und sagte: »Meine Großmutter Louise, die Mutter meines Vaters, ging nie aus dem Haus, offenbar genau wie schon ihr Vater. Wann immer wir sie besuchten, saßen wir in einem schrecklichen dunklen Zimmer, und niemand sagte ein Wort. Meine Großmutter hatte nie etwas für uns zu essen. Nur diese Kekse, ›Wiener Finger‹ hießen sie.«

»An die kann ich mich erinnern. Die hatten wir auch.«

»Ja, aber eure waren wahrscheinlich nicht alle zerbrochen wie ihre. Wir saßen mit einem Teller kaputter Wiener Finger vor uns da, und wie *sie* die Dinger nannte, machte mir Angst: ›Judenfinger‹, als hätten sie tatsächlich etwas Menschliches. Bei meiner Großmutter war immer alles unterschwellig antisemitisch. ›Die Juden dies‹ und ›Die Juden das‹. Aber keine Sorge, du musst sie nicht mehr kennenlernen, sie ist tot. Wenn die Sonne unterging, schaltete irgendwer die kleine Tischlampe ein. Ich konnte es nicht erwarten, dass wir wieder fuhren, wobei ich nie etwas von all dem mit mir in Verbindung gebracht habe. Oder mit meinem Dad, der wirklich unkommunikativ ist. Ich dachte nur einfach, er würde mich nicht mögen, doch das war es nicht. Dad ist im Grunde ein unbehandelter Depressiver, wenigstens meinte das der Psychiater im Krankenhaus. Allerdings würde das keiner in meiner Familie zugeben. Sie sind gegen Therapien. Mein Krankenhausaufenthalt war ihnen peinlich. Ich glaube, sie denken, das College hat mich kaputtgemacht und wenn ich zu Hause geblieben wäre und zusammen mit meinen Brüdern im Laden gearbeitet hätte, wäre das alles nicht passiert.«

Jules bemerkte nebenbei, dass ihr das Langton Hull Psychiatric Hospital von ihren Sommern im Camp ein Begriff sei. Sie habe in der Stadt die Schilder gesehen, die den Weg zum Krankenhaus wiesen. Darauf sagte er, dass er auch Spirit-in-the-Woods kenne, ihm sei das Schild auf der Straße vor Belknap aufgefallen. Er habe sich vorgestellt, wie es wohl wäre, wenn er dorthin und nicht ins Krankenhaus gebracht würde. Ja, wie sich herausstellte, hatte auch er den Heidelbeerkuchen gegessen, bei einem Ausflug in die Stadt mit einer der Schwestern.

Dennis hatte unter Depressionen gelitten, doch das war vorbei. Das Antidepressivum, das er nahm, war ein sogenannter MAO-Hemmer. »Wie der große Vorsitzende Mao«, erklärte er ihr am Abend nach dem Zoo. Sie saßen auf ihrem Klappbett in ihrer Wohnung, die ein kleines bisschen besser war als seine.

»Und was ist ein MAO-Hemmer?«, fragte sie. »Die Drohung des Kapitalismus?« Dennis lächelte höflich, aber er wirkte ernst, abgelenkt. Er hatte etwas zu essen mitgebracht, etwas Selbstgekochtes, »nichts Besonderes«, hatte er sie gewarnt, ohne zu sehen, dass die Geste an sich schon etwas Gewinnendes hatte. Während er das Mahl auf dem über ihr Bett ausgebreiteten Badetuch arrangierte, erklärte er ihr, dass er sie das alles schon einmal habe essen sehen, oder sie habe erwähnt, dass sie es möge. »Auf Isadoras Party hast du zu denen gehört, die sagten, sie mögen Koriander«, sagte er. »Daran habe ich mich erinnert. Ich musste in zwei verschiedene Läden, um welchen zu bekommen. Der Kerl in dem koreanischen Laden wollte mir Petersilie verkaufen, aber ich war standhaft.« Dennis und Jules aßen Möhren- und Selleriesticks mit einem von ihm gemachten Koriander-Joghurt-Dip und dann Spaghetti, die er in einem Plastikbehälter mitgebracht hatte und die noch warm waren. »Kochst du manchmal?«, fragte er sie.

»Nein«, sagte Jules verlegen. »Eigentlich gar nicht. Ich habe noch nicht mal meine Krankenversicherungsprämien bezahlt.«

»Ich verstehe zwar nicht ganz, was das miteinander zu tun hat, aber okay«, sagte er. »Das ist in Ordnung. Ich koche gerne.« Ohne es direkt auszusprechen, sagte er damit, dass es in Ordnung war, wenn er am Ende derjenige von ihnen beiden war, der kochte. Sie wurden ein Paar, tatsächlich. Dann sagte er: »Was das Essen betrifft, gibt es ein paar Dinge, die ich beachten muss mit meinen MAO-Hemmern. Nun, tatsächlich gibt es eine ganze Menge, was ich nicht essen darf.«

»Wirklich?«, fragte sie neugierig. »Was denn?«

Er zählte ihr die Liste der Kontraindikationen auf, zu denen geräuchertes, eingelegtes oder haltbar gemachtes Fleisch, alter Käse, Leber, Pâté, chinesische Erbsenhülsen, Sojasoße, Sardellen und Avocados gehörten. Und auch einige Biere und Weine, sagte er, und Kokain. »Kokain vertrage ich definitiv nicht«, sagte Dennis. »Also gib mir bitte keins.«

»Wie schade«, sagte Jules: »Wo ich schon nicht koche, wollte ich dir morgen ein Sandwich mit drei Jahre altem Gouda und Koks machen. Und es dir durch die Nase zwingen«, fügte sie hinzu. Tatsächlich rührte sie das nett zusammengestellte kleine Mahl vor sich so sehr, dass sie ein Kochbuch kaufen und auch einmal für ihn kochen wollte. Ihren Herd ausprobieren, sehen, ob alle Anzeigen leuchteten. Ihr Wunsch machte sie etwas verlegen, als verkörperte er einen Rückfall in vorfeministische Zeiten. Sie konnte nicht erklären, wie es kam, aber sie waren in einen Zustand von Liebe und gegenseitiger Sorge eingetreten, der unerwarteterweise auch Essen und Füttern umfasste.

»Wie schade«, sagte Dennis. »So ein Sandwich hätte mir sicher geschmeckt.«

»Nur aus Neugier, ernsthaft, was passiert, wenn du etwas von diesen Dingen isst?«, fragte sie. »Wirst du dann wieder depressiv?«

»Nein«, sagte er. »Weit schlimmer: Mein Blutdruck könnte durch die Decke gehen. Sie haben mir eine ganze Broschüre dazu gegeben. Sachen mit Tyramin können tödlich für mich sein.«

»Davon habe ich noch nicht mal gehört«, sagte Jules.

»Das ist in vielen Dingen. Aber ehrlich«, sagte Dennis, »daran könnte ich wirklich sterben.«

»Tu das nicht«, sagte sie. »Bitte, tu das nicht.«

»Okay. Die Bitte sei dir gewährt.«

Sich in einen Mann zu verlieben, der emotional labil war, bedeutete nicht nur, mit ihm darauf zu achten, was er aß, sondern auch, dass es die Möglichkeit eines desaströsen Zusammenbruchs gab. Im Moment gehe es ihm wirklich gut, versicherte er ihr, er sei durch die geheimnisvollen MAO-Hemmer stabil, die etwas in seinem Gehirn veränderten und wie mit Chirurgenhänden da oben hineingriffen und Verschiedenes hin und her rückten. Es gehe ihm wirklich gut, wiederholte er. Er fühle sich wunderbar. Und er gehöre ihr, wenn sie wolle.

Fünf

Nach dem ersten Sommer bei Spirit-in-the-Woods nach Hause zurückzukehren war eine Katastrophe. Lois und Ellen Jacobson kamen Jules über die Maßen langsam vor. Fehlte ihnen tatsächlich jegliche Neugier? Beide waren über lange Zeiträume völlig passiv und in den langweiligsten Angelegenheiten ebenso starrsinnig: etwa was die aktuelle Rocklänge laut der Zeitschrift *Glamour* betraf oder die Frage, ob der neue Film mit Charles Bronson für Teenager zu gewalttätig war. Lois: »Ja.« Ellen: »Nein.« Und das Verstörendste war, dass sie nicht erkannten, welchen Schmerz es Jules bereitete, mit ihnen leben zu müssen. Der Sommer hatte sie auf eine höhere Ebene gehoben und leicht zornig werden lassen, auch wenn ihr das erst bewusst wurde, als ihre Mutter und ihre Schwester sie am letzten Tag des Camps mit ihrem Dodge Dart abholen kamen, der grüner und kantiger aussah als zuvor. Aus dem Fenster des Tipis sah sie das Auto über die schmale, holprige Straße näher kommen. Jules war sich, als sie zu Ash und den anderen ins Jungen-Tipi drei eingeladen worden war, wie ein Eindringling vorgekommen, aber jetzt kamen die wirklichen Eindringlinge, kamen hergefahren und besaßen die Dreistigkeit, auf der Straße hinter dem Mädchen-Tipi zwei zu parken und sie, Jules, für ihren Stamm zurückzufordern.

»Muss ich mit ihnen fahren?«, sagte Jules zu Ash. »Das ist nicht fair.«

»Ja, du musst. Ich muss auch mit meinen Leuten mit, wenn sie hier auftauchen. Wobei sie immer zu spät kommen. Meine Mutter geht vorher gerne noch auf Antiquitätenjagd.«

»Für dich ist es okay, zurück zu deiner Familie zu gehen«, sagte Jules. »Du gehörst dort hin. Im Übrigen hast du Goodman bei dir, und all die anderen Leute von hier wohnen in der Nähe. Du hast die ganze Stadt. Ich meine, das lässt sich nicht vergleichen, Ash. Ich wohne in Sibirien. Ich werde mir die Pulsadern aufschneiden und eine Blutspur über unsere Vorortstraße ziehen, die zufälligerweise Cindy Drive heißt. Kannst du das glauben? Cindy? In welcher Straße wohnst du noch mal?«

»Central Park West. Aber hör zu, wir werden uns ständig sehen«, sagte Ash. »Dieser Sommer verschwindet nicht einfach so, als hätte es ihn nie gegeben.«

Ash legte ihre Arme um sie, und aus dem Augenwinkel sah Jules, wie sich Cathy Kiplinger leicht verdrossen abwandte. Jules machte ihr keinen Vorwurf. Die Mädchen nahmen jede Gelegenheit wahr, sich zu umarmen. Sobald ihnen ein Gefühl in die Kehle stieg, wollten sie wie Babys oder kleine Kätzchen gehalten werden, und vielleicht war Cathy Kiplinger eifersüchtig. Alle wollten von Ash umarmt werden, nicht nur um sie zu spüren, sondern um von ihr herausgehoben zu werden. Cathy war sexy, aber Ash wurde geliebt.

An diesem letzten Morgen des Camps von 1974 hatte Jules durch die Seiten von Ashs spiralgebundenem Jahrbuch geblättert, das sie tags zuvor bekommen hatten. Wie Jules' war es voller hineingekritzelter sentimentaler Bemerkungen von anderen Campern. Aber während die Beiträge in Jules' Buch meist so ähnlich lauteten wie: »Jules, du warst in dem Albee-Stuck irrsinnig witzig. Und wie sich herausgestellt hat, bist du auch im richtigen Leben der IRRSINN, was ich nie gedacht hätte! Ich hoffe, du machst auch weiter große Dinge. Lass uns in Verbindung bleiben! Deine Freundin und Tipi-Gefährtin Jane Zell«, ging es bei Ash um anderes. Einige gut aussehende Jungen gestanden ihr, dass sie den ganzen Sommer über so heimlich wie fürchterlich in sie verliebt gewesen seien. Ethan Figman sehnte sich danach, Jules Jacobsons Auserwählter zu sein, konnte es jedoch akzeptieren, dass sie nur enge Freunde waren, aber was die Jungen, die sich nicht getraut hatten, es Ash persönlich zu sagen, ihr ins Jahrbuch geschrieben hatten, klang beispielsweise so:

Liebe Ash,
ich weiß, wir zwei haben kaum miteinander geredet. Wahrscheinlich erinnerst du dich nicht mehr daran, aber einmal, als ich auf der Wiese Fagott geübt habe, bist du vorbeigekommen und hast gerufen: »Das klingt toll, Jeff!«, und ich schwöre bei Gott, mir war, als wäre es meine Rolle im Leben, dort auf der Wiese zu spielen, damit du vorbeigehen konntest. Ich weiß, wir Orchesterleute sind nicht so schnell und witzig wie ihr Theaterleute. Obwohl es einen ziemlich guten Fagott-Witz gibt:
Was haben das Fagottspiel und ein Strafprozess gemeinsam? Alle sind froh, wenn das Ende erreicht ist.
Nun, das wär's. Aber bevor ich hier wieder wegfahre, wollte ich, dass du weißt, dass ich den ganzen Sommer über total in dich verliebt war, wenn auch nur über die Wiese hinweg. In Liebe
Jeff Kemp (der Jeff mit dem Fagott, nicht der Trottel mit der Trompete)

Jeff Kemp würde in sein normales Leben zurückkehren, in sein Schulorchester und auf seinen metallenen Klappstuhl auf der Konzertbühne. Ein ganzes Jahr würde er ohne Ash Wolfs Liebe ertragen, und am Ende würde sie all das verkörpern, was er an Mädchen mochte. Ash war ein höheres Wesen, dabei zart wie ein Täubchen, doch auch so aufmerksam und liebevoll, dass man jemanden wie sie einfach um sich haben musste. Auch Jules empfand das ein wenig so, und Ash sagte an jenem letzten Tag im Camp, dem 24. August 1974: »Ich verspreche dir, ich lasse dich nicht einfach so entwischen.«

Jules brauchte nicht nur Ash, ihre engste Freundin. Sie brauchte alle. Sie brauchte das Gefühl, das sie hatte, wenn sie mit ihnen zusammen war, und dieses Gefühl verlor sich bereits. Es war ein seltsamer, bemerkenswerter Sommer für sie gewesen, aber auch der Rest des Landes würde sich an ihn erinnern: Ein amtierender Präsident war zurückgetreten und unter den Blicken der Leute aus dem Weißen Haus ausgezogen. Er hatte ihnen zugewinkt, als verließe er sie nach seinem eigenen besonderen Sommer. Jules konnte es nicht ertragen, jetzt gehen zu müssen, und sie spürte die Tränen in ihren Augen. Aus der Ferne kamen weitere Autos, und im allgemeinen Stimmengewirr konnte Jules Ethan ausmachen: Wie schon am Tag ihrer Ankunft stand er im Mittelpunkt, half Campern und Eltern und nutzte seinen kräftigen Körper, um Truhen und Taschen in die offenen Kofferräume zu hieven. Jules hatte nicht als Einzige Tränen in den Augen. Die Schulter von Ethans *Felix-the-Cat*-T-Shirt blieb den ganzen Tag über feucht.

»Ich will nicht weg. Ich will nicht mal da rausgehen«, sagte Jules zu Ash, doch in diesem Moment kamen ihre Mutter und ihre Schwester ins Tipi. Sie hatten nicht geklopft, sondern platzten wie ein Rollkommando herein, gefolgt von Gudrun Sigurdsdottir, die rief: »Schaut, wer da ist!« Gudruns Augen sah man ihre Traurigkeit an.

Jules ließ sich von ihrer Mutter umarmen, die sichtlich gerührt war und sich zu freuen schien, sie zu sehen, obwohl das auch einfach an dem harten, langen Jahr mit der Krankheit und dem Tod ihres Mannes liegen mochte. Lois Jacobson hatte keine Ahnung, dass sie eine ganz andere Person abholte als die dauergewellte, zögerliche, trauernde Schlaftablette, die sie Ende Juni hergebracht hatte.

»Hast du auch all deine Toilettenartikel?«, fragte Lois, und Jules war entsetzt über das Wort und tat so, als hätte sie es nicht gehört.

»Ich glaube, Jules hat alles«, sagte Ash. »Wir haben alle Schränke und Regale leer geräumt.«

»*Jules?*«, sagte Ellen und sah ihre Schwester an. »Warum nennt sie dich so?«

»Alle nennen mich hier so.«

»Nein, tun sie nicht. Keiner nennt dich so. Gott, du bist ja völlig zerstochen«, sagte Ellen, nahm Jules' Arm und drehte ihn, um ihn zu untersuchen. »Wie hast du das nur ertragen?«

»Ist mir nicht mal aufgefallen«, sagte Jules, die es natürlich gemerkt, sich aber nicht daran gestört hatte. Die Mücken waren durch ein zufällig hakenkreuzförmiges Loch in ihrem Netz geflogen, während sie schlief.

Jules, ihre Mutter und Schwester begannen ihr Gepäck hinaus zum Wagen zu tragen, und schon stand Ethan da und griff nach einem Ende ihrer Truhe. »Ich bin Ethan Figman. Ich bin der Trickfilmberater Ihrer Tochter, Mrs Jacobson«, brabbelte er absurderweise.

»Ach ja?«, sagte Lois Jacobson.

»Ja, das bin ich. Während des Sommers habe ich jede dringliche Trickfilmfrage Ihrer Tochter beantwortet. Wenn sie zum Beispiel fragte: ›War *Steamboat Willie* der erste Zeichentrickfilm mit Ton, Ethan?‹, sagte ich: ›Nein, Jules, aber es war einer der ersten Trickfilme mit synchronisiertem Ton. Im Übrigen war es das erste Mal, dass die Welt Mickey Maus zu sehen bekam.‹ Was ich sagen will, ist, dass ich für sie da war. Sie haben da ein tolles Mädchen großgezogen.«

»Halt's Maul«, flüsterte ihm Jules zu, als sie neben dem Wagen standen. »Du redest kompletten Schrott, Ethan. Warum machst du das? Du klingst wie ein Gestörter.«

»Was soll ich denn sagen?«, flüsterte er zurück. »›Ich habe Ihre Tochter mehrfach geküsst und versucht, sie ein wenig zu begrapschen, Mrs Jacobson, aber sie mochte es nicht, obwohl sie verrückt nach mir ist‹? ›Also haben wir es wieder und wieder versucht, sind aber nicht weitergekommen‹?«

»Du musst überhaupt nicht mit meiner Mutter reden«, sagte Jules schroff. »Es ist nicht wichtig, ob sie dich mag.«

Ethan sah sie eindringlich an. »Doch, das ist es.«

Ethans Gesicht war gerötet und ausdrucksvoll. Von überall her riefen ihm die Leute Dinge zu, wie am ersten Tag, als er den labbrigen Jeanshut aufgehabt hatte, den er längst nicht mehr trug. »Damit siehst du aus wie Paddington Bär«, hatte Jules ihm gesagt.

»Ist das schlimm?«, fragte er.

»Nun, nein, nicht so schlimm«, sagte sie zögernd.

»Du magst den Hut nicht.«

»Also ich liebe ihn nicht unbedingt«, hatte sie geantwortet. Sie war immer diejenige, die ihm die Wahrheit sagte, auch wenn es die anderen nicht taten. Der Hut ließ ihn schlimmer als normal aussehen, und sie wollte, dass er sich eine gewisse Würde erhielt.

»Wenn du ihn nicht magst, trage ich ihn nie wieder«, sagte er. »Er ist schon weg. Für mich ist er tot.«

»Nein, nein, trag ihn nur«, sagte Jules klagend. »Es ist nicht meine Sache, dir zu sagen, was du tun sollst und was nicht.«

Der Hut tauchte nie wieder auf, obwohl Ethan ihn bis dahin geliebt hatte. Jules tat es leid, etwas gesagt zu haben. Ihn für seine Kleidung zu kritisieren, ihre Meinung zu seinen Sachen zu sagen, legte nahe, dass sie einen Anspruch auf ihn hatte, und es war nicht fair, ihm Vorschriften zu machen, wenn sie ihn körperlich ablehnte. Ethan würde auch weiterhin als dicklicher, leicht verdrehter, hundeartig aussehender Junge durchs Leben gehen, aber vielleicht verliebte sich eines Tages ja ein passendes Mädchen in ihn, und die beiden taten sich zusammen, zwei wenig attraktive Menschen mit wilden Ideen, die mit Bleistiften und dicken Notizbüchern im Bett saßen und aus dem Mund rochen. Jules war nicht dieses Mädchen.

Sie hatte sich bereits von Ash, Cathy und dem süßen, hübschen Jonah Bay mit seiner Gitarre verabschiedet. »Jules«, hatte Jonah gesagt und ihre Hände genommen, »es ist so toll, dass du hier warst.

Bis bald, okay?« Er umarmte sie, dieser rätselhafte Junge, den sie so gerne ansah, der es aber nicht bis in ihre Tagträume geschafft hatte.

»Spiel weiter Gitarre«, hatte sie nicht ganz passend geantwortet. »Du bist so gut.«

»Ich weiß nicht, wir werden sehen«, sagte Jonah und zuckte mit den Schultern. Ihre Freundschaft war gelassen und nicht tief.

»Bis dann, Jules«, sagte Cathy. »Du hast dich gut geschlagen«, fügte sie noch hinzu und sah an Jules vorbei zu einem langen, schwarzen Wagen hinüber, aus dem zwei große, blonde Eltern stiegen. Die Frau war eine Walküre. »Ich muss«, sagte Cathy und drückte Jules schnell an sich. Jules spürte, wie sich Cathys Brüste gegen sie drückten und wieder von ihr lösten, als sie sich ihrer Mutter und ihrem Vater zuwandte.

Goodman Wolf, zu dem sich Jules den ganzen Sommer stumm und stoisch hingezogen gefühlt hatte, hatte nicht mal für ein schnelles »Auf Wiedersehen« nach ihr gesehen, und so hatte auch sie sich nicht von ihm verabschiedet. Aber jetzt wollte sie ihn noch ein letztes Mal sehen und gab sich alle Mühe, ihn unter den Campern auf der Wiese und denen, die mit Gepäck beladen unterwegs zum Parkplatz waren, zu entdecken. Überall sah sie weinende und sich umarmende Leute, und es war, als litten alle unter einem gemeinsamen Trauma. Die Wunderlichs zogen durch die Menge, sagten den sich Verabschiedenden, sie sollten hart arbeiten, wünschten ihnen ein gutes Jahr und erinnerten sie daran, dass sie sich ja im nächsten Sommer wiedersähen.

Jules stand da und sah sich um. Endlich entdeckte sie Goodman Wolf hinter einem der mit Fliegengitter versehenen Fenster des dunklen, mittlerweile geschlossenen Speisesaals. Was machte er da, wo doch alle anderen hier draußen waren? »Ich muss kurz weg, Moment«, sagte Jules zu ihrer Schwester.

»Ich lade dein Gepäck nicht ohne dich ein, *Julie*«, sagte Ellen. »Ich bin doch nicht deine verdammte Dienerin.«

»Das weiß ich, *Ellen*. Ich muss nur schnell jemandem etwas sagen. Ich bin gleich zurück.«

»Ich wollte eigentlich gar nicht mitkommen«, fügte Ellen leise hinzu, als redete sie mit sich selbst. »Mom wollte es. Sie dachte, es wäre nett.«

Jules wandte sich ab und ging in den Speisesaal. Die Frühstücksgerüche waren zum großen Teil verflogen und würden ein Jahr lang nicht zurückkommen. Im Moment hing noch etwas Ei in der Luft und ein Rest von einem biologischen Reinigungsmittel. Aber selbst diese Gerüche wirkten verhalten, traurig und lösten sich auf wie an den Himmel gemalte Worte. Am traurigsten war jedoch Goodmans Anblick, der an einem Tisch beim Fenster saß, die Arme verschränkt, den Kopf halb ans Fliegengitter gelehnt, wie in tiefen, trüben Gedanken versunken. Als Jules hereinkam, sah er auf.

»Jacobson«, sagte er. »Was treibt dich her?«

»Alle verabschieden sich, und da habe ich dich hier drinnen gesehen und mich gefragt, warum du nicht draußen bist.«

»Oh«, sagte er. »Du weißt schon.«

»Nein«, sagte sie. »Weiß ich nicht.«

Ashs Bruder hob den Kopf. »Ich mach das jeden Sommer durch«, sagte er. »Heute ist der üble Teil.«

»Ich habe immer gedacht, du stehst über allem.«

»Offensichtlich gibt es da einen Unterschied zwischen der Wirklichkeit und dem, was du denkst«, sagte Goodman.

»Das nehme ich an«, sagte Jules, ohne sicher zu sein, was genau er damit meinte.

Goodmans Körper war schmaler und länger als noch zu Beginn des Sommers, seine Füße waren bereits wieder zu groß für seine sowieso schon riesigen Sandalen. Er quoll aus jeder Umgebung, in der er sich befand. Wäre er aufgestanden und zu ihr gekommen, hätte er sie bei den Schultern gefasst und auf den Tisch neben dem kleinen Metallregal mit der Tamari-Soße und den mit Reiskörnern gefüllten Salzstreuern gelegt, hätte sie alles mit ihm gemacht. Im hellen Tageslicht, mit den Leuten überall draußen, von denen einige hereinsahen. Sobald Goodman mit ihr auf dem Tisch gelegen hätte, wäre sie in Aktion getreten, hätte sich wie eine der sexualisierten Figuren in *Figland* bewegt und genau gewusst, was zu tun war. Ethan Figman hatte es ihr ironischerweise beigebracht, mit seinen Trickfilmen und ihren Küss- und Streichelsitzungen, die, was sie betraf, ohne Erfolg geblieben waren.

»Das Leben ist eine harte Sache«, sagte Goodman. »Wenigstens meines. Meine Eltern denken, ich bin ein Verkacker sondergleichen. Ich will Architekt werden, ein moderner Frank Lloyd Wright, weißt du? Aber mein Dad meint, ich gebe nicht alles. Was alles? Ich bin sechzehn. Bloß weil ich meine letzte Schule verlassen musste. Und weil ich nicht wie Ash bin.«

»Das ist nicht fair. Niemand ist wie Ash.«

»Das sag ihm mal. Ich krieg's ständig von ihm«, sagte Goodman. »Und meine Mom, die ist zwar eine ganze Menge netter, was das angeht, aber sie zieht mit ihm mit.«

Im Camp wurde Goodman, soweit Jules wusste, von niemandem kritisiert. Er zog frei durch die Gegend, wie ein verhätscheltes, wertvolles Wildtier. Der Sommer war die beste Zeit für ihn. Hier im Camp konnte er an seinen kleinen Gebäude- und Brückenmodellen arbeiten, konnte Pot rauchen, mit Mädchen herummachen und eine vollkommene, lockere Zeit durchleben. Das Camp bedeutete ihm alles, da ging es ihm wie Jules. Für beide war es hier besser als sonst irgendwo. Darin glichen sie sich, obwohl sie das nie zu ihm gesagt hätte, denn dann hätte er darauf bestanden, dass es nicht stimmte. Irgendwann würde Goodman ruhiger und ernster werden, und die Dinge würden sich für ihn fügen, nicht nur hier, sondern auch da draußen, dachte sie. »Das sollten sie dir nicht antun«, sagte Jules. »Du hast so viel zu bieten.«

»Glaubst du?«, sagte er. »Ich bin ein mieser Schüler. Ich bringe nichts zu Ende, sagen sie.« Er sah sie an. »Du bist ein komische kleine Person«, sagte er nach einer Weile. »Eine komische kleine Person, die es in den inneren Kreis geschafft hat.«

»Was für einen ›inneren Kreis‹? Bild dir mal nicht so viel ein«, sagte sie. Das war ein Ausdruck, den die Mädchen manchmal Jungen gegenüber verwandten, die unerträglich wurden und einen Schuss vor den Bug brauchten.

Goodman zuckte nur mit dem Schultern. »Solltest du dich nicht fertig machen, um zu fahren, oder so was?«, fragte er. Er wirkte mit einem Mal ziemlich müde und zog sich von ihr zurück.

»Und *du*?«, fragte Jules und trat vor, ohne auf eine Antwort zu warten. Sie war sich bewusst, dass das Licht hinter ihr im Flur wahrscheinlich einen Strahlenkranz um das legte, was von ihrer verwahrlosten Dauerwelle übrig geblieben war. Goodman war arrogant, und sie erlaubte ihm, seine Überheblichkeit voll auszuspielen. Es war seine Schwäche, so wie Jules' körperliche Unvollkommenheit und Unbeholfenheit ihre Schwäche waren. Aber wie seine Schwester war er voller Möglichkeiten. Seine Sommeridylle fand heute ihr Ende, und er tat Jules leid, genau wie sie sich selbst leidtat, war es mit ihrer Idylle doch auch vorbei.

Jules streckte die Arme aus, um ihn zum Abschied zu umarmen, so wie sie auch Jonah Bay umarmt hatte, mit einer genau bemessenen Umarmung, doch da hörte sie hinter sich Schritte, und dann sagte die Stimme ihrer Schwester: »Wir stehen uns da draußen die Beine in den Bauch, während alle anderen wegfahren. Lädst du dein Gepäck jetzt in den Wagen oder nicht?«

Jules drehte sich abrupt um und sah neben Ellen auch ihre Mutter, beide schrecklich von hinten beleuchtet. Wütend sagte sie: »Ich habe dir doch gesagt, Ellen, dass ich gleich wieder da bin.«

»Es ist eine lange Fahrt, Julie«, sagte ihre Mutter mit sanfter Stimme.

Goodman stellte sich nicht einmal vor. Er sagte nur: »Bis dann, Jacobson«, und verschwand in seinen Büffelsandalen durch die hinter ihm zuknallende Fliegentür. Sofort hörte Jules Rufe: »Da ist er!«, und: »Goodman, Robin hat die Polaroid-Kamera von seiner Stiefmutter, wir wollen ein paar Fotos mit dir!« Jules würde ihn niemals umarmen. Nie würde sie den Druck seiner knochigen Brust auf ihrem Körper fühlen. Er sollte nicht mehr lange bei ihr und den anderen sein – nicht, dass sie es gewusst hätten, aber vielleicht spürten sie etwas. Goodman war hart und überheblich, aber auch verletzlich, wie sie jetzt wusste. Er war die Art Junge, die von einem Baum fiel oder von einer Klippe sprang und mit siebzehn starb. Er war die Art Junge, der etwas zustoßen würde, es war unvermeidlich. Nie würde sie seine Brust auf ihrer fühlen – was für ein jämmerliches Verlangen, das Verlangen einer »komischen kleinen Person«. Obwohl sie natürlich in der Lage war, es sich vorzustellen, denn ihre Fantasie war in diesem Sommer entzündet worden, und jetzt konnte sie alles spüren. Sie war eine Hellseherin. Aber ihre Mutter und ihre Schwester, die so tölpelhaft im denkbar ungünstigsten Moment in der Tür erschienen waren, hatten dafür gesorgt, dass sie die wirkliche Erfahrung niemals machen würde.

»Ist das ein besonderer Junge für dich?«, fragte ihre Mutter vorsichtig.

»Aber sicher, das liegt doch auf der Hand«, sagte Ellen.

Jules Jacobson weinte in den letzten Momenten vor der Abfahrt so wild, dass sie kaum mehr etwas erkennen konnte, als sie sich auf den Rücksitz des Wagens setzte. Zuletzt hatte sie gedacht, dass ihr der Sommer ein größeres Herz gegeben hätte, denn jetzt war sie offen für Musik, die sie früher nie gehört hätte, für schwierige Bücher (Günter Grass, oder wenigstens hatte sie vor, ihn zu lesen), die sie nie gelesen hätte, und für Menschen, die sie sonst nie kennengelernt hätte. Aber hinten in ihrem grünen Dodge, als sie langsam über den kaum befahrbaren Feldweg zur Hauptstraße in Belknap fuhren, fragte sich Jules, ob der Sommer sie tatsächlich großherziger oder nicht einfach nur gemeiner gemacht hatte. Wie zum ersten Mal sah sie den kleinen Fettwulst im Nacken ihrer Mutter, als wäre er mit einem Spachtel dort aufgetragen worden. Und als Ellen den Beifahrerspiegel herunterklappte, um sich darin zu betrachten, was sie gleich nach dem Einsteigen tat, sah Jules den zu schmalen, überraschten Bogen ihrer Brauen, die Ellen Jacobson den Stempel von jemand aufdrückten, der nie in dieses Camp gepasst hätte.

Jules war weder großherziger noch gemeiner geworden, entschied sie schließlich. Sie war als Julie gekommen und ging als Jules wieder weg, eine Person, die kritisch und urteilsfähig war, was dazu führte, dass sie ihre Mutter und ihre Schwester nicht mehr betrachten konnte, ohne die Wahrheit zu sehen. Die beiden holten sie von den Menschen weg, von denen sie immer träumen würde. Sie holten sie von dem hier weg. Die Jacobsons erreichten die Hauptstraße, hielten kurz, und dann steuerte ihre Mutter nach rechts und stieg aufs Gas. Kies spritzte unter den Reifen weg, als Jules sich von Spirit-in-the-Woods entfernte, wie das Opfer einer stillen, gewalttätigen Entführung.

Das Haus am Cindy Drive war schlimmer als bei ihrer Abfahrt, aber es war schwer zu sagen, warum genau. Sie ging aus ihrem heißen Zimmer in die Küche, um sich etwas Kaltes zu trinken zu holen, und kam an der Höhle vorbei, in der ihre Schwester und ihre Mutter mit den Zähnen Pistazien knackten und Fernsehsendungen für Hirntote ansahen. Jules nahm eine von den Dosen Tab aus dem Kühlschrank, die ihre Schwester in Massen darin aufbewahrte, schloss ihre Zimmertür hinter sich und rief Ash in New York City an.

Man wusste nie, wer in der Wohnung der Wolfs ans Telefon ging. Es konnten Ash, Goodman oder ihre Mutter Betsy sein, niemals ihr Vater Gil, vielleicht aber auch ein Freund der Familie, der sich für unbestimmte Zeit im »Labyrinth« aufhielt. Endlich gab es die Lösung für ein Rätsel, das Jules nicht hatte lösen können, als die anderen im Camp ganz nebenbei vom »Labyrinth« sprachen. Jules hatte angenommen, dass es sich dabei womöglich um einen privaten Club handelte. Stattdessen war es das Gebäude am Central Park West, Ecke 91. Straße, in dem die Familie Wolf wohnte. »Unser Portier heißt ›Zerberus‹«, hatte Ash gesagt, und erst als Jules in die Stadtbibliothek von Underhill ging und »Zerberus« in der Enzyklopädie nachschlug, verstand sie, was gemeint war.

»Komm in die Stadt«, sagte Ash.

»Das werde ich, das werde ich.« Sie konnte ihre Angst nicht eingestehen, dass die anderen im harten Licht des neuen Schuljahres in New York ihren Fehler bemerken und sie mit dem sanften Versprechen, sie bald anzurufen, dorthin zurückschicken würden, woher sie gekommen war.

»Wir hängen den ganzen Tag nur in der Wohnung herum«, sagte Ash. »Dad ist völlig hysterisch. Er sagt, Goodman ist undiszipliniert und wird nie einen Job bekommen, weil er für keine Arbeit taugt. Er sagt, er wünschte, wir wären beide in ein Banker-Camp gefahren, und mir hat er gesagt, ich muss ein großes Stück schreiben und ein Vermögen damit verdienen. Meine Version von *Ein Fleck in der Sonne*. Meine weiße Version. Nichts weniger erwartet er von mir.«

»Wir werden alle ohne Job sein«, sagte Jules.

»Also wann kommst du?«

»Bald.«

Manchmal schrieb Jules nachts Briefe an Ash und Ethan, Jonah und Cathy und sogar an Goodman. Die Briefe an Goodman, begriff sie, waren ungeheuer kokett. Wenn man kokett schrieb, sagte man nicht, was man meinte, dann schrieb man nicht: *Oh, Goodman, ich weiß, du bist nicht unbedingt nett, sondern eher ein Ekel, aber trotz allem will ich nur dich.* Stattdessen schrieb sie: *Hi, ich bin's, Jacobson. Deine Schwester sagt, ich soll nach New York kommen, aber ich höre, es ist ein SLUM.* Wie sehr sich das, dachte sie, von Ethans Art unterschied. Ethan hatte genau gesagt, was er fühlte, und gar nicht erst versucht, etwas davon zu verstecken. Er hatte sich ihr präsentiert, sich ihr angeboten. Und als sie Nein sagte, hatte er nicht so getan, als hätte er alles ganz anders gemeint, sondern einfach gesagt: Probieren wir es noch einmal. Also hatten sie es noch einmal probiert, und wenn es am Ende nach ihrem gescheiterten Experiment auch keine unguten Gefühle gab, so gestand er ihr doch, dass er sich durch ihre Zurückweisung immer etwas verletzt fühlen würde. »Nur ein winziges bisschen«, sagte er. »Es wird so sein, wie wenn du jemanden mit einer Kriegsverletzung siehst, und ewig später zieht er den Fuß immer noch nach. Nur dass du in meinem Fall überhaupt erst mal von der Verletzung wissen musst, um sie zu erkennen. Mein ganzes Leben werde ich sie mit mir herumtragen.«

»Das stimmt nicht«, sagte sie unsicher.

Sie schrieb Ethan einen pflichtbewussten Brief, in dem sie erzählte, wie schrecklich ihre Tage in Underhill waren, und er antwortete sofort. Sein Brief war voller *Figland*-Figuren. Sie tanzten, fischten, sprangen von Gebäuden und sahen nach dem Aufschlag Sterne, blieben sonst aber unverletzt. Sie machten alles, küssten sich nur nicht und schliefen nicht miteinander. Solche Bilder tauchten in seinem Brief nicht auf, und da in seinen Filmen sonst viel Sexuelles vorkam, war ihr Fehlen auffällig. Aber wie bei einer sehr leichten Kriegsverletzung musste man es wissen, um es zu bemerken, in diesem Fall das Fehlen von etwas.

Liebe Jules, begann Ethan, und seine Schrift war so winzig und zart, so ganz anders als die klobige Hand, die den Stift hielt.

Ich sitze am Fenster, sehe über den Washington Square, und es ist drei Uhr morgens. Ich werde dir mein Zimmer beschreiben, damit du dir die Atmosphäre vorstellen kannst. In der Luft hängt der Geruch von Old Spice und gibt dem Raum etwas zugleich Geheimnisvolles und Nautisches. (Sollte ich Canoe benutzen wie eine bestimmte Person, die wir beide kennen? Würde dich das verrückt machen?) Vor dem Fenster ist ein Gitter, weil mein Dad und ich im Erdgeschoss dieses beschissenen Hauses wohnen (nein, nicht ALLE Leute von Spirit-in-the-Woods sind reich!) und draußen Junkies herumlaufen. Mein Zimmer ist absurd überladen, und wenn ich dir auch gern sagen würde, dass es alles Dinge eines artiste sind, geht es eher um Ring-Ding-Papier, Fernsehzeitungen und Sporthosen: Es ist die Art Zimmer, die den Wunsch in dir weckt, auf ewig von mir wegzulaufen. Oh, Moment, du bist ja schon weg. (EIN WITZ!) Ich weiß, du bist nicht weggelaufen, obwohl, wenn ich einen Cartoon von dir zeichnen würde, würde ich ganz sicher dein Haar fliegen lassen, als würde der Wind dich ... auseinandertragen.(Du hast übrigens so verdammt recht, dass das mit dem Auseinandertragen in The Wind Will Carry Us *keinen Sinn ergibt.)*
Also gut, ich bin sehr, sehr müde. Meine Hand hat den ganzen Tag gearbeitet (Stichwort für Wichser-Witze), und sie muss schlafen gehen, genau wie ich. Ash und Goodman wollen sehr bald alle zu einem Treffen einladen. Ich vermisse dich, Jules, und hoffe, du überlebst den Herbstanfang in Underhill, das, wie ich höre, für sein Herbstlaub bekannt ist und für dich.
In Liebe
Ethan
PS: Eine komische Sache ist diese Woche passiert: Ich bin für diesen blöden Artikel »Teenager, auf die man achten sollte«

in der Zeitschrift Parade *ausgewählt worden. Der Rektor an der Stuyvesant, meiner Highschool, hat denen von mir erzählt, und jetzt kommen ein Interviewer und ein Fotograf. Ich werde einen rituellen Selbstmord begehen müssen, wenn der Artikel erscheint.*

Am Samstag nach Schulanfang trafen sie sich alle in der Stadt. Jules nahm den Long-Island-Railroad-Zug und trat mit einem Rucksack auf dem Rücken aus der Penn Station mit den niedrigen Decken. Sie sah aus, als wollte sie wandern gehen. Und da waren sie und warteten auf der weiten Treppe des Hauptpostamtes gegenüber auf sie: Ash, Goodman, Ethan, Jonah und Cathy. Schon bestand ein Unterschied zwischen ihr und ihnen. Sie hatte Gepäck dabei und einen Pullover um die Hüften gebunden, der ihr plötzlich böse nach Rentner-im-Urlaub aussah. Ihre Freunde trugen dünne indische Baumwollhemden und Levi's und hatten nichts dabei, schließlich wohnten sie hier und mussten ihre Besitztümer nicht wie Nomaden mit sich herumschleppen.

»Siehst du?«, sagte Ash. »Du hast es überlebt. Und jetzt sind wir wieder zusammen. Wir sind komplett!«

Sie sagte es so aufrichtig. Sie war eine echte, treue Freundin und nie etwas anderes. Witzig war sie nicht, dachte Jules in diesem Moment, bei Gott nein. Solange Ash lebte, würde sie nie jemand als witzig beschreiben. Die Leute nannten sie reizend, anmutig, anziehend und gefühlvoll. Cathy Kiplinger war ebenfalls nicht witzig, dafür aber direkt, unverblümt, erregbar, anstrengend. Jules war die einzige Witzige in der Gruppe, und sie fühlte sich erleichtert, erneut in die Rolle schlüpfen zu können. Jemand fragte sie, wie es in der Schule ging, und Jules sagte, in Geschichte seien sie bei der Russischen Revolution. »Wusstet ihr, das Trotzki in Mexiko liquidiert wurde?«, sagte sie etwas manisch. »Deshalb kann man das Wasser da nicht trinken.«

Ash hakte sich bei Jules unter und sagte: »Ja, du bist definitiv noch die alte.«

Ethan wiegte sich leicht nervös vor und zurück. Der Artikel in der *Parade* war gerade erschienen, und wenn es auch nur ein Kasten unten auf einer Seite mit einem nicht zu schlimmen Foto von Ethan bei der Arbeit war, auf dem ihm die Locken in die Stirn fielen, waren seine Freunde doch ohne Gnade, was das Interview anging, in dem er offenbar auf die Frage, warum er lieber Trickfilme als Comics mache, geantwortet hatte: »Nur ein Movie ist groovy.«

»Hast du das wirklich gesagt?«, wollte Jonah wissen, als sie alle zusammen im Autopub des GM Buildings zu Mittag aßen. Sie saßen jeweils zu zweit in richtigen Autos, und ihre Bestellungen wurden von Drive-in-Kellnerinnen gebracht. In der Ferne wurde ein Film der Three Stooges auf eine Mauer projiziert, um so eine Autokino-Atmosphäre zu schaffen. »Kein Mädchen hat diese drei Komiker je gemocht«, sagte Jules, ohne dabei jemanden anzusprechen.

»Ja, ja, das habe ich gesagt«, gestand Ethan Jonah kläglich im Dämmerlicht.

»Warum?«, fragte Jonah. »Wusstest du nicht, wie es klingen würde? Meine Mutter sagt immer: So sehr du einem Journalisten gegenüber auch die Kontrolle zu haben glaubst, tatsächlich hast du gar nichts. Sie hat Ben Fong-Torres 1970 ein großes Interview für den *Rolling Stone* gegeben, und die Leute fragen sie heute noch wegen diesem einen Satz über ›Selbstliebe‹. Wieder und wieder muss sie ihnen erklären, dass er völlig aus dem Kontext gerissen war und sie definitiv nichts über Masturbation, sondern, du weißt schon, Selbstachtung gesagt hat. Es ist nicht so, dass dich die Journalisten erwischen wollen. Sie haben nur ihre eigenen Vorstellungen, und die sind nicht unbedingt in deinem besten Interesse.«

»Dann lass du dich doch mal interviewen«, sagte Ethan.

»Mich wird nie jemand interviewen«, sagte Jonah, was wohl stimmte, es sei denn, er wurde ein berühmter Musiker, was leicht geschehen konnte, wenn er es wollte. Solange er unbekannt war, wurde er durch seine milde Art oft übersehen, nur sein Gesicht war ungewöhnlich hübsch. Jemand könnte ihn wegen seines Gesichts interviewen.

»Ich würde tierisch gerne interviewt«, sagte Goodman.

»Weshalb sollten sie *dich* interviewen?«, fragte Cathy. »Wegen deiner kleinen Golden Gate Bridge aus Eisstielen?«

»Egal, wegen was«, sagte er.

»Unsere Vertrauenslehrerin kam vor ein paar Tagen mit einem Stapel Flugblätter über Berufschancen«, sagte Jules. »Plötzlich sollen wir darüber nachdenken, Experten zu werden. Wir müssen ein Interessengebiet haben.« Sie dachte einen Moment lang nach. »Meint ihr, die meisten Leute«, fuhr sie fort, »die ein Fachgebiet haben, sind irgendwann einfach darüber gestolpert? Oder haben sie sich clever und bewusst entschieden, alles über Schmetterlinge oder das japanische Parlament zu lernen, weil sie wussten, dass sie dadurch herausragen würden?«

»Die meisten Leute sind nicht clever«, sagte Jonah. »Sie denken absolut nicht so.« In diesem Moment sehnte sich Jules nach einem eigenen Fachgebiet. Gestolpert war sie noch über keines, und das Theater zählte nicht wirklich, da sie nicht richtig gut war. Trotzdem, im Camp hatte sie gerne in der Theatergruppe mitgemacht. Am liebsten hatte sie es gehabt, wenn sich die Schauspieler eines Stücks um den Regisseur geschart hatten, um sich Notizen zu machen. Jede Produktion glich einer dahintreibenden Insel, und nichts schien wichtiger, als diese Insel vollkommen zu machen.

Ethan Figman schwieg respektvoll, während alle ausgiebig über die Gebiete redeten, die sie finden oder nicht finden wollten oder von denen sie sich finden lassen mochten. Ash, da waren sie sich einig, würde auf ihrem Feld weit kommen. »Aber ich muss wissen, dass ich es wirklich will«, sagte sie. Ethan hatte sein Feld längst gefunden oder es ihn, als er als Junge in der unglücklichen Ehe seiner Eltern gefangen gewesen war und sich nachts im Bett einen Trickfilmplaneten ausgedacht hatte, der in einer Schuhschachtel unter dem Bett eines kleinen Kindes existierte. Auch wenn er dem Reporter von der *Parade* etwas Dummes gesagt hatte, dachte Jules doch, dass er womöglich auf dem Weg zu etwas Großem war und niemand von ihnen in der Lage sein würde, mit ihm zu gehen.

»Auf Jonah lastet der Fluch, der Sohn einer Berühmtheit zu sein«, sagte Goodman. Und dann: »Ich wünschte, ich hätte auch eine berühmte Mutter. Ich muss aus eigener Kraft berühmt werden, und das ist so viel schwerer.« Sie lachten, Goodmans Faulheit war bekannt. Er wollte, dass die Dinge für ihn erledigt wurden, und am besten wäre es, wenn ihm jemand gleich auch noch einen Namen verschaffte. Ethan war der Einzige von ihnen, der bereits dabei war, sich einen Namen zu machen, wobei es den anderen nach seinem Interview so vorkam, als könnte er ihn gleich wieder ruinieren.

An diesem Tag gingen sie nach dem Lunch direkt hinunter ins Village, und weil es die goldene Zeit des schwachen, milden Marihuanas war und des nur langsam verblassenden Glaubens, dass man in der Stadt offen tun konnte, was man wollte, teilten sie sich, während sie die 8. Straße hinuntergingen, einen Joint. Sie streiften durch Perlen- und Posterläden und nahmen dann die U-Bahn uptown, aus der sie in einer locker dahinwandernden Gruppe wieder auftauchten. Zu sechst nebeneinander nahmen sie die ganze Breite des Bürgersteigs ein und gingen die Central Park West in Richtung 91. Straße hinauf, was in jenen Tagen noch ziemlich weit oben und ab vom Schuss war. Am Ende würde ganz Manhattan auf noch unvorstellbare Weise vom Geld und den Reichen kolonisiert werden, und es würde kaum mehr Gegenden geben, in die man lieber nicht ging. Gemeinsam wanderten sie ins Labyrinth.

Sechs

Als er 1970 mit elf Jahren hinter der Bühne des Newport-Folkfestivals saß, bei dem seine Mutter zu den Stars gehörte, fing Jonah Bay zufällig den Blick des Folksängers Barry Claimes von den Whistlers auf. Barry Claimes und Susannah waren nach ihrer Affäre 1966 Freunde geblieben und trafen im Folkzirkus oft aufeinander. Susannah sagte, sie hätten nie richtig Schluss gemacht, sondern seien eine Weile zusammen gewesen und dann eben nicht mehr. Barry war während ihrer Beziehung oft in Susannahs Loft in der Watts Street gewesen, hatte dabei aber nie größeres Interesse an Jonah gezeigt, der ein sehr ruhiger, dunkelhaariger Junge war, eine Art Miniaturausgabe seiner Mutter, immer etwas düster gestimmt und mit seinen Lego-Bausteinen beschäftigt, die tiefe Spuren in den Füßen hinterließen, wenn man aus Versehen auf sie trat.

Jetzt in Newport sah Jonah anders aus und verhielt sich auch anders. Statt nur mit Lego zu spielen, wurde er zu einem Musiker, wanderte bei den Folkshows hinter der Bühne umher und spielte auf jeder verfügbaren Gitarre. »Der Junge ist gut«, hatte einer der Roadies Barry gegenüber mit einem Kopfnicken zu Jonah hin bemerkt, der dasaß und einen süßen, aus dem Stegreif erfundenen kleinen Song spielte. Mit seiner hohen Kinderstimme sang er:

»Weil ich ein Stück Toast bin,
Kannst du in mich hineinbeißen,
Kannst mich brechen,
Kannst mich buttern,
Kannst mich nehmen ...«

Schon war er mit seinem Text und der Melodie am Ende. Jonah verlor das Interesse und legte die Gitarre zur Seite, für Barry Claimes hatte die kurze Kostprobe jedoch gereicht, um zu erkennen, dass sein kleines Lied bezaubernd war und in Susannahs Sohn etwas Besonderes steckte. Barrys eigene Songs hatten immer etwas Gewolltes, er würde nie ein so guter Texter wie Pete werden, ein anderes Mitglied der Whistlers, der immer alle Anerkennung einstrich. Barry trat zu Jonah und spielte einen schicken, ausgefallenen Banjo-Riff, der die Aufmerksamkeit des Jungen fesselte. Anschließend gingen die beiden in die Garderobe der Whistlers, deren übrige Mitglieder anderswo waren, und Barry gab Jonah eine lange, geduldige Unterrichtsstunde auf seinem Banjo mit dem aufgemalten Regenbogen. Er fütterte ihn mit Käsewürfeln, Obststückchen und Brownies, und die beiden freundeten sich schnell an. Als Barry Susannah fragte, ob er sich Jonah für einen Tag ausleihen und ihn mit nach Newport nehmen könne, wo sich die Whistlers ein Haus gemietet hatten und Jonah die Klippen erkunden könne, hatte Susannah nichts dagegen. Barry war ein anständiger Kerl, ein »Softie«, sagten die Leute, und Jonah brauchte einen männlichen Bezugspunkt. Er konnte nicht immer nur bei seiner Mutter sein.

Am nächsten Morgen holte Barry Claimes Jonah vom Hotel ab und brachte ihn auf das Anwesen, das der Manager der Whistlers für die Band gemietet hatte. Man sah auf den Hafen hinaus, das Haus war mit wenigen weißen Korbmöbeln eingerichtet, und ein Hausmeister lief herum und füllte Zitronenwasser in Krüge. Sie setzten sich auf die Terrasse, und Barry sagte: »Warum alberst du nicht etwas mit der Gitarre herum und siehst, was dir einfällt?«

»Herumalbern?«

»Ja, du weißt schon. Spiel was, wie du es hinter der Bühne gemacht hast. Das waren ein paar echt gute Anfänge für Songs.«

Jonah sagte mit etwas steifer Stimme: »Ich glaube nicht, dass ich das wieder kann.«

»Nun, das weißt du erst, wenn du es versucht hast«, sagte Barry.

Eine Stunde lang saß Jonah mit der Gitarre da, während ihn Barry aus der Ecke beobachtete, aber die Situation machte den Jungen so nervös, dass ihm nichts Rechtes einfallen wollte. »Kein Problem«, sagte Barry immer wieder. »Du kommst einfach morgen wieder her.«

Aus irgendeinem Grund wollte Jonah tatsächlich wieder herkommen. Niemand außer seiner Mutter hatte ihm bisher größere Beachtung geschenkt, und als sie am nächsten Tag im Wohnzimmer saßen, fragte Barry: »Magst du Kaugummi?«

»Alle mögen Kaugummi.«

»Das stimmt, und es klingt wie ein Song, den du schreiben könntest: *Alle mögen Kaugummi*. Es gibt übrigens eine neue Sorte, die ist verrückt. Du solltest sie probieren.«

Er zog eine Packung normal aussehendes Clark's Teaberry Gum aus der Tasche, und Jonah sagte: »Oh, das hatte ich schon mal.«

»Das hier ist eine limitierte Auflage«, sagte Barry und gab Jonah einen Streifen. Der Junge packte ihn aus und faltete ihn sich in den Mund.

»Es schmeckt bitter«, sagte Jonah.

»Nur am Anfang.«

»Ich glaube nicht, dass es sehr beliebt werden wird.«

Aber das Bittere verging, und jetzt schmeckte das Kaugummi wie alle anderen Kaugummis auch und spülte einem mehr Spucke in den Mund, als man wollte. Barry sagte: »Also dann, Gitarre oder Banjo? Wähle dein Gift.«

»Die Gitarre«, sagte Jonah. »Und du spielst Banjo.«

»Ich folge deiner Führung, mein Junge«, sagte Barry. Er lehnte sich im Sofa zurück und beobachtete, wie Jonah gewissenhaft ein paar neue Akkorde durchspielte, die ihm seine Mutter beigebracht hatte. Barry griff zum Banjo und spielte mit. Das ging etwa eine halbe Stunde so, dann eine Stunde, und irgendwann stellte Jonah fest, dass sich die Wände vor- und zurückzuwölben schienen, dass sie buckelten, aber nicht einstürzten. Es kam ihm wie ein Zeitlupen-Erdbeben vor, nur dass nichts bebte. »Barry«, brachte er schließlich heraus. »Die Wände.«

Barry lehnte sich neugierig vor. »Was ist mit ihnen?«

»Sie atmen.«

Barry lächelte in stiller Dankbarkeit für Jonahs Worte. »Das machen sie manchmal«, sagte er. »Genieße es. Du bist ein kreativer Junge, Jonah. Erzähl mir, was du siehst, okay? Beschreibe es mir. Weißt du, ich war nie sonderlich gut darin, meine Umgebung zu beschreiben. Das ist eine meiner Schwächen, aber du bist eindeutig mit der Kraft des Wortes auf die Welt gekommen. Du bist ein echter Glückspilz.«

Wenn Jonah die Hand bewegte, sah er, wie ihr ein Dutzend Hände folgten. Er dachte, er verlöre den Verstand. Er war noch etwas zu jung dafür, doch so etwas gab es. Sein Cousin Thomas war in der Highschool an Schizophrenie erkrankt. »Barry«, sagte Jonah mit gequälter Stimme. »Ich werde schizophren.«

»Schizophren, denkst du das? Nein, nein, du bist einfach nur ein visueller, kreativer Mensch, Jonah, das ist alles.«

»Aber plötzlich sieht alles anders aus. So habe ich mich noch nie gefühlt.«

»Ich kümmere mich schon um dich«, sagte Barry Claimes großmütig und streckte Jonah seine große Hand hin, der nichts tun konnte, als nach ihr zu greifen. Jonah hatte schreckliche Angst, doch er wollte auch lachen und die Spuren anstarren, die seine Finger in der Luft hinterließen. Als er das Bedürfnis verspürte, sich in eine Embryohaltung zu rollen und sich ein wenig hin- und herzuwiegen, setzte sich Barry neben ihn, rauchte und wachte geduldig über ihn. »Hör zu«, sagte Barry später, als sich der Nachmittag weiter dahinwölbte, »warum spielst du nicht noch etwas mit der Gitarre herum und erfindest ein paar lustige Verse? Das leitet deine kreative Energie und lässt sie für etwas nützlich sein, mein Junge.«

Also begann Jonah zu spielen, und Barry ermutigte ihn, dazu zu singen. Die Worte fielen aus Jonah heraus, und Barry fand sie toll und holte einen Kassettenrekorder aus dem Nebenzimmer, schaltete ihn ein und drückte auf Aufnahme. Jonah sang, obwohl das meiste keinen Sinn ergab, und weil er es lustig fand, »mein Junge« genannt zu werden, begann er, mit der Stimme von Barry Claimes zu singen.

»Geh und mach mir ein Erdnussbuttersandwich, mein Junge«, sang er mit einem nachgemachten melancholischen irischen Akzent, und Barry sagte, er sei unbezahlbar.

Es ging etwa eine Stunde so. Barry drehte die Kassette um und sagte: »Sing was über Vietnam.«

»Ich weiß nichts über Vietnam.«

»Oh, sicher tust du das. Du weißt alles über diesen schmutzigen Krieg unseres Landes. Deine Mom hat dich zu genug Friedensmärschen mitgenommen. Ich war auch einmal mit dabei, erinnerst du dich nicht? Du bist wie ein Mystiker. Ein Kinder-Mystiker. Unverdorben.«

Jonah schloss die Augen und fing an zu singen:

»*Sag ihnen, dass du nicht gehst, mein Junge,*
In das Land der Würmer und des schmutzigen Schmutzes.
Sag ihnen, dass du nicht gehst, mein Junge,
Weil du ein Leben hier auf der Erde zu leben hast...«

Barry starrte ihn an. »Wo ist dieses Land, von dem du da singst?«

»Das weißt du doch«, sagte Jonah.

»Du meinst den Tod? Himmel, du kannst auch Finsteres. Was den ›schmutzigen Schmutz‹ angeht, bin ich mir zwar nicht so sicher, aber einem geschenkten Gaul schaut man nicht ins Maul. Ist eine tolle Idee, und auch die Melodie ist gut. Das könnte echt etwas werden.« Er streckte die Hand aus und kniff Jonah leicht in die Backe. »Läuft prima, Junge«, sagte er und schaltete den Rekorder mit einem Klacken aus.

Aber auch als sie mit dem Gitarrespielen und Verseschreiben fertig waren, bog sich die Welt immer weiter. Wenn Jonah die schlachterblockartige Arbeitsfläche in der riesigen Küche ansah, verschwamm die Maserung wie eine ganze Kolonie lebender Dinge unter dem Mikroskop. Das Holz arbeitete, die Wände pulsierten, und Jonahs Hände hinterließen Spuren in der Luft. Es war anstrengend, schizophren zu sein, und dass er es war, davon war er überzeugt. Jonah setzte sich auf den Wohnzimmerboden des Hauses, legte den Kopf in die Hände und begann zu weinen.

Barry stand auf, starrte ihn an und wusste nicht, was er tun sollte. »Ach du Scheiße«, murmelte er.

Am Ende kamen auch die beiden anderen Whistlers, begleitet von ein paar Groupies. »Wer ist denn der kleine Kerl?«, fragte ein schönes Mädchen, das nicht älter als sechzehn zu sein schien. Auf jeden Fall war es Jonah an Jahren weit näher als den Männern, und doch erschien es ihm so unerreichbar wie alle um ihn herum. Er war völlig allein. »Er sieht aus, als wäre er high«, sagte das Mädchen.

»Ich bin schizophren, wie mein Cousin!«, gestand Jonah.

»Wow«, sagte das Mädchen. »Echt? Oh, du armer kleiner Kerl. Hast du tatsächlich eine gespaltene Persönlichkeit?«

»Was? Nein«, sagte Barry. »Es ist was anderes. Er ist nicht schizophren, einfach nur etwas überdreht. Er ist der Sohn von Susannah Bay«, fügte er unterstreichend hinzu, und die Augen des Mädchens wurden ganz groß. Barry ging zu Jonah und setzte sich neben ihn. »Dir geht's gleich wieder bestens«, flüsterte der Whistler. »Versprochen.«

Es stimmte. Als Barry Jonah nach Hause fuhr, hatten sich die Halluzinationen gelegt, und es gab nur noch gelegentlich hellrosa und grüne Sprenkel auf weißen Oberflächen. Trotzdem sah Jonah die halluzinierten Bilder noch vor sich, und sie sagten ihm, dass sie jeden Augenblick zurückkehren könnten. »Bin ich verrückt, Barry?«, fragte er.

»Nein«, sagte der Exgeliebte seiner Mutter. »Du bist nur sehr kreativ und voller kluger Ideen. Es gibt einen Ausdruck für Menschen wie dich: alte Seelen.« Er bat Jonah, seiner Mutter nichts davon zu sagen, wie er sich heute gefühlt hatte. »Du weißt doch, wie Mütter sind«, sagte Barry.

Barry musste sich nicht sorgen, Jonah würde Susannah nichts erzählen. Über so etwas konnte er mit ihr nicht reden, sie war nicht die Art Mutter dafür und er nicht die Art Sohn. Susannah liebte ihn und hatte sich immer um ihn gekümmert, aber ihre Arbeit war das Wichtigste für sie, und das akzeptierte er. Es kam ihm nicht mal unnatürlich oder falsch vor. Warum sollte sie ihre Arbeit nicht glücklicher machen als ein Junge voller Bedürfnisse? Ihre Lieder folgten *ihren* Bedürfnissen. Sie war mit einer außergewöhnlichen Stimme geboren worden und spielte ausgezeichnet Gitarre. Die Songs, die sie schrieb, waren okay, nicht großartig, aber die Fülle ihrer Stimme hob sie und ließ sie toll erscheinen. Wenn sie sang, hörten alle mit großem Genuss zu. Jonah war in einer Welt mit Frühaufstehen, Transportern voller Ausrüstung und gelegentlichen Märschen über die National Mall in Washington aufgewachsen, die mittlerweile längst keine Märsche mehr waren, wenn er mit Susannah eintrat, sondern nichts als ein weiteres riesiges, diesmal auf der Straße stattfindendes Konzert. Ständig wurde Jonah von jemandem eine Treppe hinauf in ein Flugzeug geführt, manchmal hatte er sein Phonetik-Lehrbuch in der Hotelsuite liegen lassen, und ihm wurde ein neues in die nächste Stadt geschickt. Er verbrachte viel Zeit allein mit sich, konstruierte kleine Lego-Maschinen und erklärte sich selbst, was sich mit den Maschinen alles machen ließ.

Susannah Bay schrieb einen Song über ihren Sohn, der zwar nicht zur Hymne wurde wie *The Wind Will Carry Us*, aber doch über die nächsten Jahrzehnte eine beeindruckende Menge Einkommen generierte: *Boy Wandering* brachte Jonah am Ende durchs MIT. »Ich meine das ganz wörtlich«, erklärte Jonah seinen Freunden, als sie sich alle ins College verabschiedeten. »Bei Merrill Lynch gibt es einen Fonds auf meinen Namen, den wir den ›*Boy Wandering* Money Market Fund‹ nennen. Mehr werde ich für Studiengebühren und andere Kosten nie brauchen.«

Wäre das Halluzinieren mit Barry Claimes 1970 eine einmalige Sache gewesen, hätte es sich, so nahm Jonah an, in seine übrigen Erfahrungen eingereiht. Vielleicht wäre er auf eine seltsame Weise sogar stolz darauf gewesen. Aber es schien, dass die Whistlers während des nachfolgenden Jahres immer genau da waren, wo auch Susannah war. Sie traten bei denselben Folkfestivals auf, teilten sich Bühne um Bühne, und Barry spürte Jonah nach, als wären sie enge Freunde. Folgte man seiner Legende, wollte Jonah unbedingt Banjo spielen lernen. Jonah widersprach dem nicht. Und er lernte nicht nur Banjo, sondern verbesserte auch seine Gitarrentechnik – und besuchte Barry und die Whistlers, wo immer sie wohnten. Kaum war er angekommen, begann er zu halluzinieren, saß herum und schrieb Fragmente kleiner Songs, die Barry pflichtbewusst aufnahm. Einmal wurde es ein ganzer Song über einen *Selfish Shellfish*, ein selbstsüchtiges Schalentier, den Barry besonders witzig fand. Völlig aus dem Stand sang Jonah:

»... *und der Ozean, der gehört mir, nur mir,*
Ich will ihn echt mit keinem teilen.
Vielleicht bin ich wirklich, wirklich selbstsüchtig,
Aber Selbstsucht, die passiert nun mal 'nem Schalentier ...«

»Die letzten beiden Zeilen sind etwas kunstlos«, sagte Barry. »Selbstsucht ›passiert‹ niemandem, so verhält man sich. Im Übrigen quetschst du zu viele Worte hinein. Und ›wirklich, wirklich‹ ist auch nicht toll in einem Song. Aber das macht nichts, die Idee ist super. Ein *Selfish Shellfish* will den ganzen Ozean für sich! Oh, Mann, du bist ein Genie, Junge.«

Barry brachte Jonah immer erst dann zurück in die Hotelsuite seiner Mutter, wenn er wieder ganz bei sich war. »Womit ich dein normales Welt-Ich meine«, sagte Barry. »Nicht dein kreativ inspiriertes Alte-Seele-Ich, das ich irgendwie in dir zum Vorschein bringe.« Jonah erzählte niemandem, wie er sich fühlte, wenn er stundenlang mit Barry allein war, und nie schöpfte jemand Verdacht, dass da etwas Ungewöhnliches geschah. Susannah sagte, sie sei froh, dass er in Barry eine Art Vaterfigur gefunden habe. Sein wirklicher Vater, so hatte sie Jonah früh schon erklärt, sei die Geschichte einer Nacht gewesen, ein Folk-Chronist aus Boston namens Arthur Widdicombe, den sie Jonah vorstellte, als er sechs war. Arthur war ein ernster junger Mann mit einer schäbigen Jacke, einem vornehmen Gesicht und den gleichen langen Wimpern wie sein Sohn. Er hielt eine übervolle alte Aktentasche mit Dokumenten über die Geschichte der amerikanischen Folkmusik und des politischen Aktivismus an sich gedrückt, beginnend mit Joe Hill. Arthur kam nur dieses eine Mal in ihr Loft in der Watts Street, rauchte viel und nervös, und nachdem eine angemessene Zeitspanne verstrichen war, stürmte er davon, als flüchtete er aus einem Arbeitslager. »Du musst ihm unheimlich gewesen sein«, sagte Susannah, als Arthur plötzlich hinauslief.

»Was habe ich denn getan?« Während des gesamten Besuchs hatte Jonah ruhig und respektvoll dagesessen und auf Drängen seiner Mutter Arthur Widdicombe sogar eine Tasse Hagebuttentee angeboten.

»Deine bloße Anwesenheit hat genügt«, sagte seine Mutter.

Manchmal fiel nach jenem Tag noch Arthurs Name, aber nicht sehr oft, und es war nicht so, dass sich Jonah nach ihm verzehrt hätte. Zu sagen, dass Barry Claimes zu einer Vaterfigur für ihn wurde, war ebenfalls eine wilde Übertreibung – Gott wusste, dass er es auch zu der Zeit, als Barry mit Susannah schlief, nicht gewesen war, ganz und gar nicht. Vielleicht hatte Jonahs Beziehung zu Barry aber trotzdem etwas von einem Vater-Sohn-Verhältnis, denn der Junge hegte dem Älteren gegenüber ziemlich gemischte Gefühle. Nur wenn Väter nicht anwesend waren, konnten sie überhöht und vergöttlicht werden. Barry Claimes konnten eine echte Qual sein. Er war penetrant und anstrengend, und wenn Jonah keine Lust hatte, für seinen Kassettenrekorder zu spielen, wurde Barry ziemlich ärgerlich oder eisig, und Jonah musste sich entschuldigen und versuchen, Barrys Aufmerksamkeit zurückzugewinnen. »Hör zu, hör zu, ich singe ein Lied für dich«, sagte Jonah, nahm die Gitarre oder das Banjo und erfand etwas.

Irgendwann, als er zwölf war, schien Jonah Bay plötzlich zu begreifen, dass das, was seit einem Jahr geschah, wenn er Barry sah, *ihm* geschah. Er dachte an all die langen Tage, die er mit dem Mitglied der Whistlers in gemieteten Häusern und Hotelsuiten verbracht hatte und »kreativ durchgedreht« war, wie sie es am Ende nannten. Stundenlang hatte er mit Barry zusammengehockt, dumme Texte erfunden, Angst bekommen, war besänftigt worden, auf und ab gelaufen, hatte gefühlt, wie sich sein Kiefer verspannte, war in Pools und im Ozean geschwommen, und einmal hatten sie in einem Drive-through einen Hamburger gegessen, und Jonah hatte gefühlt, wie der Burger in seinen Händen pulsierte, als schaffte es die zerlegte Kuh irgendwie, ihr zerlegtes Herz weiterschlagen zu lassen. (Das war das letzte Mal, dass Jonah in seinem Leben Fleisch aß.) Alle diese Gefühle und Verhaltensweisen waren nicht die eines schizophrenen, »kreativ durchgedrehten« Menschen oder einer »alten Seele«. Sie waren – und endlich, endlich begriff Jonah es – die Gefühle und Verhaltensweisen eines Menschen unter Drogeneinfluss.

Als sie ein paar Wochen lang ohne Unterbrechung zu Hause in New York waren, ging Jonah in einen Buchladen auf der Lower East Side. Erwachsene Männer und Frauen standen da und sahen sich Romane und Kunstbücher, die *Partisan Review* und die *Evergreen Review* an. Jonah ging zur Theke und flüsterte dem Verkäufer nervös zu: »Haben Sie Bücher über Drogen?«

Der Mann musterte ihn grinsend. »Wie alt bist du, zehn?«

»Nein.«

»Drogen. Du meinst, so was wie Psychopharmaka?«, fragte der Mann, was immer das bedeuten mochte, und Jonah riskierte es und sagte Ja. Der Verkäufer ging mit ihm zu einem vollgepackten Regal an der Wand und zog ein Buch heraus, das er Jonah gegen die Brust drückte. »Hier ist die Bibel, Kleiner«, sagte er.

An diesem Abend saß Jonah im Bett, las *Die Pforten der Wahrnehmung* von Aldous Huxley und begriff nach etwa einem Viertel, dass er wie der Autor die Wirkung von Halluzinogenen erfahren hatte, nur dass es bei ihm unfreiwillig geschehen war. Er dachte an verschiedene Besuche bei Barry Claimes, holte seine Mathematikkladde heraus und legte auf einer leeren Seite eine Liste mit den Dingen an, die er, wie er sich erinnern konnte, bei Barry gegessen hatte, nicht während seiner kreativen Durchgedrehtheit, sondern zu Beginn seiner Besuche, bevor es damit losging. Er schrieb:

1) ein Streifen Clark's Teaberry Gum
2) ein Stück Rührkuchen
3) eine Schüssel Team Flakes
4) NICHTS?
5) wieder ein Streifen Clark's Teaberry Gum
6) Kartoffelchips mit Liptons Zwiebeldip
7) zwei Yodels

8) *Rinder-Chili*
9) *noch mal CTG**

----

*CTG = Clark's Teaberry Gum

Das alles passte zusammen. Nur was war beim vierten Mal gewesen? Er war sich sicher, dass er nichts gegessen oder getrunken hatte, weil er gerade erst eine Magen-Darm-Grippe hinter sich gebracht hatte. Was war an jenem Tag geschehen? Jonah hatte ein ausgezeichnetes Gedächtnis und konnte sich selbst noch an Dinge erinnern, die Monate zurücklagen, und so rief er sich jenen Nachmittag im Haus der Whistlers in Minneapolis vor Augen. Barry hatte ihn gebeten, einen Brief einwerfen zu gehen. Er hatte ihn Jonah gegeben und gesagt: »Würdest du den in den Briefkasten an der Ecke werfen?«

Worauf Jonah erwidert hatte, die Briefmarke fehle, und Barry sagte: »Oh, du hast ein gutes Auge.« Er holte eine und gab sie ihm. Und was dann?

Jonah hatte über die Rückseite geleckt. Das zählte als etwas essen, oder nicht? Das Briefmarkenlecken war geplant gewesen. Im Alter von zwölf Jahren sah Jonah zurück auf das letzte Jahr seines Lebens und war erfüllt von der schrecklichen Erkenntnis, von einem Folksänger für dessen eigennützige Zwecke wieder und wieder mit Drogen – *Psychopharmaka* – gefüttert worden zu sein. Jonahs Verstand, seine Sinne waren gedehnt, verzerrt, seine Gedanken in ein verändertes Wahrnehmungsgeflecht gedrängt worden, und es gab immer noch Nachwirkungen. Nachts wachte er manchmal auf und glaubte zu halluzinieren, und wenn er die Hand vor den Augen hin- und herbewegte, konnte es sein, dass er Spuren in der Luft sah. Er war nahe daran zu glauben, sein Verstand habe bleibenden Schaden genommen, auch wenn er nicht schizophren war, nur anfällig. Anfällig und dazu tendierend, Bilder zu sehen, die es so nicht gab. Im Übrigen hatte er eine zunehmend verwirrte Vorstellung von der Realität, die ihm nicht mehr voll begreifbar schien.

Nicht lange danach wollte ihn seine Mutter mit nach Kalifornien nehmen, wo sie einen Auftritt beim Golden-Gate-Festival hatte, aber er lehnte es ab und sagte, er sei zu alt dafür, als Kind einer Folksängerin mit einem Zugangsausweis um den Hals hinter der Bühne herumzulaufen. Er dachte, damit sei die Sache erledigt, doch so war es nicht. Barry Claimes rief Jonah vom Festival aus an, denn er hatte immer noch Susannahs Telefonnummer. »Ich bin so enttäuscht, dass ich dir keinen Banjo-Unterricht geben kann«, sagte er im fernen Kalifornien. Im Hintergrund war Applaus zu hören, Barry rief von hinter der Bühne aus an, und Jonah sah ihn vor sich, wie er seine Pilotenbrille abnahm, sich die blauen Augen rieb und die Brille wieder aufsetzte. Ein halbes Dutzend Mal tat er das.

»Ich muss Schluss machen«, sagte Jonah.

»Wer ist da am Telefon?«, fragte Jonahs Kinderfrau, die ins Zimmer kam.

»Komm, mach das nicht, Jonah«, sagte Barry. Jonah blieb stumm. »Du bist ein äußerst kreativer Kerl, und ich liebe es, deine Energie zu spüren«, fuhr Barry fort. »Ich dachte, du hättest es mit mir auch interessant gefunden.«

Aber Jonah wiederholte, dass er Schluss machen müsse, und legte den Hörer auf die Gabel. Barry Claimes rief noch ein Dutzend Mal zurück, und Jonah begriff nicht, dass er es einfach klingeln lassen konnte. Jedes Mal nahm er den Hörer ab, und jedes Mal behauptete Barry Claimes, dass er ihm wichtig sei, dass er ihn vermisse und sehen wolle: Jonah sei seine Lieblingsperson, sogar all die Folksänger eingeschlossen, die er kenne, selbst Susannah und Joan Baez, Pete Seeger, Richie Havens und Leonard Cohen. Jonah erinnerte ihn erneut, dass er Schluss machen müsse, legte auf und musste plötzlich fürchterlich sauer aufstoßen. Er fürchtete, sich übergeben zu müssen, doch dann gab es sich wieder. Am nächsten

Tag rief Barry dreimal an, tags darauf zweimal und schließlich nur noch einmal. Dann kam Susannah zurück, und Barry meldete sich nicht mehr.

Wenige Monate später verließ Barry die Whistlers und brachte ein Soloalbum mit politischen Liedern heraus. Der Refrain seines einzigen Hits auf der Platte, einer Antikriegsballade, wurde mehr gesprochen als gesungen:

»*Sag ihnen, dass du nicht gehst, mein Junge,*
In das Land der Würmer und des aufgeschaufelten Schmutzes.
Sag ihnen, dass du nicht gehst, mein Junge,
Weil du ein Leben hier auf der Erde zu leben hast.«

Als Jonah den Song das erste Mal im Radio hörte, sagte er: »Was?« Aber es war niemand im Zimmer, der ihn hören konnte. »Was?«, sagte er noch einmal. Der »schmutzige Schmutz« war durch »aufgeschaufelten Schmutz« ersetzt worden, was besser klang, obwohl Jonah nicht recht verstand, wer da geschaufelt haben sollte, aber die Idee und die ungewöhnliche Melodie stammten von ihm. Barry Claimes hatte nur ein paar Dinge geändert, hatte den Song strukturiert und ihn zu seinem gemacht. Es gab niemandem, dem Jonah das sagen konnte, niemanden, bei dem er sich über diese Ungerechtigkeit beschweren konnte. Ganz sicher konnte er damit nicht zu seiner Mutter gehen. Seine Musik war gestohlen, sein Gehirn manipuliert worden, und er fühlte sich lange Zeit noch fahrig und verstört, sosehr er es auch zu verbergen versuchte. Manchmal sah er nachts die Überbleibsel in den Putz gekratzter Bilder an der Decke, lag da und wartete, dass sie verblichen, bis er morgens erleichtert feststellte, dass sein Zimmer normal und wie immer war. *Sag ihnen, dass du nicht gehst (mein Junge)* bewies Standfestigkeit in der Mitte der Charts und dann an ihrem unteren Ende, und wann immer er den Song im Radio hörte, hatte Jonah das Gefühl, explodieren zu müssen. Aber er riss sich zusammen und saß es aus. Endlich verschwand das Lied, nur um Jahre später auf jedem Oldie-Sampler neu aufzutauchen. Aber die Visionen wurden weniger und verblichen. Eines Tages bekam Jonah einen Schreck, als er ein Muster bedrohlicher Blätter und Ranken auf einer weißen Wand sah, stellte dann jedoch fest, dass es nur eine Tapete war.

Zu der Zeit, als die sechs Freunde Goodman und Ash Wolfs Apartmenthaus, das Labyrinth, betraten, im Herbst 1974, hatte Jonah nur noch sehr, sehr selten einen seiner Flashbacks, und die quälenden Gedanken an Barry, der seine Ideen gestohlen und sein Gehirn fast verflüssigt hatte, verschwanden langsam ebenfalls. Es gab anderes, worüber es nachzudenken galt. Jonah ging zur Highschool und lebte in ihrer Wirklichkeit. Im Grunde hatte er schon seit der ersten Klasse gewusst, dass er Jungen mochte, gerne an sie dachte und es ihm gefiel, wenn er sie »zufällig« beim Spielen berührte, aber erst, als er in die Pubertät kam, erlaubte er sich, sich die Bedeutung seiner Gedanken und Berührungen klarzumachen. Trotzdem hatte er immer noch nichts mit einem Jungen angefangen und konnte sich auch nicht vorstellen, wie es je dazu kommen sollte. Er wollte niemandem von seinem Verlangen erzählen, nicht einmal seinen Freunden von Spirit-in-the-Woods, und dachte, dass er am Ende womöglich das Leben eines Mönchs führen würde. Und wahrscheinlich würde es auch keine Musik in seinem Leben geben, obwohl ihm wiederholt gesagt worden war, dass er das Zeug zu einer großen Karriere hätte. Seine Musik war ihm gestohlen, durch Barry Claimes' Gier aus ihm herausgesaugt worden.

Bei Spirit-in-the-Woods rauchte Jonah mit seinen Freunden oft Pot, doch er tat es trotzig und in dem Wissen, dass er sich selbst unter Drogen setzte, niemand sonst. Halluzinogene nahm er nie mehr. Bis zu diesem Sommer war er Barry Claimes jahrelang nicht begegnet, war in die Höhe geschossen und zu einem jungen Mann herangereift. Sein dunkles Haar war sehr lang, und seit dem Camp hatte er seinen vagen Beginn von Bartwuchs kultiviert. Was sollte er damit machen? Die Haare abrasieren? Ignorieren? Ein Fu-Manchu-Bärtchen daraus formen? Am Morgen ihres ersten lockeren Interessanten-Treffens nach dem Sommer sah er sich kurz im Spiegel an und kratzte sich den Flaum mit einem Rasierer aus dem Gesicht, wie ein Kartograf, der eine Landmasse von einer entstehenden Karte tilgte.

»Gut«, sagte seine Mutter, als er im Küchenbereich ihres Lofts auftauchte. »Ich wollte nichts sagen, aber so ist es viel besser.«

Sie war in letzter Zeit öfter zu Hause und saß rauchend mit der Zeitung und einem Bündel Verträge am Tisch. Susannah füllte immer noch Konzertsäle, aber kleinere. Manchmal wurde sie jetzt für den kleineren Saal und nicht für die Hauptbühne gebucht. In letzter Zeit war sie mitunter auch in den Vorstädten aufgetreten, wo es zu ihrer Musik teure Fondues gab und alle mindestens zwei Drinks kaufen mussten. Mit Fortschreiten der Siebzigerjahre alterte ihre Zuhörerschaft dramatisch und fand zunehmend Gefallen an gutem Essen und teuren Weinen. Aber natürlich alterte auch Susannah. Jonah sah seine Mutter manchmal an, und ja, sie war immer noch schön, keine andere Mutter kam an sie heran, doch das entzückende Hippiemädchen mit dem Poncho, an das er sich aus seiner Kindheit erinnerte, war sie nicht mehr. Jonah wusste noch gut, wie er neben ihr in der schläfrigen, düsteren Atmosphäre des Tourneebusses gesessen hatte: Sie fuhren die Nacht durch, sein Kopf lag an ihrer Schulter, und die Wollfäden ihres Ponchos strichen ihm über die Lider. Wie bei vielen anderen Folksängerinnen auch schien Susannah Bays sinnlich sanfte, mitunter politische Kraft zumindest zum Teil ihrem Haar innezuwohnen, doch mittlerweile ließ sie gerade ihr langes Haar etwas alt wirken, und er fürchtete, sie könnte das Hexenhafte annehmen, das so viele ältere Frauen mit solchem Haar umgab.

Jonah verspürte den Wunsch, seine Mutter zu beschützen, obwohl sie ihrerseits nie eine besonders fürsorgliche Mutter gewesen war. Er hatte ihr nicht erlaubt, ihn zu beschützen, hatte ihr nicht erzählt, was mit Barry Claimes gewesen war. Was hätte sie also tun können? Es war schauderhaft zu sehen, dass sie und Barry auch weiterhin befreundet waren, auf Folkfestivals gelegentlich zusammen auftraten und in der Stadt oder auf Tour gemeinsam essen gingen. Jonah konnte es nicht glauben, dass er immer noch Geschichten über Barry hören musste, nachdem der ihn als Kind ein volles Jahr lang unter Drogen gesetzt, ihn bedrängt und ihm seine Musik gestohlen hatte.

Seit Jonah seine Sommer bei Spirit-in-the-Woods verbrachte, war er entschlossen, seine Freunde in den Mittelpunkt seines Denkens und Empfindens zu rücken und diesen Mann daraus zu verdrängen. Die Sommer in Belknap waren so außergewöhnlich, wie seine Mutter es ihm versprochen hatte, doch in diesem Jahr war Susannah mit *Barry* im Camp aufgetaucht, Himmel noch mal, und Jonah war so wütend gewesen, dass er nicht wusste, was er tun sollte. Er war davongestürmt, zurück in sein Tipi, und hatte in der erdrückenden Dunkelheit gelegen. Er war froh, dass ihm niemand gefolgt war, und vermutete gleichzeitig, dass er sich etwas anderes wünschte und auf einen Jungen hoffte – einen tröstenden Jungen.

Jetzt standen Jonah und die anderen im goldenen Aufzug des Labyrinths und fuhren nach oben. Die Wohnung der Wolfs war schick eingerichtet, wie Jonah fand, seit er vor zwei Jahren zum ersten Mal bei Ash und Goodman gewesen war, wenn auch ein wenig schwer und gewollt. Die Wände waren grüblerisch dunkel gestrichen, und es lagen verschiedene Sitzkissen herum. Der Hund der Wolfs, eine herumspringender Golden Retriever namens Noodge, drückte sich mit der Nase durch die Gruppe, war aufgeregt und wollte Aufmerksamkeit, wurde am Ende aber von allen ignoriert. Ashs und Goodmans Eltern waren den Tag über nicht da, sie besuchten Freunde am Meer, und so breiteten sich Jonah und seine Freunde aus und nahmen verschiedene Zimmer in Beschlag. Die Wolfs hatten eine tolle Stereoanlage mit riesigen Lautsprechern, die Jonah jedoch nicht beeindruckte. Die Anlage im Loft seiner Mutter downtown mit den schlichten weißen Wänden und den einfachen Holzböden war von einem dänischen Hersteller, elegant und weit besser als die der Wolfs. Wenn es etwas gab, was Susannah Bay wichtig war, dann war es die Qualität des Klangs. Die wolfsche Anlage war nur eine von vielen aus dem oberen Preissegment.

Jonah war sich bewusst, dass Ash und Goodman in materiellem Überfluss aufgewachsen waren. Sollte einer der beiden fallen, dann weich. Das Labyrinth barg alles, was sie in ihrem Leben brauchen würden.

Nachdem sie im Wohnzimmer einen kurzen Imbiss eingenommen hatten, teilten sie sich stillschweigend in Zweiergruppen auf, und plötzlich, ob geplant oder nicht, fand sich der schöne Jonah Bay mit der schönen Ash Wolf zusammen, die ihn, da sie hier wohnte, gefragt hatte, ob er nicht ihr Zimmer sehen wolle. Er hatte es schon viele Male gesehen, spürte aber, dass es diesmal anders war.

Sie sanken in den Sumpf ihres Betts mit all den Stofftieren, die nach Jahren des Geliebtwerdens durch das kleine Mädchen Ash und des gedankenlosen Herumgeworfenwerdens durch die Heranwachsende und ihre Freundinnen nur mehr locker und ungleichmäßig gefüllt waren. Jonah hätte hier gern bei Ash und den Stofftieren geschlafen – geschlafen, nur geschlafen. Ash saß neben ihm auf dem Bett, die schwere Tür war geschlossen, und obwohl sie keinerlei sexuelle Anziehung auf ihn ausübte, war sie doch ein außergewöhnlich schönes Objekt. Er hatte sie immer schon gern angesehen, der Gedanke, sie zu berühren, war ihm jedoch nie gekommen. Jetzt allerdings überlegte er, ob es nicht vielleicht eine Möglichkeit wäre. Sie, er und Ash, waren immer die beiden Schönen der Gruppe gewesen. Himmel, Goodman sah natürlich unglaublich gut aus, aber man konnte ihn nicht »schön« oder »fein gezeichnet« nennen. Auch Cathy war sehr weiblich, so voll, sie war körperlich weit mehr als nur schön. Auch wenn Ash eine junge Frau war, dachte Jonah, könnte es doch ähnlich angenehm sein, sie zu berühren, wie es war, die Hände über den eigenen Körper gleiten zu lassen.

»Du hast so wunderbare Augen, Jonah. Warum haben wir das nicht im Sommer schon getan?«, fragte Ash, als er ihr zaghaft mit der Hand über den Arm fuhr. »Wir haben wertvolle Zeit verschwendet.«

»Ja, das war ein großer Fehler«, sagte er, ohne es auch so zu meinen. Ihren Arm zu berühren, fühlte sich zweifellos gut an, doch er verspürte keinerlei Dringlichkeit dabei. Sie lehnten sich gegeneinander, beide zögernd.

»Ich mag das sehr«, sagte Ash.

»Ich auch.«

Sagten Leute im Bett normalerweise Dinge wie »Ich mag das sehr« oder »Ich auch«? Waren sie nicht eher still und versunken oder laut, außer Atem, affengleich? Im Camp und bei Partys in der Dalton School war Jonah schon von verschiedenen Mädchen geküsst worden und hatte sie bereitwillig zurückgeküsst, auch wenn er in den letzten Jahren versucht hatte, das hübsche Gesicht des jeweiligen Mädchens in das Gesicht eines lachenden, die Muskeln spielen lassenden Jungen zu verwandeln. Die Mädchen waren hinter ihm her, und im vorangegangenen Sommercamp hatte er mit einer blonden Klavierspielerin namens Gabby Händchen gehalten. Jonah reagierte gutmütig auf die hübschen Mädchen, die sich in ihn verliebten, und Ash war ihre außergewöhnlichste Vertreterin.

Liebe, dachte er, sollte so kraftvoll wie eine Droge sein. Wie ein präpariertes Clark's-Teaberry-Kaugummi, das einem die Neuronen um den Kopf fliegen ließ. Er erinnerte sich noch genau an den Augenblick, als er das Gefühl gehabt hatte, von seiner Verrücktheit übermannt zu werden. Er konnte den exakten Zeitpunkt festmachen, in dem die Droge die Gewalt über ihn bekommen hatte. Jonah wünschte sich mit Ash ein winziges bisschen von diesem Gefühl, nicht zu viel, nur ein wenig, doch er fühlte sich eher gelangweilt und sicher statt stimuliert.

Die beiden küssten sich sehr lange auf Ash Wolfs Bett. Es war ein Küss-Marathon, nicht mitreißend, aber auch nicht schlecht. Ash kam Jonah wie eine überwucherte Wiese vor, eine lebende Ausgabe ihres eigenen Zimmers, voller versteckter Ecken, Überraschungen und Genüsse, und ihre Spucke war dünn und harmlos. Die Sonne verblich über dem Central Park, der Nachmittag neigte sich seinem Ende zu, und das Küssen entwickelte sich nicht weiter, was ihm durchaus entgegenkam.

Als er aus Ashs Zimmer kam, immer noch Hand in Hand mit ihr, spürte Jonah, dass an diesem Tag bedeutende Verbindungen entstanden waren. Goodman und Cathy waren in Goodmans Zimmer und gingen wahrscheinlich sehr viel weiter als er und Ash, womöglich bis zum Letzten. Die Tür sei zu, verkündete seine Schwester, die schnell den Flur hinuntergegangen war, um nachzusehen. Jonah stellte sich das Durcheinander in Goodmans Zimmer vor, das immer ungemachte Bett, die kleinen, halb fertigen, vergessenen Architekturmodelle und die überall herumliegenden Kleidungsstücke. Fernanda, die Haushälterin, würde Montagfrüh kommen, in den Teenager-Gestank seines Zimmers treten, aufräumen, Hemden, Hosen und Wäsche zusammenlegen und alles desinfizieren. Jonah stellte sich Goodman zwischen Cathy Kiplingers stämmigen Beinen vor, und das Bild verstörte ihn.

Und Jules und Ethan, wo waren *die*? Wahrscheinlich praktizierten die beiden Unscheinbarsten der Gruppe ebenfalls etwas Liebesähnliches. Jonah wusste, dass sie während des Sommers versucht hatten, ein Paar zu werden, obwohl Ethan am Ende gesagt hatte, dass nichts zwischen ihnen sei. »Sie ist mein Freund«, hatte er Jonah anvertraut, »und dabei belassen wir es.« – »Verstehe«, hatte Jonah geantwortet. Er folgte Ash den Flur hinunter ins Wohnzimmer, wandte sich in Richtung Küche, um nach all der Küsserei etwas zu trinken, hörte ein Geräusch und drehte sich um. Auf dem Boden hinter dem Sofa, in einer Nische des großen, übertrieben eingerichteten Wohnzimmers, lagen Jules und Ethan. Und was machten sie da? Nein, da gab es keinen Sex, nicht mal Geknutsche. Sie spielten Trouble, eine neuere Version von Mensch ärgere Dich nicht, das sie aus der Sitztruhe am Fenster mit den über die Jahre angesammelten Spielschätzen der Wolfs geholt hatten. Neben dem Spiel des Lebens, Monopoly, Scrabble und Schiffeversenken gab es auch Unbekanntes wie Symbolgrams und Kaplooey, wovon niemand bis auf die Wolfs je gehört hatte.

Ethan und Jules waren tief in ihr Spiel versunken, und ihre Hände schlugen auf die Plastikkuppel, die ein seltsam befriedigendes Pock-Geräusch machte. Der Erfolg des Spiels gründete darauf, dass die Leute dieses Geräusch mochten. Sie wollten Neues. Sex war auch etwas Neues, und wenn Cathy Kiplinger Goodman einen blies, flutschte sein Schwanz am Ende womöglich mit einem *Plopp* aus ihrem Mund, der dem *Pock* der Plastikkuppel durchaus nahekam. Jonah zog diese Verbindung nur, da er das Geräusch hörte und Jules und Ethan dabei sah, das *Nicht*-Paar, das dort lag und das Spiel mit der Zufriedenheit zweier Menschen spielte, die es nicht nötig hatten, sich in etwas Körperliches, Extremes zu stürzen. Liedverse bildeten sich ungewollt in seinem Kopf:

»Jetzt flutschte sein Schwanz aus der Blase,
Als wäre er ein alter Trouble-Hase ...«

Jonah stellte sich vor, bei Barry Claimes zu sitzen und den Schwachsinn aufzuschreiben. Er sah, wie Barry aufmerksam lauschte und sich die Spulen seines Kassettenrekorders drehten. Die Vorstellung hatte etwas Ekelhaftes, und er versuchte, seine Gedanken zurück zu Ash zu bringen, und fragte sich, ob er jetzt zu ihrem »Freund« aufgestiegen war und was das nach sich ziehen mochte. In seiner Vorstellung hatte es etwas davon, in den Stand eines Grafen oder Herzogs erhoben worden zu sein – als müsste er sich plötzlich um Ländereien kümmern und Bänder durchschneiden. Ash nahm seine Hand und führte ihn an dem spielenden Paar vorbei in die Küche, wo sie Leitungswasser tranken, und dann den Gang hinunter am möglicherweise sehr weit gehenden Paar Goodman und Cathy vorbei ins Freizeitzimmer, einen Raum voller getöpferter Vasen mit Schilf, zwischen denen niedrige, rissige Ledersofas standen.

»Legen wir uns hin«, sagte Ash.

»Wir haben die ganze Zeit gelegen«, sagte Jonah.

»Ich weiß, aber nicht hier. Ich will jedes Sofa und jedes Bett mit dir ausprobieren.«

»In der ganzen Welt?«

»Nun, am Ende schon. Aber lass uns hier anfangen.«

Er konnte ihr nicht sagen, dass er sich in diesem Moment vor allem wünschte, neben ihr einzuschlafen. Ohne sich zu berühren, ohne sich zu küssen, ohne jede Stimulanz. Gefühllos, bewusstlos. Einfach nur neben jemandem zu schlafen, den man mochte. Vielleicht war das ja Liebe.

Sieben

Von all den Leuten, die in die Wohnung im sechsten Stock des Labyrinths kamen und ein, zwei Tage oder sogar länger blieben, freuten sich die meisten so sehr darüber, dass sie sich zu fragen vergaßen, ob sie nicht vielleicht anderswo sein sollten. Über die Jahre betrachteten sich einige von ihnen als Ehrenmitglieder der Familie Wolf und glaubten für eine Weile, so lange dort bleiben zu dürfen, wie sie wollten, sei fast so etwas, wie dazuzugehören. Aber ganz gleich, wie oft Jules Jacobson die Diele betrat und mit wildem Überschwang von Noodge, dem Hund, begrüßt wurde, um anschließend den langen Flur mit den Fotos der Wolfs, die wolfsche Dinge taten, hinunterzugehen, sie hatte doch nie das Gefühl, wirklich hierherzugehören. Es war wie an jenem ersten Abend im Camp, allerdings fühlte sie sich nicht mehr wie ein *unberechtigter* Eindringling.

Gil und Betsy Wolf schienen nicht übermäßig an der plötzlich engsten Freundin ihrer Tochter interessiert, und wenn Jules zum Essen da war, blieben die Fragen so freundlich wie oberflächlich. (»Jules, hast du schon mal Hähnchen-Saltimbocca gegessen? Nein? Nun, das ist ein Verbrechen.«) Ash sagte jedoch, sie sei immer willkommen. Die Wohnung war das Zentrum ihrer Sommercamp-Gruppe. Jonah, der seit jenem Septembertag Ashs erster ernsthafter Freund war, kam oft auch während der Woche. Cathy war jetzt offiziell Goodmans Freundin, ebenfalls seit jenem Tag, und hatte einen Gymnastikanzug in seiner Schreibtischschublade deponiert, was für Jules und Ash eine atemberaubend reife Geste war. Cathy und Goodman stritten sich oft, und was dann durch die Wände schallte, klang eher wie ein Streit unter Erwachsenen, nicht wie einer unter Teenagern. »HÖR AUF, MICH WIE EIN STÜCK MÜLL ZU BEHANDELN, DAS IST NICHT FAIR!«, rief Cathy zum Beispiel, aber schon wurde ihre Wut von Tränen verschlungen.

»Wenn du nicht aufhörst zu heulen, sind wir fertig miteinander«, sagte Goodman darauf mit angespannter, zornerfüllter Stimme. Manchmal forderte er sie unversehens auf zu gehen. Tage vergingen, und Cathy hörte kein Wort von ihm, dann rief sie im Labyrinth an und wollte wissen, was mit ihm sei. Mehrere Male ließ sich Goodman von Ash Cathy gegenüber verleugnen. »Ich komme jetzt einfach nicht mit ihr klar«, sagte er zu seiner Schwester.

Ethan kam, wann immer er konnte, obwohl er zu Hause viel mit seinen kurzen Trickfilmen beschäftigt war. Sein Strafverteidiger-Vater, mit dem er sich die überfüllte Wohnung im Village teilte, seit seine Mutter mit dem Kinderarzt durchgebrannt war, hatte ihm erlaubt, das Esszimmer in eine Filmwerkstatt zu verwandeln. Der Tisch lag voll mit Ethans Utensilien, und in der Luft hing der Geruch von Vinylfarbe. Seine Familie habe sehr wenig Geld, hatte Ethan Jules erklärt. Die Stuyvesant, auf die er gehe, eine sehr gute staatliche Highschool, sei natürlich umsonst. »Gott sei für die Stuy gedankt«, sagte Ethan. Obwohl die Schule bekanntermaßen vor allem in Mathematik und den Naturwissenschaften stark war, erkannten die Lehrer Ethans großes Talent und ließen ihn unabhängige Projekte übernehmen. Er produzierte witzige Trickfilme, die er hin und wieder mit großer Resonanz in der Aula vorführte. Ethans Leben war so geschäftig wie chaotisch, die Wohnung seines Vaters verdreckt, und er erklärte Jules, er wolle nicht, dass sie das zu sehen bekomme, was sie nicht weiter störte. Immerhin hatte sie auch zu ihm gesagt, dass nie einer von ihnen nach Underhill kommen solle – nicht weil ihr Haus dort vernachlässigt, sondern weil es zu gewöhnlich war.

Seit Jules das erste Mal bei den Wolfs gewesen war, versuchte sie ständig, Wege und Entschuldigungen zu finden, wieder dorthin zurückzukehren. Aber es gab Zeiten, da erlaubte es ihre Mutter aus unerfindlichen Gründen nicht. Es war, als wüsste Lois Jacobson, dass sie dabei war, ihre jüngste Tochter zu verlieren, oder sie womöglich bereits verloren hatte. Jules drückte zunehmend offen Verachtung gegenüber ihrer Mutter und Schwester aus. Die Wolfs dagegen waren weltoffen und kultiviert, eine Familie, die das Leben feierte. Ash und Goodman zogen ihre hübsche, pfauengleiche Mutter damit auf, wie sie um Chanukka herum das Wort »Latkes« betonte.

»Ich kann nichts daran ändern«, sagte Betsy Wolf. »Ich bin nicht mit dem Wort aufgewachsen. Euer Großvater wäre ziemlich aufgebracht, wenn er mich mit einer Pfanne voll davon sehen würde.«

»Voll wovon, Mom?«, reizte Goodman sie dann.

»Lat-kies«, sagte sie darauf, und die Wolfs brachen in Lachen aus. Dem Nicht-jüdisch-Sein ihrer Mutter zu Ehren hängten sie einen Latkes-Mistelzweig über die Tür zu ihrer Chanukka-Party: Ein einzelner Reibekuchen baumelte da an einem Faden, und darunter wurden die Gäste geküsst. Schon der Gedanke an den wolfschen Latkes-Mistelzweig, etwas so Spaßiges und Außergewöhnliches, ließ für Jules die eigene Kindheit zu einem an einer Schnur hängenden Reibekuchen schrumpfen.

Die Wolfs konnten nichts falsch machen. Sie hatten ihren eigenen, eleganten Stil. Betsy Wolf hatte das Smith College absolviert und gehörte zu den glamourösen New-England-Frauen, denen kleidsame Haarsträhnen aus dem losen Knoten entwischten. Gil war ein Drexel-Burnham-Banker, aber doch voller Sehnsüchte. Goodman war der verstörend charismatische Junge ohne jede »Konsequenz«, der seinen Vater in Wut versetzte und die Übrigen mit seiner bestechenden, sprunghaften Natur unterhielt. Weil er betrogen hatte, war er aus der siebten Klasse seiner traditionellen

Jungenschule geflogen. »Weil er *offen* betrogen hat«, wie Ash Jules gegenüber klarstellte. Die anderen Jungen waren so viel durchtriebener als Goodman. Alles, was er tat, war besonders und stürmisch und wurde mit unbedachter großer Geste ausgeführt. »Auf mir lastet dafür der Druck, diejenige zu sein, die es *nicht* verpfuscht«, sagte Ash zu Jules. »Die Vollkommene, Kreative. Das ist eine Art Vollzeitjob.« Aber natürlich kam es Jules wie ein toller Job vor. Die ganze Familie war so voller Leben und so begehrenswert.

»Was ist es, was du da kriegst?«, fragte ihre Schwester Ellen sie einmal, als Jules sich wieder für ein Wochenende in der Stadt bereit machte.

»Alles«, war die kurze Antwort.

In ihrem ersten College-Jahr, später, als sie mit der Truppe ekelhafter Mädchen zusammenwohnte, war sie eines Nachts ins Zimmer eines Jungen namens Seth Manzetto geschlichen, der ihr hauptsächlich wegen seines Satyrkopfes und leicht moosigen Körpergeruchs interessant schien. Hinterher lag Jules Jacobson reglos auf seiner Veloursbettwäsche und dachte darüber nach, dass sie seit fünf Minuten keine Jungfrau mehr war. Schnell begriff sie, dass sie sich in diesem neuen Zustand nicht zu Hause fühlte, wollte es aber trotzdem nicht anders. Ihre Schenkel fühlten sich ein wenig durchgewalkt an, und ihre Brustwarzen brannten nach der begierigen Behandlung durch den Satyr. Dennoch wollte sie in diesem Zustand verharren, in ihn zurückkehren und vielleicht einmal in ihm leben. Sicher nicht mit Seth Manzetto, aber in den Betten und auf den Korridoren des Sex und der Liebe, der Erwachsenenliebe. Jules Jacobson wünschte, dass es ihr gelungen wäre, Goodman Wolf in jenem ersten Sommer zu einer sinnlichen Berührung ihres Körpers zu bringen – oder auch in den anderthalb Jahren danach, die sie alle noch mit ihm gehabt hatten. Einem züchtigen, unscheinbaren Mädchen sollte ein solcher Moment vergönnt sein, einfach nur, um zu wissen, was ihr entging, und es hinter sich lassen zu können. Sich nicht ewig danach sehnen und fragen zu müssen, wie es wohl gewesen wäre, wenn.

Betsy und Gil Wolf gaben viele Feste. Gelegentlich kam Jules am Wochenende in die Wohnung und traf die beiden mit Leuten von einer Verleihfirma für Partybedarf an. »Jules, wir führen gerade eine herrliche Unterhaltung über Stühle«, sagte Gil einmal. »Betsys Cousine Michelle wird nächsten Monat bei uns heiraten.«

»Goodman kann die Musik auflegen!«, rief Ash aus dem Wohnzimmer herüber, wo sie mit einer Kladde auf dem Fensterplatz saß, die Beine angezogen und an Noodge gekuschelt, und ein Stück schrieb.

Also wurde Goodman engagiert und zeigte sich bei der Hochzeit als ebenso kundiger wie anzüglicher Plattenwechsler. »Das nächste Lied ist für Michelle und Dan«, sagte er beispielsweise und zog das Mikrofon so nah an seinen Mund, dass seine Stimme verzerrt wurde, »weil heute eine jener Nächte sein wird, die sie in weißem Satin verbringt. Bis Dan ihn ihr ... auszieht.«

»Vielleicht solltest du zum Radio gehen«, sagte seine Mutter später, und das war durchaus hilfreich gemeint, spiegelte aber auch die Nervosität seiner Eltern darüber wider, dass Goodman noch kein »wirkliches« Talent gezeigt hatte. Ja, er wollte Architekt werden, doch man konnte keinen Architekten brauchen, der achtlos vergaß, einen stabilisierenden Träger einzuplanen. Sie setzten ihn unter Druck, endlich »Nägel mit Köpfen zu machen«, wie sein Vater immer wieder sagte. Aber warum musste er jetzt schon umsetzbares Talent beweisen, fragte sich Jules. Der sechzehnjährige Goodman war ein uninteressierter, rastloser Schüler. Hinter dem Plattenteller bei der Hochzeitsfeier von Cousine Michelle zu stehen, gab ihm die Möglichkeit, die Macht auszuüben, die er jedes Jahr auch bei Spirit-in-the-Woods hatte.

Zur Silvesterparty, die jedes Jahr im Labyrinth gefeiert wurde, kamen natürlich auch die Freunde aus dem Camp. So streiften sie in den letzten Stunden des Jahres 1974 durch die Räume und griffen nach Blätterteig-Kanapees. Ash schnappte sich einen Cocktailshaker mit Martinis und brachte ihn ins Durcheinander von Goodmans Zimmer. Jonah saß in Goodmans Sitzsack, Ash ließ sich auf seinen Schoß sinken. Jules beobachtete aus der Ecke, wie Cathy Kiplinger auf dem mit ananasförmig auslaufenden Eckstangen ausgestatteten Bett den Mund auf Goodmans Ohr legte, *auf sein Ohr!*, worauf er gelassen, aber eindeutig zufrieden, die Hand tief in Cathys blondes Haar schob. Jules' eigenes Haar hatte nicht diesen hohen Seidenanteil, den Jungen wie Goodman und offenbar alle Männer dieser Welt wollten. Trotzdem hatte Ethan im Sommer versucht, seine Hand auch so in *ihr* Haar zu stecken. Er hatte nur Jules' Haar, hatte nur sie gewollt.

Gleichsam unvermeidlich saßen die beiden, Ethan und Jules, nebeneinander, als es auf zwölf zuging, und als es so weit war, lagen Ethan Figmans Lippen auf Jules', und er konnte nicht anders, er musste probieren, wie weit sie ihn mit seinem Kuss gehen ließ. Da es ein Neujahrskuss war, zog sie sich nicht gleich von ihm zurück. Das Gefühl war nicht zu schrecklich, trotzdem konnte sie nicht vergessen, dass es Ethan, ihr Freund, war, der sie da küsste. Ethan, der sie körperlich nicht anzog. Und so duckte sie sich nach ein paar Sekunden weg und sagte: »Ethan, was machen wir da?«

»Nichts. Das war ein Nostalgiekuss«, sagte er. »Sepiafarben. Die Leute bei solchen Küssen sind ... Sie tragen Zylinder ... und die Kinder rollen Reifen über die Straße und essen billige Bonbons.«

»Ja, genau« war alles, was sie darauf sagen konnte, und sie lächelte.

Jules sah, wie Goodman Cathy auf dem Bett gleichsam verschlang und sie in sich aufnehmen zu wollen schien. Zwischen Ash und Jonah ging es nicht annähernd so intensiv zu. Die beiden küssten sich wie zwei zueinanderpassende Vögel auf einem Ast, die Schnabel an Schnabel einen Wurm zwischen sich hin- und herreichten.

»Jules der Großen ein frohes Neues«, sagte Ethan Figman und sah ihr in die Augen.

»Ich bin nichts Großes«, sagte sie.

»Ich denke doch.«

»Warum?« Sie konnte nicht anders. Sie wollte keine Komplimente, sondern ihn nur verstehen.

»Du bist so ganz du selbst«, sagte er mit einem Achselzucken. »Nicht so neurotisch wie viele andere Mädchen, die ständig überlegen, was sie essen, oder so tun, als wären sie etwas weniger klug als der Junge neben ihnen. Du bist ehrgeizig, schnell, wirklich witzig und eine gute Freundin. Und natürlich bist du anbetungswürdig.« Seine Arme legten sich ein weiteres Mal um sie, und obwohl er begriff, dass es von Zeit zu Zeit einmal zu einem Augenblick wie diesem kommen mochte, war ihm doch klar, dass es nie etwas Sexuelles oder gar Romantisches zwischen ihnen geben würde. Sie waren Freunde, nur Freunde, aber Freundschaft zählte so viel.

»Ich bin wirklich nichts Besonderes«, sagte sie. »Ich habe nichts Besonderes in mir.«

»Oh, ich glaube, da täuschst du dich. Du kehrst es nur nicht heraus, und das mag ich. Dabei solltest du es auch andere Leute sehen lassen«, sagte Ethan, »nicht nur mich. Obwohl«, fügte er nach einer Sekunde heiser hinzu und räusperte sich, »wenn sie es erst sehen, schnappen sie dich mir weg, und ich bin traurig.«

Warum war er ihr so treu, dem Bild, das er von ihr hatte? Seine Treue weckte in ihr den Wunsch, besser zu sein, als sie tatsächlich war: klüger, witziger, mit mehr Fähigkeiten. *Werde besser*, sagte sie sich streng. *Werde so gut, wie er ist.*

Etwas später legten sich Jules und Ethan schlafen, Seite an Seite auf dem weißen Teppich im wolfschen Freizeitzimmer, der wie das Fell eines Hirtenhundes aussah. Das Aquarium warf perlendes

Licht auf die alle vier Wände bedeckenden Bücher, und die Autorennamen bestätigten, dass es sich um ein Haus handelte, in dem nachdenkliche, intelligente, informierte Menschen lebten, Menschen, die Mailer lasen, Updike, Styron, Didion. Jules wollte Ethan zuflüstern: »Ich bin sehr glücklich«, aber das hätte vielleicht ironisch geklungen. So lag sie nur da, lächelte, und er musste sagen: »Was ist so komisch? Machst du dich über mich lustig?«

»Nein, natürlich nicht. Ich fühle mich nur zufrieden«, sagte sie vorsichtig.

»Das ist ein Wort für alte Leute«, sagte Ethan. »Vielleicht benutzt du es, weil du langsam alt wirst.«

»Vielleicht.«

»1975. Klingt das nicht extrem alt? 1974 hat es schon ganz schön weit getrieben. Ich mochte 1972. Das war meins«, sagte er. »Die Antwort auf die Frage: ›Welches Jahr haben wir?‹, sollte, wenn es nach mir ginge, immer ›1972‹ lauten. George McGovern, erinnerst du dich?«, sagte Ethan mit einem Seufzen. »An den guten alten George?«

»Warum sollte ich mich nicht an ihn erinnern? Ich habe keinen Hirnschaden, Ethan.«

»Er kam und ging. Wie Idioten haben wir ihn aufgestellt, wurden geschlagen, und die Zeit verstrich. Alles bewegt sich weiter und weiter von dem weg, was sich vertraut anfühlt«, sagte er mit Leidenschaft. »Irgendwo habe ich gelesen, dass du die meisten deiner wirklich intensiven Gefühle etwa in unserem Alter hast. Was später kommt, fühlt sich immer verwässerter und enttäuschender an.«

»Sag das nicht. Das kann nicht sein«, sagte Jules. »Wir haben doch noch gar nichts gemacht. Noch nichts Richtiges.«

»Ich weiß.« Sie waren beide still und dachten darüber nach.

»Aber wenigstens fängst du langsam an«, sagte Jules. »Diese Zeitschrift, *Parade*, denkt es offenbar.«

»Ich habe doch auch noch nichts erlebt«, sagte er. »Keine Lebenserfahrung.«

»Meinst du wie Goodman?«, fragte Jules und versuchte, ihre Stimme wegwerfend klingen zu lassen, als wäre das, was sie und Ethan in ihrer platonischen Freundschaft hatten, den körperlichen Genüssen, die Goodman und Cathy Kiplinger sich regelmäßig bereiteten, weit überlegen. Cathys Mund auf Goodmans Ohr. Ihre Tänzerinnenbeine weit geöffnet, damit sein Penis seine verdiente Öffnung fand.

»Ja, sicher, Sex und anderes. Emotionale Dinge«, sagte Ethan. »Tiefe, finstere Stimmungen.«

»Du bist der am wenigsten finstere Mensch, den ich kenne«, sagte Jules. Ethan war tiefgründig und dazu jemand, der sich Sorgen machte, dennoch setzte er sich mit allem gut gelaunt auseinander.

»Warum wollen Mädchen lieber die finsteren, mürrischen Typen?«, fragte Ethan. »Ich sehe einen mürrischen Menschen in deiner Zukunft.«

»Oh, tust du das?«

»Ja. Während ich zu Hause sitze, ohne etwas zu essen im Kühlschrank, nur mit meinen kleinen Zeichnungen, und heule, weil es die Demokraten Zweiundsiebzig so getroffen hat. Bitte, schick mir eine Postkarte aus der Welt da draußen«, sagte Ethan. »Schick sie mir an den Ort, an dem ich den Rest meines einsamen Lebens verbringen werde.«

»Wo wird das sein?«

»Adressiere die Karten einfach an: *Ethan Figman, Hohler Baum Nr. 6, Belknap, Massachusetts, 01263.*«

»Das klingt nett«, sagte Jules und stellte sich Ethan in seinem hohlen Baum vor, wie er sich über einem Feuer Tee kochte und einen rotbraunen, gesteppten Morgenmantel trug. In ihrer Vorstellung wurde er zu einer Art C.-S.-Lewis-Waldbewohner, pelzig, aber mit Ethans unverwechselbaren Gesichtszügen.

»Aber was, wenn *nicht* alles gut geht?«, sagte Ethan. »Bei Spirit-in-the-Woods war ich immer der schräg aussehende Trickfilm-Typ, das Joints drehende Stehaufmännchen, während allen anderen klar war, dass alles letztendlich Scheiße ist. Ich wusste es auch, wenn ich abends mit meinem Dad dasaß, die Fernsehnachrichten sah und Makkaroni mit Hackfleisch aß. Aber du und ich und alle, die wir kennen, wir waren noch ein bisschen zu jung, um es wirklich zu begreifen. My Lai, diese fürchterlichen Tragödien. Wir sind in gewisser Weise zwischen die Zeiten geraten.«

»Ja.« Jules hatte bislang kaum darüber nachgedacht, was es bedeutet hätte, nicht zwischen die Zeiten geraten zu sein, wie Ethan es beschrieb. Sie wusste nicht, wie es sich anfühlen mochte, Teil eines echten Dramas zu sein. Etwas Wichtiges zu tun. Mut zu beweisen. Was für eine unwägbare Größe: Mut, Tapferkeit.

»Ich kann einfach nicht sagen, ob es gut oder schlecht ist«, sagte er. »Es ist eindeutig gut in der Hinsicht, dass wir nicht tot sind. Ich bin keinen sinnlosen Tod in Hanoi gestorben, indem ich mich wahrscheinlich aus Versehen mit meiner eigenen M16 erschossen hätte. Andererseits haben wir die Erfahrungen verpasst. Weißt du, was ich mir wünsche?«, sagte Ethan, der sich unversehens in der Dunkelheit aufsetzte. Teppichflusen hingen ihm in den Haaren, Schneeflocken gleich, die dort gelandet waren, als er den Kopf kurz aus seinem hohlen Baum Nummer sechs reckte.

»Erfahrungen?«, sagte Jules.

»Ja, die auch, aber ich meine etwas anderes. Das klingt jetzt wahrscheinlich fürchterlich hochtrabend«, sagte Ethan, »aber ich wünsche mir, nicht so viel an mich zu denken.« Er sah sie an, weil er wissen wollte, wie sie reagierte.

»Ich bin nicht sicher, was du damit meinst.«

»Ich will nicht so viel darüber nachdenken, was *ich* will und was *ich* verpasst habe. Ich will über *andere* Dinge nachdenken, andere Leute, auch an anderen Orten. Ich bin die kleinen ironischen, selbstbezogenen Witze leid, diese ganze Zitiererei von Fernsehsendungen, Filmen und Büchern. Alles aus unserer ... begrenzten Welt. Ich will eine unbegrenzte Welt.«

»Und eine unbeschnittene«, sagte Jules allein aus dem Grund, dass es genau das war, was sie immer taten – und es für geistreich hielten. Aber es war auch genau das, was Ethan meinte und was er nicht länger wollte. »Die kannst du haben«, fügte sie schnell hinzu. »Ich bin sicher, das kannst du alles haben.«

»Das ist mein guter Vorsatz fürs neue Jahr«, sagte er. »Und was ist deiner?«

»Keine Ahnung.«

»Nun, lass es mich wissen, wenn dir was einfällt«, sagte Ethan und gähnte, wobei er den Mund so weit aufriss, dass sie seine zahlreichen Plomben sehen konnte.

Jules nahm an, dass ihr Vorsatz nicht so edel sein würde wie seiner. Sie würde etwas wollen, was sie selbst anging und ihre eigenen Bedürfnisse. Und dann wusste sie plötzlich, was es war: Sie wollte von jemandem geliebt werden, der nicht Ethan Figman war. Der Gedanke war grausam, aber sie wusste, sie wollte seine Liebe erwidern können, auch wenn er es nicht wert war. Goodman wäre perfekt gewesen. Sie dachte an Goodmans Hand in Cathy Kiplingers Haar und Cathys farblosen Lipgloss auf seinem Mund. Aber Goodman war bereits vergeben und in so vieler Hinsicht eine schreckliche Wahl, nicht zuletzt wegen des entscheidenden Umstands, dass er Jules nicht begehrte und nie begehren würde – und das war das wichtigste Element überhaupt: Dieser Jemand musste auch sie begehren. Sie wünschte, Goodman in diesem Jahr, dem letzten, in dem sie alle zusammen sein sollten, so weit bringen zu können. Auch wenn sie jetzt noch nicht wusste, warum, verspürte sie eine intuitive Dringlichkeit. Was sie wollte, jetzt wollte, war, von jemandem geliebt zu werden, der sie erregte. Daran war nichts Falsches. Trotzdem fühlte es sich gegenüber Ethan gemein an und unfair.

Die Feiernden in den anderen Räumen wurden ruhiger. »Es tut mir leid, aber sosehr ich unsere Unterhaltung genieße, ich muss jetzt schlafen«, sagte Ethan und wandte ihr, ohne ihren Neujahrswunsch erfahren zu haben, die Rundung seines Rückens zu, der sich in den Morgen und den wahren Beginn des Jahres 1975 hineinhob und -senkte.

Während des nächsten Jahres waren die Veränderungen bei ihnen allen eher hintergründig als auffallend. Ihre Gesichter wurden länger, ihre Handschrift charakteristischer, und ihre Schlafarrangements verschoben sich. Jules' Neujahrswunsch erfüllte sich nicht, stattdessen ging sie in den Beziehungsdramen ihrer Freunde auf, die alle in verschiedene Schulen der Stadt gingen. Jules selbst saß in den Unterrichtsräumen ihrer enorm großen Highschool in Underhill und sah aus dem Fenster in die Richtung, in der sie New York vermutete. Ash und Jonah waren nicht länger ein Paar, nachdem sie sich Ende Februar aus nur vage erklärten Gründen getrennt hatten.

»Ich bin froh, dass wir eine Beziehung hatten«, sagte Ash Jules am Telefon, »doch jetzt ist es vorbei. Natürlich ist es traurig, aber ich habe wirklich viel zu tun, da ist es wahrscheinlich gut so.« Ash hatte ein Ein-Frauen-Stück mit dem Titel *Beide Enden* geschrieben, in dem es um das Leben von Edna St. Vincent Millay ging, und ihre Freunde waren alle zur Premiere am Nachwuchsabend in der Brearley, ihrer Mädchenschule, gekommen. Im Publikum wurde es mucksmäuschenstill, und alle richteten ihre Aufmerksamkeit auf Ash, als sie in einem Nachthemd und mit einer Kerze in der Hand auf die Bühne trat und ganz bewusst so leise zu sprechen begann, dass sich die Leute instinktiv vorbeugten, um kein Wort zu verpassen. »Meine Kerze brennt an beiden Enden«, rezitierte sie. »Sie wird für die Nacht nicht reichen …«

Jonah war auch eher zurückhaltend, was die Trennung der beiden betraf, doch das passte zu seiner Art. Er war in den Roboterclub der Dalton eingetreten, und es machte ihm nichts aus, dass die anderen Jungen, die bis spätabends in der Werkstatt an ihren mechanischen Kreationen herumwerkelten, so ganz anders waren als er. Keiner von ihnen hatte schon eine Freundin gehabt oder würde je eine wie Ash bekommen, es sei denn, er bastelte sich selbst eine aus den Roboterteilen zusammen. Jonah fühlte sich mit den Zahnrädern, Motoren und Batterien wohl. Hinter seiner Zurückhaltung in Bezug auf Ash spürten seine Freunde große Gefühle: Für sie hatten Jonah und Ash eine starke, aber zerbrechliche Liebe durchlebt.

Die Trennung von Goodman und Cathy einen Monat später verlief so laut und schwierig, wie Ashs und Jonahs sanft und leise vonstattengegangen war. Die Wolfs waren im März nach Tortola, eine der britischen Jungferninseln, geflogen, und auf dem weichen weißen Strand lernte Goodman ein englisches Mädchen kennen, das mit seiner Familie im selben Hotel Urlaub machte. Jemma war hübsch und durchtrieben, und wenn beide Elternpaare abends schliefen, zog Goodman mit ihr los. Einmal kam er um zwei Uhr morgens zurück in die wolfsche Hotelsuite, mit einem Knutschfleck, den er wie ein Abzeichen trug, und sein Vater war außer sich. »Wir hatten keine Ahnung, wo du warst«, sagte Gil Wolf. »Wir dachten schon, du seist *entführt* worden.« Dabei hatten sie das ganz und gar nicht gedacht.

Als die Wolfs Tortola wieder verließen, spürte Goodman, dass er Jemma, die so sprach und aussah wie eine verführerischere, erfahrenere Ausgabe von Hayley Mills, nie wiedersehen würde. Zu Cathy Kiplinger, die so große Ansprüche an ihn stellte, wollte er jetzt aber auch nicht zurück, und so machte er am Tag nach der Rückkehr geradeheraus mit ihr Schluss. Cathy heulte und rief ständig an, damit er es sich noch einmal überlegte, und sie telefonierte und traf sich ausgiebig mit Ash, Jules, Jonah und Ethan, von denen sich jedoch niemand ernsthaft um sie sorgte.

Es folgten ein paar Wochen mit unangenehmen Spannungen, und wenn sie sich am Wochenende trafen, fehlte entweder Cathy oder Goodman. So gingen sich die beiden eine Weile lang aus dem Weg, bis sie endlich genug Abstand gewonnen zu haben schienen und die Gegenwart des anderen wieder ertrugen. Aber im Gegensatz zu Jonah und Ash, die einfach zu ihrer vorherigen Freundschaft zurückgekehrt waren, wirkten Cathy und Goodman angespannt und verändert, wenn sie zusammen waren.

Drei Monate später, Ende Juni, waren die sechs wieder bei Spirit-in-the-Woods und stiegen mit voller Kraft in ihre Sommerformation ein. Allein Cathy Kiplinger nahm immer seltener an den Treffen im Jungen-Tipi drei teil. »Wo ist sie?«, wollte Goodman von den anderen Mädchen wissen, und deren Antwort lautete: »Tanzen.« Cathy hatte sich endlich von Goodman erholt, war ins Tanzstudio zurückgekehrt und trainierte trotz ihrer zu großen Brüste und zu weiten Hüften mit großer Befreiung und Kraft. Ihr Talent wurde nicht übersehen, sondern gefeiert.

»Geh, und hol Cathy«, sagte Goodman eines Abends zu Ash, als wieder alle im Jungen-Tipi drei zusammensaßen. »Sag ihr, ihre Gegenwart wird in diesem Tipi verlangt.«

»Himmel, Goodman, was kümmert es dich, ob sie hier ist?«, fragte seine Schwester.

»Ich will einfach, dass wir alle zusammen sind, wie wir es immer waren«, sagte er. »Komm schon, hol Cathy. Jacobson, du passt auf, dass sie tatsächlich zu ihr geht, okay?«

Also gingen Ash und Jules los, und ihr Auftrag fühlte sich wichtig und aufregend an. Schon vom Weg aus konnten sie die Musik hören: Scott Joplins traurigsten Rag, *Solace*. Durch das fliegengitterlose Fenster des Tanzstudios sahen sie, wie das kräftige blonde Mädchen mit einem großen schwarzen Jungen zu den Umdrehungen der Platte tanzte. Sein Name war Troy Mason, er war siebzehn, und es war sein erster Sommer bei Spirit-in-the-Woods. Er kam aus der Bronx, mit einem Stipendium wie Jules, war ein kräftig gebauter Tänzer mit einem voluminösen Afro und eines von nur fünf nicht weißen Kids im Camp. (»Wir müssen unsere Reichweite vergrößern«, meinte Manny Wunderlich.) Bei einem Mittagessen früher in der Woche hatte Troy erwähnt, dass er noch nie Mungobohnensprossen gegessen, ja, noch nicht einmal von ihnen gehört hatte. Cathy hatte ihm daraufhin seinen Teller an der Salatbar damit vollgepackt, und er mochte sie und wollte mehr. Jetzt tanzte er mit ihr diesen schwermütigen Rag auf eine verträumte, aber disziplinierte Weise.

Jules und Ash standen am Fenster wie Waisen, die ein Festmahl bestaunten. *Liebe*. Das war es, was sie da sahen. Beide hatten sie so eine Liebe noch nicht erlebt, weder die schöne Ash noch die nicht so schöne Jules. Sie standen außerhalb, während Cathy sich im Mittelpunkt befand. Ihre Brüste verminderten ihre Chancen, einmal professionell zu tanzen, aber daran dachte sie in diesem Augenblick sicher nicht. Sie war über Goodman Wolf hinweg, diesen aufregenden, nicht zu bändigenden Burschen, diese Katastrophe von einem Freund, und hatte sich einem anderen zugewandt. Sie konnten sie an diesem Abend nicht ins Jungen-Tipi drei holen und vielleicht auch an keinem anderen Abend mehr.

Dort beim Brombeerstrauch im Dunkeln flüsterte Ash: »Was soll ich jetzt meinem Bruder sagen?«

Am spaten Nachmittag des letzten vollen Tages in jenem zweiten Sommer versammelten Manny und Edie Wunderlich alle auf dem großen Rasen. Einige dachten, Susannah Bay würde kommen – sie war noch nicht da gewesen –, aber Jonah hatte seinen Freunden erzählt, mit seiner Mutter sei in diesem Jahr nicht zu rechnen. Sie stellte die letzten Stücke eines Albums für ein neues Label fertig, nachdem Elektra sich rüde von ihr getrennt hatte. Dabei handele es sich nicht mehr wirklich um Folk, die Musik habe »Disco-

Qualität«, hatte Jonah gesagt und versucht, jeden wertenden Klang aus seiner Stimme zu halten. »Disco-Folk.«

»*Dolk*«, verbesserte ihn Ethan.

Die Wunderlichs hatten das Camp zusammengerufen, nicht um Susannah Bay zu lauschen oder einen weiteren Präsidenten zurücktreten zu sehen, sondern um eine Luftaufnahme mit allen zu machen, die sich dazu der Länge nach ins Gras legen sollten. »Eure Gruppenleiter werden sich darum kümmern, dass ihr richtig liegt«, dröhnte Manny durch sein Megafon. Er schien wie im Rausch, wann immer er sich ans ganze Camp wenden konnte. Edie stand neben ihm und strahlte. Die Wunderlichs wirkten wie Dinosaurier der Kunst, und wie konnte man das nicht respektieren? Sie hatten Leute wie Bob Dylan gekannt, der in den frühen Sechzigern, als er noch ein Lämmchen mit Milchgesicht gewesen war, in ihrer Wohnung in Greenwich Village gesessen hatte, wohin er von Susannah Bay, einer Freundin aus der aufkommenden Folkszene, geschickt worden war. »Lade dich bei Manny und Edie ein«, hatte Susannah ihm offenbar erklärt. »Ich habe früher in ihrem Sommercamp Gitarrenunterricht gegeben. Sie werden dir keinen Kummer machen.« Und so hatte der junge Folksänger denn in einem dünnen Mantel mit hochgeschlagenem Kragen und mit einer Art Kosakenmütze auf dem Kopf an die Tür der Wunderlichs geklopft, die natürlich die Großzügigkeit und den Vorausblick besaßen, ihn hereinzulassen.

Jetzt stand Manny Wunderlich mit seiner Frau da und erklärte, dass die Camper für die Luftaufnahme Buchstaben mit ihren Körpern formen und *Spirit-in-the-Woods 1975* auf den Rasen schreiben sollten. Die Bindestriche sollten von den drei jüngsten und kleinsten Campern gebildet werden. Es dauerte mehr als eine Stunde, bis alle richtig gekrümmt dalagen, und Manny und Edie liefen zwischen ihnen herum und nahmen wie die Choreografen einer riesigen Avantgarde-Performance hier und da Korrekturen vor.

Jules lag mit dem Kopf an Ethans kalten nackten Füßen. Ihre eigenen Füße berührten Goodmans großen Kopf, und sie war sich sicher, dass sie in ihrem Leben keine andere Chance mehr bekommen würde, ihn zu berühren. Wie erbärmlich es doch war, dass sie ihn als ein Mädchen, das so aussah, wie sie aussah, nur mit den *Füßen* berühren konnte. Um das wenigstens richtig zu tun, krümmte sie die Zehen und drückte sie fest auf die harte, maskuline Rundung von Goodmans Schädel, und während sie das tat, spürte sie, wie sich auch Ethans Füße fester auf ihren eigenen Kopf legten. Auch er genoss diese verstohlene kleine Tuchfühlung, war ihm doch anderes nicht erlaubt.

So lagen sie alle da, als Motorengeräusch am Himmel aufzog und eine kleine, zweimotorige Maschine in den Blick kam. Im Flugzeug saß die Köchin Ida Steinberg mit Dave, dem Verwalter, der einen Pilotenschein hatte, und sie hob ihre Nikon F2 ans Auge und hielt den Moment fest.

Abends bei der Abschiedsparty in der Empfangshalle hielten sich Cathy Kiplinger und Troy Mason eng umschlungen und tanzten jede Nummer, ob schnell oder langsam. Die Rolling Stones liefen, Cream und die Kinks, und Goodman gab während der ersten Stunde den DJ. Aber Cathys Anblick, wie sie ihren Tänzer hielt, war zu viel für ihn, und er verabschiedete sich abrupt ins Jungen-Tipi drei, wo eine hastige Runde W & Ts gemixt wurde, von denen Goodman gleich mehrere herunterstürzte, während alle anderen in respektvolles Schweigen verfielen, bis er plötzlich, als verblüffte ihn die eigene Erkenntnis, verkündete: »Ich bin total besoffen.«

Draußen vor dem Tipi tauchte ein besonders starker, runder Lichtkegel auf, und dahinter erschien die Weblehrerin und Rettungsschwimmerin Gudrun Sigurdsdottir mit ihrer robusten Stablampe, deren mächtige Batterie sie womöglich alle überleben würde. Sie trat ins Tipi, sagte: »Ganz ruhig, dies ist ein freundschaftlicher Besuch«, und setzte sich völlig untypischerweise auf eines der Jungenbetten, wo sie sich, was noch überraschender war, eine Zigarette ansteckte. »Macht niemals das, was ich hier mache«, erklärte sie ihnen, als sie den ersten Zug genommen hatte. »Zunächst mal ist es erwiesen, dass Rauchen Krebs verursacht, und dann ist da die Frage der Sicherheit. Wie heißt es noch? ›Dieser Ort kann wie eine Zunderkammer verschlungen werden.‹«

»So heißt es nicht«, sagte Ethan. »Wenigstens«, fügte er höflich hinzu, »habe ich es noch nie gehört.« Eine Weile saßen sie so da, doch als Gudrun ihre Zigarette in einem Klappbecher ausgemacht hatte und sagte, sie gehe dann wohl besser wieder, baten die Freunde sie, noch etwas zu bleiben. Gudrun war achtundzwanzig, dunkelblond und wirkte leicht ausgemergelt, aber sie hatte etwas unterschwellig Exotisches. Jules fragte sich, wie es sein mochte, ein Bohemien in Reykjavík zu sein und ob Gudrun sich dort allein fühlte. Niemand war je auf den Gedanken gekommen, sich nach ihrem Leben zu erkundigen. Sie brachte den Campern das Weben bei und überwachte den Swimmingpool, obwohl hier kaum einer richtig schwamm. Morgens gab sie den wenigen Interessierten Tauchunterricht, die sich vom Zustand des Pools nicht abschrecken ließen. Blätter sammelten sich in ihm, und im aufsteigenden Morgennebel, bevor um sieben der allmorgendliche Weckruf von Haydns Paukenschlag-Sinfonie ertönte, konnte man Gudrun Sigurdsdottir mit einem Netz am Beckenrand sehen, wo sie all die Natur und die toten und todgeweihten Frösche, die nachts unglücklich darin gelandet waren, von der Wasseroberfläche fischte.

»Gudrun, erklär mir mal was«, sagte der fürchterlich betrunkene Goodman. »Warum, glaubst du, verhalten sich Frauen so? Erst sind sie so völlig bedürftig, dann vereinnahmen sie einen mit Haut und Haar, und dann verbocken sie es. Einmal hott und dann wieder hü. Warum sind Beziehungen so ein Schlamassel? Ändert sich das je? Ist das in Dänemark auch so?«

»Ich komme nicht aus Dänemark, Goodman.«

»Natürlich nicht. Ich weiß schon. Ich habe mich nur gefragt, ob du weißt, wie es in Dänemark ist.«

»Hübsch gedreht, Wolf«, sagte Ethan.

»Was genau willst du wissen?«, fragte Gudrun. »Was ich denke, warum die Probleme zwischen Männern und Frauen in dieser Welt so sind, wie sie sind? Willst du wissen, ob die Probleme von euch jungen Leuten ... ob die euch durchs ganze Leben verfolgen? Wird euch immer das Herz schmerzen? Ist es das, was du wissen willst?«

Goodman rutschte verlegen hin und her. »So was in der Art«, sagte er.

»Ja«, sagte die Gruppenleiterin mit widerhallender Stimme. »Es wird euch immer schmerzen. Ich wünschte, ich könnte euch etwas anderes sagen, doch dann würde ich lügen. Meine weisen, sanften Freunde, so wird es von jetzt an immer sein.«

Niemand wusste etwas zu sagen. »Wir sind so ... so angeschissen«, sagte Jules endlich, die ihrem Ruf gerecht werden und für diese Leute wichtig bleiben wollte, denn sie konnte sich längst nicht mehr vorstellen, ohne sie zu sein.

Die letzte Nacht im Camp wurde kalt, und als der Regen auf die Dachlatten des Jungen-Tipis zu trommeln begann, rannten die Mädchen über die Wiese, die Köpfe tief zwischen die Schultern gezogen. Sie wollten Betten und Wärme, und sie wünschten, der Sommer wäre noch nicht vorbei. Aber das war er.

Zurück in der Stadt blieb Goodman verbittert und wurde nie wieder richtig nüchtern. Als das neue Schuljahr begann, trank er schon nachmittags, unter der Woche, und beunruhigte seine Eltern, die ihn zu einem hoch angesehenen Psychoanalytiker schickten. »Goodman sagt, Dr. Spilka will, dass er ihm alles erzählt«, sagte Ash zu Jules. »Er will wissen, wie der, in Anführungszeichen, ›Geschlechtsverkehr‹ mit Cathy war. Meine Eltern zahlen sechzig Dollar die

Stunde dafür. Hast du je gehört, dass jemand so viel für einen Psychiater zahlt?«

Während des Schuljahres wurde Jules bei ihren ständigen Besuchen in der Stadt Zeugin der weiter anwachsenden Verdrossenheit Goodmans. An einem Wochenende im November trafen sich alle wieder im Autopub, und dieses Mal brachte Cathy ihren Freund Troy mit. Sie saßen in einem alten Ford und knutschten, während vorne die Marx Brothers spielten. Goodman saß mit seiner Schwester zusammen, rutschte tief in seinen Sitz und beobachtete Cathy und Troy von hinten.

»Goodman ist gerade sehr schwierig, selbst für seine Verhältnisse«, sagte Ash leise zu Jules, als sie hinterher gemeinsam auf die U-Bahn warteten. Die beiden hielten sich etwas abseits von den anderen, damit sie reden konnten. »Es sind jetzt acht Monate, seit er und Cathy sich getrennt haben, oder? Das sollte reichen. Weißt du, dass er Wodka in seinem Schrank versteckt hält, in einem Stiefel?«

»Einfach so hineingeschüttet?«

»Ich meine, in einer Flasche in seinem Stiefel. Nicht so direkt darin herumschwappend, Jules.«

»Was nimmt ihn so mit?«, fragte Jules. »Schließlich hat er mit ihr Schluss gemacht.«

»Keine Ahnung.«

»Ich mag Cathy.«

»Ich mag sie auch«, sagte Ash. »Ich mag nur nicht, was mit meinem Bruder geschieht.«

»Sie scheint ernsthaft in Troy verliebt zu sein«, sagte Jules. »Stell dir vor, jede Nacht einen nackten Tänzer zu sehen zu bekommen. Das wäre was. Seine ... *Lenden* zu bewundern.« Die beiden Mädchen lachten wie Verschwörer.

»Und du würdest tags drauf zu deinem Analytiker gehen und ihm erzählen, wie der *Geschlechtsverkehr* war. Wahrscheinlich will er es hören, weil er selbst nie welchen hat.«

»Jonah und ich hätten es beinahe getan, weißt du?«, sagte Ash plötzlich. »Das Letzte. Den Akt.« Sie hob das Kinn in Richtung von Jonah, der ein Stück den Bahnsteig hinunter mit Goodman redete.

»Wirklich? Das hast du mir nie erzählt.« Jules war schockiert, dass sie das nicht gewusst hatte. Für gewöhnlich wusste sie so gut wie alles über Ash.

»Ich hatte zu der Zeit nicht das Gefühl, darüber reden zu können. Er brachte ein Kondom mit, ich hatte ihn darum gebeten, ich war so neugierig, aber er wollte, dass ich alles mache, und natürlich wusste ich nicht, was ich tun sollte. Wir hätten eine Anleitung gebraucht, und die hatten wir nicht. Keiner von uns wollte die Führung übernehmen.« Und dann fügte sie hinzu: »Also sind wir in einen Erwachsenenfilm gegangen, um uns inspirieren zu lassen.«

»Ernsthaft? In welchen?«

»*Hinter der grünen Tür.* Er lief in einem echt unheimlichen Kino, und ich kann immer noch nicht glauben, dass sie uns überhaupt reingelassen haben. Rate mal, wie viele Sätze Marilyn Chambers in dem Film sagt.«

»Zwölf.«

»*Keinen.* Sie sagt kein Wort. Sie macht nur alle möglichen sexuellen Sachen und lässt Leute Sachen in sie hineinstecken. Es ist abscheulich und sexistisch. Ich schwöre, ich widme mein Leben dem Feminismus. Jonah und ich haben den Film zusammen angesehen, und es war wie ein Albtraum. Was mir aber nicht aus dem Kopf wollte, war, dass es zwar ein Film und alles gespielt war, ich meine, die Schauspieler wurden dafür bezahlt und waren wahrscheinlich alle heroinabhängig oder so, aber sie schienen es tatsächlich zu *mögen*. Ich glaube, Jonah und ich, wir dachten beide das Gleiche, nämlich dass das, was da in *Hinter der grünen Tür* geschah, so viel ... intensiver war als alles, was *wir* je getan hatten.

Es war wirklich schön, das mit Jonah und mir, ich will nichts anderes sagen, aber wir sind nicht richtig miteinander gegangen. Wir waren nicht Cathy und Troy. Jonah ist so schwer zu durchschauen. Es kommt mir vor, als stünde er die ganze Zeit hinter einer Fliegentür. Verstehst du? Einer Fliegentür, keiner *grünen* Tür.«

»Das tut mir leid, Ash«, sagte Jules. »In gewisser Weise scheint es wie bei mir und Ethan zu sein. Es soll einfach nicht sein.«

Im Labyrinth angekommen, verschwand Goodman in seinem Wandschrank, holte den Smirnoff aus seinem Stiefel und war bald schon ganz rot im Gesicht, rührselig und unangenehm. Zum Abend hin kamen Ashs und Goodmans Eltern von einem Konzert im botanischen Garten in Brooklyn zurück. Betsys Haar hatte in letzter Zeit einen leicht silbernen Schimmer angenommen, sie war jetzt fünfundvierzig. »Die Musik war herrlich«, sagte Gil. »Alles Brahms. Ich musste daran denken, wie talentiert einige Menschen doch sind. Wirkliches Talent ist etwas Außergewöhnliches. Ash hat es, und ich kann kaum abwarten zu sehen, was sie daraus macht.«

»Erwarte nicht zu viel, Dad«, sagte Ash.

»Oh, keine Sorge, mein Mädchen«, sagte ihr Vater. »Du bist auf dem besten Weg mit deinen Stücken und all dem. *Beide Enden* war toll. Du wirst eines Tages eine ganz Große sein.«

»Im Gegensatz zu deinem Sohn«, murmelte Goodman, »der auf dem besten Weg ins Nichts ist.«

Finster und betrunken betrachtete Goodman sie von einem der üppig gepolsterten Sofas in der Mitte des Raumes aus. Ash ging in ihr Zimmer, Gil den Flur hinunter, und Betsy trieb in Richtung Küche, um mit ihrer Bolognese anzufangen. Ethan folgte ihr.

»Ethan«, sagte Betsy, »sei mein Souschef. Du kannst die Zwiebeln schneiden und mir erzählen, was es in deiner Trickfilmwelt Neues gibt. Bei Hanna-Barbera«, fügte sie vage hinzu.

»Wie bitte?«

»Sind das nicht diese Trickfilmleute? Weiter reicht mein Wissen nicht«, erklärte sie.

»Oh, verstehe«, sagte er und wandte sich zu Jules um: »Komm doch mit.«

Und Jules folgte ihnen. Als sie an dem immer noch auf dem Sofa liegenden Goodman vorbeikam, streckte der unversehens die Hand aus und packte ihren Arm. Erschreckt sah sie ihn an, und Goodman sagte: »Weißt du was? Du bist in Ordnung, Jacobson.« Er ließ sie nicht los, und sie rührte sich nicht. Ethan machte sich bereits bei Betsy in der Küche nützlich, Jules und Goodman waren allein. Das einzige andere Mal, dass sie allein gewesen waren, war im Sommer zuvor am letzten Tag des Camps gewesen, im Speisesaal, als sie von Jules' Mutter und ihrer Schwester überrascht worden waren. Hier war die Möglichkeit, das Verpasste nachzuholen.

Goodman stand auf, brachte seinen enormen Klotz von einem Gesicht nahe an ihres und rief in Jules ein Gefühl tiefer Panik hervor. Aber es war keine Panik voller Abscheu, wie Jules sie damals im Trickfilm-Schuppen mit Ethan verspürt hatte. Es war reine *Erregung*. Ja, das war das echte Gefühl, so unverwechselbar wie eine Giraffe oder ein Flamingo. Obwohl Goodman betrunken war, obwohl er noch nie Interesse an ihr gezeigt hatte, erregte er sie, fast bis an den Punkt, dass sie gezuckt hätte. Sie konnte nicht einmal versuchen, sich vorzustellen, wie es sein möchte, Goodman in voller Blüte hinter der grünen Tür zu sehen.

Weil niemand anderes da und sein Kopf direkt vor ihr war, schloss Jules instinktiv die Augen und öffnete den Mund. Dann lag Goodmans unvertrauter Mund auf ihrem und öffnete sich ebenfalls. Die Spitze von Jules' Zunge schob sich wie der Trieb einer Pflanze vor und traf auf Goodmans Zunge, und gemeinsam bewegten sie sich in jener stummen, seltsamen Pantomime, die offenbar alle Zungen kannten. Jules hörte sich stöhnen und konnte nicht glauben, dass sie das Geräusch nicht unterdrückte. Das Delirium des Kusses dauerte noch einen weiteren Moment, bis sich plötzlich Goodmans Mund schloss und von ihr zurückwich, so wie sie vor Ethan zurückgewichen war. Als sie die Augen öffnete, sah sie, dass er bereits an etwas anderes dachte. Während dieses für sie so erregenden Kusses hatte er sich *gelangweilt*.

»In Ordnung, du hattest deinen Spaß«, sagte Goodman, »jetzt geh, und hilf beim Abendessen.«

»Sei kein Arschloch«, sagte sie, worauf er die Hand ausstreckte und ihr durchs Haar wuschelte.

Dann, bald, war alles vorbei. War alles mit ihnen sechs vorbei. Oder wenn nicht vorbei, so verwandelte es sich doch in etwas so anderes, dass sich, was es ursprünglich gewesen war, nicht mehr erkennen ließ. Jules bekam nie die Gelegenheit, innezuhalten und diesen großartigen Teil ihres Lebens schwinden zu sehen, um anschließend darum zu trauern. An ihrem zweiten Silvesterabend mit ihnen, dem Abend, mit dem das endlos beworbene Jubiläumsjahr, zweihundert Jahre Vereinigte Staaten, beginnen sollte, fuhren unablässig Taxis vor dem Labyrinth vor, und die Portiers schickten die Ankömmlinge zu den richtigen Aufzügen. Viele der Knöpfe im Südaufzug waren erleuchtet, um die verschiedenen Haltestockwerke anzuzeigen, und die Tür öffnete sich für Gruppe um Gruppe. 1975 endete, ein weiteres aus einer ganzen Reihe übler Jahre. Ethan hatte das amerikanische Versagen und den militärischen Auszug aus Vietnam in seine Zeichnungen einfließen lassen. Seine Trickfilmfiguren hinkten buchstäblich nach Hause, wimmerten und stöhnten mit Ethans charakteristischer Stimme: »*Au!*«

Die Party der Veechs im zweiten Stock wurde von den im College-Alter befindlichen Kindern der Familie und ihren Freunden dominiert, und als sich die Aufzugtüren öffneten, fegte ihnen ein ganzer Scirocco Pot-Rauch entgegen. Im sechsten Stock stiegen Jules und Ethan aus und gingen gemeinsam in die Wohnung der Wolfs, die rot, weiß und blau gepunktet war und in der swingende Herbie-Hancock-Musik lief, die Musik fingerschnipsender alternder Väter. Tief im Wohnzimmer, in ein langes lavendelfarbenes Feenkleid gehüllt, lauschte Ash höflich der ältesten Freundin ihrer Mutter. »Natürlich müsst ihr Mädchen heute nicht mehr in reine Mädchen-Colleges gehen wie wir noch«, sagte Celeste Peddy, die nach zwei Gläsern schon weit gesprächiger war als gewöhnlich. »Deine Mom und ich wohnten im Smith im selben Haus, aber ich stelle mir vor, wenn du mal so weit bist, aufs College zu gehen, ein Mädchen wie du, so eine Schönheit, dass du dann Jungs zur Zerstreuung um dich haben willst, besonders nachdem du die ganze Zeit in diesem absoluten Nonnenkloster Brearley warst.«

Ash lächelte höflich. »Ja, ich möchte unbedingt auf ein gemischtes College«, sagte sie.

»Und keinen Ehering als Abschluss, Gott sei Dank«, sagte Celeste Peddy mit einem gackernden leisen Lachen. »Den haben wir alle gekriegt, unseren ›Mrs‹-Abschluss, und es später bitter bedauert. Aber das ist heute anders ... Gloria Steinem ist übrigens auch eine Smithie, wenn ich das hinzufügen darf.«

»Ich weiß«, sagte Ash. »Sie ist unglaublich. Ich habe vor, mich am College in der Frauenbewegung zu engagieren. Das ist etwas, woran ich wirklich glaube.«

»Gut für dich«, sagte Celeste und ließ den Blick über sie gleiten. »Wir brauchen Frauen, die wie du und Gloria Steinem aussehen. Es dürfen nicht nur lauter plumpe Kampflesben für unsere Sache eintreten. Oh«, sagte sie, »hör mir nur zu, wie ich rede. Was ist mit mir los?« Sie legte sich eine Hand auf den Mund und lachte. »Ich denke, ich habe einen kleinen Schwips.«

Als Ash Jules und Ethan hereinkommen sah, wandte sie sich um und entschuldigte sich bei der Freundin ihrer Mutter. »Komm, gehen wir«, flüsterte sie Jules zu. »Celeste Peddy ist gerade dabei, ihr wahres Ich zu enthüllen.« Gemeinsam mit ihren Freunden schlüpften sie aus dem Wohnzimmer und gingen den Korridor hinunter in Ashs Reich, das sich in letzter Zeit zusätzlich zu den Stofftieren mit Prismen, Theaterplakaten und überall verteilten Hundehaaren gefüllt hatte. Goodman war schon um halb elf betrunken.

»Wo ist dein Freund?«, fragte Goodman Cathy, als sie allein hereinkam. Obwohl alle wussten, dass es etwas heikel war, Cathy dabeizuhaben, wäre es doch noch seltsamer gewesen, ohne sie zu feiern. Sie erklärte, Troy tanze an diesem Abend auf einer festlichen Benefizveranstaltung, wo seine Tanztruppe Spenden für den Kunst- und Musikunterricht an öffentlichen Schulen einsammeln wolle. Cathy, sich des Umstands bewusst, an einem Silvesterabend allein zu sein, versuchte, sich locker zu geben. Sie trug eine schwarze, indisch gemusterte Bluse mit winzigen Spiegeln vorn. Jules war in einer Bauernbluse und einem rustikalen Rock gekommen, »was genau in diese Umgebung passt, in der ich die Landpomeranze bin«, sagte sie zu Ethan.

Jonah hatte in einem Secondhandladen ein altes Frackhemd gefunden, und Jules musste wieder denken, dass er unerreichbar war, undurchschaubar, und sie wünschte, sie könnte zu ihm sagen: »Was ist eigentlich los mit dir, Jonah?« Heute Abend hatte er eine Wasserpfeife mitgebracht, die er in einer Ecke des Lofts seiner Mutter gefunden hatte. Einer ihrer Musikerfreunde musste sie da zurückgelassen haben. »Das ist mein Beitrag zum heutigen Abend«, sagte Jonah und hielt die lange violette Glaspfeife und den kleinen Klumpen Hasch in die Höhe, den er in ihrem Kopf gefunden hatte. Alle rauchten und saugten und gluckerten, und Jules wurde so high, dass sie eine Weile brauchte, um zu begreifen, dass Jonah, Cathy und Goodman den Raum irgendwann verlassen haben mussten.

»Wo sind sie hin?«, fragte sie, doch auch Ethan und Ash waren zu high, um sie wirklich zu hören oder ihr Beachtung zu schenken. Jules ließ sich zurück in einen Berg Stofftiere sinken, nahm eines in die Hand, ein uraltes, verblichenes Einhorn, hielt es sich vors Gesicht und stellte fest, dass es genauso wie Ash roch.

Jonah tauchte etwas später wieder auf, und als Jules ihn fragte, wo er gewesen sei, antwortete er mit einem Lächeln: »Ich habe unseren Freunden geholfen, ein Taxi zu erwischen.«

»Was?«

»Goodman und Cathy. Sie sagten, sie hätten ein geheimes Abenteuer geplant. Die beiden waren wirklich zu und hatten Angst, kein Taxi zu kriegen. Ich hab keine Ahnung, was sie mit ihrem ›geheimen Abenteuer‹ gemeint haben, und ich will's auch nicht wissen.« Er fiel aufs Bett, auf dem er immer mit Ash gelegen hatte, schloss die Augen mit den staunenswert langen Wimpern und schien schon nach Sekunden zu schlafen.

Als es auf zwölf zuging, begann der immer noch ausgesprochen jungenhafte, würfelköpfige Dick Clark auf der Bühne am Times Square seinen Neujahrs-Countdown mit der Average White Band. Ash, Ethan, Jonah und Jules saßen vor dem Fernseher und sahen ihm zu, und als der Ball fiel, küssten die Jungen keusch nacheinander die beiden Mädchen. Die Küsse ließen Jules überlegen, wo Goodman und Cathy im Moment sein mochten und was es mit ihrem Abenteuer auf sich hatte. Sie spürte eine leichte Eifersucht und hoffte irgendwie, dass es für beide eine Enttäuschung sein würde.

»Gott, bin ich high«, sagte Ash. »Ich mag das nicht.« Ash wurde es schnell zu viel. Sie wog so wenig, und schon die kleinste Menge Pot hatte bei ihr eine unmittelbare, kräftige Wirkung.

Als Ashs rosa Prinzessinnentelefon (»mein *ironisches* Prinzessinnentelefon«, wie sie sagte, »ich habe es mit zwölf bekommen, okay?«) um kurz vor eins klingelte, griff Ethan nach dem Hörer und antwortete. »Hier ist das Wolfshaus«, sagte er. »Die Bestien werden gerade gefüttert. Wir geben ihnen kleine Rotkäppchen-Stücke, leicht gewürzt. Möchten Sie eine Nachricht hinterlassen?« Aber dann sagte Ethan: »Goodman? Was? *Großer Gott!*« Er machte eine Geste zu den anderen, dass sie ruhig sein sollten, und als sie nicht reagierten, schrie er: »Schnauze!« Jonah schaltete den Plattenspieler aus, und die Nadel rutschte kratzend zur Mitte. Alle sahen Ethan an, der schwer angeschlagen wirkte, während er den Hörer ans Ohr drückte. »Du willst mich nicht verarschen, oder?«, sagte er endlich. »Ich meine, ist mit ihr alles in Ordnung? Was? Klar, ich hole sie.« Ethan drückte den Hörer gegen seine Brust und sagte zu Ash: »Sag deinen Eltern, sie sollen ans Telefon gehen. Dein Bruder ist verhaftet worden.«

»Was?«, sagte Ash.

»Ash, sag's ihnen einfach.«

»Aber was hat er getan?« Ihre Stimme wurde lauter, und ihre Hände flogen durch die Luft.

»Cathy sagt, er hat sie vergewaltigt.«

»Das ist ja Wahnsinn.«

»Geh! Hol deine Eltern ans Telefon!«, sagte Ethan. »Das ist der eine Telefonanruf, den er hat.«

Ash rannte aus dem Zimmer, den Flur hinunter und rempelte durch das Erwachsenengedränge. Kurz darauf waren die Wolfs am Telefon, und Ethan legte leise Ashs Hörer auf. »Nach allem, was ich mitbekommen habe, haben sie sich vom Taxi zur Tavern on the Green bringen lassen«, erklärte er den anderen.

»Das war das Abenteuer?«, sagte Jonah erregt. »Die Tavern on the Green?«

»Yeah«, sagte Ethan. »Offenbar wollten sie sehen, ob sie sich auf die Silvesterparty dort schleichen und ein paar Hors d'œuvre und Champagner abstauben könnten. Cathy meinte wohl, es wäre unmöglich und dass sie hinausgeworfen werden würden, und Goodman sagte, nein, das würden sie nicht. Ich nehme an, am Einlass herrschte so eine Hektik, dass sie tatsächlich unbemerkt reingekommen sind. Dann haben sie ein paar Gläser Champagner von einem Tablett genommen und sind den Flur hinunter in einen Vorratsraum. Da haben sie ein bisschen rumgemacht, sagt Goodman, und dann ist es passiert. Er sagt, es war ein totales Missverständnis, aber die Leute haben Cathy schreien hören, und die Polizei war gleich da, und Cathy hat ihnen gesagt, er wollte sie vergewaltigen, also haben sie ihn mitgenommen. Cathy haben sie ins Krankenhaus zur Untersuchung und so gebracht.«

»O mein Gott«, sagte Jonah und fasste sich an den Kopf. »Und ich habe ihnen das Taxi besorgt.«

»Und? Das hat nichts damit zu tun. Es ist doch nicht dein Fehler«, sagte Jules. »Du wusstest doch nicht, was passieren würde.«

»Aber es ist trotzdem mein Fehler«, sagte Jonah. »Und ich habe auch das Hasch mitgebracht. Es war viel stärker als unser normales Zeug.« Er sah seine Freunde eindringlich an. »Ich habe die beiden *unter Drogen* gesetzt«, sagte er. »Es ist allein mein Fehler.«

»Jonah«, sagte Ethan, »hör sofort auf damit. Ich weiß nicht, was in dir vorgeht. Du hast ihnen also das Taxi besorgt. Scheiß drauf! Du hast das Hasch mitgebracht. Mann, wir rauchen zusammen Pot, seit wir uns kennen. Du hast niemanden unter Drogen gesetzt. Was ist das überhaupt für ein Ausdruck? Und Goodman ist im Grunde schon das ganze Jahr über daneben. Das hat alles nichts mit dir zu tun, okay?«

»Okay«, sagte Jonah leise, doch er sah mitgenommen und krank aus.

»Die Sache ist die …«, sagte Jules, ließ ihre Stimme dann aber versiegen. »Ach, nichts.«

»Sag es nur«, sagte Ethan.

Sie dachten alle so angestrengt und schnell wie nur möglich nach, selbst Jonah, der sich zu bemühen schien, seine Schuldgefühle hinter sich zu lassen. »Kann es sein?«, fragte Jules vorsichtig. »Ich hasse es, das zu fragen, aber es kann, oder?«

Die Jungen schwiegen, dann sagte Ethan: »Goodman sagt, er hat nichts Falsches getan. Aber wäre er dazu fähig? Wäre *ich* es?«, fügte er hinzu.

Wieder kehrte Stille ein, und sie brüteten vor sich hin. »Er hat diese kleinen Wutanfälle«, sagte Jonah. »Ich dachte nur immer, das wären einfach so Stimmungen.«

»Seine aggressive Seite ist nur ein Teil von ihm«, sagte Jules. »Junge«, fügte sie hinzu, »Ash würde diese Unterhaltung ganz und gar nicht mögen.« Sie sahen nervös zur Tür.

»Und was ist mit Cathy?«, sagte Ethan. »Wenn es nicht stimmt, warum würde sie es dann sagen? Ist sie wirklich immer noch so angepisst, weil er mit ihr Schluss gemacht hat?«

»Sie ist nicht durchgedreht, als Schluss war«, sagte Jonah. »Aber sie gehört zu den Mädchen, die ständig nah dran sind.«

Alle nickten. Cathy Kiplinger war das erste aufmerksamkeitssüchtige Mädchen, das sie näher kennengelernt hatten. Was hatte es mit den Bedürfnissen dieser Mädchen auf sich, überlegte Jules. Sie glaubten, ein Recht auf Aufmerksamkeit zu haben, weil sie wussten, dass sich andere Leute für ihre Bedürfnisse interessierten, auch wenn sie gleichzeitig genervt von ihnen waren. Jules hatte sich nie dazu befugt gefühlt, auch nur annähernd so viel für sich zu beanspruchen wie diese Mädchen. Sie bekamen die ganze Beachtung. Die Jungen konzentrierten sich auf sie, und schon gab es ein Durcheinander.

Ich werde nie in solch ein Durcheinander geraten, dachte Jules Jacobson in einem unerklärlichen kleinen Verzweiflungsanfall. Ich werde nie diese Art Beachtung finden. Ganz gleich, was ich tue, ich bekomme allein die Aufmerksamkeit des treuen, hartnäckigen Ethan Figman, der mich bis in den Tod lieben wird und auch dann noch nicht damit aufhört.

Sie sah sich als einen von Würmern umschwärmten Knochenhaufen tief in der Erde, und oben im Licht kniete Ethan im Gras und heulte. Das nächste Bild, das vor ihren Augen erschien, Cathy auf dem Boden eines Vorratsraumes in einem wie eine Discokugel glitzernden Restaurant, war ebenfalls irgendwie ärgerlich. Warum bekamen Mädchen wie sie immer alles? Vielleicht log Cathy ja. Vielleicht musste sie lügen, um das Interesse hoch zu halten. Es reichte nicht, dass sie Brüste wie Marilyn Chambers und das Gesicht einer erfahrenen Frau hatte. Jetzt würden alle Cathy Kiplinger auch weiterhin jede Aufmerksamkeit schenken, die sie sich nur wünschen konnte. Selbst in diesem Moment stand sie wahrscheinlich im Mittelpunkt, umgeben von Ärzten, Schwestern, Polizisten und ihren Eltern. Allesamt würden sie sich hinter einen Vorhang in der Notaufnahme drängen und mit sanften, aber eindringlichen Worten auf sie einreden.

Jules wurde bewusst, dass es draußen im Wohnzimmer ruhig geworden war. Die Party war abgebrochen worden, die Wolfs schickten ihre Gäste nach Hause. Die Tür öffnete sich, und Ash kam mit ihrem Vater hinter sich herein. »Wir fahren zur Polizeiwache«, sagte Ash. »Ich persönlich denke, ihr könntet gut alle hier warten, aber meine Eltern sagen, ihr müsst gehen.«

»Wir kommen mit«, sagte Ethan.

»Nein«, sagte Gil. »Auf keinen Fall.«

»Ein paar von uns könnten zu Cathy fahren«, sagte Ethan. »Wir können uns aufteilen.«

»Wir wissen nicht einmal, wo Cathy ist«, sagte Ash.

»Du hast nicht gefragt, in welchem Krankenhaus sie ist?«

»Nein, daran habe ich nicht gedacht.«

»Dann finden wir es später raus«, sagte Jonah. »Aber wir fahren jetzt alle zu der Polizeiwache. Wir wollen mitkommen«, sagte er mit Nachdruck und zitternder Stimme. »Wirklich. Wir wollen das wirklich.«

»Nein, Kinder, das ist keine gute Idee«, sagte Gil Wolf.

»Dad, ich brauche sie da, okay?«, sagte Ash. »Es sind meine Freunde.« Sie sah ihren Vater mit gequältem Ausdruck an. »Bitte, Dad«, sagte sie. »Bitte.«

Ihr Vater zögerte. Ash hielt seinem Blick stand und gab keinen Zentimeter nach. »Also gut«, sagte er. »Aber beeilt euch, alle.«

Sie rafften sich sofort auf, und im allgemeinen Chaos verschwendete keiner einen Gedanken daran, was für einen Eindruck sie bei der Polizei machen würden, wenn sie da, nach Pot und Alkohol stinkend, auftauchten. Grimmig zogen sie los, aber auch aufgewühlt von Angst und Erregung. Ihre Mäntel hingen am Ständer in der Diele, die anderen Mäntel waren weg, nur noch ein einsamer London-Fog-Regenmantel hing dort, der einem jungen Kollegen Gils bei Drexel Burnham gehörte. Der junge Mann lag ohnmächtig im Gästezimmer.

»Ich hoffe sehr, dass mit Cathy alles okay ist«, sagte Ethan zu Ash, während sie auf den Aufzug warteten. »Weißt du, ob irgendwer mit ihr geredet hat?«

»Keine Ahnung«, sagte Ash. »Wie kann sie sagen, dass Goodman das gemacht hat? Das ist eindeutig Schwachsinn.«

Niemand sagte ein Wort, um sie zu unterstützen oder ihr zu widersprechen. Nervös strich Jules mit der Hand über die wie Geschenkpapier gestreifte Tapete des Flurs. »Wir regeln das alles«, sagte Gil zu seiner Frau. »Ich rufe Dick Peddy an, damit er uns berät. Vor ein paar Minuten war er noch hier. Ich hätte ihn gleich fragen sollen.« Er hielt inne und schüttelte den Kopf. »Goodman konnte nicht einfach hierbleiben, was? Musste unbedingt weg. Genau wie auf Tortola.«

Jonah sah Jules an und formte lautlos ein paar Worte. »Was?«, sagte sie, und er wiederholte seine Bewegungen: »*Ich habe sie unter Drogen gesetzt.*«

»Hör auf damit, Jonah«, zischte sie ihn an.

Draußen vor dem Haus stiegen die Wolfs in ein Taxi, das bereits auf sie wartete. Jules, Ethan und Jonah standen vor dem Labyrinth, genau da, wo vor ein paar Stunden ganze Fluten von Partygästen angebrandet waren, in langen Mänteln und mit in Gold- und Silberfolie verpackten Flaschen im Arm. Die drei standen jetzt mit leeren Händen da, und es war kein weiteres Taxi in Sicht.

Acht

Goodman Wolf verbrachte die ersten Stunden des Jubiläumsjahres abwechselnd schluchzend und schlafend in der Arrestzelle der örtlichen Polizeiwache, einem fensterlosen Raum, den er sich mit zwei betrunkenen Männern teilte, die keinerlei Erinnerung an das hatten, was sie getan hatten. Ein Vergehen hatte offensichtlich mit öffentlichem Urinieren zu tun, das andere mit einem tätlichen Angriff. Nachdem Dick Peddy gekommen und eine ewig lange Zeit drinnen gewesen war, kam er zurück in den Wartebereich und erklärte den Wolfs und Ashs Freunden, dass Goodman keinesfalls mehr heute dem Haftrichter vorgeführt werden würde. Er werde den Rest der Nacht hier verbringen müssen und wahrscheinlich auch den nächsten Tag. Dann werde er in die Centre Street Nr. 100 gebracht werden, um dort auf die Anklage zu warten. Es habe absolut keinen Sinn, hier länger zu warten, erklärte der Anwalt und versprach, sich um alles zu kümmern und engen Kontakt mit Gil und Betsy zu halten. Was Cathy betreffe, werde niemand Auskunft darüber geben, wo sie sich befinde.

»Ein frohes Jubiläumsjahr euch allen«, sagte Ash leise, als sie auf die Straße hinaustraten. Sie wirkte so klein in ihrem lavendelfarbenen Partykleid und dem unverhältnismäßig großen Skiparka.

Ein paar Fotografen und Reporter warteten draußen, und einige von ihnen kamen auf sie zu und fragten: »Hat Ihr Sohn das Mädchen in der Tavern on the Green vergewaltigt?« – »Ist er unschuldig?« – »Ist Goodman tatsächlich ein *guter Mann*?« Sie kamen ihnen grob vor, doch später, im Nachhinein, schienen sie erstaunlich respektvoll gewesen zu sein, und als Betsy Wolf, klein, anmutig, aristokratisch, sagte: »Gut, jetzt ist es genug«, gehorchten sie und zogen sich zurück.

Auf der Straße war es Ethan, der Ash nahe an sich heranzog. Jonah folgte ihnen, unsicher, was er als Ashs Ex tun sollte. Er schien nicht anzunehmen, dass sie sich von ihm trösten lassen wollte. Er wollte nie etwas annehmen. Ashs Eltern waren beide zu aufgewühlt, um mit ihrer Tochter oder deren Freunden zu sprechen, sie gingen unsicher voraus und hielten sich aneinander fest. Jules hätte neben Ash, ihrer engsten Freundin, gehen und sich bei ihr unterhaken können, aber Ashs Probleme schienen ihr so überwältigend und jenseits von allem, was sie zu verstehen vermochte. Und so ging Jules allein, ein paar Schritte hinter ihr. Ethan dagegen begriff sofort, dass Ash in diesem Moment jemanden brauchte, der ihr half. Ohne zu fragen, legte er einen Arm um sie, und ihr Kopf sank gegen seine Schulter, während sie die Straße hinunter in den blauen Morgen hineingingen.

Taxis wurden gerufen und Abschiedsworte gesprochen. Seit einigen Minuten schon hielt Ethan Figman Ash Wolf auf eine Weise, wie er sie noch nie gehalten hatte. Jules sah es, sagte aber nichts dazu, denn es war eindeutig eine Ausnahmesituation. Ethan sagte zu Ash, er denke, sie solle versuchen, zu Hause etwas zu schlafen. »Ich möchte, dass du dich ein paar Stunden hinlegst, okay?«, hörte Jules ihn sagen. »Sperr alles andere aus, und leg dich ins Bett zu all den dummen Stofftieren ...«

»Sie sind nicht dumm«, sagte Ash mit einem kleinen Lächeln. Ethan vermochte sie sogar in einer Situation wie dieser aufzumuntern.

»Nun, meiner Ansicht nach sind sie schon etwas beschränkt«, sagte er. »I-Aah. Und die zerlumpte Ann mit ihrer skurrilen Zwirnfrisur. Weißt du, du könntest Knoten hineinmachen, sie in eine braune Uniform stecken und sie *Knotsy* nennen. Wie in *Nazi*.«

»Du spinnst«, sagte Ash, aber sie lächelte immer noch.

»Und der unheimliche Poppin' Fresh Pillsbury Doughboy, diese Bäckerreklame. Ganz grau ist er und soll aussehen, als wäre er aus Teig gemacht? Was? Wie hässlich ist *das* denn? Einige Kinder haben Teddybären, und du hast eine Puppe aus roher Teigmasse.«

»Jetzt mal ganz ruhig, ich war *acht*, als ich ihn bekommen habe«, sagte Ash, »nachdem ich die nötigen Pillsbury-Hörnchen-Coupons eingeschickt hatte.«

»Technisch gesehen ist er nicht mal ein Tier«, sagte Ethan. »Trotzdem, leg dich mit der ganzen Bande hin, und schlaf etwas. Ich kümmere mich um dich.« Die Worte waren leicht dahingesagt, aber mit Gefühl. Er machte sie an, das war der Augenblick, in dem es geschah, und Jules sah es, begriff es aber nicht.

Goodmans Geschichte musste wieder und wieder sorgfältig durchgegangen werden und auch Cathys. Jules legte sich ihre eigene Version zurecht, damit sich alles irgendwie zusammenfügte. In der dahintreibenden Gefühlsschwere der Silvesternacht, dachte sie, hätten Goodman und Cathy da weitergemacht, wo sie mit ihrer Trennung aufgehört hatten. In Jules' Sicht der Dinge hatten Goodman und Cathy in dem Vorratsraum herumgeknutscht, und die Sache hatte sich hochgeschaukelt, bis Cathy irgendwann an Troy dachte und sich zu befreien versuchte. Aber da konnte Goodman nicht mehr aufhören. Er war zu nahe dran, er musste weitermachen, und Cathys Proteste hatten in seinen Ohren wie erregter Überschwang geklungen.

Warum beschuldigte sie ihn? Aus Scham, wie Dick Peddy später sagte. Sie habe Angst gehabt, dass Troy mit ihr Schluss machte, wenn er von ihrem kleinen Abenteuer erfuhr. Niemand dürfe mit Cathy reden, warnte Dick Peddy, denn sie sei die Klägerin, die Gegenseite. Aber Cathy war auch ihre Freundin, und auch wenn sie eine leicht eigentümliche Rolle in der Gruppe einnahm – die erotische, launenhafte Tänzerin, das gefühlsmäßig überwältigende

Mädchen –, gehörte sie doch zu ihnen und würde Goodman nicht einfach so etwas antun. Aber aus irgendeinem Grund hatte sie es doch getan.

Wann immer Jules jetzt ins Labyrinth kam, redeten Gil und Betsy über den Fall – und auch offen über Geld. Die Anwaltsrechnungen waren enorm – »grotesk«, sagte Gil Wolf. Über die Vorwahlen der Demokraten und die anstehenden Präsidentschaftswahlen wurde kaum mehr gesprochen, niemanden interessierte das noch, und es gab auch keine letzten Kommentare zum Watergate-Skandal mehr oder zum Rückzug aus Vietnam. Niemand redete über den Film *Taxi Driver*, der bald herauskommen sollte und offenbar so intensiv war.

»Dick Peddys Honorarsätze sind eine Schande, dabei kennen sich unsere Frauen seit dem Smith«, sagte Gil eines Abends beim Essen, als er in Betsys gefüllte Schweinelende schnitt. »Wir kommen noch alle ins Armenhaus.«

»Das stimmt nicht unbedingt«, sagte Betsy.

»Möchtest du dir die Rechnungen vielleicht mal ansehen? Ich überlasse sie dir nur zu gerne. Dann wird dir klar werden, in was für einen Zustand diese Sache unsere Finanzen gestürzt hat.«

»Du musst Mom gegenüber nicht sarkastisch sein«, sagte Goodman.

»Gut, dann wende ich mich mit meinem Sarkasmus eben an dich und berede voller Begeisterung mit dir, wie du mir das eines Tages zweifellos alles mit den Unsummen zurückzahlen wirst, die du als Architekt verdienst. Bis dein erstes Gebäude einstürzt, weil du in Statik eins nicht aufgepasst hast.«

»Gil, hör auf damit«, sagte Betsy und legte eine Hand auf seinen Arm. »Jetzt sofort.«

»Was mache ich denn?«

»Du schaffst Spannung«, sagte sie, ihre Augen füllten sich, und ihre Lippen zitterten und zogen sich nach unten.

»Ich schaffe sie nicht. Sie ist längst da.«

»Ich will einfach nur, dass alles wieder in Ordnung kommt«, sagte Betsy. »Ich will, dass wir diese schlimme Geschichte hinter uns bringen, und dann kann Goodman ins College und studieren, was immer er will. Architektur oder ... Zulu-Stämme. Ich will einfach nur, dass alles wieder in Ordnung kommt. Ich will, dass unsere Familie wieder glücklich wird. Ich will, dass es endlich vorbei ist.«

Goodman hatte im Herbst aufs Bennington College in Vermont gehen sollen, nachdem er dort schon früh angenommen worden war (die Wolfs hatten angesichts von Goodmans nicht gerade stellarer Schulkarriere an einigen Fäden ziehen müssen, selbst noch um ihn in einer so alternativen Institution unterzubringen), nach den neuesten Entwicklungen hatte ihnen der Dekan für studentische Angelegenheiten jedoch in einem offiziellen, frostigen Brief mitgeteilt, Goodman könne sich erst einschreiben, wenn die rechtliche Situation eine »positive Auflösung« erfahren habe. Damit er im September aufs College konnte, musste es also erst zum Prozess kommen, doch bis dahin, hatte Dick Peddy gewarnt, könne noch einige Zeit vergehen. Die New Yorker Gerichte waren überlastet, die Kriminalität in der Stadt hoch, und auf einen Prozess zu warten glich in letzter Zeit dem Schlangestehen an der Zapfsäule.

Der Januar schritt fort, Goodman ging morgens zur Schule und dreimal in der Woche nachmittags zu Dr. Spilka. Wenn er nach Hause kam, verschwand er in seinem Zimmer, trank Wodka aus seinem Stiefel oder rauchte einen Joint und versuchte gleichzeitig, zu existieren und nicht zu existieren. Ash rief Jules eines Abends unter der Woche an und sagte: »Mein Bruder ist wirklich in Schwierigkeiten.«

»Das weiß ich.«

»Ich meine, nicht nur juristisch, sondern auch emotional.«

Aus dem Zimmer nebenan konnte Jules den dröhnenden Fön ihrer Schwester Ellen hören und das immer selbe Neil-Young-Album, das wie automatisch wieder und wieder erklang. Im Moment sang die dünne Stimme: »*There were children crying / And colors flying / All around the chosen ones.*« Sie zog an der gelben Schnur des Hörers, bis sich deren Windungen in die Gerade streckten, die Verbindung ausdünnte, die einen Moment lang verschwand und dann wieder da war. Jules saß auf ein paar verschiedenfarbigen Clogs in ihrem Schrank und versenkte sich in das Gespräch. »Vergiss nicht, dass es mit ihm immer so geht«, sagte Jules. »Er bugsiert sich total in die Bredouille, und plötzlich ist alles wieder in Ordnung.«

»Diesmal nicht, denke ich«, sagte Ash. »Dad ist so wütend. Und Dick Peddy hat mit Cathys Anwalt zu reden versucht, aber nein, nein, Cathy und ihre Eltern bestehen darauf, dass die Sache weitergeht. Es wird tatsächlich einen Prozess geben, Jules. Kannst du das glauben? Mein Bruder könnte für *fünfundzwanzig Jahre* ins Gefängnis kommen, das passiert Unschuldigen die ganze Zeit. Damit wäre er völlig zerstört. Statt seiner Bestimmung folgen zu können, würde er hinter Gittern grau werden, als Sträfling. Kannst du dir das vorstellen? Das ist so unwirklich, und wir ertragen es nicht. Aber Dick Peddy sagt, keiner aus unserer Familie darf Cathy anrufen. Es könnte so aussehen, als wollten wir sie unter Druck setzen.«

»Das kann ich verstehen«, sagte Jules, die keine Ahnung hatte.

Es wurde still in der Leitung, und Jules dachte, die Verbindung sei wieder unterbrochen. »Hallo?«, sagte sie.

»Ich bin noch dran.« Ash zögerte und sagte dann: »Vielleicht könntest du sie anrufen. Oder sie besuchen.«

»Ich?«

»Dick Peddy hat *dir* nicht gesagt, dass du es nicht tun darfst, oder?

»Nein«, sagte Jules nach einer langen, nachdenklichen Pause.

»Wirst du sie besuchen?«, fragte Ash. »Tust du es für mich?«

Jules verabredete sich mit Cathy Kiplinger, sie an einem Samstag im Februar 1976 um zwölf am Brunnen vor dem Lincoln Center zu treffen, nach Cathys Tanzunterricht zehn Straßen weiter südlich bei Alvin Ailey. Es schneite an diesem Tag heftig, und das Pflaster der Plaza war so vereist, dass die beiden Mädchen Schlittschuh darauf hätten laufen können. Cathy trug einen langen auberginefarbenen Daunenmantel, und ihr Gesicht war ganz rot von der extremen Hitze beim Tanzen und der ebenso extremen Kälte draußen. Sie nickten sich misstrauisch zu – es war das erste Mal seit Silvester, dass sie sich sahen –, gingen über den Broadway und setzten sich in die Nische eines Coffeeshops. Cathy stürzte gleich mehrere Tab-Diätdrinks herunter, »mit extra Eis«, wie sie der Kellnerin sagte, als könnte das Eis das Diätzeugs so weit verdünnen, dass es ihrem kurz vor dem Figurinfarkt stehenden Körper nicht nur kein zusätzliches Gramm hinzufügte, sondern den fettbildenden Prozess sogar umkehrte. Aber es war zu spät: Cathy hatte in Jules' erstem Sommer im Camp recht gehabt, was ihren Körper betraf. Ihre Brüste waren zu groß für eine professionelle Tänzerin. »Postsäcke« hatte Cathy sie genannt, und mittlerweile schienen sie noch größer, genau wie sich ihre Hüften geweitet hatten. Sie tat, was sie konnte, um ihre immer stärker hervorbrechende Weiblichkeit zu unterdrücken, trank Tabs mit extra Eis und aß nur sehr wenig, doch ihr Körper nahm seine eigene Form an. Troy hatte den perfekten Körperbau eines Tänzers, war muskulös und voller Kraft. Bei Männern war es anders. Troys Arme konnten Ballerinas in der Luft schweben lassen und würden es so lange für das Alvin Ailey American Dance Theatre tun, bis er Cortisonspritzen und Schulteroperationen brauchte. Bis dahin würde er kontinuierlich tanzen und tun können, was er immer gewollt hatte, ohne je das Gefühl zu haben, dass er nachließ, sich ausverkaufte oder kommerziellen Zwängen nachgab. Cathy würde ein ganz anderes Leben führen.

Jetzt, am Anfang dieses Lebens, saß sie mit ihrem Diättrunk da und kaute an ihren Nägeln herum. Jules sah, dass die einstmals perfekten Ovale wie Splitter in ihren Fingern steckten. Jeder einzelne Nagel war seit Silvester unbarmherzig heruntergebissen worden und von aufgerissener, geröteter, leicht geschwollener Haut umgeben. Wenn Sex bedeutete, den anderen zu fressen, schien Cathy den Versuch anzustellen, sich selbst aufzufressen. Sie hob die Hand und rupfte an der Nagelhaut ihres Daumens, und Jules rechnete halb damit, Blut an ihrem Mund zu entdecken, als wäre Cathy ein Tier, das in einem Moment des Beutereißens überrascht wurde. Eine Katze mit einem Vogel im Maul, die herausfordernd einen Menschen anstarrte und sagte: *Und? Was starrst du mich so an?*

Cathy fuhr ungerührt mit ihrer Selbstverstümmlung fort und nahm noch einen Schluck Tab. Sie war ein Fingernagel- und Nagelhaut-Jäger. Jules erinnerte sich daran, wie sie selbst im Jahr, als ihr Vater gestorben war, ihr Haar misshandelt hatte. Sie hatte nicht gewollt, dass es aussah, wie es aussah, und jetzt wollte Cathy ganz offenbar, dass ihre Hände anders aussahen. Sie trank ihr Tab und biss an ihren Fingern, ob sie nun gerade Jules zuhörte oder – mehr und mehr – selbst redete. Sie schien es weder merkwürdig noch peinlich zu finden, vor jemand anderem so an ihren Nägeln zu kauen. Die Befriedigung, die es ihr verschaffte, war so wichtig, die Erleichterung so notwendig, dass sie Jules wie jemand vorkam, der sich in einem Coffeeshop selbst befriedigte. Jules wollte sagen: »Cathy, bist du in Ordnung? Du machst mir eine Heidenangst«, doch was für eine dumme Frage wäre das gewesen, hatte Cathy ihnen allen doch längst die Antwort darauf gegeben.

Jules musste an den sexy Go-go-Tanz denken, den Cathy den Mädchen in ihrem Tipi vorgeführt hatte, und an das »Wow!« von allen, als sie ihren Körper schlangenhaft und kaum verlegen, vor allem aber stolz auf seine besonderen Kräfte vor ihnen bewegt hatte. Damit war es vorbei, dachte Jules. Die Freiheit war verloren.

Der Stolz. Für Cathy Kiplinger würde es kein ungeniertes Tipi-Tanzen mehr geben.

In ihrem ersten Jahr am College in Buffalo würde Jules an einem *Take-Back-the-Night*-Marsch gegen sexuelle Gewalt und Vergewaltigung teilnehmen und zusammen mit Hunderten und Aberhunderten düsterer Frauen mit einer Kerze in der Hand durch die Straßen der Stadt ziehen. Überall im Land gab es jetzt solche Märsche, die so anders waren als die lauten, unbändigen *Slut Walks*, die es dreißig Jahre später geben sollte und bei denen die jungen Frauen trugen, was ihnen gefiel – Babydolls, durchsichtige Blusen, Leopardenkostüme –, einander fotografierten und die Bilder schon Sekunden später online stellten. In den Tagen von *Take Back the Night* konnte man Arm in Arm mit anderen Frauen marschieren und das Gefühl haben, dass all die Vergewaltiger dieser Welt klein und machtlos waren. Ihr mit euren Kerzen, ihr hattet die Macht, *Schwestern!*, und die Männer, diese totäugigen, wütenden Loser, die euch in Parkgaragen zu überwältigen versuchten, waren ein Nichts.

»Es war nicht so, wie er sagt«, sagte Cathy jetzt, während sie ihren Strohhalm wie einen kleinen Pickel in das Eis ihres Glases rammte. »Es war so, wie ich es gesagt habe. Ich würde das doch nicht erfinden.« Wieder kaute sie an einem Fingernagel, und ein Streifen Haut löste sich.

»Natürlich glaube ich dir. Aber wahrscheinlich glaube ich auch nicht, dass er so was erfinden würde«, sagte Jules.

Cathy Kiplinger sah über den Tisch. Cathy war reif und Jules ein Kind, die beste Freundin einer schönen, gepeinigten jungen Frau, hergeschickt, um ein gutes Wort für deren Bruder einzulegen. »Warum denkst du das?«, sagte Cathy. »Er hat schon in der Schule betrogen, weißt du. Hat von einem anderen abgeschrieben. Frag ihn. Deshalb musste er die Schule wechseln. Sie haben ihn rausgeworfen.«

»Das weiß ich doch alles«, sagte Jules.

Cathy hatte eine besonders knorpelige Nase, und obwohl sie jetzt nicht weinte, waren ihre Augen rot gerändert, da sie seit Silvester offenbar sehr viel geweint hatte. »Ehrlich, Jules«, sagte Cathy, »es kommt mir vor, als wüsstest du gar nichts. Du bist so dämlich, was ihn angeht, und auch in Bezug auf Ash und Betsy und Gil, die beiden guten Alten. Du denkst, sie haben dich vor einem langweiligen Leben gerettet. Aber im Gegensatz zu dir hasse ich meine Familie nicht, ich liebe sie.«

»Ich hasse meine Familie nicht«, sagte Jules kleinlaut und schockiert, dass sie durchschaut worden war. Ihre Stimme erstickte jämmerlich.

»Meine Eltern verhalten sich wundervoll«, sagte Cathy, »genau wie Troy, obwohl ich bezweifle, dass er das noch lange mitmacht. Ich stehe völlig neben mir, und das sieht er. Ich kann mich nicht konzentrieren, heule ständig und bin nicht wirklich die tollste Freundin. Die Lehrer in der Nightingale sind alle fürchterlich nett, aber diese Sache hat mich verändert. Ich bin eine andere geworden.« Sie lehnte sich vor und sagte: »Goodman hat sich in mich hineingedrückt, Jules, hörst du mich? Ich war nicht bereit. Ich war *trocken*. Weißt du überhaupt, wovon ich rede? Dass ich *trocken* war?« Jules nickte, aber sie dachte auch: Moment, weiß ich wirklich, was das bedeutet? In gewisser Weise tat sie es und dann auch wieder nicht. Sex und Sekrete existierten für sie nur in einem Zwischenbewusstsein. Wie Licht schimmerten sie unter einer Tür hervor oder sickerten wie Wasser darunter durch. Bald würde der Boden schwimmen, aber noch war es nicht so weit. »Ich war trocken, und es tat weh, es tat wirklich weh«, sagte Cathy, »und ich habe ihn angeschrien, er soll aufhören, aber weißt du, was er getan hat?« Ihr Mund begann zu zittern. »Er hat nur auf mich heruntergelächelt, als wäre das alles zu komisch, und weitergemacht. Es war, als drehte er eine *Kurbel*. Kannst du es fühlen, wenn ich es sage?«

Ja, Jules fühlte es, ihr Kiefer versteifte sich, und die Schenkel spannten sich unwillkürlich an. Sie und Cathy lagen auf der Streckbank, und niemand konnte ihnen helfen. Sie wollte plötzlich auch ihre Finger essen. Verzweifelt sah sie Cathy an. Jules blinzelte und versuchte loszukommen. Die Kurbel drehte sich in der anderen Richtung und ließ sie frei. Jules fasste sich und sagte den einzigen Satz, der ihr einfallen wollte. Er würde Cathy Kiplinger auf ewig enttäuschen und anwidern, doch sie sagte ihn trotzdem, mit wenig überzeugender Stimme: »Irgendwann fühlst du dich wahrscheinlich wieder besser, weißt du.«

Cathy brauchte einen Moment, bevor sie sagte: »Und worauf gründest du diese Einschätzung? Auf besondere Erkundigungen, die du eingezogen hast?«

»Nein«, sagte Jules und spürte, wie ihr die Hitze ins Gesicht stieg. »Ich denke, ich meine nur, ich möchte, dass es dir wieder besser geht.«

»Natürlich tust du das. Du willst einfach, dass es vorbei ist. Aber keiner von euch weiß, wie es war, als er mich gevögelt und mir dabei Abschürfungen beigebracht hat, okay? So hat der Arzt es genannt, der mich untersucht hat: *labiale Abschürfungen*. Wie wird das vor Gericht klingen?«

Jules sah Cathy gegenüber in der Nische sitzen, sah das entzündete Gesicht, die kleinen, harten Augen und die zehn versehrten Finger. Irgendwie hatte sie ernsthaft geglaubt, Cathy würde »nachgeben« und das Kraftfeld der Gefühle, das sie alle, die sechs Freunde, umgab, wäre dabei der Katalysator. Dass sie heute Abend mit der Nachricht zu den Wolfs gehen könnte, dass Cathy befriedet sei und nichts weiter unternehmen würde. Das hätte sie zur Heldin dieser Geschichte gemacht, und die Wolfs hätten sie bewundert, Goodman eingeschlossen, der aus seiner finsteren Laune erwacht wäre und Jules mit aller Kraft an sich gedrückt hätte. Sie sah sein langes Gesicht und die großen, starken Zähne vor sich.

»Könntest du nicht vielleicht etwas missverstanden haben?«, sagte Jules. »Könnte das nicht möglich sein, nicht mal ein bisschen?«

»Du meinst, ob es da keine andere Sichtweise gibt? Wie in *Rashomon*?«

»Ja, so was in der Art«, sagte Jules. Ethan hatte sie kürzlich erst mit in den Film genommen, im Waverly Theater im Village. Es war einer seiner Lieblingsfilme, und sie hatte ihn auch mögen wollen. »Ich mag ihn *theoretisch*«, hatte sie beim Hinausgehen zu ihm gesagt. So hatte sie sich mittlerweile auszudrücken gelernt.

»Das hat nichts mit *Rashomon* zu tun«, sagte Cathy und stand auf. »Gott, Jules, du bist ein so unglaublicher Schwächling.«

»Ich weiß«, sagte Jules. Cathys Bemerkung schien das Wahrste zu sein, was je über sie gesagt worden war. In Zeiten der Selbstzerfleischung hielt sie sich für ignorant, unbeholfen, ungebildet und plump. Tatsächlich aber war sie schwach. Sich immer noch erbärmlicher fühlend, fragte Jules aus ihrer Schwäche heraus: »Aber musst du ihn unbedingt vor Gericht bringen? Er könnte für fünfundzwanzig Jahre im Gefängnis landen. Sein Leben könnte in die eine Richtung gehen oder in eine andere. Und das alles, weil es vielleicht ein Missverständnis gab. Wir haben alle nur ein Leben«, fügte sie hinzu.

»Ich bin mir völlig klar darüber, wie viele Leben wir haben. Meines ist bereits verkackt«, sagte Cathy. »Und *muss* ich ihn vor Gericht bringen? Ja, das muss ich. Wenn er ein Fremder wäre, der mich auf irgendeiner Treppe angefallen hätte, würdest du sagen: ›Oh, Cathy, du *musst* ihn vor Gericht bringen, und wir werden dich alle moralisch unterstützen.‹ Aber das tust du nicht, weil es Goodman ist. Und weil *du* so fürchterlich bezaubert von ihm bist und von den angeblich magischen Sommern im Camp, von irgendeiner Vorstellung vom Ende der Kindheit und davon, dass dich zum ersten Mal in deinem Leben jemand akzeptiert. Troy kann nicht mal *glauben*, dass ich es so lange mit euch ausgehalten habe. Mit eurer total privilegierten Truppe. Du weißt, dass er durch ein Stipendium ins Camp gekommen ist. Die ganze Zeit hat er sich als völlig anders als alle anderen gefühlt. Das Camp ist extrem weiß, ist dir das je aufgefallen? Ich meine, meine Eltern wollten mich in ein traditionelles Sommerlager für Mädchen in Maine schicken, wo du eine Uniform trägst, den ganzen Tag Sport treibst und die Flagge grüßt. Aber ich habe gesagt: Nein danke, ich gehe schon in eine reine Mädchenschule. Ich wollte etwas anderes. Ich wollte tanzen, aus meinem abgeschotteten Leben heraus. Aber sieh dir Spirit-in-the-Woods doch nur an! Als Troy ankam, hat er sich wie ein Freak gefühlt, sagt er.«

»Das habe ich auch!«, sagte Jules. »Da ist er nicht allein. Und übrigens war ich auch mit einem Stipendium da, nur dass du's weißt.«

Cathy beeindruckte das nicht. »Die Sache ist die, dass du dich in einer Fantasie verfangen hast, und jetzt erkennst du rein gar nichts mehr. Aber ich schon.« Cathys Mund nahm einen wilden Ausdruck an. »Der Einzige, der versucht hat, herauszufinden, wie es mir geht, ist Ethan«, sagte sie.

»Ethan?« Jules war ernsthaft überrascht.

»Am ersten Abend, nachdem es passiert war, hat er eine lange, gequälte, ethanartige Nachricht auf dem Anrufbeantworter meiner Eltern hinterlassen.«

»Das wusste ich nicht.«

»Ja, und er ruft immer noch an. Meist schimpfe ich herum, und er hört zu. Er sagt mir nie, ich soll mich zusammenreißen – oder was der Rest von euch denken mag, was ich tun soll. Manchmal«, gab sie zu, »rufe ich sogar *ihn* an.«

»Du rufst Ethan an? Davon hatte ich keine Ahnung.« Dick Peddy hatte ausdrücklich gesagt, sie sollten nicht mit Cathy sprechen. Ethan ignorierte das offensichtlich einfach, ohne es mit Ash oder jemand anderem zu klären.

»Aber der Rest von euch, *Himmel*«, sagte Cathy. »Ihr wart mal meine besten Freunde, wobei du und ich ja nie viel zu reden hatten, machen wir uns nichts vor.«

Jules konnte es sich nicht richtig erklären. Von Beginn an hatte sie nur das Falsche gesagt. In einem Improvisationskurs im Camp hatte sie einmal in einer Szene mitgespielt, die auf dem *Liebeslied des J. Alfred Prufrock* von T. S. Eliot basierte, und musste einem Jungen, der ihr wie jetzt Cathy am Tisch gegenübersaß, in die Augen sehen und sagen: »Das habe ich ganz und gar nicht gemeint. Das nicht, ganz und gar nicht.«

Mit Cathy würde es nicht so gehen. »Wir hätten versuchen sollen, mit dir zu reden«, sagte Jules. »Du hast recht, das hätten wir tun sollen. Aber es war kompliziert. Der Anwalt ist so hartnäckig. Es hat mir Angst gemacht. Ich war noch nie in einer Situation wie der jetzt.«

»Ich könnte kotzen, wenn ich das höre, ernsthaft«, sagte Cathy und legte sich ihren gehäkelten Schal um den Hals. »Wann fängst du endlich an, für dich selbst zu denken, Jules? Irgendwann wirst du es müssen. Da kannst du auch gleich damit anfangen.«

Und damit verabschiedete sich die Teenager-Ausgabe von Cathy Kiplinger aus dem Coffeeshop und von *ihnen*. Fünfundzwanzig Jahre später würde sie wie durch ein Zeitportal zurückkehren, in einer veränderten, spätmittelalten Form, das Haar künstlich so blond, wie es einmal von Natur aus gewesen war, die Brüste nach zwei Jahrzehnten chronischer Rückenschmerzen chirurgisch verkleinert, das Gesicht mit dem Glanz einer niedrigprozentigen Retin-A-Creme und einer gelegentlichen Sauerstoffdusche überzogen – aber die Spannung würde sich nie lösen, nie verschwinden.

»Bitte schön«, sagte die Kellnerin und legte die Rechnung auf den Tisch. Cathy hatte sechs Tabs getrunken. Jules bezahlte und fuhr in einem Nebel erbärmlicher Gefühle zur Wohnung der Wolfs, wo sie von Ash erwartet wurde.

»Nun?«, fragte Ash. »Was hat sie gesagt?«

Jules warf sich bäuchlings auf das vollgepackte Bett und sagte: »Sie ist so kaputt.«

»Und?«

»Wie meinst du das, *und*? Ist die Frage nicht, *warum* sie so kaputt ist? Wenn sie das alles erfunden hätte, wäre sie dann tatsächlich so kaputt? Würde sie dann nicht nur so tun? Etwas, du weißt schon, fotogener? Überlegter?«

Nach kurzem Schweigen wandte Jules den Kopf und sah, wie Ash sich mit dem Stuhl vor ihrem Schreibtisch drehte. Selbst in ihrer verqueren Haltung konnte sie sehen, dass sich Ashs Stimmungslage verändert hatte. Ihre Freundin stand auf und sagte: »Ich denke, du solltest jetzt gehen, Jules.«

Jules rappelte sich hoch. »Was? Warum?«

»Weil ich nicht glauben kann, dass du das sagst.«

»Dürfen wir nicht mal die Möglichkeit in Erwägung ziehen?«, sagte Jules. »Cathy ist schließlich unsere Freundin. Sie hat nie Sachen erfunden. Sie schien mir ernsthaft am Ende, Ash. Du solltest nur ihre Fingernägel sehen.«

»Was haben ihre Fingernägel damit zu tun?«

»Sie sind komplett heruntergebissen, als wäre ein Kannibale am Werk gewesen.«

»Und wegen ihrer *Fingernägel* ist mein Bruder schuldig?«

»Nein. Ich denke nur, wir sind es ihr schuldig …«

»Bitte, geh«, sagte Ash Wolf, und sie trat tatsächlich zur Tür und streckte den Arm aus. Mit glühendem Gesicht, schockiert, ging Jules aus dem Zimmer, den Flur hinunter und an der Schar der Familienfotos vorbei. Im Wohnzimmer saß Goodman, hatte Kopfhörer auf und nickte zu einem unhörbaren wummernden Takt.

Fast zwei Wochen eines unerträglichen Gefühls des Herausgeekeltseins folgten. Jules kauerte und wütete in Underhill, ging mit leerem Blick über die Schulkorridore und war im Unterricht nicht bei der Sache. Wenn sie nicht ins Labyrinth zu Ash, Goodman und ihren Eltern konnte, was sollte das alles noch? Jonah meldete sich manchmal, und Ethan versuchte sie jeden Abend aufzuheitern.

»Ash wird schon einlenken«, sagte er.

»Ich weiß nicht. Wie kriegst du diesen Drahtseilakt hin?«, fragte Jules. »Dass dich alle mögen und respektieren, ganz gleich, was du tust?«

Am anderen Ende blieb es eine Weile still, Jules konnte nur Ethans Atem hören, dann sagte er: »Lass mich überlegen. Ich denke, vielleicht, weil ich keine voreiligen Schlüsse ziehe. Übrigens«, fuhr er nach einer weiteren Pause fort, leichthin, als versuchte er, es ihr mit dem, was er jetzt erzählen würde, nicht zu schwer zu machen, »Jonah und ich waren gestern Abend zum Essen im Labyrinth.«

»Oh.«

»Yeah. Es war sehr komisch, dich nicht dabeizuhaben. Aber es wäre auch komisch gewesen, wenn du da gewesen wärst. Die Spannung war riesig. Und falls es dich interessiert: Betsy hatte Seebarsch mit Orzo gemacht.«

»Was ist Orzo?«

»Eine neue Art Pasta. Geformt wie Reis, nur größer. Du würdest sie mögen. Das Essen war gut, aber die Stimmung da wird immer schlimmer. Alle haben eine Todesangst vor dem Prozess, und keiner sagt es. Goodman ist es gewohnt, dass am Ende immer alles gut für ihn ausgeht. Selbst als er aus der Schule geflogen ist, haben sie ihn in der Walden untergebracht, oder? Und er hat Kraft. Er kann einfach nicht glauben, wie schlecht es für ihn aussieht. Dass es keine Sicherungen gibt, die ihn retten werden. Trotzdem denkt er, er könnte wirklich in Gefahr sein. Nach dem Essen hat er mich beiseitegenommen und mir erklärt, ich müsse wissen, dass er nichts Falsches getan habe. Zu Ash habe ich gesagt, dass es nicht meine Sache ist herauszufinden, was da in der Nacht in der Tavern on the Green passiert ist und jetzt passieren sollte. Ich habe gesagt, dafür ist der Prozess da – als wüsste ich, wovon ich rede. Meine einzige Qualifikation besteht im Grunde darin, dass ich mit meinem Dad früher immer *Owen Marshall*, diese Strafverteidiger-Serie, gesehen habe.«

Jules fragte: »Hat Ash etwas über mich gesagt?«

»Sie sagte, dass sie dich vermisst.«

»Aber sie ist endlos wütend auf mich.«

»Nein, nicht wirklich«, sagte Ethan. »Nicht mehr. Ich habe die Wogen geglättet. Es ist ihr peinlich, dass sie dich aus der Wohnung geworfen hat. Sie wünschte, sie könnte es rückgängig machen. Sie glaubt nur nicht, dass du sie lässt.«

»Ich lasse sie.«

So vermittelte Ethan den Friedensschluss zwischen den beiden. Er lehnte es ab, sich auch an einem Ende der Auseinandersetzung zwischen Goodman und Cathy zu versuchen – sich in einen gerichtlichen Prozess einzumischen sei korrupt, sagte er –, half jedoch gerne dabei, Ash und Jules wieder zusammenzubringen. Später am Abend rief Ash Jules an und sagte: »Es tut mir leid, dass ich mich so benommen habe. Ich weiß nicht, ob du mir vergeben kannst, aber ich hoffe es.« Jules sagte, ja, natürlich vergebe sie ihr, und sie musste auch nicht beteuern, dass sie wisse, dass Goodman nichts Böses getan habe. Es reichte, Ash zuzustimmen, dass die Situation schrecklich sei und der Prozess die Ungerechtigkeit der Anklage korrigieren werde. Und am Samstag musste sie wieder ins Labyrinth kommen.

Während der nächsten Wochen war Ethan der Einzige von ihnen, der tatsächlich über Cathy Kiplinger redete. »Ich habe gestern Abend mit ihr gesprochen«, verkündete er eines Tages, als sie alle zusammen im kalten Sonnenlicht auf einer Bank im Central Park saßen.

»Mit wem?«, fragte Jonah.

»Mit Cathy.«

Goodman und Ash sahen ihn scharf von der Seite an. »Mit Cathy?«, fragte Goodman.

»Mit Cathy?«, sagte auch Ash.

»Ich hoffe, ihr zwei habt euch gut unterhalten«, sagte Goodman.

»Ich weiß, es ist schwer für dich zu verstehen«, sagte Ethan. »Das kapier ich schon.«

»Ich kann einfach nicht glauben, dass du mit ihr redest«, sagte Ash, zündete sich eine Zigarette an und hielt das Streichholz auch ihrem Bruder hin.

»Ich begreife ja, warum ihr das so empfindet«, sagte Ethan. »Ich wollte nur, dass sie weiß, dass ich an sie denke. Ich fand es wichtig, dass sie das weiß.« Er setzte sich aufrechter hin und sagte: »Im Übrigen muss ich selbst entscheiden, was ich für richtig halte.«

»An sie denken«, sagte Ash. »Nun, das tun wir wohl alle.« Und sie fuhr fort: »Ich habe das Gefühl, Cathy hat den Verstand verloren: Erinnert ihr euch, wie Jules sie beschrieben hat, als sie in dem Coffeeshop waren? Und jetzt glaubt sie ihre eigene Geschichte. So hat Dr. Spilka es Goodman erklärt. Hat er das nicht gesagt, Goodman?«

»Ich weiß nicht«, sagte Goodman.

Der Prozess wurde für den Herbst erwartet, und es gab nichts anderes, worüber sie den Rest des Schuljahres reden konnten. Die Welt da draußen und ihr politisches Geplänkel waren fern und nur von mittelbarem Interesse; Goodmans bevorstehender Prozess schien weit spannender. Zunächst würde es jedoch im April noch einen Termin geben, an dem verschiedene Anträge vorgebracht werden würden, wie der Anwalt erklärt hatte. Goodman bereitete sich mit ihm und seinen zwei Mitarbeitern darauf vor, und die Gespräche und Vorbereitungen laugten ihn aus. Aber niemand sah, wie sehr Goodman das alles längst überhatte und dass er es nicht mehr lange aushalten würde. Niemand sah, wie groß seine

Angst war und wie schuldig er sich womöglich fühlte. Cathy hatte im Coffeeshop stark und glaubhaft geklungen, nur hatte Jules ihre Worte nicht im Kopf behalten können. Hätte sie es gekonnt und hätte sie sie sich tatsächlich zu Herzen genommen, wäre sie vielleicht nicht zurück ins Labyrinth gekommen.

Die Wolfs glaubten, dass Goodman völlig unschuldig war, obwohl Ash, wie sie Jules gestanden hatte, einmal spätabends mit ihrer Mutter einen merkwürdigen Moment durchlebt hatte, als Betsy in ihr Zimmer gekommen war. »Manchmal denke ich, die Männer unserer Spezies sind nicht zu verstehen«, hatte Betsy Wolf gesagt, verzweifelt und völlig ungefragt. Ash hatte herausfinden wollen, was sie damit meinte, doch da war ihr Vater in der Tür erschienen, hatte ihre Mutter angesehen, und ihr wurde klar, dass sich die Eltern gestritten hatten. Die beiden wünschten ihr eine gute Nacht, und Wochen später, als Ash Jules die Geschichte erzählte, sagte sie, sie wisse nicht, ob ihre Mutter nach einem Weg gesucht habe, über Goodman und darüber, wer er sein mochte, zu sprechen, oder ob sie Gil gemeint habe, nach einer ehelichen Auseinandersetzung, in der es auf die eine oder andere Weise um Goodman gegangen sein müsse. Vielleicht hatte Betsy, die ihren schwierigen Sohn immer beschützt und geliebt hatte, auch wenn sie ihn immer wieder zu allem Möglichen drängte, einen kurzen Moment des Zweifels durchlebt. Ob es tatsächlich so war, würde nie jemand erfahren, denn sie äußerte sich nicht wieder in ähnlicher Weise. Im Gegenteil, sie schien noch stärker auf seiner Unschuld zu bestehen und zeigte sich angewidert von dem, was Goodman zu ertragen hatte.

Keiner der Wolfs hatte wie Ethan und Jules mit Cathy gesprochen. Aber die beiden waren erst sechzehn, und wie erst viel später klar wurde, konnte keiner von ihnen erwarten, dass sie wussten, wie sie reagieren oder was genau sie empfinden sollten. Cathys Worte waren verstörend, ja schockierend, doch der feste, gemeinsame Glaube der Wolfs hatte sein eigenes, bedeutenderes Gewicht.

Goodman wurde von allen voller Nervosität beobachtet. Sie sahen, wie seine Persönlichkeit zerfaserte, und sagten zueinander: »Wenigstens geht er noch zu Dr. Spilka«, als könne ihn sein Psychoanalytiker, den sie nie persönlich kennengelernt hatten, *intakt* halten. Selbst als Ash Anfang April eines Donnerstagnachmittags Dr. Spilkas zögerliche Stimme auf dem Anrufbeantworter der Familie hörte, wurde sie nicht unruhig: »Hallo, hier ist Dr. Spilka«, sagte der Analytiker mit formeller Stimme. »Goodman ist heute nicht zu seinem Termin erschienen. Ich möchte Sie nur noch einmal auf meine Vierundzwanzig-Stunden-Absage-Regelung aufmerksam machen. Das ist alles. Einen guten Tag noch.«

Ash, die mit zwei Klassenkameradinnen nach dem Unterricht heimgekommen war und rohen Teig naschend in der Küche saß, wo sie für die bevorstehende Schultheateraufführung probten, Paul Zindels *Die Wirkung von Gammastrahlen auf Mann-im-Mond-Ringelblumen*, hatte den Knopf des Anrufbeantworters gedrückt und die Nachricht gehört, machte sich jedoch keine größeren Gedanken deswegen. Goodman war also nicht zu seiner Psychositzung gegangen, na und? Er war nun mal nicht besonders verlässlich. Ash nahm an, dass er hinten in der Wohnung auf seinem Bett lag, Musik hörte und kiffte. Aber sie hatte nicht den Nerv, ihre Probe zu unterbrechen, um ihren Bruder in seiner Höhle zu besuchen.

Ash Wolf bewies große Toleranz, was Jungen betraf, sie vergab ihnen ihre primitiven Züge und war so gut wie ganz auf Goodmans Seite. Wenn ihm etwas zustieß, so hatte sie Jules einmal gestanden, schien es auch ihr zuzustoßen. Sie und ihre Schulfreundinnen übten ihren Text aus dem so traurigen wie wundervollen Stück über eine gefühlsgestörte Mutter und ihre Töchter, und als die Mädchen gegangen waren, kam Ashs eigene, angenehm ungestörte Mutter nach Hause, nachdem sie den ganzen Nachmittag über Briefe in Umschläge gesteckt hatte, Einladungen für eine von einer Freundin organisierte Wohltätigkeitsveranstaltung für die Opfer von Muskeldystrophie. Der Sohn der Freundin litt auch unter dieser Krankheit. Ash half ihrer Mutter beim Zubereiten des Abendessens.

Selbst noch im größten Trubel um Goodmans enorme Probleme bereitete Betsy Wolf köstliche Speisen. Ash bekam ein mit einem Gummiband zusammengehaltenes Bund Lauch in die Hand gedrückt, öffnete es über dem Spülbecken, wusch allen Sand und Schmutz von den einzelnen Stangen, würfelte sie und briet sie kurz an, und erst als ihr Vater schließlich um kurz vor sieben in die Wohnung kam und bereits wieder wegen der letzten Anwaltsrechnungen vor sich hinschimpfte, erinnerte sich Ash an den Anruf von Dr. Spilka, und es kam ihr komisch vor, dass Goodman immer noch nicht aus seiner übel riechenden Höhle gekrochen war. Mit einem Mal wurde ihr unbehaglich, und sie ging zu seiner Tür, klopfte und trat ein. Das Zimmer war weit sauberer als gewöhnlich. Irgendwann zwischen gestern Abend und heute Morgen vor der Schule musste ihr Bruder sein Zimmer geputzt haben. Seine kleinen Architekturmodelle standen auf dem Schreibtisch aufgereiht, und er hatte sein Bett gemacht. Das Zimmer wirkte so verstörend auf Ash wie der Ort eines Verbrechens, und sie rannte los und holte ihre Eltern.

Goodman war verschwunden, davongelaufen mit einem Sparbuch, das sein Großvater mütterlicherseits für ihn beim Manufacturer's Hanover Trust eingerichtet hatte. Seine Eltern hatten ein Abhebelimit darauf eingerichtet, um dafür zu sorgen, dass Goodman nicht zu viel davon nahm, um Drogen zu kaufen oder sonst etwas Dummes anzustellen. Heute, brachten sie in Erfahrung, hatte er die Höchstsumme abgehoben. Seinen Pass hatte er ebenfalls mitgenommen, wie auch jedes einzelne andere wichtige offizielle Dokument, das er hatte finden können, einschließlich seiner Geburtsurkunde und seiner Sozialversicherungskarte, die seine Eltern in einer Sammelschublade in einer Kommode in ihrem Schlafzimmer aufbewahrt hatten. Offenbar hatte er, als niemand da war, alles durchsucht und mitgenommen, worauf sein Name stand. Vielleicht hatte er vor, das Land zu verlassen, vielleicht auch nicht. Wenn man an Goodman Wolf dachte, konnte man sich keinen speziellen Ort vorstellen, an den er gehen würde.

»Bis auf Spirit-in-the-Woods«, sagte Ash. Dort gefiel es ihm so sehr. Dort hatte er Macht und Einfluss, wurde für groß und wichtig gehalten, wirkte erotisch anziehend und war fern aller Kritik seines Vaters. Dort war er glücklich. Es war reine Spekulation, aber Gil Wolf rief die Wunderlichs an und fragte, ob sein »eigenwilliger« Sohn zufällig heute bei ihnen aufgetaucht sei. Gil versuchte, seine Stimme leicht klingen zu lassen. Die Wunderlichs wussten natürlich von der rechtlichen Lage. Sie sagten, nein, sie seien den Tag über in Pittsfield gewesen und ihres Wissens sei Goodman nicht im Camp gewesen.

Als Nächstes riefen die Wolfs Dick Peddy an, der sie instruierte, was sie tun und nicht tun sollten. »Wir dürfen keine voreiligen Schlüsse ziehen«, sagte Dick.

»Himmel, das habe ich längst, Dick. Der Junge ist weg.«

»Das weißt du nicht. Betrachte seine Abwesenheit als eine Art Besinnungsurlaub.«

»Besinnung? Goodman *besinnt* sich nicht, er *handelt* einfach.«

»Solange er zu seinem Termin erscheint«, sagte der Anwalt, »ist alles in Ordnung.«

Die Wolfs wussten, dass Goodman dort wohl nicht erscheinen würde. Warum sollte er von zu Hause weglaufen und dann pünktlich zu seinem Termin vor Gericht kommen? Sie konnten nur hoffen, dass er bei einem Pot rauchenden Freund in der Stadt untergekommen war, von dem sie nichts wussten, und in der Zwischenzeit den Mut verlor und nach Hause zurückfand. Oder eben in ein paar Wochen zum festgelegten Termin in zerknitterten, ungewaschenen Sachen vor Gericht auftauchte.

Der Tag kam, und Betsy und Gil Wolf saßen morgens um neun Uhr schweigend downtown im holzvertäfelten Verhandlungssaal des Gerichts und warteten zusammen mit ihren Anwälten. Der stellvertretende Staatsanwalt hustete mehrfach, und der Richter bot ihm ein Bonbon an. »Fisherman's Friends, die wirken Wunder«, sagte der Richter, holte eine kleine, rasselnde Blechdose aus seiner Schublade und gab sie dem Schöffen, der sie an den stellvertretenden Staatsanwalt weiterreichte. Die Minuten verstrichen. Goodman kam nicht. Ein Haftbefehl wurde erlassen, und die Detectives Manfredo und Spivack nahmen die Wolfs beiseite und erklärten ihnen, sobald sie von Goodman hörten, müssten sie es melden und ihn dazu drängen, sich zu stellen.

Als die Boulevardpresse erfuhr, dass der Junge, der in der Silvesternacht in der Tavern on the Green verhaftet worden war, seinen Gerichtstermin nicht eingehalten hatte, schickte sie Fotografen, die ums Labyrinth herumstreiften, und Ash wurde auf dem Weg zum Crosstown-Bus, mit dem sie zur Schule fuhr, angesprochen. Der »Privatschul-Parktäter-Flucht-Schocker« entwickelte jedoch keine große Zugkraft. Goodmans Flucht wurde von der Festnahme zweier Männer überschattet, die im Central Park eine fünfzigjährige Frau ausgeraubt und erschossen hatten, ganz in der Nähe des Bootsteichs. Wenn Goodmans Name in der *Post* oder den *Daily News* genannt wurde, dann im größeren Zusammenhang mit den Gefahren des Central Parks, besonders für Frauen. Nichts mit alledem zu tun hatte ein Unfall, bei dem ein fünfzig Kilo schwerer Ast von einem Baum brach, ebenfalls im Park, in der Nähe der 92. Straße, und ein Mädchen tötete, aber auch er trug zu der verunsichernden Atmosphäre bei. Die ganze Stadt schien immer noch widerwärtiger zu werden, nicht nur der Park. Ständig wurden Leute ausgeraubt, und an den Tunneleingängen hinaus aus der City standen die Scheibenputzer mit ihren Wischern und Wassereimern und bedrängten die Fahrer auf aggressive Weise.

Goodman Wolf, der Privatschul-Parktäter, war nur ein Puzzleteil im großen Ganzen, das noch harmlos war im Vergleich zu dem, was kommen sollte.

Zehn Jahre später griff ein anderer Privatschüler ein Mädchen im Park an, und er tötete sein Opfer. Der berüchtigte »Preppy-Mörder«. Drei weitere Jahre später wurde eine abends durch den Park joggende junge Investment-Bankerin vergewaltigt und ins Koma geprügelt. Es hieß, sie sei das Opfer einer Bande »wildernder« Jungen gewesen, doch das Urteil musste lange danach revidiert werden; jemand anderes hatte die Tat gestanden. Der Park war ein finsterer, schöner und längst auch furchterregender grüner Streifen, der die Stadt betörte und teilte.

Jahrzehnte vorher waren Manny und Edie Wunderlich mit Hochbahnen durch New York gefahren, zu Sozialistentreffen gegangen, in Avantgarde-Opern und später in einen Folkclub nach dem anderen. Alle Veranstaltungen kosteten nicht mehr als »einen Nickel«, wenigstens sagten sie das. Auf der einen Seite Manhattans glitzerte der Hudson, auf der anderen der East River, und das Land dazwischen gehörte den jungen Bohemiens. Das tat es nicht länger, und deshalb war alles so viel schlimmer. Goodman wurde jedoch nicht dem Schlimmsten zugeschlagen, in der Chronik des Niedergangs der großen Stadt blieb er eine Randnotiz, die mit der Zeit verblich.

Aber noch war sein Fall in den Köpfen, lebhaft und frisch, der Herd eines Schmerzes, der nicht weniger wurde. Ash telefonierte unablässig mit Jules, weinte, rauchte, redete oder war einfach still. Sie vermisse Goodman so sehr, sagte sie. Sie wisse, dass er alles versaue, aber bisher habe sich das Versaute wieder einrenken lassen. Von klein auf war das seine Rolle gewesen, und sie hatte zunächst durchaus etwas Komisches gehabt, weil er eben auch charmant war und das Familienleben mit seinen Einfällen so viel lebhafter machte. Ihrem Hund Noodge zog er Ashs Sport-BHs an, er weckte seine Schwester mitten in der Nacht und nahm sie mit auf das verbotene Dach des Labyrinths, wo sie sich hinsetzten, sich eine Tüte Mini-Marshmallows teilten und hinaus auf die ruhende, ausatmende Stadt sahen.

Eines Samstagmorgens im Mai nahm Ash die Long Island Railroad hinaus nach Underhill, um das Wochenende bei den Jacobsons zu verbringen. Es hatte eine Zeit gegeben, da hätte Jules es ihr ausgeredet, diesmal jedoch nicht. Keiner ihrer Freunde hatte je das kleine Haus in der langweiligen, absolut nicht schicken Vorstadt gesehen. Alle hatten schon einmal herkommen wollen, doch Jules hatte sie mit leeren Floskeln wie »Alles zu seiner Zeit, meine Hübschen« davon abgehalten. Aber Ash musste weg von ihren Eltern, weg aus der Stadt. Am Tag vor ihrer Ankunft ging Jules durchs Haus, nahm alles unter die Lupe und suchte nach Möglichkeiten, ihr Zuhause besser aussehen zu lassen. Sie stapfte durch die Räume, kniff die Augen prüfend zusammen, ließ einen hässlichen Aschenbecher in einer Schublade verschwinden und räumte ein Kissen weg, das von Tante Joan, der Schwester ihrer Mutter, nach einer Vorlage mit dem Spruch bestickt worden war: *Home Is the Place Where, When You Have to Go There, They Have to Take You In – Robert Frost*. Jules konnte Tante Joan nicht ertragen. Sie hatte in ihrem ganzen Leben kein Gedicht gelesen und Robert Frosts Namen mit grünem Garn gestickt, als machte sie das zu einer »literarischen« Person. Das Kissen wanderte zum Aschenbecher in die Schublade, und als Jules sie gerade wieder zuschob, stand ihre Mutter da und fragte: »Was machst du denn da?«

»Ich räume nur ein bisschen auf.«

Lois sah sich im Zimmer um. Der Teppich war frisch gesaugt und um ein paar Zentimeter verrückt worden, die Gegenstände auf den Schränken waren neu angeordnet worden und über das Sofa lag ein Tuch gebreitet, nicht um einen Flecken oder einen Fehler zu verstecken, nein, das Sofa selbst sollte unsichtbar werden. Als Jules sah, wie ihre Mutter das Haus aus der Perspektive ihrer Tochter betrachtete, schämte sie sich. Plötzlich schien Lois Jacobson, der sie nie für etwas Anerkennung gezollt hatte, alles zu wissen. Sie hatte den Tod ihres jungen Mannes erleben müssen und zog allein zwei Töchter groß, von denen eine aufs College im nahen Hofstra ging, aus finanziellen Gründen aber noch zu Hause wohnte. Und die andere hatte eindeutig klargemacht, dass sie ihrer Mutter und Schwester eine andere Familie vorzog, die reicher war, niveauvoller, angenehmer. Lois arbeitete wieder. »Das hat mit der Frauenbewegung zu tun«, sagte sie, »aber auch damit, dass ich das Geld brauche.« Sie hatte eine Stelle als Assistentin der Rektorin an der Alicia F. Derwood Elementary School bekommen, in die einst auch Jules und Ellen gegangen waren, und es gefiel ihr, aus dem Haus zu kommen und sich durch die lebhafte Welt der Schule zu bewegen.

»Nun, es ist sehr hübsch so«, sagte Lois schließlich, während sie noch registrierte, was Jules alles verändert hatte. »Danke.«

Die größere Überraschung des Wochenendes war aber, dass Ash ihre Mutter mochte und ihre Mutter Ash. Die Einzige, die sich unwohl fühlte, war Jules, der es schwerfiel, die beiden Welten zusammenzubringen. Als der Zug einfuhr, trat Ash wie ein Kind auf den Bahnsteig, das während des Londoner »Blitz« aufs Land geschickt wurde. Jules, die mit ihrer Mutter auf dem Parkplatz wartete, sprang aus dem Wagen und lief die Metallstufen hinauf, um Ash zu begrüßen, als wäre ihre Freundin aus der Stadt nicht in der Lage, die Treppe ohne Hilfe herunterzukommen.

»Willkommen in Underhill«, sagte Lois, als Ash auf den Rücksitz kletterte.

»Ja, willkommen im schönen Underhill«, sagte Jules mit einer Stimme, wie man sie in einem körnigen alten Schulfilm hören mochte, »der geschäftigen Metropole mit drei Kunstmuseen und sechs Orchestern. Übrigens werden die nächsten Olympischen Sommerspiele in unserer schönen Stadt ausgetragen werden.«

Ash tat so, als höre sie Jules nicht. »Oh, vielen Dank, Mrs Jacobson. Ich bin wirklich froh, hier zu sein. Ich musste einfach einmal weg. Sie wissen es nicht, aber in gewisser Weise retten Sie mir das Leben.«

»Unser erster Stopp: der äußerst glamourös und elegant benannte *Cindy Drive*!«, sagte Jules, als sie in das Viertel identischer Ranchhäuser einbogen, die Schulter an Schulter entlang der geraden Straße standen. Wenn man im Haus der Jacobsons duschte, konnte man direkt in die Dusche der Wanczyks hinüberblicken. Einmal hatten sich Jules und Mrs Wanczyk in die Augen gesehen, vom Hals aufwärts sahen sie sich, während ihnen das Wasser auf die Köpfe platschte. »Wusstest du, dass Zsa Zsa Gabor gegenüber von uns wohnt?«, sagte Jules zu Ash. »Nein, wirklich, gleich da drüben! Im Cindy Drive Numero neun. Schau, da ist sie und legt sich eine Federboa um! Sie ist so eine nette Person. Halloooo, Mrs Gabor!«

»Bitte, achte nicht auf meine Tochter«, sagte Lois. »Sie scheint den Verstand verloren zu haben.«

Das Wochenende wurde mit all den Vorstadtaktivitäten verbracht, die Jules im Allgemeinen hasste. Ash Wolf war jedoch dankbar für die Walt Whitman Mall, über deren Namen sich Jules mit ihren Freunden im Sommer so gnadenlos lustig gemacht hatte. Jahrzehnte später, als sie bei einer Dinnerparty schelmisch ihre Kindheit beschrieb, sagte sie: »Könnte es ein größeres Oxymoron als die Walt Whitman Mall geben? Vielleicht nur … das Emily-Dickinson-Badeparadies.« Jules und Ash wanderten gemeinsam durch die riesige Anlage, lachten über so gut wie alles und ließen sich durch die Läden treiben. Sie gingen ins Kino und sahen sich *Die Unbestechlichen* an, und während der Vorstellung musste Jules an Nixons Abschied vom Rasen des Weißen Hauses denken, dem das ganze Camp zugesehen hatte. Tatsächlich waren sie im Camp alle bis zu dem Tag fürchterlich geschäftig und sich der Welt da draußen nur teilweise bewusst gewesen, des Wegs hin zum Amtsenthebungsverfahren, des ganzen Lärms. So lange wie nur möglich hatten sie sich ihren letztlich unhaltbaren Zustand nur halber Bewusstheit bewahren wollen. Heute, zurück in der Wirklichkeit und sich ihrer weit bewusster, verwandte Ethan große Energie darauf, Jimmy Carter zu einer *Figland*-Figur zu machen und sich in dessen schläfrigem Südstaatenakzent zu üben. »Ich wünschte, wir hätten einen liberaleren Präsidenten, aber ich denke, er ist ziemlich anständig, und das ist selten«, sagte Ethan. »Ich nehme, was ich kriegen kann.«

Abends legten sich Jules und Ash in Jules Bett, Ash mit dem Kopf zum Fußende. Viele Jahre später lagen sie in anderen Betten, ihre Kinder tollten um sie herum, und es war eine Erleichterung festzustellen, dass sie auch jetzt noch, nachdem sie sich in Paare aufgeteilt und Familien gegründet hatten, so zusammenkommen konnten, wie sie es in ihrer Jugend gelernt hatten. Es war etwas, das sich das ganze Leben über erhalten ließ. An jenem Abend in Underhill, nachdem sie im pfirsichfarbenen Bad des Hauses verschiedene abendliche Waschungen vollzogen hatte, lag Ash in Jules' schmalem Bett und roch gleichzeitig nach Milch und nach Pfeffer. Vielleicht war es die Seife, die sie aus der Stadt mitgebracht hatte, ja, *Pfeffermilch*-Seife, dachte Jules, während sie langsam schläfrig wurde. Was immer es war, jeder würde diesen Geruch um sich haben und ihn aus diesem Mädchen trinken wollen, wenn es ihn nicht aus einer Flasche gab.

»Was glaubst du, was mit Goodman passieren wird?«, fragte Ash.

»Ich weiß es nicht.«

»Als Junge ist es wahrscheinlich leichter da draußen in der Welt«, sagte Ash. »Aber so, wie er ist, wird es für ihn letztlich schwerer sein. Das war es immer, für ihn ist das Leben ein ständiges Sich-Durchmurksen. Er versucht nicht mal, sich auf die Spielchen einzulassen, die man spielen muss. Ich zum Beispiel wusste schon von klein auf, wie man Lehrern gefällt. Ich habe all diese wirklich komplizierten Geschichten geschrieben und sie für zusätzliche Punkte eingereicht. Willst du ihr Geheimnis erfahren? Die Geschichten waren *lang*. Sie waren nicht alle gut, aber sie hatten ein Ziel. Das ist meine Stärke: dass ich ein Ziel habe. Ich bin sicher, sie haben meine Lehrer fertiggemacht. *Das Geheimnis des Goldblatt-Kaminsimses, Die Carson-Drillinge auf der wandernden Wiese*. Sie waren so anstrengend! Und jedes Jahr habe ich meinen Eltern Geburtstagskarten gemalt, ich meine, Stunden habe ich damit zugebracht. Eine habe ich sogar mal gebatikt. Goodman hat ihre Geburtstage dagegen immer komplett vergessen. Ich habe ihn daran erinnern müssen, und dann wollte er in letzter Minute mit unterschreiben. Aber sie wären nie auf den Gedanken gekommen, dass er auch nur eine Sekunde an der Bastelei beteiligt gewesen war. Ich weiß, wir leben in einer fürchterlich sexistischen Welt, und eine Menge Jungen tun nichts, als in Schwierigkeiten zu geraten, bis sie eines Tages erwachsen werden und alle Bereiche der Gesellschaft dominieren«, sagte Ash. »Dabei scheinen die Mädchen, wenigstens solange sie noch Mädchen sind und sich gut anstellen, eine Weile lang alles besser zu machen. Und die Aufmerksamkeit zu bekommen. Bei mir war es immer so.«

»Bei mir nicht«, sagte Jules. »Nicht bevor ich euch kennengelernt habe.«

»Denkst du, wir sind schreckliche Narzissten? Die von uns, die dich in ihre Fänge gekriegt haben?«

»Ja.«

»Wirklich? Vielen Dank.« Ash warf in einem halbherzigen Versuch weiblicher Verspieltheit ein Kissen nach Jules. Aber so waren sie nicht befreundet. Sie saßen nicht beisammen, feilten sich die Nägel und schwelgten in Träumen. Sie spielten andere Rollen. Ash faszinierte Jules immer noch und zeigte ihr, wie sie sich durch die Welt bewegen sollte. Jules ihrerseits tat Ash einfach gut und amüsierte sie. Nach wie vor schaffte es Jules, Ash vor Lachen alles vergessen zu lassen.

»Ich mache nur Spaß«, sagte Jules schnell. »Natürlich seid ihr keine Narzissten. Und übrigens, du riechst gut.«

»Danke«, gähnte Ash. »Falls ich im Theater keinen Erfolg habe, könnten sie das auf meinen Grabstein schreiben: *Sie roch gut.*«

»*Sie war olfaktorisch brillant.*«

Sie schwiegen. »Ich frage mich, wann genau wir sterben werden«, sagte Ash, was sie beide mit Selbstmitleid erfüllte, doch das verging schnell, wie ein Schauder. Dann sagte Ash: »Ich frage mich, wann Goodman sterben wird. Und ob er vorher etwas mit seinem Leben anfängt. Wenn er nur jemanden wie Old Mo Templeton hätte, der ihm einen Weg zeigte und sein Mentor wäre. Der ihm bei seinen Architekturplänen helfen würde oder bei was immer er tun will. Wenn er nur ein Talent hätte, das sich hätte fördern und pflegen lassen. Das hätte geholfen. Talente tragen dich durchs Leben.«

Am Ende ihres Wochenendes in Underhill wirkte Ash gestärkt. »Ich kann Ihnen nicht genug danken, Mrs Jacobson«, sagte sie, als sie mit ihrer Reisetasche in der Küche stand. »Es ist so anstrengend zu Hause, und ich wusste nicht mehr, was ich tun sollte …« An dieser Stelle versagte ihre Stimme den Dienst, und Jules' Mutter umarmte sie ungestüm.

»Ich bin froh, dass du gekommen bist«, sagte Lois. »Ich verstehe, warum Jules dich so mag. Und schön bist du auch noch«, fügte sie hinzu. Jules wusste, dass die Bemerkung zu Ashs Schönheit ein indirekter Kommentar zu ihrer, Jules', mangelnden Schönheit war, aber irgendwie schien es in Ordnung, sogar angenehm, ihre Mutter das sagen zu hören. Jules war stolz auf Ashs Schönheit, als hätte sie selbst etwas damit zu tun. »Du bist hier immer willkommen«, sagte Lois. »Sag nur Bescheid.«

»Ja, am exklusiven Cindy Drive wird es immer ein Plätzchen für dich geben«, sagte Jules.

»Ach, hör schon auf«, sagte Ash, lächelte und machte eine wegwerfende Handbewegung.

Nachmittags, nachdem sie Ash zum Bahnhof gefahren hatten, holte Jules das bestickte Kissen und den Aschenbecher wieder aus der Kommode im Abstellraum und legte beides an seine angestammten Plätze im Wohnzimmer. Eine halbe Stunde später aber sah sie, dass ihre Mutter Kissen und Aschenbecher wieder hatte verschwinden lassen, und von jetzt an schien es Lois Jacobson auch nicht mehr so viel auszumachen, wenn Jules Wochenende für Wochenende in die Stadt fuhr.

Das Leben bei den Wolfs verlief auch weiter im Trauma-Modus. Immer noch wusste niemand, wo Goodman war, und vielleicht war er ja auch nirgends. Wann immer er gefunden würde oder wann immer er nach Hause zurückkehrte, würde er sofort verhaftet werden. Der Anwalt hatte ihnen das klargemacht. Sie warteten darauf, dass Goodman anrief oder schrieb, weil sie wissen wollten, wie es ihm ging, und um ihn zu drängen zurückzukommen. Natürlich verstanden sie, dass er es mit der Angst bekommen hatte, aber so ließ sich mit der Sache nicht umgehen. Sie wussten, dass er unschuldig war, daran würden sie ihn erinnern, und dass es bald auch alle anderen wissen würden. Komm nach Hause, würden sie sagen. Aber er meldete sich bei keinem von ihnen, und das Schuljahr endete wie jedes Schuljahr, nur dass Goodman seinen Highschool-Abschluss nicht bekam und damit auch nicht weiter im Leben voranschritt, wie er es hätte tun sollen. Seine Geschichte legte eine Pause ein.

Es würde der letzte Sommer sein, den der Rest von ihnen bei Spirit-in-the-Woods verbrachte, nur dass Ash noch nicht sagen konnte, ob sie es ertragen würde. Cathy würde natürlich nicht kommen, sie redete immer noch nicht wieder mit ihnen. Troy war mittlerweile zu alt, selbst wenn er noch einmal hätte zurückkommen wollen, was natürlich nicht der Fall war. Das Fehlen Goodmans, der ebenfalls zu alt gewesen wäre – im Herbst wäre er eigentlich schon aufs College gegangen –, ließ die Vorstellung eines weiteren Sommers im Camp falsch erscheinen. Aber im nächsten Jahr würden sie alle zu alt sein, und so entschieden Ash, Jules, Ethan und Jonah, noch ein letztes Mal hinzufahren.

Nicht lange nach ihrer Ankunft Ende Juni in Belknap begriff Jules, dass ihre Entscheidung falsch gewesen war. Die meisten Camper schienen so viel jünger als sie. Es gab sehr viele neue, und irgendwie unterschieden sie sich von den früheren. Auf dem Weg zum See hörte Jules jemanden einen sehr platten, groben Furzwitz machen. Wussten diese Kids denn nicht, dass die Pointe auch bei einem Furzwitz auf etwas oder jemanden wie, sagen wir, *Brecht* anspielen musste? Im Mädchen-Tipi zwei wohnten in diesem letzten Sommer Jules, Ash, Nancy Mangiari und Jane Zell. In Cathy Kiplingers Bett schlief eine Neue, Jenny Mazur, eine in sich gekehrte Glasbläserin mit der Angewohnheit, im Schlaf zu sprechen. Nur dann ließ sie los. »Ma! Ich habe dich nicht hintergangen!«, rief sie eines Nachts, während die anderen ihr mit lüsterner Faszination lauschten.

Ashs Traurigkeit und Versunkensein in das Schicksal ihres Bruders waren im ganzen Camp bekannt. Manchmal abends, wenn ein Ast über das Dach ihres Tipis kratzte oder das Licht einer Taschenlampe zwischen den Kiefern auftauchte und wieder verschwand, dachte Ash für einen Moment, Goodman wäre zurück. »Unmöglich ist es nicht, Jules. Er weiß, wo er uns finden kann«, flüsterte Ash einmal. »Und er wird uns sagen, dass er sich irgendwo hier in der Gegend versteckt hält, vielleicht in einer schrecklichen Wohnung in Pittsfield. Es gibt da dieses Märchen der Brüder Grimm, das uns unsere Mutter immer vorgelesen hat«, sagte sie. »Ein Bruder und eine Schwester laufen weg in den Wald, um vor ihrer bösen Stiefmutter zu flüchten. Es ist immer eine Stiefmutter, nie ein Stiefvater, selbst die Märchen sind sexistisch. Aber egal, jedenfalls wird der Bruder fürchterlich durstig, nur hat die Stiefmutter alle Quellen verzaubert. Wenn er aus einer der Quellen trinkt, verwandelt er sich in ein Reh. Und die Schwester sagt: ›Bitte, trink nicht daraus, denn wenn du dich in ein Reh verwandelst, läufst du von mir weg.‹ Und er sagt: ›Nein, nein, ich verspreche, das werde ich nicht‹, und er trinkt daraus und verwandelt sich natürlich in ein Reh.«

»Und läuft davon, wie sie es vorausgesagt hat, richtig?«, sagte Jules. »Zu den anderen Rehen? Ich glaube, ich erinnere mich.«

»Ja, richtig. Und die Schwester ist am Boden zerstört. Aber er kommt immer wieder zurück und besucht sie, klopft mit den Hufen an die Tür des Hauses und sagt: ›Meine kleine Schwester, lass mich ein.‹ Das macht er Abend für Abend und verschwindet hinterher wieder im Wald. Einmal dann kommt er und sagt: ›Meine kleine Schwester, lass mich ein‹, und sie lässt ihn herein und sieht, dass er verwundet ist. Daran muss ich immer denken«, sagte Ash mit aufgewühlter Stimme. »Dass Goodman eines Abends auftaucht und irgendwie verwundet ist. Dass ihm da draußen etwas passiert ist. Und ich lasse ihn herein, kümmere mich um ihn und überrede ihn zu bleiben.« Sie sah Jules etwas kindisch an. »Denkst du nicht, dass es so kommen könnte?«, fragte sie.

»Im richtigen Leben?«, fragte Jules, und Ash nickte. »Vielleicht« war alles, was Jules darauf herausbrachte.

Goodman kam nicht. Das Kratzen auf dem Dach war tatsächlich nur ein herunterhängender Ast, und die Schritte draußen vor dem Tipi, das waren die patrouillierenden Kursleiter, deren Taschenlampen gelbe Lichtkegel zwischen die Bäume warfen. Alles war in diesem Sommer anders. Selbst Gudrun Sigurdsdottir, die isländische Weblehrerin und Rettungsschwimmerin, war nicht mehr da. Jemand sagte, sie habe da drüben geheiratet. Und auch die Wunderlichs schienen viel, viel älter, und Ida Steinberg, die Köchin, sah außergewöhnlich müde aus. Die drei waren seit der Gründung des

Camps hier – die Wunderlichs *waren* Spirit-in-the-Woods – und sagten immer, das Camp halte sie jung, doch vielleicht konnte man aus dieser Quelle nicht ewig trinken.

Ethan machte die besten Trickfilme, die er je gemacht hatte, Seite an Seite mit Old Mo Templeton, der mittlerweile, wie Jules Ethan gegenüber einmal bemerkte und es sogleich bereute, der altersschwache Mo Templeton war. Eines Tages sah Jules, wie Ethan Mo in die Werkstatt gehen half. Vorsichtig hielt er den Arm seines Mentors und passte auf, dass er nicht stolperte und fiel. Manchmal erwähnte Ethan Mo gegenüber irgendein Detail aus den frühen Tagen des Trickfilms und stellte ihm eine komplizierte Frage dazu, worauf Mo früher immer in aller Ausführlichkeit geantwortet hatte. Doch als Ethan ihn jetzt zum Beispiel auf den Kurzfilm *Ab mit dir* aus der *Slowpoke-Malone*-Serie von 1915 ansprach, lächelte Mo nur und sagte: »Ja, das haben sie damals gut gemacht.« Als Ethan daraufhin noch einmal nachfragte, nahm Mo seine Hand und sagte: »All deine Fragen, Ethan, all deine Fragen.« Und das war es. Es schien, als sparte sich Mo Templeton seine Energie fürs morgendliche Aufwachen auf, wenn der Tag begann, und dafür, den Berg herunterzukommen, sich zwischen die jungen Leute zu setzen, ihre Ideen anzuhören und sich die Zeichnungen ihrer Figuren anzusehen, die sich so plötzlich und auf Mo erschöpfende Weise in Bewegung setzten.

Es war Zeit für die Alten, Platz zu machen, und für die Jungen, einen Schritt nach vorne zu tun. Daran bestand kein Zweifel. Während des Sommers streiften Jules und Ash gemeinsam über das gesamte Gelände und drangen tiefer in den Kiefernwald vor, als sie es je gewollt hatten. Kaum irgendwo sonst auf der Welt waren zwei Mädchen zu finden, die weniger an der Natur und ihren Phänomenen interessiert waren, doch plötzlich schienen derartige Spaziergänge das einzig Richtige, und die Dr.-Scholl-Sandalen, die Jules und Ash beide trugen, drückten sich tief ins rotbraune Nadelbett.

Gelegentlich sprangen nach einem Regen ganze Pilzgruppen wie Furunkel aus der Erde, und die beiden Mädchen schreckten zurück, als sie ein Vogelembryo daliegen sahen, an dem sich ein wahrer Teppich fliegender und kriechender Kreaturen gütlich tat. Wenn man genauer hinsah, konnte einem ganz anders werden, dachte Jules, allerdings musste man genauer hinsehen, wenn man etwas über das Leben erfahren wollte.

Eines Nachmittags war Ash nicht da, um mit Jules ihren Spaziergang zu machen. Jane Zell sagte, sie habe sie aus dem Tipi gehen sehen und sie hätte ziemlich aufgeregt gewirkt, wie es in diesem Sommer öfter vorkam, aber Jane hatte keine Ahnung, wohin sie gewollt hatte. An diesem Abend war es ganz besonders schwül, und die fünf Mädchen wälzten sich in ihren Betten herum. Sie unterhielten sich ein wenig, alle erzählten Geschichten von ihrem Leben zu Hause, bis auf Jenny Mazur, die erst redete, als alle anderen fertig waren. Im Schlaf sagte sie: »Der Mann hatte ein Gesicht! Er hatte ein Gesicht!«

»Haben das nicht alle?«, sagte Nancy Mangiari.

Jemand gähnte. »Es ist irre spät«, sagte Ash. »Bis morgen, Ladies.«

Die anderen verstummten, auch Jenny Mazur, und trotz der Hitze folgten ihre Körper dem gewohnten Tag-und-Nacht-Rhythmus und fielen in Schlaf. Aber später, gegen zwei Uhr morgens, nachdem die Gruppenleiter ihre halbherzigen Patrouillen beendet hatten, wachte Jules vom Geräusch der sich öffnenden Tür des Tipis auf und hörte Schritte auf den Bodendielen. Es waren männliche Schritte, und in ihrem halb wachen Zustand glaubte sie tatsächlich, Goodman Wolf sagen zu hören: »Meine kleine Schwester, lass mich ein.« Jules hoffte, völlig erwacht zu sein, wenn Goodman mit seiner Schwester wiedervereinigt wurde und mit ihnen allen. Der müde, ausgelaugte und womöglich verletzte Goodman, zurück von seinen fehlgeleiteten, von Panik getriebenen Reisen. Ob als

Reh oder als Mensch, das war nicht wichtig. Was immer ihm zugestoßen sein mochte, konnte wieder in Ordnung gebracht werden. Auch seine Probleme mit der Justiz würden sich lösen lassen, dachte Jules. Der Anwalt würde die Staatsanwälte anrufen und einen Handel mit ihnen vereinbaren, der auf eine Bewährungsstrafe hinauslief, nicht auf endlose Jahre im Gefängnis. Wie geplant würde der Prozess stattfinden und Goodman am Ende freigesprochen. Cathy würde zugeben, unreif gewesen zu sein, völlig verdreht und überdramatisch, und erkennen, dass sie das Geschehen möglicherweise etwas verzerrt gesehen hatte. Im Moment kam es jedoch nur darauf an, dass Goodman hier war. Jules, immer noch in ihrem Bett, verspürte einen Stoß benebelter Hoffnung, der sie weiter wach werden ließ.

Aber dann hörte sie nur ein »Psst!« und ein Glucksen und dass Ash eindringlich zischte: »Nein, *hier*. Das ist Jenny Mazur. Die fängt gleich wieder an, von dem Mann mit dem Gesicht zu erzählen.«

»Was?«

»Komm hierher. Es ist schon okay. Die anderen schlafen.«

Ethan Figman kletterte in das Bett der schönsten Frau, die er wahrscheinlich je gesehen hatte, und wenn Glück leuchten könnte, hätte es von ihrem Bett aus pulsierend das achteckige Innere des Tipis erfüllt und weit hinaus in die Dunkelheit gestrahlt. Sicher erbebte er vor Glück – aber womöglich auch Ash. Ethan und Ash. Ash und Ethan?

Das ergab keinen Sinn. Es zuckte in Jules' Augen, als sie es zu verstehen versuchte. Wie war es möglich, dass es Ethan war, den Ash wollte? Jules hatte ihn nicht gewollt. Aber natürlich waren die Menschen verschieden, erinnerte sie sich. Es war ihnen erlaubt, verschieden zu sein. Die Verfassung und die Vorlieben eines Menschen waren einzigartig. Jules zwang sich dazu, über diesen Umstand nachzudenken, während sie ihren Körper von den beiden abwandte und zum Fenster hinübersah, hinaus in die heiße Nacht, die einen Hauch schlechter Luft durchs Fliegengitter schickte. Die Stimmen auf der anderen Seite des Tipis senkten sich, flossen ineinander und wurden zu einem Gurren, als drängten sich da zwei Tauben aneinander. Die traurige, entzückende, zarte Ash Wolf und der wundervolle, hässliche, brillante Ethan Figman, das unwahrscheinliche Paar, aneinandergedrängt in dieser extrem heißen Nacht, um der Heimlichkeit willen in den Schlafsack mit dem roten Futter und den lassoschwingenden Cowboys gezwängt, begannen zu flüstern. Ash: »Zieh dein Hemd aus«, und er antwortete: »Mein Hemd? Lieber nicht.« – »Du *musst*.« – »Gut, okay. Warte, ich komm nicht raus. Sieh doch, sieh, es klebt fest.« Und Ash: »Du bist wahnsinnig.« Zur Antwort kicherte Ethan wie wahnsinnig, gefolgt von dem leisen, fast unhörbaren Geräusch, mit dem er wahrscheinlich zum ersten Mal überhaupt so vor einem Mädchen das Hemd auszog. »Na bitte. Wie schön«, flüsterte Ash. »Siehst du?«

Darauf folgten schlürfende, unerträglich menschliche Geräusche, die Tauben kehrten zurück, und es gab ein bratspießgleiches Drehen im Inneren der überhitzten Stoffhülle. Liebe ließ sich nicht erklären. Jules Jacobson-Boyd lernte das, als sie Therapeutin wurde, die auf ihrem Bett liegende Jules Jacobson hatte es erst anekdotisch erlebt und verspürte mit einem Mal nichts als Hohn und Ablehnung dagegen. Sie war wütend. Sie hatte das Gefühl, alles falsch gemacht zu haben, *wie immer*, und verspürte das unbändige Verlangen, Jonah am nächsten Tag von dem zu berichten, was sie heute Nacht erlebt hatte. Sie stellte sich vor, wie er, über seine Gitarre gebeugt, dasaß und sie ihm erklärte: »Weißt du was? Offenbar ziehen sich Gegensätze wirklich an, so verrückt es in diesem Fall ist.«

Am Morgen fand die Luft zu einer vernünftigen Temperatur zurück, und im Tipi waren nur die fünf Mädchen. Sie setzten sich in ihren Betten auf, als die ersten Töne von Haydns Paukenschlag-Sinfonie erschallten. Die Wunderlichs legten sie immer noch jeden Morgen auf, ließen sie durch Spirit-in-the-Woods dringen und die Bewohner aus ihrem Schlummer holen.

Neun

Es war nicht leicht zu verstehen, wie einen die Liebe zwischen zwei anderen Menschen so herabsetzen konnte. Wenn diese beiden Menschen nach wie vor da und erreichbar waren, wenn sie die ganze Zeit anriefen und baten, dass man übers Wochenende in die Stadt kommen sollte, wie man es immer getan hatte, warum sollte man sich dann plötzlich so ungeheuer einsam fühlen? Aber Jules Jacobson fühlte sich das ganze erste Jahr, nachdem Ash Wolf und Ethan Figman ein Liebespaar geworden waren, einsam. Ein »*Liebespaar*«, das war *ihr* Ausdruck, nicht Jules'. Niemand, den sie kannte, hatte ihn je benutzt, und Ash sprach ihn mit einer für einen Teenager ungewöhnlichen Bewusstheit aus. Ash und Ethan hatten in jenem Sommer in einer tiefen, fast telepathischen Verbindung zueinandergefunden. Vorher sei ihnen einfach nicht der Gedanke gekommen, erklärten sie den anderen. Aber nach all den Jahren der Freundschaft und ihren Sommern auf demselben Stück Land in den Berkshire Mountains habe es sie wie ein Blitz getroffen, und jetzt wollten sie nie mehr ohne einander sein.

Im April 1977 waren die beiden seit acht Monaten zusammen. Ethan war an Ashs Seite gewesen, als der Hund der Wolfs einen inoperablen Tumor entwickelte und eingeschläfert werden musste. Ash brachte es nicht über das Herz, mit Noodge in den Raum zu gehen, in dem er die Spritze bekommen sollte. Also ging Ethan. Er begleitete Ashs Mutter, und die beiden streichelten die wild sich hebende und senkende Flanke des wunderbar goldenen, verzweifelten Hundes, mit dem Ash und Goodman aufgewachsen waren, während der Tierarzt ihm das Mittel injizierte, das sein Herz stehen bleiben ließ. Ethan tröstete die Mutter seiner Freundin, seine zukünftige Schwiegermutter, wie sich herausstellen sollte, und ging zurück ins Wartezimmer, wo Ash ihm weinend in die Arme sank. Es schien, dass Ethan zum Auffangbecken aller weiblichen Tränen geworden war. »Goodman ist nicht hier«, sagte Ash mit dem Kopf an seiner Brust. »Noodge war *unser* Hund, seiner und meiner, wir haben ihn beide so sehr geliebt, und jetzt hat Goodman seinen Tod verpasst, Ethan. Er schuldete es Noodge, heute hier zu sein. Wir beide schuldeten es ihm.« Ethan hatte den Tod des Hundes nicht verpasst. Er war da gewesen, wie bei allen anderen wichtigen Ereignissen auch.

In dieser Woche hatten alle Briefe von ihren Colleges bekommen. Ash war in Yale angenommen worden, wo auch ihre Onkel mütterlicherseits und Betsys Vater studiert hatten, Ethan im Trickfilmzweig der School of Visual Arts in New York City. Die beiden würden zwei Stunden voneinander entfernt leben, aber oft hin- und herfahren, um sich zu sehen. Jonah hatte gesagt, er habe kein Interesse an einem Musikstudium, er ging ans MIT, um Maschinenbau zu studieren, und hoffte, sich auf Robotertechnik spezialisieren zu können. Und Jules, deren Familie nur über begrenzte Mittel verfügte und die, seit sich ihre Aufmerksamkeit auf alle und alles im Zusammenhang mit Spirit-in-the-Woods gerichtet hatte, nur mehr eine mittelmäßige Highschool-Schülerin gewesen war, würde an die State University of New York in Buffalo gehen. Sie dachte an Ashs und Ethans Pendelei, um einander zu sehen, und stellte sich Ethan hinter dem Steuer des alten Wagens seines Vaters vor, wie er es fest gepackt hielt, wenn er auf die I-95 bog. Und sie sah auch Ash vor sich, in einem Amtrack-Zug, den Kopf hinter einem Penguin-Classic versteckt. Alle waren verblüfft oder beeindruckt von dem, was Ash und Ethan ineinander gefunden hatten, Jules hatte jedoch das Gefühl, nur sie und Jonah könnten die Intensität der Verbindung ihrer beiden Freunde ermessen. Der jetzt schon seit einem Jahr verschwundene Goodman war der Auslöser für ihre Beziehung gewesen. Ash und Ethan hätten sich niemals ineinander verliebt, wäre er nicht davongelaufen und zu einem Flüchtigen geworden.

»Wenn ›verpaart‹ ein Wort ist«, sagte Jules in jenem Frühling vor dem College eines Abends zu Jonah, »dann ist es das, was sie sind.«

»Yeah«, sagte Jonah und nickte. »Ich glaube, das ist ein Wort. Und die beiden sind es auf jeden Fall.«

Unverpaart, wenn auch das ein Wort war, traf es das, was Jules und Jonah waren. Sie saßen im Loft von Jonahs Mutter, einem großen, nicht ganz fertiggestellten Raum in der Watts Street, und Jules begriff das Gefühl von Einsamkeit nicht, das sie ständig erfüllte. Es ergab keinen Sinn, dass Ashs und Ethans Zweisamkeit der Grund dafür sein sollte. Jonahs Gefühle waren andere, wobei er zugab, eine gewisse Unzulänglichkeit zu verspüren, und es sei ihm peinlich, mehr noch, es entsetze ihn, an die Monate im letzten Jahr zurückzudenken, als er mit Ash zusammen gewesen sei, und sich bewusst zu machen, wie schlecht er seinen Job gemacht habe.

»So was sollte eigentlich kein Job sein«, sagte Jules.

»Nein, da wirst du recht haben.« Jonah zuckte mit den Schultern, machte aber keine weiteren Ausführungen. Beide wussten noch nicht, wie man Teil eines Paares war. Das war nichts, was man theoretisch lernen konnte. Man musste es einfach tun, und dazu musste man es wollen, und dann wurde man durch das Tun besser darin. Mit Sicherheit würde es am MIT reichlich Leute geben, die da auch nicht mehr Erfahrung hatten. Vielleicht blühte der zögerliche, jungfräuliche Jonah Bay ja in seiner neuen Umgebung auf.

»Kinder!«, rief seine Mutter. »Hört euch das mal an. Ich brauche eure Meinung.« Susannah Bay saß mit zwei Musikern in einem Nebenbereich des Lofts. Sie spielten ein Lied mit einem Wah-wah-Underbeat, der es ein wenig wie den Soundtrack eines Polizeifilms klingen ließ. Seine Mutter mühe sich sehr, populär zu bleiben, hatte

Jonah gesagt. Ihre Stimme war noch voller Kraft, sie hatte nicht gelitten wie die einiger anderer Frauen, die sie in den frühen Tagen der Folkszene getroffen hatte – Frauen, die wie engelhafte Soprane begonnen hatten und mittlerweile klangen wie Onkel Soundso mit einem Lungenemphysem.

Susannah Bay konnte immer noch alles singen, die Frage war nur, ob die Leute sie noch hören wollten. Wenn sie ein Konzert in einem der wenigen verbliebenen Folkclubs in New York oder anderen Städten gab, die immer höhere Eintrittspreise verlangten, wollten die Leute immer nur *The Wind Will Carry Us*, *Boy Wandering* oder einen der anderen alten Songs hören, die sie daran erinnerten, wo sie damals gewesen waren, als sie die Melodien zum ersten Mal hörten, wie sehr sich ihre Leben seitdem geändert hatten und wie erschreckend alt sie heute waren. Die so geliebten Songs mussten großzügig über das Programm verteilt werden. Die Leute wurden unruhig und sogar feindselig, wenn sie zu lange nichts Vertrautes zu hören bekamen.

»Es ist ein Gezeitenwechsel«, sagte Susannah oft. Und der vollzog sich permanent, doch nur wenn es dich selbst betraf, fiel es dir auf. Den Folk als *Szene* gab es nicht mehr, und das war ungeheuer traurig für die, die in den ersten Jahren dabei gewesen waren, als eine akustische Gitarre und eine Stimme noch in der Lage zu sein schienen, das Ende eines Kriegs zu beschleunigen. Heute gab es überall aufregende Musik, ob nun Folk oder nicht, und Susannah Bay hatte den Sprung in die späten Siebziger nicht unbeschadet überlebt.

Als die kleine Musikvorführung im Loft beendet war, fragte Susannah Jonah und Jules bang, ob sie meinten, dass das die Art Musik sei, die sie und ihre Freunde gern hören würden. »Könntet ihr euch vorstellen«, fragte sie, »dass eine Gruppe von euch zusammensitzt und mein neues Album auflegt?«

»Oh, bestimmt«, sagte Jules, um nett zu sein, und Jonah stimmte ihr zu. Susannah schien das zu freuen, doch die Musiker wussten, dass es nicht so war, und ihr Abschied fiel etwas einsilbig aus. Bald darauf ging auch Jules.

»Bis dann«, sagte Jonah an der Tür. Sie drückten sich leicht, klopften sich auf den Rücken und bezeugten so körperlich ihre lang andauernde Verbindung. Sie waren die Einzigen, die noch übrig waren, die Einzigen, die noch allein waren. Jonah sah so gut aus, dass sich Jules jedes Mal darüber wunderte, wenn sie einen kurzen körperlichen Kontakt hatten. Das dunkle Haar hatte er sich kürzlich schneiden lassen, sodass es jetzt über den Schultern endete. Er trug manchmal noch ein Lederband um den Hals und ein T-Shirt mit Brusttasche. Fast schien es so, als sei ihm sein gutes Aussehen peinlich und als versuche er, den Eindruck zu erwecken, es sei eine optische Täuschung. Jules konnte nicht verstehen, warum er alle Gespräche über sein musikalisches Talent abwehrte und nicht weiter daran arbeitete. Sie wusste, wie gut er Gitarre spielte und sang und dass er tolle Songs schreiben konnte. Elektra, das Label, das seiner Mutter gekündigt hatte, würde ihn womöglich nehmen. Aber er wollte von alledem nichts wissen. Stattdessen würde er im MIT in einer Werkstatt stehen und Dinge tun, die Jules ebenfalls nie würde verstehen können. »Macht dich das Auftreten nervös?«, hatte sie ihn einmal gefragt, worauf er sie nur ungewohnt kalt ansah und den Kopf schüttelte, als wollte er sagen, dass sie absolut keine Ahnung habe, wovon sie da rede. Jules schloss, dass Jonah einfach zu bescheiden sei, um Musiker und vielleicht sogar berühmt zu werden. Dass er nicht das entsprechende Temperament hatte, was sicher nur ehrenhaft war und ihre eigene Sehnsucht nach einem Leben im Rampenlicht, und wenn es nur das einer Komikerin war, ein wenig krass erscheinen ließ.

Jules kam oft ins Loft, da sie das Gefühl hatte, ihre Zeit im Labyrinth begrenzen zu müssen, wo Ash und Ethan im Grunde begonnen hatten zusammenzuleben. »Du kannst deine Sachen in

Goodmans Zimmer stellen«, hatte Betsy Wolf Ethan im Frühling angeboten. »Oh nein, das kann ich nicht«, sagte Ethan. »Aber ich möchte wirklich, dass du es tust«, sagte Betsy. Ihr Wunsch, dass Ethan »seine Sachen« dort hinstellte, hatte mit ihrer Sehnsucht nach ihrem Sohn zu tun. So hart es sein mochte, einen anderen Jungen in dessen Zimmer zu sehen – den falschen Jungen –, es half ihr auch. Goodman hatte einen enorm großen Schreibtisch unter sich wellenden Plakaten von Pink Floyd, Led Zeppelin und *Uhrwerk Orange*. Vorsichtig und beklommen bewegte Ethan einige von Goodmans Sachen zur Seite und begann auf dem Tisch zu arbeiten. Unter einer grünen Bogenleuchte zeichnete er Sequenzen seiner *Figland*-Filme.

Bald verbrachte er die Wochenenden bei den Wolfs und dann auch mehr und mehr Nächte während der Woche. In ihrem letzten Highschool-Jahr waren er und Ash das Abbild eines erwachsenen Paares. Die Wolfs waren fortschrittlich eingestellt, was Sex anging, und meinten im Übrigen, das Privatleben ihrer Tochter gehe sie nichts an. Ash war vor Kurzem zur Planned Parenthood Federation gegangen und hatte sich ein Pessar anpassen lassen. Jules war natürlich mitgekommen, hatte im Wartezimmer gesessen und so getan, als bekäme auch sie eines. Sie sah die anderen Frauen an und stellte sich vor, sie dächten, dass sie genau wie sie keine Jungfrau mehr sei. Es war ein überraschend angenehmer Gedanke. Hinterher, als Ash mit einer kleinen Plastikschatulle herauskam, gingen sie und Jules hinaus, überquerten die Straße und setzten sich auf eine Mauer, wo Ash das Objekt aus der Schatulle holte und sie beide es aufmerksam untersuchten.

»Was ist der Staub darauf, dieser Puder?«, fragte Jules.

»Speisestärke. Sie haben mir eine Probe mitgegeben. Sie verhindert, dass das Silikon brüchig wird«, sagte Ash.

»Was für eine Wissenschaftlerin du doch bist. Hast du deinen Abschluss in Heidelberg gemacht?«

Das Ding war gelbbeige, von der Farbe roher Hühnerhaut. Ash hielt es hoch, demonstrierte seine Elastizität und Stabilität, und Jules musste unangenehmerweise an eine verquirlte, schaumige Masse aus Gel, Speisestärke und *Körpersäften* denken, dieses schreckliche Wort, das mit dem Endresultat der körperlichen Erregung eines oder zweier Menschen zu tun hatte. Ethans Anwesenheit in der Wohnung der Wolfs munterte die Familie auf und lenkte sie von ihren Ängsten um Goodman und dem, was mit ihm geschehen sein mochte, ab. Jules wusste um ihre Angst, ihn nie wiederzusehen: dass er sterben würde oder bereits gestorben war. Wer konnte sagen, wie er über die Runden kam? Die hoffnungsfrohe Anwesenheit einer jungen Liebe in der Wohnung war genau das Richtige, um schreckliche Schlüsse abzuwehren.

Jeder konnte sehen, dass sich Ash Wolf und Ethan Figman liebten, ob es nun wahrscheinlich war oder nicht. Die Liebe und der Sex waren für die beiden so natürlich, dass es ihnen fast *wahnsinnig* erschien, wie Ash sagte, erst so spät darauf gekommen zu sein. In diesen Tagen war das Pessar kaum einmal in seiner Schatulle. Ash hatte Jules kürzlich erst anvertraut, dass Ethan ein überraschend guter Liebhaber sei. »Ich weiß, er sieht nicht unbedingt blendend aus«, sagte sie verschämt, »aber ehrlich, er weiß mich körperlich anzusprechen. Er hat keine Angst, ist nicht zimperlich und findet Sex faszinierend. Er denkt, Sex ist etwas sehr Kreatives. Wie mit Fingerfarben malen, sagt er. Er will über alles reden, ich meine, ich habe vorher nie solche Gespräche geführt. Du und ich, wir sind uns unglaublich nahe, aber wir wissen, wovon wir reden, ohne es erklären zu müssen. Weil er ein Mann ist und ich eine Frau bin, ist es, als kämen wir von zwei verschiedenen Planeten.«

»Er stammt vom Planeten Figland«, sagte Jules.

»Genau, und ich von der Erde. Er will alles über sogenannte *weibliche* Gefühle wissen – ob Mädchen zum Beispiel Penisse attraktiv finden, wo sie doch objektiv eher bizarr aussehen. Und ob, stell dir das mal vor, mein Vater und ich ein bisschen ›verliebt‹ ineinander sind. Der Elektrakomplex. Und dann, ganz nebenbei, ob ich so wie er ständig über den Tod nachdenke. ›Wenn du nicht von dem Gedanken verfolgt wirst, dass es dich eines Tages nicht mehr gibt‹, hat er gesagt, ›bist du nicht die Richtige für mich.‹ Ich habe ihm darauf versichert, dass ich extrem morbide und existenzialistisch bin, was ihn sehr erleichtert hat. Ich glaube, es törnt ihn sogar an.«

Jules lauschte ihrem Monolog mit düsterem Schweigen. Sie wusste kaum etwas dazu zu sagen. Ash beschrieb eine abgeschlossene Welt, die auch Jules hätte betreten können, aber nicht hatte betreten wollen. Sie wollte es immer noch nicht, doch die Beschreibungen der Nähe und Intensität zwischen den beiden vergrößerten ihre Einsamkeit. »Erzähl weiter« war alles, was sie sagte.

»Erst dachte ich, es würde nicht gehen«, sagte Ash. »Ich dachte nicht, dass ich mich von ihm körperlich angezogen fühlen könnte, weil, nun, objektiv betrachtet, du weißt schon. Aber als wir erst einmal anfingen, es im Bett ernst werden zu lassen, da war es, als wäre er für mich gemacht. Und ich wollte endlich auch lockerer sein, ich wollte nicht immer nur die ganze Zeit so brav sein, die kontrollierte, perfekte, kleine Miss A. von der Brearley-Schule. Dass es zwischen Ethan und mir so kommen könnte, hätte ich nie gedacht. Aber es ist so gekommen, was soll ich sagen?«

Es gab nichts mehr zu sagen. Jules verließ das Loft von Jonahs Mutter und trappelte hinunter in die U-Bahn, um zur Penn Station zu fahren, wo sie den Zug nach Hause nehmen würde, allein. Sie erinnerte sich daran, dass sie selbst es gewesen war, die Ethan nicht als ihren Freund, ihren »Liebhaber« gewollt hatte, und dass sie ihn auch jetzt nicht wollte. Sie dachte an Ethans strengen Atem, seinen Ausschlag und die unheilvolle Schwellung, die im Trickfilm-Schuppen gegen sie gedrückt hatte. Offenbar überstrahlte die Liebe das alles. Den schlechten Atem, den Ausschlag, die Angst vor dem

Sex und die Unausgewogenheit im Erscheinungsbild der beiden. Wenn es wirkliche Liebe war, schienen die körperlichen, menschlichen Einzelheiten unbedeutend.

Ganz augenscheinlich hatten die körperlichen Unvollkommenheiten Ethan Figmans für Ash nie eine solche Bedeutung gehabt wie für Jules. Ethan achtete mittlerweile auch besser auf sich als mit fünfzehn, veränderte sich im Übrigen und wuchs in seine äußere Gestalt hinein. Ashs und Ethans Erfahrung miteinander war etwas Persönliches, was speziell ihnen passiert war. Was die Sache ein wenig kompliziert machte, war der Umstand, dass Jules Ethan ebenfalls liebte, auf ihre eigene, persönliche und beständige Weise. Er war so talentiert, so außergewöhnlich und klug, so besorgt und großmütig ihr gegenüber. Er glaubte an sie, nickte gedankenvoll nach vielen ihrer Bemerkungen, wusste ihren Witz zu schätzen und bestärkte sie in dem Gedanken, dass sie eines Tages groß herauskommen könnte, hier in der Stadt, womöglich als komödiantische Schauspielerin, was ihr ein Leben nach ihrem Geschmack eröffnen würde. Er verhielt sich ihr gegenüber nach wie vor liebevoll und hätte noch immer alles für sie getan. Sie hatte ihn eindeutig nicht ausreichend wertgeschätzt, dachte sie mit finsterer Miene, während sie an dem abendlichen U-Bahn-Gleis stand, ohne ein Stück Silikon, das tief und fest in ihr steckte, den Muttermund bedeckte und darauf wartete, gebraucht zu werden.

Dann dachte Jules: Nein, sie hatte Ethan nicht unterschätzt. Das Gegenteil war der Fall, sie hatte ihn jedoch einfach nicht gewollt. Was bei Ash in einem Moment größter Merkwürdigkeit anders gewesen war. Ethan Figman zu wählen hob Ash Wolf auf eine höhere Ebene der Existenz. Das Geheimnis ihres Verlangens ging über Jules Jacobsons Vorstellungskraft hinaus. Es war … wie mit der Robotertechnik. Noch etwas, was sie absolut nicht verstand.

Der Zug kam, und Jules Jacobson stieg ein und dachte: *Ich bin der einsamste Mensch in diesem U-Bahn-Wagen.* Alles um sie herum wirkte hässlich: die türkisfarbenen Sitze, die Anzeigen für Goya-Lebensmittel, als könnten graue Guaven in grauem Sirup einen mit Appetit erfüllen, die metallenen Haltestangen, die an diesem Tag schon Tausenden Händen Halt gewährt hatten, die Bahnhöfe, die draußen vorbeiflogen. *Ich habe eine Krise*, dachte sie. *Ich fühle mich plötzlich neu und zerbrechlich in dieser Welt, und es ist unerträglich.*

Das Jahr blieb äußerst einsam, und manchmal lag Jules nachts da und dachte daran, wie sie, ihre Mutter und ihre Schwester jede für sich in ihren Betten lagen und vor Einsamkeit kaum mehr ein noch aus wussten. Mit einem Mal konnte sie sich nicht vorstellen, wie ihre Mutter es überlebt hatte, mit einundvierzig schon Witwe zu werden. Jules begriff, dass sie sich bis jetzt nie Gedanken darüber gemacht hatte. Sie hatte meist nur gedacht: *Ich bin ein Mädchen, dessen Vater gestorben ist*, was ihr eine gewisse tragische Prägung verliehen hatte. Der immer neu wiederholte Satz der Leute: »Es tut mir sehr leid, dass du deinen Vater verloren hast«, hatte ihr fast das Gefühl gegeben, die einzig Leidtragende zu sein. Jules wollte sich bei ihrer Mutter entschuldigen und sie wissen lassen, dass sie, ihre Tochter, bis jetzt viel zu selbstsüchtig gewesen sei. Die Wahrheit war jedoch, dass sie auch weiterhin auf sich selbst konzentriert blieb.

Ab einem gewissen Alter spürte man das Bedürfnis, nicht mehr allein zu sein. Dieses Bedürfnis wurde stärker, wie eine Radiowelle, bis es am Ende so mächtig war, dass man etwas dagegen tun musste. Während sich Jules allein in ihrem Zimmer am Cindy Drive wälzte, lagen ihre beiden guten Freunde nackt in Ashs Bett im sechsten Stock des Labyrinths, und in seiner verletzlichen Blöße war Ethan Figman vielleicht sogar schön. Er war nicht anders als alle anderen Menschen auf der Welt. Er wusste, was er wollte, und jetzt hatte er es gefunden, und er und Ash lagen stumm vor Glück in ihrem gemeinsamen Bett.

Nachdem Ethan und Ash ein Paar geworden waren, verschwand Goodman schnell aus den Alltagsgesprächen. Die Familie litt weiter und war bekümmert, doch man konnte sehen, dass sie sich erholte. Für den Sommer wurde eine Reise nach Island geplant. Ash sagte, ihr Vater habe geschäftlich dort zu tun. Vor allem aber würde die Reise eine Möglichkeit für die drei verbliebenen Wolfs sein, vor Ashs Abreise nach Yale im Herbst noch einmal in Ruhe für sich zu sein. Sie wollten reiten gehen und in einem Thermalbad schwimmen.

Eines Tages Ende Mai standen Jules und Ash in einem Perlenladen in der 8. Straße, fuhren mit den Händen durch Behälter voll mit glänzendem, poliertem Glas, und Ash sagte: »Und was machst du in diesem Sommer?«

»Ich werde wohl bei Carvel jobben«, sagte Jules. »Das ist nicht gerade aufregend, aber dann habe ich in Buffalo etwas Taschengeld. Meine Schwester hat da früher auch gearbeitet, und sie sagen, sie stellen mich ein.«

»Wann fängst du an?«

»Das steht noch nicht fest. Ich muss erst in der Personalabteilung nachfragen.« Sie machte eine Pause und fügte dann hinzu: »Das war ein Scherz.«

Ash lächelte verschwörerisch. »Sag ihnen, du kannst erst Ende Juli anfangen.«

»Warum?«

»Du kommst mit nach Island.«

»Du weißt, dass ich nicht das Geld dafür habe.«

»Meine Eltern laden dich ein, Jules. Sie kümmern sich um alles.«

»Sie laden mich ein? Meinst du das ernst? Das ist ein bisschen mehr, als einen weiteren Teller auf den Tisch zu stellen.«

»Sie wollen wirklich, dass du mitkommst.«

»Haben sie Ethan auch eingeladen?«

»Natürlich«, sagte Ash etwas fahrig. »Aber er kann nicht, wegen Old Mo Templeton. Du weißt doch, er hat sogar das wahnsinnige Praktikum wegen Mo abgelehnt.« Ethans alter Trickfilmlehrer lag im Sterben. Er litt an einem Emphysem, wohnte in der Bronx, und Ethan hatte es auf sich genommen, sich um ihn zu kümmern, statt in L.A. bei den Looney Tunes von Warner Bros. zu arbeiten. »Er kann nicht mitkommen«, sagte Ash. »Aber du.«

»Sie wird mich niemals gehen lassen«, sagte Jules, und »sie« war ihre Mutter. Dann musste sie an Gudrun Sigurdsdottir denken, die ehemalige Gruppenleiterin aus Spirit-in-the-Woods, die in Island lebte. »Weißt du was?«, sagte Jules. »Wenn ich tatsächlich mitkäme, könnten wir Gudrun besuchen. Das wäre sicher komisch, sie bei sich zu Hause zu sehen.«

»Ach richtig, Gudrun, die Weberin«, sagte Ash.

»Dann könnte sie uns mehr darüber erzählen, wie eine Zunderkammer von Flammen verschlungen wird.«

»Gott, Jules, du erinnerst dich an alles.«

Wie vorauszusehen gewesen war, stürzte die kostspielige Einladung der Wolfs Lois Jacobson in innere Konflikte. »Es gibt mir das Gefühl, dass uns Ashs Eltern für arme Leute halten«, sagte sie. »Und das sind wir nicht. Aber für so eine Reise reicht das Geld trotzdem nicht, und ich mag die Vorstellung nicht, dass die Eltern von jemand anderem für dich zahlen.«

»Mom, es sind nicht die Eltern von irgendwem, sondern die von Ash.«

»Das weiß ich, Schatz.«

Ellen, die gerade in der Küche herumhantierte, sah Jules an und fragte: »Warum sind sie so nett zu dir?«

»Wie meinst du das?«

»Ich weiß nicht«, sagte Ellen. »Ich habe einfach noch nie von einer Familie gehört, die so was getan hätte.«

»Vielleicht mögen sie mich.«

»Vielleicht«, sagte Ellen, die sich offenbar tatsächlich nicht vorstellen konnte, warum eine ihr unbekannte glamouröse Familie so an ihrer Schwester interessiert sein sollte.

Jules brach mit den Wolfs am 18. Juli nach Island auf, mit einem Nachtflug vom Kennedy Airport nach Luxemburg, wo sie nach Reykjavík umsteigen würden. Die Erste-Klasse-Kabine war so bequem wie das wolfsche Wohnzimmer, und nach dem Abendessen fuhr Jules die Rückenlehne ihres breiten Sitzes herunter. Sie und Ash lagen unter weichen Decken. Später über dem Atlantik erwachte Jules in einem Zustand unerklärlicher, alles umfassender Angst, beruhigte sich aber schnell, als sie sich in der stillen, surrenden, goldenen Kabine mit den wenigen schmalen Lichtkegeln umsah, die von der Decke auf die Sitzenden herunterleuchteten. Ash und ihre Mutter schliefen beide, aber Gil Wolf war noch wach und ging einige Papiere aus seiner Aktentasche durch. Zwischendurch blickte er durch das kleine Fenster hinaus in die Schwärze, und Jules glaubte von ihrem Platz auf der anderen Seite des Ganges aus Gils Angst zu erkennen.

Reykjavík war bemerkenswert sauber und klein, die Häuser niedrig, der Himmel weit. Am ersten Tag blieb die Familie so lange wach wie nur möglich, um sich an die Zeitverschiebung zu gewöhnen, spazierte durch die Stadt, trank Kaffee und Cola und aß an einem Stand Hotdogs. Die Musikszene, die später hier aufblühen sollte, gab es damals noch nicht, die Sängerin Björk war gerade erst elf Jahre alt. Reykjavík wirkte wie eine hübsche College-Stadt, aber als sie durch eine bescheidene, gut gepflegte kleine Straße gingen, wurde Jules unwohl. »Der ganz normale Jetlag«, sagte Betsy Wolf, doch schon bald begann Jules' Mund, überschüssigen Speichel zu produzieren, und in ihrem Magen waren merkwürdige, unnatürliche Geräusche zu hören. Sie schaffte es kaum zurück ins Hotel Borg. Die Fremdheit der Fremde schien ihr unerträglich, ihr Mund füllte sich wieder und wieder mit Speichel, ihre Beine zitterten, und kaum in der Hotelsuite angekommen, rannte Jules ins Bad und übergab sich geradewegs in die Toilette. Sie würgte so lange, dass die Wolfs einen Arzt rufen ließen, der ihr eine große, gelatineartige Pille gab, die sie bereits in den Mund stecken wollte, doch der Mann schüttelte den Kopf und sagte mit freundlicher, aber unbehaglicher Stimme: »Nein, Miss, bitte. Die andere Öffnung«, denn es war ein Zäpfchen.

Jules verschlief den Großteil des ersten Abends auf Island. Als sie die Augen endlich wieder öffnete, spürte sie einen dumpfen Kopfschmerz, aber auch großen Hunger und Durst. »Hallo?«, sagte sie, um ihre Stimme auszuprobieren. »Ash?« Das Hotelzimmer war leer, genau wie das nebenan, in dem Ashs Eltern schliefen, und Jules hatte keinerlei Vorstellung, ob es Tag oder Nacht war. Sie zog den Rand des Vorhangs zur Seite, und der Himmel war immer noch hell. Sie ging ins Bad, und auf dem Waschbecken, wo sie ihn nicht übersehen konnte, lag ein Hotelbriefbogen mit Ashs runder, mädchenhafter Schrift.

Jules!!!
Ich hoffe, es geht dir besser, du Ärmste. Wir sind im Café
Benedikt GANZ in der Nähe. Frag den Portier nach dem
Weg. Bitte, komm, sobald du kannst. ERNSTHAFT.
Liebe dich
Ash.

Mit einem Stück grüner Seife stand Jules am Waschbecken, wusch sich das Gesicht und suchte ihre Zahnbürste und die Zahnpasta in dem roten Samsonite-Koffer, den ihre Mutter ihr als Reisegeschenk gekauft hatte. Sie putzte sich die Zähne, bürstete das heillos zerzauste Haar und ging nach unten. Die Eingangshalle war prachtvoll, klassische Musik spielte leise im Hintergrund, und hier drinnen war es dämmriger als draußen. Der Portier erklärte ihr den

Weg – alle hier sprachen Englisch –, Jules drückte die Tür auf und trat hinaus in die sonnenhelle Reykjavíker Nacht. Dieser Ort mit seinem verwirrenden fortdauernden Tageslicht, an dem sie beinahe ein Zäpfchen geschluckt hatte, kam ihr so fremdartig vor, und während sie zu dem zwei Straßen entfernten Café ging, spürte sie, dass sie sich etwas Ungewöhnlichem näherte. Vielleicht gab es im Leben, so dachte sie später, ja nicht nur Augenblicke der Fremdheit, sondern auch Augenblicke des Wissens, das zu dem Zeitpunkt noch kein Wissen war. Mit sich kräuselndem Haar und einem kleinen gelben Spritzer Erbrochenem auf dem Kragen ihrer Huk-a-Poo-Bluse, der ihr nicht aufgefallen war, ging sie die Straße hinunter. Sie trug ihre türkisfarbenen Clogs – »endlich werden wir unsere Clogs im richtigen Teil der Welt über den Boden klackern lassen«, hatte sie zu Ash vor der Reise gesagt –, die laut auf die Steine schlugen, und jeder neue Schritt ließ sie sich befangen und allein fühlen. Viele Leute hier trugen Clogs, aber niemand schien so laut damit unterwegs zu sein wie sie.

Jules kam an Männern vorbei, die ganz offenbar betrunken waren, sie kam an Rucksackreisenden vorbei, modernen Hippies, die mit so gut wie keinem Geld in der Tasche eine Tour über die Insel machten. Ein junger Kerl rief ihr in einer Sprache etwas zu, die sie nicht verstand, vielleicht Griechisch, doch Jules ging unverwandt weiter. Die geplatzten Äderchen in ihren Augen mussten sie wie einen Zombie auf Todesmission aussehen lassen. Sie fand die richtige Straße mit den Cafés ohne Probleme. Alle waren voll, und dichter Zigarettenrauch quoll aus ihnen heraus. Als sie das Café Benedikt ausgemacht hatte und durchs Fenster hineinsah, erblickte sie zunächst keinen der Wolfs, sondern ein Gesicht aus einem völlig anderen Kontext. Sie brauchte einen kurzen Moment, um sich an den Lichtkegel der schweren, großen Stablampe zu erinnern, der von der Weblehrerin und Rettungsschwimmerin Gudrun Sigurdsdottir im Sommer 1974 zum ersten Mal in ihr Tipi gerichtet worden war. Und da saß sie, Gudrun, lächelnd, und hinter ihr, ein Stück tiefer im voll besetzten Lokal, beugte sich die Familie Wolf vor und bemühte sich, ebenfalls sichtbar zu werden. Alle lächelten ihr auf eine ähnlich intensive und besondere Weise zu. Ash sah Jules direkt an, die Augen feucht und glücklich. Neben ihr am Tisch und aus diesem Winkel nur schlecht zu erkennen, das Gesicht halb hinter einem hölzernen Pfeiler verborgen, saß Goodman. Er hob sein Glas, und dann winkten alle, Jules solle endlich hereinkommen.

»Seine Stimme am Telefon hat mich erstarren lassen«, erklärte Betsy Wolf. »Mom.«

»Mom«, sagte Goodman noch einmal, um das Gesagte zu unterstreichen, und das Wort schien Betsy Wolf aufs Neue durch und durch zu gehen. Sie stellte ihr Weinglas ab, nahm die Hände ihres Sohnes und küsste sie. Alle am Tisch wirkten tief gerührt, selbst Gudrun. Auch Jules' Schreck hatte sich schnell gelöst und war in Begeisterung umgeschlagen.

»Wir wollten dir alles erklären, wenn wir wieder im Hotel sind, Jules«, sagte Ash. »Goodman musste den Tag über arbeiten und konnte uns erst heute Abend treffen. Wir wollten uns mit dir zusammensetzen und dir alles erklären, aber dann hast du diese Lebensmittelvergiftung gekriegt, und es wäre zu komisch gewesen, dich damit zu überfallen, während du dich erbrechen musstest. Du hättest hinterher wahrscheinlich geglaubt, dass du dir alles nur eingebildet hättest.«

»Das denke ich jetzt auch.«

»Ich bin's wirklich«, sagte Goodman. »Aber du siehst nicht ganz echt aus, Jacobson. Was ist mit deinen Augen los?«

»Es sind wohl ein paar Adern geplatzt, als ich mich übergeben musste«, sagte sie. »Das sieht schlimmer aus, als es ist.«

»Du siehst aus wie das Mädchen im *Exorzisten*«, sagte Goodman, »aber auf eine gute Weise.« Das war genau die Art Bemerkung, witzig und leicht beleidigend, wie er sie früher im Tipi gemacht hätte. Dabei hatte er jene Zeit weit hinter sich gelassen und war an einen Ort vorgedrungen, der jenseits von ihnen allen lag. Goodman wirkte wie eine kultivierte Künstlernatur, ein europäischer Student, der womöglich mit einem Stipendium hier war. Aber er ging nicht mehr in die Schule, wie er Jules erzählte, da er dafür zu viele offizielle Dokumente gebraucht hätte. Sein Wunsch war immer noch, eines Tages Architekt zu werden, allerdings wusste er, dass er weder hier noch anderswo je eine Zulassung bekommen würde. Jules fragte sich, ob das unbedingt so sein musste. Ließ sich da kein Weg finden, wenn es wirklich sein Wunsch war und er alle Hebel in Bewegung setzte? Im Moment arbeitete er für Gudruns Ehemann Falkor. Auch heute hatten sie zu tun gehabt, weshalb er seine Familie erst am Abend hatte sehen können. Die beiden Männer entkernten Häuser, und am Ende des Tages ging es in die Sauna. Und wenn es draußen warm genug war, sprangen sie anschließend in einen kalten See.

Goodman, wie sich Jules aus dem zusammenreimte, was sie ihr am Tisch erzählten, war an jenem Morgen, als er davonlief, mit einem Peter-Pan-Bus von der Port Authority hinauf nach Belknap, Massachusetts, gefahren. Er hatte an die Tür des großen grauen Hauses gegenüber vom Camp geklopft, in dem Manny und Edie Wunderlich lebten, doch es hatte niemand aufgemacht. In den Tagen vor seiner plötzlichen Flucht hatte er sich in eine Panik hineingesteigert aus Angst, dass ihm die Geschworenen nicht glauben und ihn ins Gefängnis schicken würden, bis er ein alter Mann war. Danach hatte er beschlossen zu fliehen, hatte eine große Geldsumme von seinem Bankkonto abgehoben und in der Reisetasche verstaut, mit der er immer ins Camp gefahren war. Spirit-in-the-Woods war der einzige Ort gewesen, der ihm als Fluchtpunkt eingefallen war. Goodman streifte auf dem Gelände umher, das außerhalb der Saison leer, still und melancholisch dalag. Vor dem Speisesaal sah er Ida

Steinberg, die einen Müllsack hinausbrachte. Er ging zu ihr und sagte Hallo. Sie wusste nichts von seiner Verhaftung, doch als er ihr erklärte, er müsse weg, begriff sie, dass ihn niemand finden durfte.

Die Köchin nahm Goodman mit in die Küche, setzte ihn auf einen Stuhl und gab ihm einen Teller Linsensuppe. Es sei reiner Zufall, dass sie heute da sei, sagte sie. Außerhalb der Saison helfe sie nur unregelmäßig bei den Wunderlichs aus, aber einige Leute seien in Vorbereitung auf eine anstehende Inspektion der Anlage mit verschiedenen Arbeiten beschäftigt gewesen und sie habe sie bekocht. Die Wunderlichs seien den Tag über in Pittsfield und kauften Vorräte ein. Goodman bat Ida instinktiv, ihnen nicht zu sagen, dass er hier gewesen sei. Er wusste, dass sie seine Eltern mochten, aber sie mochten auch die Kiplingers.

»Such dir einen netten Menschen, der dich bei sich aufnimmt«, schlug Ida Steinberg vor. »Weit weg von hier.«

Goodman fiel gleich Gudrun Sigurdsdottir ein, die einmal ins Jungen-Tipi gekommen war, sich auf ein Bett gelegt, geraucht und offen über den Schmerz des Lebens geredet hatte. Als verfüge Spirit-in-the-Woods über seine eigene Untergrundbewegung, fragte Goodman Ida, ob sie ihm Gudruns Adresse und Telefonnummer geben könne. Die Köchin schrieb beides brav vom Rolodex vorn im Büro ab. Goodman hatte Geld. Er würde in eine europäische Stadt fliegen, von dort nach Island weiterreisen, Gudrun besuchen und sie um Hilfe bitten. Sein Plan war verrückt – was, wenn er die ganze Reise unternahm und sie sagte Nein? Was dann? Aber für ihn klang er vernünftig. Zuerst fuhr er mit dem Bus nach Boston und hörte sich um, wo er einen falschen Pass bekommen könnte. Drei Tage später, er war in einem städtischen Asyl untergekommen, hatte er Erfolg. Der Pass war erschreckend teuer, aber Goodman kam damit durch, auch wenn er vor seinem Abflug nach Paris vom Terminal E des Logan International Airport zitternd auf seinem Platz 14D saß und unverwandt in ein Buch starrte, das er aus reiner Verzweiflung am Flughafen gekauft hatte. Es war genau die Art populärer Roman, die er, der Günter Grass liebte, sonst niemals gelesen hätte: *Vorhang* von Agatha Christie.

Jetzt lebte Goodman unter falschem Namen in Reykjavík bei Gudrun und Falkor. Er schlief auf einem Futon in ihrem winzigen Gästezimmer. »Aber warum bist du ausgerechnet nach Island gegangen?«, fragte Jules.

»Ich habe es dir doch gesagt, wegen Gudrun«, sagte Goodman.

»Es kommt mir so willkürlich vor.«

»Sie war die Einzige, die weit genug weg war, um nicht über die Sache mit Cathy Bescheid zu wissen und mich zu verurteilen. Sie hat überhaupt nie jemanden von uns verurteilt, erinnerst du dich? Sie war immer hilfsbereit und gut.«

Gudrun hatte zugehört und wischte sich leicht über die Augen. »Plötzlich stand Goodman vor der Tür und sagte, er brauche Hilfe. Ich habe ihn immer gemocht. Er gehörte zu deinen netten Freunden.«

Gudrun und ihr Mann, ebenfalls ein Weber, wenn er gerade keinen Baujob hatte, verfügten über sehr wenig Geld und lebten einfach. Oft gab es nur dunkelbraune Cracker, die schmeckten, als seien sie aus Sägemehl hergestellt worden, und Skyr, den säuerlichsten, klösterlichsten Joghurt der Welt. Nachts lag Goodman unter einer von Gudruns und Falkors handgewebten Decken auf seinem nackten Futon und sehnte sich nach seinen Eltern und seiner Schwester. Er überlegte verzweifelt, wie er den Kontakt mit ihnen wiederherstellen konnte. Am Jahrestag seiner Flucht erfüllte ihn ein geradezu unerträgliches Heimweh, er dachte an seine Familie in ihrer Wohnung in New York, an den Geruch aus der Küche, wenn seine Mutter kochte, an die wundervolle Geborgenheit und den Umstand, einen Schlüssel zu haben, mit dem sich die Tür zu einem Zuhause öffnete. Davonzulaufen, das wusste er, war ein verhängnisvoller Fehler gewesen. Er hatte seine Familie zerrissen und auch sich selbst.

Tag für Tag war Goodman in seinem engen neuen isländischen Leben an den öffentlichen Fernsprechern Reykjavíks vorbeigekommen und hatte mit sich kämpfen müssen, um nicht stehen zu bleiben und zu Hause anzurufen. Eines Abends im März dann füllte er in Gudruns und Falkors Wohnung seine Tasche mit einer großen Menge Kronen. Am nächsten Tag ging Goodman während einer Pause bei einem Job in Breidholt in einen kleinen Laden am Straßenrand. Zitternd fütterte er das Telefon mit Münzen, und schon klingelte es, und auf der anderen Seite des Ozeans sagte seine traurige Mutter mit ihrer leisen, mütterlichen Stimme Hallo, und er sagte einfach: »*Mom.*«

Betsy schnappte nach Luft, es war ein umgekehrter Seufzer, und dann sagte sie: »O mein Gott.«

Er wusste, es war ein großes Risiko, zu Hause anzurufen, aber seit seiner Flucht war so viel Zeit vergangen, und vielleicht lagen sie ja nicht mehr auf der Lauer. Vielleicht hatten sie ihn vergessen. Die Detectives Manfredo und Spivack hatten die Wolfs zu Anfang noch regelmäßig angerufen, um zu fragen, ob sie etwas gehört hätten, doch dann wurden die Anrufe weniger. »Offen gesagt sind wir überlastet«, gab Manfredo Betsy gegenüber zu. »Wir gehen hier praktisch unter. Gerade sind wieder zwei Leute entlassen worden, und es wird weitere Einschnitte geben. Die Stadt hat kein Geld.« Viele Jahre später wurde ein Minderjähriger aus dem vorstädtischen Connecticut wegen zweier scheußlicher Vergewaltigungen angeklagt. Er floh in die Schweiz, wo er Ski fuhr und vom Geld seiner wohlhabenden Eltern lebte. Aber der Junge war ein Raubtier, das gleich zwei Frauen angegriffen hatte, und der Fall wurde nicht vergessen. Seine Verhaftung wurde als Triumph betrachtet. Goodmans Fall dagegen war weit weniger aufsehenerregend und von Beginn an nicht so interessant gewesen. Als er floh, zeigten die Kiplingers keinerlei Interesse daran, sich an die Presse zu wenden, und nach einer Weile schien die Sache hinter anderen

Prioritäten verloren gegangen zu sein. Als Goodman anrief, war er aufgeregt und hatte einen Moment lang die Sorge, dass ihn auch seine Eltern und seine Schwester vergessen haben könnten und es ihnen gelungen war, sich auf ihre eigenen Leben zu konzentrieren. Er sagte ein paar zögerliche Worte zu seiner Mutter, und Betsy fing an zu weinen und bettelte ihn an, ihr zu sagen, wo er sei.

»Ich kann nicht. Was, wenn sie euer Telefon abhören?«, sagte er.
»Das tun sie nicht«, sagte Betsy. »Sag es mir einfach. Du bist mein Kind, und ich muss wissen, wo du bist. Es war so eine Qual.« Er gab nach, erzählte seiner Mutter, dass er auf Island sei, und sie sagte: »In Ordnung, gut, du warst jung und hast eine übereilte Entscheidung getroffen, die falsch war. Das müssen wir jetzt zurechtrücken.«

»Wie meinst du das?«

»Du kommst nach Hause«, sagte seine Mutter. »Du setzt dich ins Flugzeug und kommst her. Wir holen dich vom Flughafen ab, und du kannst dich freiwillig stellen.«

»Stellen?«, sagte Goodman. »Das klingt, als hätte ich was getan, Mom.«

»Nun«, sagte Betsy, »du hast etwas getan: Du bist davongelaufen. Das ist nicht nichts, Schatz, aber wir schaffen das, wir bringen das wieder ins Lot.«

Goodman sagte ihr, sie sei naiv, das Leben lasse sich nicht immer wieder ins Lot bringen und er könne keinesfalls nach Hause kommen. Es ging hin und her, seine Mutter bettelte, und Goodman bestand auf seinem Nein: Er komme nicht zurück, er habe einen Schnitt gemacht, und so sei es nun. Wenn er zurückkomme, lande er womöglich für viele Jahre im Gefängnis, während er hier eine Art Leben habe. Endlich sah sie ein, dass er nicht nachgeben würde. So groß Goodmans Heimweh war, er hatte sich doch an den Gedanken gewöhnt, dass Island jetzt seine Heimat war. Und

Betsy wusste nicht, wie sie ihn dazu bringen sollte, zurückzukommen, es sei denn, sie ging selbst zur Polizei.

Und so elterlich wie dreist und ohne jemandem etwas davon zu sagen, nicht einmal Ash, schickten Betsy und Gil Wolf auf komplizierten Wegen Geld nach Island. Goodman war ihr Sohn, und sie wussten, dass er unschuldig war, und wenn sie ihn schon nicht davon überzeugen konnten, nach Hause zu kommen, so empfanden sie es doch als ihre Pflicht, ihn wenigstens zu unterstützen. Nachdem das Geld ohne Komplikationen angekommen war, warteten sie angespannt. Schließlich entschieden sie, die Annahme sei berechtigt, dass aus irgendeinem glücklichen Umstand heraus niemand mehr an Goodman dachte und es vorstellbar war, ihn zu besuchen. Es war Zeit, Ash einzuweihen.

»Ich kam eines Tages aus der Schule«, erklärte Ash Jules im Café, »und meine Eltern holten mich ins Wohnzimmer. Wie sie mich ansahen, war unglaublich seltsam, und ich dachte, sie würden mir sagen, Goodman sei gefunden worden und dass er tot sei. Ich konnte es nicht ertragen, doch dann sagten sie, es gehe ihm gut, er sei in Island und dass sie ihm Geld geschickt hätten und wir ihn endlich wiedersehen würden. Ich bin fast gestorben. Wir fingen an zu schreien und uns zu umarmen. Ich dachte, ich müsste platzen, wenn ich dir nicht davon erzählte, Jules, aber meine Eltern sagten: ›Zu keinem ein Wort darüber!‹ Sie waren wie die Mafia. Und so konnte ich es nicht mal Ethan sagen. Ich meine, ich erzähle ihm *alles*, jetzt, wo wir zusammen sind. Ich rede mit ihm über extrem persönliche Dinge.«

»Du und Ethan«, sagte Goodman. »Das fasse ich immer noch nicht. Mom hat's mir geschrieben. Verdammt, Ash, findest du keinen Besseren? Du siehst toll aus, und er … Ethan. Ich mag ihn, aber mein Geld hätte ich nie auf ihn gesetzt.«

»Niemand will deine Meinung über mein Liebesleben hören«, sagte Ash lächelnd, immer noch mit Tränen in den Augen. Dann sah sie Jules an und sagte: »Ich darf es Ethan natürlich nicht erzählen, denn wer weiß schon, was er denken würde. Oder tun.«

»Was?«, sagte Jules. »Ethan weiß es immer noch nicht?«

»Nein.«

»Machst du Witze? Er ist dein Freund, und ihr habt eine so enge Beziehung.« Sie starrte Ash an.

»Ich weiß, aber ich kann es ihm nicht sagen. Dad würde mich umbringen.«

»Das ist verdammt wahr«, sagte Gil Wolf, und alle lachten höflich und leicht unbehaglich.

»Ethan hat all diese Ansichten über das Leben, die niemand kontrollieren kann«, sagte Ash. »All diese Vorstellungen dazu, was ethisch richtig ist und was nicht. Dieser ganze Code, nach dem er lebt. Hast du je den Trickfilm gesehen, in dem der Präsident von Figland wegen Amtsvergehen angeklagt wird und der Vizepräsident ihn begnadigt? Und als er die Begnadigung unterschreibt, verwandelt sich der Vize in Wiesel? Und dann hat er darauf bestanden, für die Carter-Kampagne zu arbeiten und mit der Schule auszusetzen.«

»Nun, das hat funktioniert«, sagte Jules.

»Oder dass er sich um Old Mo kümmert, statt zu Looney Tunes zu gehen. Und erinnerst du dich, dass er mit Cathy reden musste, obwohl Dick Peddy doch gesagt hatte, das sollten wir nicht? Wenn ich Ethan von Goodman erzähle, denkt er womöglich, er muss zur Polizei oder so aus Respekt vor Cathy. Uns alle anzeigen. Damit wir verhaftet und eingesperrt werden.«

»Obwohl ich Cathy gar nichts getan habe«, sagte Goodman. »Sie hat das völlig verzerrt.«

»Oh, das wissen wir«, sagte seine Mutter. Sie sah ihn sehnsuchtsvoll an und sagte: »Willst du wirklich nicht nach Hause kommen und aufs Beste hoffen?«

»Mom«, sagte Goodman scharf. »Hör auf. Ich hab's dir gesagt.«

»Gott allein weiß, was eine Jury denken würde, Betsy«, sagte Gil. Alle waren einen Moment lang still und sahen Goodman an, der, es stimmte, weder jungenhaft noch wehrlos wirkte. Die Arbeit auf dem Bau hatte ihn muskulöser werden lassen. Von irgendwoher aus Jules' Vokabular drängte sich das Wort *sehnig* in den Vordergrund. Goodman in seiner neuen, etwas gealterten isländischen Version sah stark und gut aus und auch weltläufiger. Gott allein wusste, was eine Jury über ihn denken würde. »Lass ihn in Ruhe«, sagte Gil leise, und Betsy seufzte und nickte und drückte die Hand ihres Sohnes.

Jules allerdings konnte die Frage, warum Ash Ethan nicht ins Vertrauen zog, noch nicht auf sich beruhen lassen. »Aber wie«, fragte sie Ash, »kannst du es dem Menschen nicht sagen, den du liebst?«

»Du bist die Einzige, der ich in dieser Sache trauen kann«, sagte Ash. Was womöglich nur eine andere Version des Satzes war, den Cathy Kiplinger zu ihr gesagt hatte: *Du bist schwach.*

»Aber irgendwann wirst du es ihm sagen müssen, oder?«, fragte Jules.

Ash sagte darauf nichts, und so antwortete ihr Vater. »Nein, das muss sie nicht«, sagte er. »Genau das versuche ich ihr klarzumachen.«

Die Situation war so angespannt, dass Jules nicht wusste, wen sie ansehen und was sie sagen sollte. Goodman stand vom Tisch auf und verkündete: »Gute Gelegenheit, um pinkeln zu gehen.« Er ging davon, noch riesiger als das letzte Mal, als Jules ihn gesehen hatte. Die schwere Arbeit, die isländische Sonne, die vielen Becher Skyr, der sexuelle Entzug, ein gelegentliches Kartenspiel und das Trinken von Brennivín, dem »schwarzen Tod«, einer Art Hardcore-Schnaps aus Kartoffeln und Kümmel, all das hatte dazu beigetragen, ihn zu einer Art schwergewichtigem jungen Expat zu machen, der jetzt, wie jemand gesagt hatte, John hieß.

Während er weg war, rückten die drei verbliebenen Wolfs näher zusammen, und Gudrun stand auf, um Zigaretten zu holen. »Hör zu«, sagte Gil, nahm einen Schluck Bier und sah Jules direkt an. »Ich kann nicht genug betonen, dass dies eine äußerst schwierige Situation ist. Das verstehst du doch?«

»Ja«, flüsterte sie.

»Und wir können dir absolut trauen?«, fragte er. Sie sahen sie alle bedeutungsvoll an.

»Ja«, sagte sie, »natürlich können Sie das.«

»Okay, gut«, sagte Gil. »Weil wir eigentlich wollten, dass Ash es überhaupt niemandem erzählt. *Niemandem.* Dir nicht. Ethan nicht. Die Folgen könnten so schrecklich sein, dass ich nicht einmal daran denken will. Aber Ash bestand darauf, dass sie mit jemandem außer uns darüber sprechen müsse, weil sie sonst einen Nervenzusammenbruch bekäme. Das klingt vielleicht etwas melodramatisch ...«

»Ich war nicht melodramatisch, Dad«, unterbrach ihn Ash, und ihr Vater sah sie an.

»Also gut, dann nicht. Aber wir alle wissen, dass du immer sehr sensibel auf alles reagierst, und das haben wir in Betracht gezogen.« Er schien Schwierigkeiten zu haben, die Fassung zu bewahren, und sah wieder Jules an, das Gesicht fest, väterlich oder eher doch schuldirektorlich. »Wenn sie im Herbst nach Yale geht, muss sie sich konzentrieren können«, sagte Gil. »Sie darf von all diesen Dingen nicht aus dem Gleichgewicht gebracht werden. Niemand von uns darf das. Wir müssen uns so verhalten, als gäbe es nichts Neues. Als wäre alles wie immer.«

Jules stellte sich ihre Rückkehr nach Underhill vor und wie ihre Mutter sie fragte: »Nun, war es eine so aufregende Reise, wie du gehofft hast? Erzähl mir, was alles passiert ist.« Lois würde keine Ahnung haben, dass Jules in eine Sache wie diese eingeweiht worden war und wie furchterregend es sich anfühlte, wie unabhängig.

Jules wünschte, dass sie es Ethan erzählen könnte. Er würde ihr helfen. »Ich habe ein moralisches Rätsel für dich«, würde sie ihm sagen. »Schieß los«, würde er antworten, und vielleicht würde sie so anfangen: »Es gab da eine Familie, ungewöhnlich bestechend und anziehend ...«

»Um die Wahrheit zu sagen, Jules«, sagte Betsy Wolf, »in einer idealen Welt dürfte nur die engste Familie wissen, dass wir Kontakt zu Goodman haben und versuchen, ihm ein anständiges Leben zu ermöglichen. Wir wissen, dass die unerhörten Beschuldigungen dieses gestörten Mädchens nicht zutreffen. Goodman ist unschuldig, und wenn die Zeit reif ist, werden wir ihm helfen, den Weg zurück nach Hause zu finden. Wir werden mit der Staatsanwaltschaft reden und tun, was getan werden muss. Goodman wird sein Davonlaufen wiedergutmachen müssen. Aber so weit ist es noch nicht. Ich will dich nicht mit den Worten beleidigen, die einige Leute manchmal sagen: ›Für uns gehörst du zur Familie.‹ Ich habe gehört, wie Celeste Peddy das zu der armen Peruanerin – oder ist sie Inderin? – gesagt hat, die einmal in der Woche zu ihr kommt und im Grunde nichts als das Bügelzimmer sieht. Nur die Familie ist die Familie, und das ist eine der Ungerechtigkeiten dieses Lebens. Du hast deine eigene Familie. Ich habe nur ein paarmal mit deiner Mutter gesprochen und sie gerade erst am Flughafen persönlich kennengelernt, aber sie scheint mir ein sehr netter Mensch zu sein. Du gehörst nicht zu unserer Familie, so schön es wäre. Ich bin nicht deine Mutter, Gil ist nicht dein Vater, und wir können dich nicht zwingen zu tun, was wir beschlossen haben. Ich denke, Ash hat uns da ein wenig beeinflusst, dass wir dich einladen sollten ...«

»Stimmt doch gar nicht«, fuhr Ash dazwischen.

»Nun, da werden wir wohl eines Tages in eine Mutter-Tochter-Therapie gehen müssen, um das herauszufinden«, sagte Betsy mit einem kleinen Lächeln zu ihrer Tochter hin. »Ich bin sicher, so etwas gibt es. Wir haben auch schon für andere Therapien bezahlt, warum also nicht dafür? Aber die Sache ist die, Jules, dass Ash dich liebt. Du bist die beste Freundin, die sie je hatte, und ich nehme an, sie hat nichts dagegen, wenn ich dir sage, dass sie dich jetzt braucht.« Betsys zunächst angespannte Stimme klang wieder normal, und Ash lehnte sich über den Tisch und umarmte ihre Mutter. Sie sahen sich so ähnlich, die Mutter mit ihren feinen Zügen und dem grau melierten Haar und die schöne Tochter, die sich eines Tages in die gleiche Richtung verändern würde, immer noch angenehm und zart, aber doch nicht mehr jung und unberührt.

Eine Schar rauchender und trinkender Studenten sah zu ihnen herüber, den Amerikanern, die ihre Gefühle so offen zeigten. Niemand am Tisch versuchte an diesem Abend, sich zurückzuhalten. »Ich liebe dich so, Mom«, sagte Ash und verzog das Gesicht, als wolle sie in Tränen ausbrechen.

»Und ich liebe dich, mein Mädchen.«

Goodman kam zurück, kurz darauf auch Gudrun, die gleich ihre Packung King's Original öffnete, eine Zigarette herausklopfte und ansteckte. Die Weblehrerin aus dem Camp wirkte hier auf Island schick. Ihr Haar war gut geschnitten, und Jules musste einen Moment lang an die ärmlichen Verhältnisse denken, in denen sie und Falkor lebten, wie Goodman berichtet hatte. Aber dann erinnerte sie sich, dass seit einigen Monaten regelmäßig Geld in den Haushalt floss. Wahrscheinlich hatten sich die Dinge verbessert. Gudrun sah wie eine modisch gekleidete Künstlerin oder Designerin aus.

»Was ist?«, sagte Goodman. »Ich gehe pinkeln, und schon bricht die Hölle los.«

»Keine Sorge«, sagte Jules, »es besteht kein Zusammenhang zwischen den Gefühlsergüssen deiner Familie und denen deiner Blase.«

»Es ist einfach alles sehr, sehr emotional«, sagte Ash. Sie ging um den Tisch zu ihrem Bruder und legte ihm den Arm um die Schultern. Er saß bereits wieder, war aber selbst fast so groß wie sie.

»Wir haben Jules erklärt, wie wichtig es ist, dass wir das alles hier für uns behalten«, sagte Gil. »Mehr als wichtig.«

»Ich habe es begriffen«, sagte Jules. »Wirklich.«

»Danke«, sagte Ash von der anderen Seite des Tisches.

»Morgen«, sagte Gil Wolf und sah seine Familie an, »werden wir alle gemeinsam in einem Thermalbad schwimmen gehen, und dann gibt es ein wundervolles isländisches Essen. Wir machen uns einen herrlichen Tag«, sagte er. »Wir verdienen das. Wir brauchen das.«

Dann begannen alle auf einmal, miteinander zu reden. Sie redeten über den Tod ihres Hundes, und Ash sagte: »Ich kann nicht glauben, dass du nicht dabei warst, Goodman«, und Goodman sagte: »Ich weiß, ich weiß, es war schrecklich, es tut mir so leid, ich habe ihn auch geliebt«, und dann redeten sie darüber, wie seltsam es sei, dass Jonah ausgerechnet ans MIT ging. Sie redeten darüber, dass Cousine Michelle Zwillinge erwartete und was es Neues in der amerikanischen Politik gab, von der Goodman für gewöhnlich nur durch den Filter der isländischen Nachrichten hörte. Sie redeten und redeten über alles, was ihnen nur einfallen wollte. So entspannte sich die Familie in der braun-goldenen Enge des Café Benedikt. Jules trank noch ein Glas Wasser und fühlte sich plötzlich wieder matt, aber die Wolfs ließen keine Ermüdungserscheinungen erkennen, und vielleicht würde es noch Stunden so weitergehen. Island, so weit von allem entfernt, blieb lange wach, als wollte es sich selbst in seiner Isolation trösten. Nur Jules Jacobson und Gudrun Sigurdsdottir blieben außen vor. Schweigend saßen sie da, das junge Mädchen und die erwachsene Frau. Jules sah ihre frühere Gruppenleiterin an, die ihren Blick erwiderte, und beide lächelten scheu, wo sie sich doch nichts zu sagen hatten.

»Und?«, fragte Jules endlich. »Hast du die Stablampe noch?«

Teil zwei

FIGLAND

Zehn

Im September 1984 saßen Ethan Figman und Ash Wolf in einem kleinen japanischen Restaurant in New York, das so teuer war, dass es kein Schild draußen über der Tür und keine Preise in der kalligrafischen Karte gab. Auf gepressten Strohmatten saßen sie den Managern des Fernseh-Networks Gary Roman und Hallie Sakin gegenüber, beide gepflegt, in maßgeschneidertem Tuch und mit einem strahlend weißen Kronenlächeln, wobei klar war, dass Gary das Sagen hatte und Hallie von seinem Einfluss lebte. Er begann, und sie schloss sich ihm mit milderen, weniger verbindlichen Wiederholungen des gerade Gesagten an. »Wir haben es mit wundervollen Entwicklungen zu tun«, sagte Gary Roman.

»So fantastisch«, sagte Hallie Sakin.

Ein Pilot war gedreht und die Weiterführung vertraglich vereinbart worden. Eine erste volle Staffel *Figland* sollte im Studio in Midtown Manhattan produziert werden, das vom Sender extra zu diesem Zweck eingerichtet worden war. Ethan hatte darauf bestanden, zwei der Hauptfiguren selbst zu sprechen, und sich auch in dieser Hinsicht auf Dauer unentbehrlich gemacht. Einige Tage zuvor waren die Manager aus L.A. eingetroffen, um mit ihm, seinem Agenten und seinen Anwälten zu verhandeln, und jetzt saßen sie Ethan und Ash gegenüber, um den Abschluss zu feiern.

Ein Kellner nahm ihre Bestellung auf, und wenig später schob eine Kellnerin in einem hellgrünen Kimono die Reispapiertüren auf und brachte Holzschale auf Holzschale mit Essen herein, während der Kellner nur dastand und alles überwachte. Die beiden kamen ihnen auf ihre Art wie eine japanische Ausgabe von Gary Roman und

Hallie Sakin vor. Machtstrukturen waren immer ziemlich einfach zu erkennen, wenn man sich nur die Zeit nahm, die darin verfangenen Leute zu beobachten. Ethan würde das später zu Ash sagen, wenn sie zurück in ihrer Wohnung sein und den Abend analysieren würden, der so formell verlaufen war, dass sich Ethan zutiefst unwohl und nicht wie er selbst gefühlt hatte. Schon die Fremdheit des Sushi hatte ihn abgeschreckt. Mit seinen fünfundzwanzig Jahren hatte Ethan Figman höchstens einmal eine California Roll gegessen, in der noch dazu nicht mal roher Fisch gewesen war, und jetzt gab es eine ganze Auswahl Sushi und verschiedene Sashimi-Rhomben, die mit einem die Stirnhöhlen öffnenden, »Wasabi« genannten Etwas serviert wurden. Schimmernde kleine Kugeln wurden vor sie hingestellt, die Ernte geheimnisvoller Unterwasser-Ovulationen, dazu amputierte Tentakel, serviert mit einer nach geräuchertem Karamell schmeckenden Tunke. Ethan fürchtete sich vor den Parasiten, die mitunter in rohem Fisch hausten, doch das Essen faszinierte ihn auch, und er versuchte seine Ängste zu überwinden. Japanisches Essen glich auf seine Weise einem essbaren Cartoon.

Ash neben ihm hatte schon oft Sushi und Sashimi gegessen. Sie meinte sogar später, sie sei sicher, schon einmal in diesem Lokal gewesen zu sein, mit ihrem Vater, als Kind in den Sechzigern. Gil Wolf hatte seine Tochter geduldig gelehrt, wie man mit den beiden Lackstäbchen aß. Aber vielleicht war es auch nicht dieses Restaurant gewesen, es gab eine ganze Reihe solcher Lokale in der Stadt, ohne Straßenschild, auf keiner Liste zu finden, ohne Preise auf der Speisekarte. Man musste nur zu denen gehören, die von ihnen wussten, und über ausreichend Geld verfügen.

Es war jedoch nicht nur das Essen, das Ethan sich so unwohl fühlen ließ, obwohl er doch eigentlich hätte entspannt sein sollen. Tags zuvor war die Zeit gewesen, sich angespannt zu fühlen, jetzt, wo der Auftrag für eine komplette Staffel erteilt und ein ganzes Stockwerk eines Bürogebäudes als Studio angemietet war, konnte der Sender keinen Rückzieher mehr machen. Sie konnten sich nicht plötzlich überlegen, dass es ein Riesenfehler war, gerade ihm, dem uncoolen, unattraktiven Ethan Figman, eine derart große Summe zur Verfügung zu stellen, um zu tun, was er schon immer getan hatte, zumindest in seinem Kopf.

»Was für ein Gefühl ist es zu wissen, dass Sie, wenn die Zuschauer so reagieren, wie wir denken, dass sie reagieren werden, zum liebenswertesten Figman ganz Amerikas werden?«, wollte Gary Roman wissen.

»Ich wette, Sie sind begeistert«, murmelte Hallie Sakin.

»Ich glaube, ich werde nur der zweitliebenswerteste sein«, sagte Ethan. »Mein Großonkel Schmendrick Figman wird geradezu angebetet, wenigstens im Bensonhurst-Viertel in Brooklyn.«

Es entstand eine verwirrte Pause, und die beiden Manager lachten ähnlich meckernd, obwohl Ash nicht mal so tat, als fände sie es komisch. Ethan schwafelte, wie er es nun mal tat, wenn er unter Druck stand. Natürlich hatte er keinen Großonkel Schmendrick, und der Witz war kein Witz. Er wusste, dass Ash diese Seite an ihm nicht mochte, aber wenn man eine Beziehung mit jemandem hatte, musste man das ganze Paket nehmen. Als Ash ihre Liebe zu Ethan entdeckte, trug er bereits so viele Bürden mit sich: das Schwafeln, die schwitzenden Hände, seine Unsicherheit, die allgemeine Hässlichkeit, wenn er bekleidet war, und die vielleicht noch größere, wenn er es nicht war. Ethan Figman brauchte mehr Sake, um sich mit diesen Leuten so unterhalten zu können, wie sich Menschen mit anderen Menschen unterhielten. Er konnte nicht für den Rest seines Lebens immer nur mit seinen Freunden reden, wenn er das auch vorgezogen hätte, besonders mit Jules. Er und das Network waren jetzt Partner, die zusammengehörten. Ethan würde eine Serie mit dem Titel *Figland* schaffen, würde die einzelnen Episoden schreiben, einigen der Figuren seine Stimme leihen, die Synchronisation leiten und der Arbeit all seine Zeit widmen.

Dabei würde er von vielen, vielen Leuten umringt sein, nicht nur von Ash, Jonah und Jules.

Fast drei Jahre vorher hatte Ethan einen Job bei der Produktion eines so cleveren wie schrillen Nacht-Trickfilms für Erwachsene mit dem Titel *Die Gluckser* bekommen. Da war er gerade ein paar Monate mit der School of Visual Arts fertig, und wenn er vorher auch schon an Werbefilmen mitgearbeitet hatte, war er doch voller Neugier, wie es sein würde, an einer Serie mitzuwirken. Als Einziger von seinen Freunden schien er außergewöhnlich leicht Arbeit zu finden. Alle anderen umkreisten ihre Wunschkarrieren eher noch und suchten nach einem Zugang. Jules versuchte, ins leichte Schauspielfach zu kommen, Ash ins ernstere. Jonah schien nach einer Zeit in der Moon-Sekte unentschieden und verloren und suchte nach einem Ingenieursjob. *Die Gluckser* war einer der wenigen Trickfilme für Erwachsene, und was ihn noch ungewöhnlicher machte, war, dass er in New York und nicht in L.A. produziert wurde. Darin lag der größte Reiz für Ethan, denn eigentlich mochte er *Die Gluckser* nicht. Der Humor war gemein und kindisch, und die Figuren stellten sich am liebsten gegenseitig ein Bein, was zu einer Art Running Gag wurde, der beim gewünschten Zielpublikum, den Achtzehn- bis Fünfundzwanzigjährigen, besonders gut anzukommen schien. Das Animationsstudio, in dem Ethan zeichnete und schrieb, befand sich in einem großen, offenen Raum in Chelsea mit Modulmöbeln, beschallt von der Musik von Joy Division, einem Kühlschrank voll mit Sprudel und Saft und einer Belegschaft, die ohne Ausnahme unter dreißig war. Eines Tages brachte jemand einen Pogo-Stick, einen »Springstock«, mit und hinterließ lauter Dellen im schönen Fußboden. Ethan fand sich trotz allem in seine Arbeit ein, und es verging mehr als ein Jahr, in dem er gleich mehrere Gehaltserhöhungen und viel Lob bekam. *Die Gluckser* waren so erfolgreich, dass die Produzenten zum Dank mit allen Mitarbeitern nach Hawaii flogen.

Im Dezember 1982 saß Ethan in einem langärmeligen Hemd und langer Hose, praktisch einem Imker-Outfit, auf der Insel Maui. Er saß mit einem Buch im Schatten eines Baumes, während alle anderen in der Sonne oder im Wasser waren, und begriff mit einem Mal, dass er depressiv wurde und nicht nur hier weg und nach Hause, sondern auch seinen Job an den Nagel hängen musste. Er wollte nicht länger mitverantwortlich für die *Gluckser* mit ihren breiten, dummen Köpfen sein. Er ging in sein Hotelzimmer und rief Ash in New York an. Er hatte das Telefon seit seiner Ankunft nicht benutzt, um keine Zusatzkosten zu verursachen, aus Angst, jemand vom Sender könnte ihm sonst böse sein. Selbst seine Minibar hatte er noch nicht angerührt, während die anderen *Gluckser*-Leute sicher Tag und Nacht tütenweise mit Kona-Kaffee glasierte Macadamia-Nüsse daraus verdrückten. Ethan hatte Sorge, dass er, wenn er Ash eröffnete, dass er kündigen wollte, hören würde: »Das ist ziemlich impulsiv, Ethan. Bleib noch die paar Tage, und wenn du wieder hier bist, reden wir darüber.«

Aber sie sagte: »Wenn du es so willst.«

»Ja.«

»Okay. Lass mich wissen, wann du ankommst. Ich liebe dich so sehr.«

»Ich liebe dich auch.« Er sagte das heftig und spürte ihre ruhige Kraft. Ash war nie schnell mit Urteilen bei der Hand. Komm nach Hause, sagte sie, und das würde er, und sie würde ihn erwarten und ihm helfen, sich neu zu sortieren. Ehepartner, Lebensgefährtinnen und -gefährten waren mit auf die Reise eingeladen worden, aber Ash hatte in New York bleiben wollen, um die Regieassistenz in einem experimentellen Stück mit dem Titel *Coco Chanel kommt zum Höhepunkt* übernehmen zu können, das nachts unter freiem Himmel im Meatpacking District aufgeführt werden sollte. Sie wurde nicht dafür bezahlt, aber Ethans Gehalt reichte für sie beide. Er packte seine Tasche, während die anderen im Pazifik herumplanschten, und hinterließ an der Rezeption eine Nachricht für seinen Chef, in der er ihm erklärte, die Erkenntnis habe ihn schnell, aber heftig getroffen. *Als hätte mir jemand eins mit einem Surfboard übergezogen*, schrieb er. *Nicht, dass ich wüsste, wie sich das anfühlt, habe ich diese Ferien doch, wie Sie bemerkt haben werden, im Schatten verbracht und* Die Verschwörung der Idioten *gelesen. Aber ich muss raus aus der Sache, Stan. Wobei ich nicht einmal sicher bin, warum.*

Als er wieder in New York war, rief Stan an und bat ihn, in der nachfolgenden Woche hereinzukommen, damit sie sich »zusammensetzen« könnten. Ethan lehnte ab. Er blieb in der Wohnung und zeichnete wie ein Besessener *Figland*-Figuren in Spiralbücher, die er im Dutzend kaufte. Manchmal besuchte ihn Jonah Bay, blieb den Abend über und gelegentlich auch die Nacht, wenn er auf dem Sofa eingeschlafen war. Jonah war überarbeitet, nachdem er vor Kurzem einen Job gefunden hatte, in dem er Alltagsinnovationen für Behinderte entwerfen musste. Oder Jules kam mit ihrem Freund Dennis Boyd, einem großen, dunkelhaarigen Mann, der seit dem Herbst eine Schule für Ultraschalltechnik besuchte.

»Ich weiß, die Anzeigen, Ultraschalltechniker zu werden, hängen überall in der U-Bahn, was es zu einer Art Witz macht«, sagte Jules, nachdem sie von Dennis' Plänen berichtet hatte. »Dabei ist es ein wichtiger Beruf. Er wird in der Lage sein, in die Leute hineinzusehen und die Geheimnisse unter ihren Knochen zu lüften. Und das mit Schallwellen. Es ist fast so wie Hellsehen, nur mit einer Maschine. Für mich hat es in gewisser Weise etwas Künstlerisches. Er wird sich mit Anatomie beschäftigen. Mit Menschenleben. Mit dem, was in ihnen drin ist. Mit ihrer gesamten Zukunft.«

»Ich weiß«, sagte Ethan. »Und ich mag Dennis. Du musst ihn mir nicht verkaufen.«

Dennis Boyd war scheu und hatte einmal emotionale Schwierigkeiten gehabt, wusste Ethan. Vor allem jedoch schien er ein anständiger Kerl zu sein, der Jules niemals wehtun würde, Gott sei Dank. Der sie lieben würde. Wenn Ethan Jules manchmal quer durchs Zimmer ansah, hatte er das Gefühl, die Personen, die sie mit fünfzehn gewesen waren, existierten unverändert weiter. Er könnte sie immer noch küssen, wie ihm bewusst wurde, doch dann sagte er sich gleich: *Vertreibe diesen Gedanken.* Jules Jacobson war auch in ihren Zwanzigern nicht besonders sexy oder von großer körperlicher Ausstrahlung – nicht, dass sie mit fünfzehn anders gewesen wäre –, aber sie erregte ihn bis zum heutigen Tag, einfach weil er sie so mochte. Jules war klug, charmant und unprätentiös. Niemand hatte ihr je etwas geschenkt, und sie war nicht verhätschelt worden. Ethan selbst auch nicht, das hatten sie gemeinsam, zusammen mit einer gewissen schrägen Sensibilität. Jules war es egal, ob sie würdevoll wirkte oder nicht, ihre Witze gingen oft auf ihre eigenen Kosten. Sie vergaß ihre Würde, wenn es einer Pointe diente.

Ethan wusste, dass Jules, objektiv betrachtet, nicht derartig komisch war. Direkt nach dem College war sie ständig mit dem Zug von ihrer Mutter, bei der sie wohnte, in die Stadt gekommen, um für komische Rollen in Stücken vorzusprechen, ohne Erfolg. Ash fand sie urkomisch, für Ethan war sie einfach nur witzig, bestechend und wundervoll. Warum reichte das nicht, um eine Rolle zu bekommen?

Vor ein paar Monaten dann war Ash eines Abends nach dem Schauspielunterricht, den sie und Jules seit dem Sommer nahmen, nach Hause gekommen und hatte gesagt: »Die arme Jules. Du würdest nicht glauben, was ihr passiert ist.«

»Was denn?« Er sah seine Freundin ängstlich an, da er nicht wollte, dass Jules etwas zugestoßen war. Es sei denn, Dennis hätte mit ihr Schluss gemacht. Absurderweise machte *dieser* Gedanke Ethan nicht zu große Angst. Es vermittelte ihm sogar ein leichtes Wohlgefühl, sich Jules wieder als verfügbar vorzustellen, obwohl Ethan selbst natürlich gar nicht verfügbar war.

Ash ließ ihre riesige Handtasche fallen, setzte sich zu Ethan aufs Sofa und legte den Kopf an seine Schulter. »Im Unterricht heute hat Yvonne sie wieder und wieder getriezt und ihr gesagt, sie gehe nicht tief genug, und am Ende, als alle gingen, wollte Yvonne plötzlich, dass sie noch blieb. Ich habe draußen auf der Straße gewartet, weil Jules und ich doch immer noch essen gehen. Sie und Yvonne waren vielleicht zehn Minuten zusammen drinnen, dann kam Jules heraus, und ihr Gesicht war total rot, so gefleckt, wie das bei ihr immer ist, du weißt, was ich meine, oder?«

»Ja.« Er hatte Jules' Rot-und-fleckig-Werden lange studiert.

»Sie sah aus, als hätte sie Masern«, sagte Ash. »Völlig entzündet, völlig aufgewühlt. Wir sind ins Restaurant gegangen, und sie erzählte mir, dass Yvonne in etwa gesagt habe: ›Mädchen, lass mich offen sein: Warum willst du Schauspielerin werden?‹«

»Eure Lehrerin hat das zu Jules gesagt? ›Warum willst du Schauspielerin werden?‹«

»Ja, und Jules sagt, sie habe so etwas gemurmelt wie: ›Nun, weil es das ist, was ich mit meinem Leben anfangen will.‹ Und darauf sagte Yvonne: ›Aber hast du dich je gefragt, ob die Welt dich als Schauspielerin sehen muss?‹ Das hat sie gesagt! Diese gemeine Alte mit ihrem Turban. Und Jules konnte nur antworten: ›Nein, ähm, das habe ich nicht.‹ Und Yvonne dann: ›Wir alle haben hier auf der Erde nur eine Runde zu drehen, und alle denken, ihre Bestimmung ist es, ihre Leidenschaft zu finden. Aber vielleicht besteht unsere Bestimmung auch darin herauszufinden, was die übrigen Menschen brauchen. Und vielleicht muss die Welt nicht unbedingt *dich* sehen, meine Liebe, wie du einen müden alten Monolog aus der Samuel-French-Sammlung rezitierst oder über die Bühne stolperst, als wärst du betrunken. Ist dir dieser Gedanke je gekommen?‹«

»O mein Gott«, sagte Ethan. »Das ist ja schrecklich.«

»Ich weiß, und Jules hat gesagt: ›Danke, Yvonne.‹ Sie hat sich auch noch dafür bedankt – das war echt masochistisch von ihr – und ist heulend auf die Straße hinausgelaufen.«

»Ich wünschte, ich wäre da gewesen, um ihr zu helfen«, sagte Ethan.

Am nächsten Tag, als Ash nicht in der Wohnung war, rief Jules an. Es war unklar, wen von beiden sie sprechen wollte, wahrscheinlich Ash, aber Ethan tat so, als wäre er es, mit dem sie reden wollte, und ließ sich auf das Gespräch ein. »Es war so erniedrigend, Ethan«, sagte Jules. »Sie stand da mit ihrem Turban und sah mich an, als würde sie mich hassen. Als wollte sie sagen: ›Raus aus dem Theater!‹ Und wahrscheinlich hat sie recht. Ich mag ja komisch sein, aber nicht schauspielerisch komisch. Eher lebenskomisch. So wie du«, fügte sie hinzu. »Obwohl du natürlich auch noch ›genial‹ komisch bist, was dir jede Menge Möglichkeiten eröffnet.«

Ethans Gesicht brannte vor Wohlgefühl, und er lehnte sich auf dem Sofa zurück und fragte sich, wie Jules wohl dasaß, vielleicht auch auf dem Sofa und in der gleichen Haltung wie er. »Kaum genial«, sagte er.

»Das habe ich nicht mal gehört«, sagte Jules. Und dann: »Ich will es ja auch weiter versuchen. Aber wie lange stelle ich mich da draußen noch hin, Ethan? Mit dem Unterricht ist es für mich natürlich vorbei. Nicht, dass ich mein Geld zurückfordern könnte, obwohl der Kurs noch viele Wochen lang dauert. Es wäre zu schrecklich, noch einmal mit Yvonne sprechen zu müssen. Im Übrigen hat sie mein Geld sicher längst in der Turban World ausgegeben. Aber was ist mit meinen Vorsprechen? Sage ich: Scheiß auf Yvonne, und mache weiter? Wann höre ich auf? Wenn ich fünfundzwanzig bin? Dreißig? Fünfunddreißig? Vierzig? Oder auf der Stelle? Niemand sagt dir, wie lange du etwas tun solltest, bevor du für immer aufgibst. Ich will nicht warten, bis ich so alt bin, dass mich auch in keinem anderen Bereich mehr einer nimmt. Ich fühle mich irgendwie ausgelaugt von alledem, dabei habe ich doch gerade erst angefangen.

Aber ich will *irgendwo* eine Rolle bekommen, selbst wenn es ein unverständliches kleines Stück in einem Theater mit zwölf Plätzen ist. Erinnerst du dich an *Marjorie Morningstar*?«

»Nein.«

»Das ist ein berühmter Roman von Herman Wouk von vor wirklich langer Zeit. Marjorie Morningstar will von klein auf Schauspielerin werden, eigentlich heißt sie Marjorie Morgenstern, sie ist Jüdin, und sie ändert den Namen für die Zeit, wenn sie berühmt sein wird, was, wie alle wissen, einmal der Fall sein wird. Sie ist ein hübsches, lebhaftes Mädchen, das in allen Stücken in der Schule und im Sommertheater die Hauptrolle bekommt. Sie geht nach New York, hat bereits viel Erfahrung, und doch klappt es am Ende nicht. Ganz zum Schluss des Romans springt die Geschichte viele, viele Jahre weiter, und eine Freundin von vor langer Zeit kommt sie besuchen. Marjorie lebt jetzt als Vorstadthausfrau in Mamaroneck. Sie war einmal echt dynamisch, aufregend und vielversprechend, doch jetzt ist sie zu dieser gewöhnlichen, langweiligen Person geworden, und ihre Freundin kann es kaum glauben, dass das die Marjorie ist, die sie einmal kannte. Für mich war das immer das traurigste, vernichtendste Ende, das es gibt. Diese großen Träume zu haben, die nie in Erfüllung gehen. Sich, ohne es zu merken, mit der Zeit immer kleiner zu machen. Ich will nicht, dass es mir auch so geht.«

»Jules, du magst ja vieles sein, aber sicher nicht wie Marjorie Morningstar«, sagte Ethan nach einem Moment des Schweigens. Das war nicht beleidigend gemeint, und Jules musste es begriffen haben. Sie war nicht von Natur aus prädestiniert, ein Star zu werden, und war es nie gewesen, und somit würde ihre Geschichte aller Wahrscheinlichkeit nach auch kein so verheerendes Ende nehmen.

Ash war der Star. Ash würde es als Schauspielerin schaffen, wenn sie wollte, allerdings sah es nach allem, was sie Ethan gesagt hatte, in letzter Zeit nicht mehr so aus. Sie wolle Regie führen, nicht selbst auf die Bühne, hatte sie ihm erklärt. Vor allem wolle sie Stücke von Frauen in Szene setzen und Stücke über Frauen, mit guten weiblichen Rollen. »Es besteht ein unglaubliches Ungleichgewicht da draußen«, sagte Ash. »Männliche Stückeschreiber und männliche Regisseure beherrschen dieses kleine Fürstentum und heimsen alle Preise ein. Ich schwöre, wenn sie eine Möglichkeit sähen, auch noch die Frauenrollen mit Männern zu besetzen, würden sie es tun.«

»›Tommy Tune *ist* Golda Meir‹«, hatte Ethan sie unterbrochen.

»Das Theater ist definitiv so machistisch wie alles andere auch«, sagte Ash. »Es ist fast so schlimm … wie das Probebohren nach neuen Ölfeldern. Der Sexismus ist abscheulich, und ich möchte versuchen, etwas daran zu ändern. Meine Mutter hat im Smith eine tolle Ausbildung bekommen, anschließend aber gleich geheiratet und nie einen Beruf ergriffen. Wenn ich sie ansehe, denke ich, dass sie vieles hätte werden können, sehr vieles. Kunsthistorikerin, Museumskuratorin. Eine Küchenchefin! Wie du weißt, ist sie eine ausgezeichnete Köchin und eine ausgezeichnete Mutter, aber sie hätte auch eine erfolgreiche berufliche Karriere hinlegen können. Das eine schließt das andere nicht aus. Ich habe das Gefühl, dass ich es ihr schuldig bin, etwas Frauenrelevantes zu tun.« Ash erklärte Ethan, sie wolle eine feministische Regisseurin werden. 1984 konnte man seinen Traumjob noch so benennen, ohne ausgelacht zu werden. Natürlich waren die Aussichten, als Regisseur Erfolg zu haben, noch niedriger als im Schauspielfach, und für Ash als Frau ganz besonders, aber sie war zu der Überzeugung gelangt, dass es das war, was sie mit ihrem Leben anfangen wollte.

Jules dagegen war zufällig aufs Theater verfallen und vielleicht ein wenig zu lange dabeigeblieben. Im College hatte sie ihre letzten Rollen bekommen. Zwar hatte Jules sich von vornherein als Darstellerin für die durchgeknallten Rollen positioniert: nicht attraktiv genug, um eine Hauptrolle zu bekommen, dafür jedoch mit einem gewissen Sidekick-Charme ausgestattet, doch auch da musste sie anerkennen, dass viele andere einfach weit besser waren als sie. Sie sah sie Szenen im Unterricht spielen. Eine hatte einen erstaunlich biegsamen Körper, eine andere verstand es, eine Unzahl Akzente nachzumachen. Jules hatte sie auch in Wartezimmern erlebt, wo sie alle saßen und ihre Fotos in den Händen hielten, oder beim Vorsprechen selbst. Obwohl sie um ihren niederen Stand in der Theaterhierarchie wussten, konkurrierten sie miteinander um die kleineren, entscheidenden, manchmal allen anderen die Schau stehlenden Rollen. Sie waren gut in dem, was sie taten. Besser als Jules.

»Nein«, stimmte Jules Ethan am Telefon zu. »Ich bin nicht Marjorie Morningstar.«

»Was sonst könntest du dir für dich vorstellen?«, fragte er.

»Muss ich das jetzt entscheiden?«

»Ich gebe dir ein paar Minuten«, sagte er. »Besprich dich mit dir.«

Sie saßen schweigend da, und Ethan hörte, wie sie etwas zerbiss. Er fragte sich, was es war, es machte ihn hungrig, und er zog am Telefonkabel, um an eine Tüte Chips auf dem Kaffeetisch heranzukommen. So leise er konnte, riss er die Tüte auf, die Luft fuhr heraus, und er begann zu essen. Gemeinsam zerkauten er und Jules gänzlich unbefangen ihre Chips oder was immer es war. »Was isst du da gerade?«, fragte er schließlich.

»Ist das die platonische Version der Telefonfrage: ›Was trägst du gerade?‹«

»So was in der Art.«

»Cheez-Its«, sagte Jules.

»Doritos«, sagte er. »Die sind beide orange. Wir beide haben jetzt orangefarbene Zungen. *Sie werden uns an der Farbe unserer Zungen erkennen.*«

Sie kauten noch eine Weile länger und hörten sich wie zwei Leute an, die durch Herbstlaub liefen. Ash aß niemals Knabberzeugs, ihre Ernährungsdisziplin war erstaunlich. Ethan war einmal ins Wohnzimmer gekommen, wo sie saß und eine Tomate aß, die auf der Fensterbank gereift war. Gedankenverloren hielt sie die Tomate in der Hand und aß sie, als wäre es ein Pfirsich oder eine Pflaume.

»Nun«, sagte Jules endlich, »ich weiß, es mag etwas pathetisch klingen, aber ich habe mir manchmal vorgestellt, etwas mit Menschen zu tun, die leiden. Das soll kein Witz sein, falls du das denkst. Als mein Vater starb, habe ich mich derartig verschlossen, was das anging, und nie wirklich versucht, meiner Mutter zu helfen. Es ist abscheulich, wie selbstbezogen ich war.«

»Du warst noch ein Kind«, erinnerte er sie. »Da ist das so.«

»Und jetzt bin ich kein Kind mehr. Du weißt, dass ich im College im Nebenfach Psychologie hatte, oder? Im ersten Jahr, als es mir so schlecht ging, bin ich in die Uni-Beratung gegangen, und da gab es eine richtig nette Sozialarbeiterin.«

»Okay«, sagte Ethan. »Fahr fort.«

»Therapeutin zu werden könnte interessant sein. Mit Doktortitel und allem. Aber meine Mutter kann mir mit den Studiengebühren nicht helfen, und ich werde auf ewig Darlehen zurückzahlen müssen.«

»Geht das nicht billiger? Könntest du nicht eine therapeutische Sozialarbeiterin werden wie die, die du getroffen hast? Würde das nicht weniger kosten?«

»Nun ja, ich denke schon. Dennis sagt, ich sollte auf jeden Fall an ein Studium denken.«

»Gefällt ihm die Idee?«

»Oh, er mag alles, was ich mag«, sagte Jules. »Und er ist selbst auch sehr glücklich mit seiner Ultraschallausbildung. Natürlich hat *seine* Schule«, sagte sie mit trockener Stimme, »tolle Vorlesungsreihen, eine wundervolle Lacrosse-Mannschaft und einen efeuüberwucherten Campus. Himmel, es gibt sogar eine Schulhymne.«

»Ach wirklich?«, sagte Ethan. »Ich werde ja ganz neugierig. Sag mir, welche Hymne die Schule für Ultraschalltechnik hat.«

Jules überlegte. »Sie ist von den Beatles«, sagte sie schließlich.

»Okay ...«

»*I'm Looking Through You.*«

»Perfekt«, sagte Ethan. Er liebte Jules und wollte, dass ihr Gespräch ewig weiterging.

»Ernsthaft«, sagte Jules, »es war eine gute Idee für Dennis. Vorher wusste er nicht, was er werden oder tun sollte. Du weißt, dass es ihn im College aus dem Gleis geworfen hat und er krank wurde. Die Ultraschallsache ist nicht gerade das, was er schon immer gewollt hat, aber sie ist gut für ihn, eine Erleichterung. Und ja, ihm gefällt die Idee, dass ich auch noch einmal die Schulbank drücke. Aber du ... Du hast bestimmt eine klare Meinung dazu. Nicht, dass sie unbedingt richtig sein muss.«

»Ich denke, ich stimme Dennis zu. Du wärst eine gute Therapeutin«, sagte Ethan. »Die Leute würden gern mit dir reden.«

»Woher weißt du das?«

»Weil *ich* gern mit dir rede.«

Nicht lange danach wurde Jules an der Schule für Sozialarbeit der Columbia University angenommen, bekam ein Stipendium und nahm ein Studiendarlehen auf. Sie sollte Mitte des Jahres anfangen und war erleichtert, nicht länger jede Woche die *Backstage* kaufen, mit einem gelben Textmarker in einem Coffeeshop sitzen und sich vorstellen zu müssen, eine dieser Rollen zu bekommen, obwohl es ihr wahrscheinlich nie gelingen würde. Sie ließ den Schauspielwunsch hinter sich und damit auch den Traum, große Aufmerksamkeit zu finden – zu große Aufmerksamkeit, die einem wie ein Fieber zu Kopf stieg. Im Übrigen hatte sie genug davon, im La bella Lanterna zu arbeiten, wo die Trinkgelder dürftig waren und sie nach der Arbeit mit nach Espresso riechenden Haaren nach Hause kam. Keine noch so große Menge eines Himmel-dein-Haar-riecht-fantastisch-Shampoos vermochte den Geruch herauszuwaschen. An der Columbia nahm ihr Haar wieder seinen gewohnt neutral süßen Duft an, und mit dem Unterricht lief es gut, nur die Statistikkurse bereiteten ihr Schwierigkeiten, aber sie sagte, Dennis helfe ihr, sitze neben ihr im Bett und lese ihr langsam und laut aus dem unverständlichen Lehrbuch vor.

Mit Jules ging es voran, aber jetzt stockte es bei Ethan. Obwohl es intuitiv richtig gewesen war, seinen Job bei den *Glucksern* hinzuwerfen, hatte er mit einem Mal nichts mehr, worauf er hinarbeiten konnte. Er wünschte, so mit Jules reden zu können, wie sie mit ihm geredet hatte. Mit ihr war es anders als mit Ash, die seinen Instinkten grundsätzlich traute und ihn glücklich sehen wollte. Jules war viel kritischer: Sie war diejenige, die ihm offen sagte, wenn eine seiner Ideen schlecht war. Aber um mit ihr solch ein Gespräch anzufangen, hätte er zugeben müssen, völlig durcheinander zu sein, und das konnte er nicht, denn dann würde sie ihn für bemitleidenswert halten, und er hatte hart daran gearbeitet, aus dem Niemandsland des Erbärmlichen aufzusteigen, nachdem er vor Jahren im Trickfilm-Schuppen mit dem Versuch gescheitert war, sie zu küssen.

Eines Nachmittags, ein paar Tage nachdem er aus Maui zurück war, hatte ihn Ashs Vater zum Mittagessen eingeladen. »Treffen wir uns in meinem Büro«, sagte Gil Wolf. Ethan wusste, dass er sich dazu eine Krawatte umzubinden hatte, und der Gedanke deprimierte ihn. War nicht genau das der Punkt am Künstlerdasein oder doch wenigstens ein Teil davon, dass man keine Krawatte tragen musste? Und warum sollte er überhaupt mit Gil lunchen gehen, allein? Ethan und Ash waren seit dem Sommer 1976 zusammen, mit nur einer bösen Unterbrechung im dritten College-Jahr.

Ash hatte in Yale auf einer Party zu viel getrunken und mit einem Jungen in ihrem Wohnheim geschlafen, ihrem »College«, wie sich die Wohnheime dort hochtrabend nannten. Der Junge hatte Navajo-Blut in den Adern, eine exotisch dunkle Hautfärbung, und es sei im Anschluss an die Party »einfach passiert«, sagte Ash. Ethan war so wütend und schockiert, dass er das Gefühl hatte, all seine inneren Organe müssten explodieren, und es grenzte an ein Wunder, dass er den lauten alten Wagen seines Vaters auf der Rückfahrt von New Haven nicht gegen einen Baum setzte. Während der fünf Wochen, die Ethan und Ash nicht miteinander redeten, zeichnete Ethan einen hässlichen, gemeinen Trickfilm mit dem Titel *Das Miststück*. Darin ging es um eine Ameise, die bei einem Picknick ihren Ameisen-Geliebten betrügt.

An einem Wochenende während dieser schlimmen Phase, an dem er sich schlechter fühlte, als er sich je gefühlt hatte, fuhr Ethan nach Buffalo, um Jules zu besuchen, und obwohl er eigentlich im Schlafsack auf dem Boden ihres Wohnheims aus Schlackenbeton schlafen sollte, saß er die halbe Nacht bei ihr im Bett, während sie für eine Psychologieprüfung büffelte. Immer wieder versuchte er, mit ihr zu reden und sie abzulenken, und sie sagte, er solle still sein, er mache sie nervös und dass sie ihre Prüfung nicht bestehen werde. »Ich massiere dir den Rücken«, sagte er, »das beruhigt«, und als sie gedankenverloren zustimmte, begann er ihr die Schultern zu reiben, und sie beugte sich vor, damit er hinter sie rutschen konnte und besser an sie herankam.

»Das fühlt sich gut an«, sagte Jules, und Ethan rieb fleißig weiter. Am Ende legte sich Jules ihr Buch umgedreht auf den Schoß und schloss die Augen. Ethans Hände wanderten über das weite T-Shirt, in dem sie schlief, und Jules ließ dankbare Geräusche hören, die Ethan sehr gefielen. Seine Hände bewegten sich jetzt rhythmisch pulsierend, und Jules seufzte genussvoll. Etwas im Zimmer schien sich zu ändern, verstand er es richtig? Seine Hände bewegten sich Jules' Rücken hinunter, irgendwie gelangte eine dabei um ihre Seite, und jetzt war er *sicher*, dass sich etwas geändert hatte. In der absoluten Stille fuhr die Hand nach oben, legte sich um ihre Brust, und zwei Finger fanden ihre Brustwarze. Es war ein Schock für alle und alles, für Ethan, Jules, die Hand, die Brust und die Brustwarze. Abrupt bewegte sich Jules von Ethan und seiner Hand weg und sagte: »Ethan, was soll das?«

»Was?«, fragte er niedergeschmettert und tat gleichzeitig so, als wüsste er nicht, wovon sie redete.

»Ab auf den Boden in deinen Schlafsack«, sagte sie. Er gehorchte und verschwand darin wie ein Tier in seiner Höhle. »Wie kannst du glauben, das ist okay?«, schimpfte Jules. »Wir haben eine andere Art von Beziehung, du und ich. Und warum sollte ich wohl etwas mit dir anfangen, dem Freund meiner besten Freundin?«

»Ich weiß nicht«, sagte er und wich ihrem Blick aus. *Weil wir uns lieben,* wäre die ehrliche Antwort gewesen. *Weil es sich so wunderbar anfühlt, wenigstens für mich. Weil ich, auch wenn ich eine ganze Weile mit Ash zusammen war, wenn es schlimm kommt, immer wieder auf mein altes Verlangen zurückfalle, das Verlangen nach* dir, *das mich bis in den Tod begleiten wird.*

Was an jenem Abend in Jules' Wohnheim in Buffalo geschehen war, sollte zu etwas werden, über das sie jahrelang nicht redeten, und als Jules es Ethan gegenüber irgendwann wieder erwähnte, nannte sie es salopp den »Buffalo-Nippel«. Der Name hielt sich und wurde eine Art Geheimcode nicht nur für diesen speziellen Vorfall, sondern für jede fehlgeleitete Handlung, die jemandem aus Verlangen, Schwäche oder Angst, eigentlich aus jeder menschlichen Regung heraus, unterlaufen mochte.

»Sie kommt zurück zu dir«, sagte Jules zu Ethan an jenem Abend, als sie getrennt voneinander im Dunkel ihres Wohnheims lagen. »Weißt du noch, wie sie mich aus der Wohnung ihrer Eltern geworfen hat, nachdem ich mich mit Cathy Kiplinger in dem Coffeeshop getroffen hatte?«

»Ja. Aber Ash war die, die *mich* betrogen hat. *Sie* war es, und jetzt warte ich auf sie. Wie ist das passiert?«

»So ist das mit Ash. Es ist einfach so wie immer.«

Ethans und Ashs Trennung wurde für beide unerträglich. Beide telefonierten mit Jules und beklagten den Schmerz, den es bedeutete, ohne den anderen zu sein. »Er ist ein Teil von mir«, sagte Ash, »das hatte ich irgendwie vergessen, und jetzt ertrage ich es nicht, ihn nicht bei mir zu haben. Es kommt mir fast so vor, als hätte ich mit einem anderen schlafen müssen, um zu begreifen, wie sehr ich ihn brauche.« Und alles, was Ethan immer wieder zu Jules sagte, war: »Ich halte das nicht mehr aus. Ich meine, *ich halte das einfach nicht mehr aus*, Jules. Du hast Psychologie studiert. Erklär mir, wie die Frauen funktionieren. Erklär mir alles, was ich wissen muss, denn ich habe das Gefühl, ich weiß gar nichts.«

Am Ende kamen die beiden wieder zusammen und wurden wieder ein Paar. Ash erfuhr nie vom Buffalo-Nippel, und es gab keinen Grund, es sie jemals wissen zu lassen. Ethan und Ash zogen nach dem College zusammen, in die 7. Straße gleich bei der Avenue A auf der East Side, eine Straße voller Junkies und Dealer. »Das gefällt mir ganz und gar nicht«, sagte Gil Wolf, als er und Betsy die beiden besuchten. Sie riefen gleich bei einem Schlüsseldienst an und bestellten das teuerste Titanschloss, das es gab.

Ash und Ethan waren beide dreiundzwanzig Jahre alt, als ihr Vater Ethan in sein Büro einlud. Es war ein absolut vernünftiges Alter, um zusammenzuleben, ohne gleich an Heirat denken zu müssen. Ethan sorgte sich, dass Gil ihn fragen würde, ob er Pläne in der Richtung hätte, doch Gil wollte nicht über eine mögliche Ehe oder überhaupt über Ash reden. Es schien ihm nur Sorgen zu machen, dass Ethan seinen Job bei den *Glucksern* aufgegeben hatte. Gil schien sich als eine Art Vaterfigur anbieten zu wollen, wusste er doch, dass Ethans wirklicher Vater verbittert, selbstbezogen und verantwortungslos war und damit in dieser Hinsicht untauglich. Ethan trug eine schmale braune Krawatte und ein braunes Jackett, das unter den Achseln kniff. Sein Haar war frisch geglättet. So saß er auf einem Antiklederstuhl mit einem Rahmen aus gebürstetem Stahl vor dem Schreibtisch von Ashs Vater in dessen Büro bei Drexel Burnham Lambert in der Lexington Avenue. Der Himmel draußen war mit zerrissenen Wolken überzogen und die Stadt von hier kaum zu erkennen, genau wie sich Ethan kaum erkennbar fühlte.

»Was denkst du, was du als Nächstes anfangen wirst?«, fragte Gil Wolf. Auf seinem Tisch stand eines jener Kugelstoßpendel, eine »Newtonsche Wiege«, und Ethan verspürte den ungeheuren Drang, die Hand auszustrecken und damit zu spielen, aber er wusste, er musste die Hände bei sich behalten.

»Keine Ahnung, Gil«, sagte Ethan. Er lächelte entschuldigend, als könnten seine Worte für einen Mann im Finanzgeschäft etwas Beleidigendes haben. Die Leute hier in diesem Büro wussten alle ganz genau, was sie als Nächstes tun würden. 1982 liefen die Geschäfte von Drexel Burnham Lambert auf Hochtouren, es war wie auf einer Rennstrecke. Alle wollten Geld machen, und sie wussten, was sie zu tun hatten. Ethan passte nicht in die Welt des Investmentbankings. Unten am Empfang hatte er einen selbstklebenden Besucherausweis bekommen und ihn sich aufs Revers gedrückt, bevor er den Aufzug betreten hatte. Er hatte das Gefühl, dass darauf nicht »Besucher«, sondern »Fremdkörper« stand. Dennoch spürte er den Hauch des Besonderen, den es bedeutete, hier zu sein, das Ansteigen der Körpersäfte, als Gils Assistent kam und ihn aus dem Wartebereich nach oben holte.

»Mr Figman?«, sagte der junge Bursche. »Ich heiße Donny. Hier entlang, bitte.«

Donny war kaum älter als Ethan und trug einen konservativen dunklen Anzug und ein gestärktes Hemd. Der war auf keiner Kunstakademie gewesen, sondern in einer Business School. Die Atmosphäre übte eine verblüffende Anziehung auf Ethan aus, der bisher kaum einmal über Geld nachgedacht hatte. Das Gehalt seines Vaters als Pflichtverteidiger hatte für die vollgestopfte Wohnung beim Washington Square gerade gereicht. Seine Mutter war Aushilfslehrerin gewesen, wenn sie auch kaum geduldig mit Kindern war, im Gegenteil, sie schrie immer gleich. Im Sommer reichte das Geld dann noch, um Ethan ins Camp zu schicken; die School of Visual Arts war gebührenfrei. Als er klein gewesen war, hatten sich seine Eltern oft über Geldangelegenheiten gestritten, aber sie stritten sowieso, und Ethan war in dem Glauben aufgewachsen, dass das Einzige, was zählte, das Einzige, was einen vor der Hölle des häuslichen Lebens retten konnte, ein Job, eine Beschäftigung war, die man liebte. Was gab es Besseres?

Aber vielleicht machten die Leute bei Drexel Burnham ja auch, was sie liebten. Bei der Sache schienen sie auf jeden Fall zu sein. Hinter jeder offenen Tür war jemand zu sehen, für gewöhnlich ein Mann, der gerade telefonierte oder tief im Gespräch mit jemand anderem war. Ethan folgte Donny über die Gänge und nahm all die Wortfetzen und das Gesumme in sich auf. Und hier, in der gelösten Ruhe von Gil Wolfs Büro, hätte er sich aufs kühle Ledersofa legen und ein paar Stunden schlafen können. Er hatte immer schon gewusst, dass die Wolfs reich waren, jedoch nie gesehen, wo der Großteil des Geldes gemacht wurde. Wobei ihm auch nie in den Sinn gekommen war, sich besonders dafür zu interessieren. Gil Wolf war vor allem der Vater seiner Freundin, doch hier in dieser Welt, besaß er eine andere Rolle, eine positive, bestimmte, ja, erfrischende Rolle.

»Du hast keine Ahnung, was du als Nächstes machen willst? Das kann ich kaum glauben«, sagte Gil freundlich, und dann war er es, der die Hand ausstreckte und eine der Kugeln der Newtonschen Wiege anhob. *Klick!* machte es, als sie gegen die anderen schlug und die letzte der Reihe in die Höhe schnellen ließ. Die beiden Männer verfolgten stumm diese kleine Demonstration einiger physikalischer Gesetze.

»Ich glaube, Spirit-in-the-Woods hat mich verdorben«, sagte Ethan. »Da ging es darum, seiner Fantasie und Ausdruckskraft freien Lauf zu lassen. Die Arbeit für *Die Gluckser* war etwas ganz anderes: Alle hatten der vorgegebenen Marschrichtung zu folgen. Vielleicht sollte ich aus dem Trickfilmbereich aussteigen und etwas tun, was mich nicht so nervt.«

»Hör zu«, sagte Ashs Vater. Er wandte sich von seinem Spielzeug ab, verschränkte die Finger seiner Hände und sah Ethan direkt in die Augen. »Ich glaube an dich. Und da bin ich nicht der Einzige.«

»Danke, Gil. Es ist sehr nett, dass Sie das sagen.«

»Nicht nur nett«, sagte Gil. »Ich sage es auch aus Eigeninteresse. Weil ich weiß, dass sich Ash Sorgen macht. Ich will keinen Ärger im Paradies anfangen, Ethan. Ich meine, sie will auch, dass du glücklich bist. Sie wünschte, du könntest tun, woran dein Herz wirklich hängt.«

»Das wünsche ich mir auch.«

Gil beugte sich jetzt wie jemand über den Tisch, der seinem Gegenüber einen einmaligen, das Leben bestimmenden Investitionsvorschlag machen will. »Hör zu. Ich an deiner Stelle«, sagte er, »ich würde zu denen zurückgehen und ihnen sagen, was ich wirklich will.«

»Zu denen?« Ethan lachte, hielt dann aber inne. Das hatte ungehörig geklungen. »Ich meine, *die* gibt es nicht«, sagte er. »Die Leute, mit denen ich da zu tun hatte, arbeiten allein und exklusiv nur für die *Gluckser*. Die sind nicht daran interessiert, etwas anderes von mir zu sehen.«

»Was ist mit dem Sender? Kannst du denen nicht dein *Figland* verkaufen? Als Fernsehserie wie *Die Gluckser*, nur intelligenter, satirischer und, weiß Gott, witziger. Und wenn sie es nicht wollen, sagst du, du gehst zur Konkurrenz. Ich habe ein paar Nachforschungen für dich angestellt. Es gibt verschiedene schwarze Löcher im Programmplan des Sender-Networks, in denen Serien einfach keinen Erfolg haben. Zu gewissen Sendezeiten sind sie die Verlierer, und das bereitet ihnen Sorge.«

Ethan lehnte sich zurück und spürte, wie das Rückgrat des ultramodernen Stuhls ein wenig zu weit nachgab, als wollte es ihn hintenüber auf den Kopf fallen lassen. Gil Wolf war es gewohnt, Dinge in Gang zu setzen, durchzusetzen, zu klären. Seine Annahmen und seine Unbekümmertheit waren bemerkenswert. Er wollte, dass Ethan aggressiv auf die Leute vom Sender zuging, selbstbewusst, ihnen *Figland* präsentierte und sie glauben machte – nein, sie mit der Sorge erfüllte –, dass sich mit Ethan Figman Geld machen ließ. Es würde eine Art *mindfuck* sein, genau wie in Gils Welt. Und solch ein *mindfuck* konnte nicht nur in Gils Welt äußerst befriedigend und produktiv sein.

Ethan sah in Gils begeistertes, fast schon irres Gesicht und spürte, wie er sich versteifte und schließlich nachgab. Figman senior war immer so gedankenverloren und durcheinander gewesen, dass er einen spektakulär schlechten Vater abgegeben hatte, und Ethan wünschte sich in diesem Moment nichts so sehr wie die Liebe von Ashs Vater. Wozu sonst hatte er sich eine puddingschüsselgroße Menge Schaumfestiger ins Haar geschmiert und sich am helllichten Tag in diesen Affenanzug gezwängt. Die Intensität ihres Blickkontaktes ließ Ethan plötzlich begreifen, dass Gil diese Art Gespräch in diesen Tagen eigentlich mit Goodman hätte führen sollen, und damit war ihm klar, worum es Ashs Vater wirklich ging.

Ein Vater, der seinen Sohn verloren hatte, war eine verzweifelte Kreatur. Mit leeren Händen stand er da, verzagt. Die Tragödie des plötzlichen, schlingernden Abgangs Goodmans lag Jahre zurück, verfolgte Gil Wolf aber immer noch und erinnerte ihn fortwährend an das, was er einmal gehabt, ständig kritisiert, wahrscheinlich nie ausreichend wertgeschätzt und schließlich verloren hatte. Der Schmerz musste unvorstellbar sein. Ashs Vater brauchte Ethans Erfolg, da sein eigener Sohn davongelaufen und nie gefunden worden war. Goodman war faktisch tot, Ethan nicht.

Ethan würde den Sender anrufen – warum zum Teufel auch nicht? Zum Idioten würde er sich machen und sehen, was sie dazu sagten. Er ertrug Zurückweisungen. Es würde nicht die erste sein, und er würde sie überleben.

»Eine Sache noch«, sagte Gil. »Wenn du mit ihnen handelseinig wirst ...«

»In meinen Träumen«, sagte Ethan.

»Wenn du es wirst, musst du diesen Leuten Dinge geben, die sie nirgends anders bekommen können. Sie müssen auf *dich* angewiesen sein. Das ist der Schlüssel.«

»Oh, verstehe. Klar. Danke«, sagte er zu Gil. »Und wirklich, das ist so großzügig und alles.« Die beiden Männer standen auf. Gil war Mitte fünfzig, aber immer noch ein schlanker Mann, der zweimal in der Woche Tennis spielte. Er hatte kaum mehr Haare auf dem Kopf, aber beeindruckende silbergraue Koteletten. Bestens gekleidet war er sowieso; seine Frau hatte ein ebenso gutes Auge für den richtigen Stil wie Ash.

»Gut«, sagte Gil. »Dann lass uns etwas essen gehen. Ich will ein Steak. Ich meine, einen Salat.« Er lachte. »Das ist es, was ich wollen soll. Mein Internist hat mir erklärt, wenn ich nur genug Salat esse, werde ich anfangen, danach zu lechzen. Und mein gutes Cholesterin steigt an, und das schlechte vergeht wie Morgentau.«

»Also Salat«, sagte Ethan, der mit seinen dreiundzwanzig Jahren noch nie über Cholesterin nachgedacht hatte. Er wusste nur vage, dass es mit Blutfett zu tun hatte, obwohl er, wenn das Wort fiel, nie weiter zuhörte, genau wie er keinerlei Geduld für die Träume von anderen Leuten hatte. Gil streckte die Hand aus und zog Ethan das Besucherschild vom Revers, wo es ein geisterhaftes Pollenrechteck hinterließ, das dort bleiben sollte, bis das Jackett im nächsten Jahr endgültig aus dem Verkehr gezogen wurde – Ash bestand darauf – und durch etwas Teures, nicht Braunes ersetzt wurde.

»Warte, noch etwas Letztes«, sagte Gil. Sein Gesichtsausdruck veränderte sich plötzlich und bekam etwas Verlegenes. »Ich habe mich gefragt, ob du dir vielleicht etwas ansehen könntest.«

»Sicher.«

Gil schloss die Tür zu seinem Büro, ging zum Schrank und holte eine dicke ziegelfarbene Mappe daraus hervor. Während er das Band, mit dem sie sorgfältig verschlossen war, löste, sagte er: »Das ist mein Geheimnis, Ethan. Ich habe das nie jemandem gezeigt, nicht mal Betsy.«

Oh Scheiße, Pornos, dachte Ethan und ihm wurde eng hinter dem Kragen. Irgendeine Art Fetisch-Porno. Mit Bildern von Kindern, die in Häusern mit geschwärzten Fenstern fotografiert worden waren. Gil wollte Ethan in diese Welt einführen. *Nein, nein, was für ein blöder Gedanke! Hör schon auf, du schwatzt innerlich schon wieder vor dich hin,* sagte sich Ethan. Er sah zu, wie Ashs Vater einen Stapel Zeichnungen auf dickem Papier aus der Mappe zog. »Sag mir, was du denkst«, sagte Gil.

Ethan nahm die Blätter und betrachtete das obere. Es war die Kohlezeichnung einer Frau, die an einem Fenster saß und hinaus auf die Straße sah. Die Zeichnung war mehrfach korrigiert worden, das war klar zu erkennen. Im wolkigen Grau der Kohle sah man, wo radiert, neu angesetzt und noch einmal neu angesetzt worden war. Der Kopf der Frau war in solch einem Winkel zur Seite gedreht, dass das Genick wie gebrochen aussah, aber sie saß aufrecht. Es war eine sehr schlechte Zeichnung, das sah Ethan gleich. Aber er begriff, Gott sei Dank begriff er es gleich, dass das hier kein Witz war und er nicht lachen durfte. Gott sei Dank, würde er über die Jahre noch oft denken, hatte er nicht einmal gelächelt.

»Interessant«, murmelte Ethan.

»Ich wollte ein Dreiviertel-Profil«, sagte Gil, der Ethan über die Schulter sah.

»Das sehe ich.« Und dann, mit sehr leiser Stimme, womöglich so leiser Stimme, dass Ashs Vater es gar nicht hörte und Ethan es hätte sagen können, ohne es tatsächlich zu sagen, fügte er hinzu: »Es gefällt mir.«

»Danke«, sagte Gil. Ethan schob die Zeichnung unter den Stapel und sah sich die nächste an. Es war eine Seelandschaft mit Möwen, Felsen und Wolken mit scharfen Umrissen statt der ätherischen, amöbischen Natur wirklicher Wolken. Die Zeichnung war nicht ganz so schlecht, aber immer noch ziemlich dürftig. Gil Wolf wünschte sich eine Hand, die einen Bleistift halten und alles mit ihm zu tun vermochte – oder besser noch: gleich zwei fähige Hände, wie Ethan sie hatte, der mit rechts wie mit links gleichermaßen gut zeichnete. Das Problem war nur, dass sich Talent nicht durch bloßen Willen erzwingen ließ. Ethan murmelte etwas Passendes zu jeder Zeichnung. Es war wie ein extrem stressiges Fernsehquiz mit dem Titel *Sag bloß das Richtige, du Idiot*.

»Wie also lautet das Verdikt?«, fragte Gil, die Stimme heiser vor Verletzlichkeit. »Soll ich mich weiter daran versuchen?«

Der Augenblick dehnte sich ins Unendliche. Wenn der Sinn des Zeichnens darin bestand, seine Arbeiten der Welt zu präsentieren, damit die Leute sie sehen und spüren konnten, was man ausdrücken wollte, dann nein, dann sollte Gil sich nicht weiter daran versuchen. Nie wieder sollte er dann einen Stift in die Hand nehmen. Dann sollte es ihm gesetzlich untersagt werden, Kohlestifte auch nur zu besitzen. Aber wenn es um etwas anderes ging, um Ausdruck und Entspannung, um eine Möglichkeit, dem Verlust seines Sohnes eine private Bedeutung zu geben, dem Verlust seines Kindes, seines *Jungen*, dann ja, dann sollte er zeichnen und zeichnen und zeichnen.

»Natürlich«, sagte Ethan.

Auf der letzten Zeichnung des Stapels waren zwei Gestalten zu erkennen, ein Junge und ein Mädchen, die mit einem Hund spielten. Das Durcheinander der Körper war so schrecklich, sie sahen so verdreht aus, dass es auf den ersten Blick wie eine Folterszene wirkte. Da tat einer einem anderen etwas an! Aber nein, sah Ethan, die Kinder *lachten*, und auch ihr Hund, der eher wie eine Robbe aussah, lachte, das zeigten die nach oben gerichteten Lippen.

»Das habe ich nach einem alten Foto gezeichnet«, sagte Gil. Seine Stimme klang angespannt, und Ethan wollte den Blick nicht heben und zu ihm hinübersehen, denn er hatte Angst vor dem, was er da entdecken mochte. Eben noch hatte Ethan gefürchtet, lachen zu müssen, jetzt wusste er, dass Gil womöglich Tränen über die Wangen liefen. Und dann würde Ethan natürlich auch zu heulen beginnen, dabei müsste er Gil schützen, eine liebevolle Geste in seine Richtung machen und ihm sagen, er sei froh, dass Gil ihm seine Arbeiten gezeigt habe. Auf der Zeichnung spielten Ash und Goodman mit Noodge, der noch ein Welpe war. Gil hatte sein Bestes gegeben, um diesen Moment einzufangen. Es war eine schwerfällige Szene mit Ethan Figmans Freundin als kleinem Mädchen geworden, das vage so aussah, wie Ethan es von den vielen Fotos an den Wänden der wolfschen Wohnung kannte. In der Darstellung ihres Vaters waren Ash und Goodman glücklich, und der Hund war ebenfalls glücklich und lebte noch. Die Zeit war angehalten, und es gab keinen Hinweis darauf, was die Zukunft diesen Kindern bringen würde, obwohl die Hälse der drei, des

Bruders, der Schwester und des Hundes, verstörenderweise gebrochen schienen.

Nach dem festlichen Essen in dem ebenso dunklen wie schönen japanischen Restaurant, nachdem sie sich überschwänglich von den Network-Managern verabschiedet hatten, mit einem festen Händedruck zwischen den Männern und zarten Wangenküssen zwischen allen anderen, gingen Ethan und Ash durch einen leichten Regen die Madison Avenue hinunter. Es war spät, und die Straße war nichts für nächtliche Spaziergänge. Alle hier draußen waren in Eile und wollten irgendwohin. Die Schaufenster waren vergittert und die teuren Kleider, Schuhe und Schokoladen die Nacht über in unerreichbare Fernen gerückt. Ethan und Ash gingen langsam in südlicher Richtung. Ethan war noch nicht in der Verfassung, in ein Taxi zu steigen. Er legte den Arm um Ash, und die beiden lehnten sich aneinander. An der Ecke zur 44. Straße blieben sie stehen, und er küsste sie. Sie roch ein wenig nach Sake und ein wenig nach Fisch, berauschend, vaginal, und zwischen all seine anderen Gefühle mischte sich körperliche Erregung. Ash schien seine Stimmung zu spüren, die ihre Tentakel unsicher ausstreckte.

»Und? Dein Favorit?«, fragte Ethan.

»Mein *Favorit*? Ist das ein operativer Begriff? Sie waren beide so aalglatt. Und Hallie ist so unterwürfig.«

»Ich meine das Sushi. Und das Sashimi. Nicht die Network-Leute. Ich mochte das, was wie ein Grammofon aussah.«

»Ah, richtig. Ja, das war cool«, sagte Ash. »Ich glaube, mein Favorit war das, was wie ein Weihnachtsgeschenk aussah. Rot und grün. Deine Serie wird übrigens toll werden«, sagte sie.

»Vielleicht, vielleicht auch nicht.«

»Willst du mich auf den Arm nehmen, Ethan?«

»Es ist einfach so, dass das jetzt eine entscheidende Wende in meinem Leben ist«, sagte er. »Vorher, nachher.« Ethan war überzeugt, dass es möglich war, gierig zu werden, sobald sich das Schicksal günstig zeigte. Ash schien das Geld ihrer Familie als selbstverständlich anzusehen, was ihm Sorge bereitete. Ethan mit seinen streitenden, gereizten, geldlosen Eltern – und dann allein mit seinem achtlosen Vater – war Wohlstand immer gleichgültig gewesen, aber seine sozialistischen Tendenzen hatten sich nie richtig entwickelt. Er war zu spät geboren, um ausreichend Gleichgesinnte zu finden. »Was, wenn *Figland* nicht ankommt?«, fragte er. »Was, wenn es eine einzige Peinlichkeit wird, ein totaler künstlerischer Reinfall? Ein *Fehler*?«

»Ethan, du denkst immer, alles ist ein Fehler. Du hast kein Gespür dafür, wenn sich Dinge richtig anfühlen.«

»Wie meinst du das?«

»Nun, zum Beispiel, als du das Sommer-Praktikum nach dem College abgelehnt hast …«

»Das habe ich wegen Old Mo abgelehnt«, sagte Ethan erregt. »Er lag im Sterben, Ash, ich meine, komm schon, was hätte ich denn tun sollen?« Der Gedanke an den Sommer war ernüchternd und ließ Ethan seufzen. Old Mo Templeton bekam Sauerstoff, wog kaum mehr etwas und konnte nicht mehr essen. Also war Ethan losmarschiert und hatte ihm einen Entsafter gekauft, ein wunderbares Gerät, den Mercedes unter den Entsaftern, futuristisch wie ein Raumschiff. Möhren hatte Ethan hineingeschoben, Rüben und Sellerie, und dann saß er neben dem Krankenhausbett, das in Old Mos Wohnung aufgestellt worden war, hielt ihm das Glas Saft und bog den Strohhalm in den richtigen Winkel.

Als Ethan den flexiblen Strohhalm bog, hörte er ein winziges leises Knacken und speicherte das »Strohhalmknacken« für zukünftige Projekte in seinem Gedächtnis ab. »Lass den Strohhalm knacken! Lass den Strohhalm knacken!«, verlangte Wally Figman Monate später in einer Kindheitserinnerung in einem der kurzen *Figland*-Filme von seiner Mutter. Und der laute, turbulente Trickfilm hielt inne, als Wallys Mutter den Strohhalm für ihren Sohn bog und das unverwechselbare und irgendwie angenehme leise Knacken zu hören war.

Als *Figland* zur Hauptsendezeit kam, sagten auch Leute, die sich die Folgen zugekifft ansahen: »Lass den Strohhalm knacken, lass den Strohhalm knacken!«, und womöglich lief einer sogar in die Küche oder in den nächsten Laden, besorgte eine Packung Circus Flexible Straws und bog einen nach dem anderen, um dieses ganz spezifische, unnachahmliche Knacken zu hören und es unerklärlich witzig zu finden.

Ethan war bis zuletzt bei Old Mo geblieben und hatte auch bei ihm gesessen, als er, am Ende wieder im Krankenhaus, starb. Er hatte die gesamte persönliche Sammlung seines Lehrers geerbt, all die alten Filme wie *Ab mit dir*, *Großkotz*, *Weltoffene Rancharbeiter* und so weiter. Manchmal spätabends, wenn Ash schon schlief und Ethan noch nicht müde war, fädelte er die alten Streifen in den kakaobraunen Bell-&-Howell-Projektor und sah sie sich auf der Wohnzimmerwand an, was ihm mit der Zeit jedoch rührselig und sentimental vorkam, und so verpackte er die Spulen und stellte sie bei seinem Vater unter. Eine Kiste mehr machte in der abscheulichen Wohnung keinen Unterschied.

Er hatte das Praktikum bei Looney Tunes aus einem wichtigen Grund abgelehnt, trotzdem stimmte es, dass er nicht erfasst hatte, was der Job für ihn hätte bedeuten können. Looney Tunes war ein potenzieller Albtraum der Unterwürfigkeit und des Klebens an den fixierten Visionen eines Einzelnen, dennoch hätte die Arbeit dort aufregend sein können. Natürlich ließ sich das jetzt nicht mehr sagen. Er hatte nicht den protzigen Warner-Bros./L.A.-Weg eingeschlagen, sondern war nach der Akademie in New York geblieben.

»Und ehrlich«, sagte Ash, »früher oder später musstest du den *Glucksern* den Rücken kehren. Sie waren nicht gut genug für dich.

Ich habe immer gedacht: Wo ist die Raffinesse? Ethan muss das doch hassen.«

»Das hast du klarer gesehen als ich. Und dann dein Dad mit seinen aufmunternden Worten an dem Tag bei ihm im Büro. Ohne ihn würde ich noch weiß Gott was machen. Ziellos dahintreiben.«

Monatelang hatte Ethan über das nachgegrübelt, was Gil ihm gesagt hatte, und währenddessen wieder Werbestrips gemacht, um Geld zu verdienen. Endlich dann, nach langer, obsessiver Grübelei, glaubte er, für die Präsentation seiner Ideen bereit zu sein, zu der Gil ihn zu drängen versucht hatte, und zu seiner Überraschung sagten die Leute vom Sender-Network: »Klar, wir sehen uns das gerne an.« Er brachte ein Storyboard mit und gab den Figuren seine Stimme, wie er es in seinen kurzen Filmen immer getan hatte. Im Raum wurde reichlich gelacht, und er musste noch zu zwei weiteren Besprechungen mit anderen Leuten, und irgendwie sagten sie am Ende Ja, und er machte seinen eigenen Film. Ethan wäre allein nie der Gedanke gekommen, dass er den Mut haben könnte, da einfach so hineinzuspazieren. Er musste an das Newtonsche Pendel auf Gils Schreibtisch denken und die wie verrückt klackernden Kugeln. Er verdankte das alles Gil, aber schon, als er es dachte, wusste er, dass es nicht ganz so war.

Heute Abend, nach der wundersamen, preziösen Auswahl rohen Fischs und den erhobenen, mit aromatischem Sake gefüllten Gläsern, die zur Feier des Abschlusses zum Klingen gebracht wurden, war sein Erfolg, so unglaublich er scheinen mochte, nicht mehr wegzudiskutieren. Aber nach dem Essen im Regen auf der Straße fühlte sich Ethan erneut wie erschlagen, genau wie auf Maui. Nur tat er dieses Mal genau das, was er wollte! Dieses Mal bekam er alles, was nur vorstellbar war! Das Sich-wie-erschlagen-Fühlen hatte eine andere Ursache. Nicht Enttäuschung, sondern Erfüllung. Er wusste, dass sich sein Leben auf erschütternd grundsätzliche

Weise ändern würde, und womöglich wurde auch er selbst dabei ein anderer. Wahrscheinlich würde sich sogar sein Aussehen verändern. Er kam sich vor wie ein Baby, dessen Kopf im Geburtskanal wie ein aus der Maschine gedrücktes Softeis in die Länge gezogen wird. Ash trug Mantel und Schal, sie hatte so schön ausgesehen auf der Matte neben ihm an dem niedrigen Lacktisch. Ganz offenbar hatte sie Gary Roman und Hallie Sakin beeindruckt und überrascht. Die kaum zu ihm passende Schönheit und Anmut seiner Freundin wertete Ethan persönlich auf, was ihm absolut nicht gefiel, denn es beleidigte Ash und auch ihn selbst, es lag jedoch auf der Hand und ließ sich nicht leugnen.

Als sie an diesem Abend nach Hause kamen, fühlten sie sich nicht müde und regennass, sondern ließen sich auf ihren Futon fallen und schliefen ohne weitere Vorrede miteinander. Ash zog ihre guten Sachen aus, bis sie nur noch das kleine ärmellose Hemdchen trug, das ihn so unglaublich erregte, ohne dass er hätte sagen können, warum. Er fuhr mit der Hand unter die elastische gerippte Baumwolle, und dann lag Ash irgendwann auf dem Bauch und er kletterte auf sie und sah das T-Shirt-Schildchen hinten hervorragen. *Hanes for Men* stand da mit auf dem Kopf stehenden Buchstaben geschrieben, und die Worte schickten neues Blut in seinen bereits gefüllten Penis. Er wollte lachen.

Sex war so merkwürdig wie nur sonst etwas, wie Sushi, wie Kunst oder der Umstand, dass er ein erwachsener Mann war, der die Frau vögeln konnte, die er liebte, der Umstand, dass er, Ethan Figman, tatsächlich vögelfähig war, nachdem er die ersten siebzehn Jahre seines Lebens in der Überzeugung verbracht hatte, das sei ganz und gar nicht der Fall. Aber dann, frühmorgens an einem schrecklichen Neujahrstag, nach der Verhaftung ihres Bruders Goodman, hatte Ethan seinen Arm beim Verlassen der Polizeiwache um Ash Wolf gelegt, und sie sah ihn mit einem Ausdruck an, den er später ihren »Rehblick« nannte, nicht der des im Scheinwerferlicht erschrocken aussehenden, gefangenen Tieres, nein, der des Rehs, das seinen staunenden Betrachter ansieht. Es erwidert seinen Blick und spürt nicht nur den eigenen Schreck, sondern auch die eigene Anmut und produziert sich einen Moment lang vor den Augen seines Gegenübers. Es flirtet gleichsam mit ihm. Ash sah Ethan mit diesem Rehblick an, und er blinzelte verwirrt. Er hatte den Arm instinktiv um sie gelegt, weil er sie beschützen wollte, wusste er doch, wie sehr sie ihren Bruder liebte und wie qualvoll die Situation für sie sein musste. Und jetzt dieses Gesicht. Er beschloss, dass er sich täuschte, es konnte nichts anderes als das Erwartbare, Gewohnte bedeuten. Dass sie ihm dankbar war, nichts anderes.

Lange Zeit, sieben Monate, um genau zu sein, nahm er an, ihren Ausdruck falsch gedeutet zu haben, doch im Sommercamp, fern von ihrer Familie und dem beständigen Kummer wegen Goodmans Verschwinden, saßen Ethan und Ash mehrfach im Trickfilm-Schuppen zusammen und vertrauten sich ganz Persönliches an. Ethan erzählte Ash von den allererersten Anfängen *Figlands*, als er noch viel jünger gewesen war. Komisch sei das gewesen: als hätte ihm der Planet durch kleine Kamine in seinem Kopf Botschaften über seine Existenz zukommen lassen. Er erklärte Ash, dass er sicher gewesen sei, die hasserfüllte Welt, in der sie lebten, könne nicht alles sein, und dass er eine andere Welt erschaffen müsse. Wenn Ash an der Reihe war, erzählte sie von Goodman und dass sie wisse, dass sie kaum etwas mit ihm gemeinsam habe außer den Eltern, aber das mache nichts. Es komme ihr vor, als *sei* sie Goodman. Ash sagte, sie wache manchmal auf und glaube tatsächlich kurz, ihr Bruder zu sein und irgendwo anders im Bett zu liegen. Sie erzählte Ethan auch, dass sie das gesamte achte Schuljahr über Ladendiebstähle begangen habe, jedoch nie erwischt worden sei. So kam es, dass sie immer noch eine ganze Schublade voller Coty-Make-up und L'eggs-Strumpfhosen in unmöglichen Farben und Größen hatte. Bayou-Röte-Puder und Extra-Plus-Queen-Größen. Es war, als wüssten sie beide, dass sie kurz davorstanden, sich lebenslang aneinander zu binden, und zuvor den anderen besser wissen ließen, was ihn erwartete und womit er zu leben haben würde. Aber konnten sie mit siebzehn schon wissen, was einmal mit ihnen werden würde?

Als Ash eines Tages nach einer weiteren langen, geständnisvollen Unterhaltung im Trickfilm-Schuppen aufstand, um zu gehen, sagte sie zu Ethan: »Du kannst heute Nacht zu mir ins Tipi kommen, wenn du willst.«

»In *dein* Tipi?«, fragte Ethan wie ein Idiot. »Wozu?«

Ash zuckte mit den Schultern. »Also gut, dann eben nicht.«

»Doch, natürlich komme ich«, sagte Ethan, obwohl er dachte, dass es wahrscheinlicher war, vorher vor Aufregung zu sterben.

Als er in dieser Nacht in Ashs Bett schlüpfte, tat er es in Gegenwart vier schlafender Mädchen, und eines davon war Jules. Dieser Aspekt der Sache machte ihn höchst unglücklich. Es war fast unerträglich für ihn, in Ashs Bett zu liegen, während Jules ihnen so nahe war. Er konnte nur hoffen, dass sie tief und fest schlief. Und so lag er an Ash gedrückt da, das Hemd tatsächlich ausgezogen und später auch die Unterhose, einfach um nackt zusammen zu sein, nicht um tatsächlich richtig miteinander zu schlafen (das würde ein anderes Mal kommen, natürlich ohne jemanden in der Nähe), und sein Schwanz drückte so hart auf seinen Unterleib, dass er wie ein Flipper-Hebel war, nachdem einer auf den seitlichen Knopf gehämmert hat. Er spürte seine heiße Haut auf Ashs heißer Haut, und es war fast so, als *tickte* da etwas. Ethan bewegte und schockierte diese Berührung so sehr, dass er Jules für eine Weile vergessen konnte.

Ash Wolf begehrte ihn. Das schien sehr unwahrscheinlich, doch so ging es mit vielen Dingen im Leben. Als er das erste Mal so mit ihr zusammenlag, begann er eine Liste: 1) Dass es Pfauen gibt. 2) Dass sich John Lennon und Paul McCartney als Teenager zufällig kennengelernt haben. 3) Der Halleysche Komet. 4) Walt Disneys umwerfend schönes *Schneewittchen*.

Sein erster mitternächtlicher Besuch im Tipi der Mädchen war so wundervoll. Und auch äußerst stickig, ungeheuer wagemutig, experimentell und von fast psychotischer Intensität. Aber Ethan und Ash wussten von Beginn an, was daraus werden konnte und bereits wurde. Auf der anderen Seite des hölzernen Raumes sah Ethan in der Dunkelheit die schlafende Silhouette von Jules Jacobson. Oh, Jules! Er sah, dass sie eine Zahnspange trug, die im Mondlicht schimmerte.

Auch nachdem er sich von ihr als seinem langjährigen vorrangigen Liebesobjekt verabschiedet hatte, blieb er von liebevollen Gefühlen für sie erfüllt. Er verlagerte seine Zuneigung bewusst, wenigstens äußerlich. Ethan fühlte sich von Mädchen umgeben, und die Atmosphäre war von weiblichen Gesichtern, Brüsten und duftendem, oft schamponiertem Haar erfüllt. Es war fast zu viel für diesen siebzehnjährigen Jungen, doch dann regulierte es sich von selbst, nahm gerade das richtige Maß an, und so war es auch jetzt noch, acht Jahre danach.

»Oh ja, oh ja«, sagte Ethan, als er in dieser Nacht mit Ash im Bett nach dem japanischen Essen kam, um sich ein paar Minuten später, als er sich erholt hatte, an die ebenso zarte wie äußerst genussvolle Aufgabe zu machen, den Finger über Ash Wolfs Klitoris rotieren zu lassen, bis auch sie explodierte und ihrerseits »oh ja, ja« rief.

Sich zurücklehnend sagte Ethan darauf: »Warum sagen alle Leute ›ja‹ und ›oh ja‹ beim Sex? Es ist so voraussagbar, so ein Klischee! Genau wie alle paranoiden Schizophrenen denken, ihre Gedanken werden vom FBI abgehört. Warum sind die Leute nicht origineller?«

»Ich glaube nicht, dass das dein Problem ist«, sagte sie.

»Was, wenn die Serie irgendwie blöd wird?«, fragte er. »Was, wenn die Art, wie ich mir *Figland* vorstelle, wie ich es in meinem

Kopf vor mir sehe, sich einfach nicht in zweiundzwanzigminütige Fernsehfolgen bringen lässt?«

Sie lagen da und sahen sich an. »Ich liebe dich über alles«, sagte Ash und berührte sein Gesicht und seine Brust.

»Das ist nett – und gleichfalls. Aber warum sagst du das gerade jetzt?«

»Weil ich dich ansehe«, sagte Ash. »Du hast deinen großen Durchbruch. Ich bin sicher, die *Gluckser*-Leute wünschten, du wärest tot. Und du kommst wieder mit deiner Angst, dieser Unsicherheit, und machst dir Sorgen, ob du alles künstlerisch richtig hinbekommst, damit keinesfalls was Blödes entsteht. Nichts, was du tust, ist dir jemals gut genug. Wer hat dich so werden lassen, deine Mutter, dein Vater? Oder beide?«

»Weder noch«, sagte er. »So bin ich auf die Welt gekommen. Ich bin aus ihrem Bauch gekrochen und hab gesagt: ›Ich habe Angst, dass mit mir was nicht in Ordnung ist. Ich habe da diese komische *Wucherung* zwischen den Beinen!‹«

»Du bist verrückt«, sagte Ash, »und das solltest du nicht sein. Es ergibt keinen Sinn. Du bist von deinen Eltern nicht unter Druck gesetzt worden wie ich.«

»Es ist *Das Drama des begabten Kindes*, stimmt's?«, fragte Ethan.

»In gewisser Weise schon. Ich hatte dir das Buch kürzlich hingelegt. Hast du es gelesen?«

»Ich habe es kurz durchgesehen.«

»Du hast es durchgesehen? Es ist ein sehr kurzes Buch, Ethan.«

»Wie ein Haiku, oder?«, sagte er. »Nun, ich denke, ich kann es in einem Haiku zusammenfassen.« Und dann sagte er:

»Meine Eltern haben mich geliebt,
narzisstisch, Gott sei's geklagt,
und jetzt bin ich traurig.«

»Mach dich nicht über mich lustig«, sagte Ash. »Es ist ein wichtiges Buch.«

Ash war seit einiger Zeit wie besessen von diesem Buch, dem *Drama des begabten Kindes* von Alice Miller, der in der Schweiz ausgebildeten Psychoanalytikerin. Nachdem es vor einigen Jahren herausgekommen war, war es zu einem absoluten Kultbuch geworden, und Ash sagte, sie habe nie etwas Besseres gelesen. Hauptsächlich ging es um die dauerhaften Schäden, die Kindern von narzisstischen Eltern zugefügt wurden. Ash hatte jede Seite genauestens studiert, Anmerkungen auf den Rand geschrieben und war sicher, dass es für sie und einige Leute, die sie kannte, relevant war. Die Wolfs, insbesondere Gil, hatten immer so große Erwartungen in sie gesetzt, sicher, dass Goodman nicht viel zustande bringen würde. Goodman würde sie enttäuschen, Ash nicht. Die goldene Ash mit ihrer Schönheit, ihrer Besonnenheit, ihren Stücken und ihrem Fleiß war der Traum narzisstischer Eltern. Ethan war von seiner Mutter oder seinem Vater nie zu etwas gedrängt worden. Die beiden waren viel zu sehr mit ihrer schrecklichen Ehe und mit ihrer Trennung beschäftigt, um den frühzeitig sprießenden Fähigkeiten ihres Sohnes zu große Aufmerksamkeit zu schenken.

Als Kind stürzte Ethan Figman immer wieder in kurze Phasen tiefen Unglücks, während deren *Figland* entstand. Die ausgearbeitete und leicht veränderte Ausgangssituation des witzigen Pilotfilms bestand darin, dass in einer völlig chaotischen New Yorker Wohnung ein seltsames, einsames Kind namens Wally Figman lebt. Wallys Eltern schreien sich ständig an und kümmern sich nicht weiter um ihn. Im Kunstunterricht in der Schule, als er eigentlich mit Fingerfarben einen Thanksgiving-Truthahn malen soll, formt er aus Ton einen kleinen Planeten. Sein Lehrer macht sich vor allen brutal über ihn lustig, weil er die Aufgabe nicht erfüllt hat, aber Wally nimmt den kleinen Planeten nach der Schule mit nach Hause und legt ihn in einen Schuhkarton, den er unter sein Bett stellt.

Nachts hört er ein komisches rumpelndes Geräusch, öffnet den Schuhkarton und sieht, dass der Planet leuchtet, sich dreht und ein wirklicher Planet geworden ist. *Figland* nennt Wally ihn, und als er sich näher zu ihm hinbeugt, schrumpft er und fällt in den Karton. Wie ein verblüfftes Murmeltier steckt er den Kopf ins Sonnenlicht der von ihm geschaffenen Welt und ist nicht länger der seltsame Junge, sondern ein von alledem nichts ahnender Erwachsener.

Der Pilotfilm erzählt vom Entstehen Figlands, die erste Staffel sollte, so der Plan, von den merkwürdigen Abenteuern Wallys in Figland berichten – politischen mit einer gruseligen, korrupten Regierung und persönlich-sozialen oder besser: sozial unbeholfenen, und das alles in einem schnellen Rhythmus pfiffiger Popkulturbezüge und ebensolcher Witze, eingebettet in einen cleveren Slang. Am Ende jeder atemlosen Episode wird Wally zurück auf die Erde geworfen und von seinen Eltern angeschrien.

Als Kind schloss Ethan jede Nacht die Augen und kehrte ein ums andere Mal nach Figland zurück und vermaß diese Welt so gründlich, dass sie, als er sie dem Network als verrückte, elegant witzige, nächtliche Trickfilmserie in Storyboard-Form anbot (»einfache Charaktere, komplizierte Situationen«, hatte ihm ein Trickfilmfreund als hilfreiches Mantra ans Herz gelegt), eine voll ausgebildete Größe war. Figland hatte ihm als Jungen viel zu denken gegeben, es hatte ihn zu dem gemacht, der er heute war. Als Mensch war Ethan Figman neurotisch und voller Selbstzweifel, traumatisiert war er jedoch nicht, und Figland machte ihn lebensfähig.

Ash fuhr mit dem Finger über die weiche weiße Haut seines Armes und einen geröteten Flecken. »Wenn die Staffel nichts wird, lösen wir deinen Vertrag und ziehen weit weg.«

»Wenn die Staffel nichts wird, werden wir meinen Vertrag nicht extra lösen müssen. Dann läuft er aus. Aber wie auch immer«, sagte er, »du weißt, dass ich die Stadt niemals verlassen würde.« Es war etwas Besonderes, dass der Sender einem eigenen Studio in New

York zugestimmt hatte, allein zur Produktion von *Figland*. Sicher, *Die Gluckser* wurden hier auch produziert, aber die arbeiteten mit einem weit niedrigeren Budget. Das jetzt war etwas Neues, ein sehr teures Projekt eines Newcomers, und doch hängte sich das Network voll in die Sache, stimmte New York als Produktionsort zu und stellte Ethan alle Mittel zur Verfügung, die er brauchte.

»Selbst in dem Fall würdest du nicht weggehen?«, fragte Ash. »Aber es ist sowieso nur eine Hypothese. Die Staffel wird auf jeden Fall etwas.«

»Ich würde auf jeden Fall hierbleiben. Das weiß ich.«

New York war Mitte der Achtzigerjahre eine unmögliche, unbewohnbare, unverlassbare Stadt. Die Obdachlosen lagen einem auf dem Bürgersteig manchmal direkt im Weg, und es war schwer, ihnen gegenüber nicht abzustumpfen. Man musste sein Denken trainieren, damit man sich erinnerte: *Da liegt ein Mensch zu meinen Füßen und kein verachtenswertes Subjekt*. Sonst konnte man verbittern und selbstbezogen werden, angetrieben von nichts als Abscheu und Abwehr, wenn man allmorgendlich auf die Straßen hinaustrat.

Und drohend über allem, wie ein bröckelnder Felsvorsprung, schwebten das Aids-Virus und sein sicheres Todesurteil. Die schwulen Männer, die Ethan kannte, verbrachten ihre Nachmittage in Gedenkmessen. Er und Ash waren auch schon in einigen gewesen. Viele ihrer Bekannten, ob schwul oder nicht, legten fast schon hysterisch Listen derer an, mit denen sie je geschlafen hatten. Ethan wusste, der Einzige, wegen dem sie sich womöglich Gedanken machen sollten, war Jonah – nicht, dass sie wirklich etwas über sein Sexleben gewusst hätten. Jonah Bay war der netteste, sanfteste Mensch, den man sich vorstellen konnte, doch er war auch so etwas wie ein Mysterium. Selbst Ash, die einmal seine Freundin gewesen war und ihn immer noch sehr mochte, wusste nicht genau zu sagen, wer er eigentlich war.

Was das Leben in New York sonderbar machte, nicht besser, sondern wohl eher schlechter, war das Gefühl des alles durchdringenden Wohlstandes. Am laufenden Band wurden neue Nobelrestaurants eröffnet; in einem gab es nur Speisen mit Lavendel. Ethan und Ash hatten kürzlich durch Jules erfahren, die es wiederum von Nancy Mangiari gehört hatte, dass nämlich Cathy Kiplinger in Stanford ihren Master in Betriebswirtschaft gemacht hatte und jetzt auf den »Kapitalmärkten« anfing, was immer das zu bedeuten hatte. Es wollte für Ethan keinen Sinn ergeben, dass ein solches tänzerisches Talent am Ende den ganzen Tag, auf einem Drehstuhl sitzend, Zahlentabellen studieren sollte … über Kapitalmärkte. Vielleicht bewegte sie ihre Füße unter ihrem riesigen Schreibtisch ja mitunter in die erste oder zweite Position.

In den Wochen, als Ethans Vertrag festgezurrt wurde, hatte sein finanzieller Berater nach einer Besprechung zu ihm gesagt: »Wenn Ihre Filme einschlagen und ein Hit werden, würde ich an Ihrer Stelle ernsthaft darüber nachdenken, Peter Klonsky zu sammeln.«

»Wen?«

»Diese Eishörnchen-Bilder. Ich höre seinen Namen immer wieder. Die Bilder sind groß und üppig, auf eine tolle Weise vulgär und werden das sicher honorieren.«

»Früher haben die Leute die Kunstwerke *honoriert*. Geht das jetzt andersherum? Kommen wir dahin? Nun, ich nehme an, es war immer schon so, nur war ich zu naiv, es zu sehen.«

Der Finanzberater hatte gelacht, und Ethan überlegte beklommen, ob er wohl auch selbst als Künstler betrachtet wurde, dessen Arbeit seine Bemühungen *honorieren* würde. Natürlich war es so. Gil hatte es ihm erklärt. In dem Moment, als er seine Idee dem Raum aufnahmebereiter, kichernder Network-Manager vorgestellt hatte, war er in den Kreislauf von Geld und Kommerz eingetreten. Reinheit bedeutete nichts und hatte es wahrscheinlich auch nie. Das Wort selbst hatte unaufrichtige Untertöne. Ethan kannte eine Frau, die sich »Schriftstellerin« nannte, und wenn man sie fragte, was sie denn geschrieben habe, sagte sie: »Ich schreibe nur für mich.« Und dann zeigte sie einem geziert ihr mit Stoff bezogenes Journal und beantwortete den Wunsch hineinzusehen mit dem Einwand, was darin stehe, sei nur für ihre eigenen Augen bestimmt. Konnte man ein Künstler sein, wenn man kein *Produkt* vorzuweisen hatte? Ethan selbst gehörte zu seinem Produkt, und er erlaubte es, dass beide, sein Produkt und er selbst, mit dem Versprechen zukünftigen Geldes überschüttet wurden. Vielleicht würde er eines Tages einen Peter Klonsky besitzen. Dabei hatte er noch nicht einmal einen gesehen, und plötzlich schämte er sich für den Gedanken, einen besitzen zu wollen.

Was Cathy Kiplinger und die Kapitalmärkte betraf, so setzte das Umgehen mit Geld und den Märkten vielleicht das gleiche Endorphin in ihr frei, wie es das Tanzen getan hatte. Ethan war ein paar Jahre heimlich mit Cathy in Verbindung geblieben. Sie hatte als Mädchen Aufmerksamkeit gebraucht und brauchte sie auch als Frau. Ihre Beziehung mit Troy Mason war ein einziges Auf und Ab gewesen. Troy hatte es ins Ensemble des Alvin Ailey American Dance Theater geschafft, und Ethan fragte sich, ob die beiden noch zusammen waren. Er bezweifelte es. Offenbar war es ungewöhnlich, noch mit der Person zusammen zu sein, mit der man schon als Teenager zusammen gewesen war. Alle sagten ihm und Ash das. Es war viel Zeit vergangen, und Ethan und Cathy hatten keinerlei Kontakt mehr. Cathy schien nichts mehr mit ihm zu tun haben zu wollen oder mit jenem früheren, schlimmen Teil ihres Lebens. Er nahm jedoch an, dass sie in der Stadt lebte und ihren eigenen sowie den Wohlstand einiger anderer anfachte. Die Stadt war ein Paradox und war es vielleicht schon immer gewesen. Man konnte ausgezeichnet in ihr leben, auch wenn alles auseinanderfiel. Ein Ort, an den man einmal voller Wehmut zurückdenken würde, war das New York dieser Tage nicht, sah man einmal davon ab, dass man inmitten des Zerfalls sein Geld leicht verdoppeln konnte, wenn man es richtig anstellte, womit sich dann eine große Wohnung mit dreifach verglasten Fenstern kaufen ließ, durch die man auf das Chaos hinabsehen konnte.

Aber eben weil die Stadt im Moment so hart und unerbittlich war, war sie der Ort, an dem Ethan Figman bleiben musste. Er wusste, er würde New York, ganz gleich, wie schrecklich es wurde, immer aufregend finden. Er liebte diese zerfallende, wuselnde, wetteifernde Stadt, in der er sein ganzes Leben verbracht hatte. Aber da war auch noch etwas anderes, worüber er mit Ash nie geredet hatte, und an diesem Abend nach ihrem Essen mit den Network-Managern sprach er es an.

»Ich weiß schon, dass New York eine Kloschüssel ist, wenn auch eine teure aus gutem Porzellan«, sagte er. »Aber das tut nichts zur Sache, denn du könntest hier sowieso nicht weg.«

»Wie meinst du das?«

»Das würdest du deinen Eltern nicht antun. *Ich* würde es ihnen nicht antun, dich ihnen wegzunehmen. Erst verlieren sie Goodman und dann auch noch dich? Das wäre zu viel, das wäre nicht fair.«

»Aber sie würden mich doch nicht verlieren«, sagte Ash. »Das wäre nicht das Gleiche. Ich wäre doch nur in L.A.«

Ethan ließ sich rückwärts auf den Futon fallen. »Ich muss ständig an deinen Bruder denken und frage mich, wo zum Teufel er nur ist«, sagte er. »Ich meine, gerade jetzt, in diesem Moment, wo ist Goodman? Was macht er? Isst er zu Abend? Zu Mittag? Frühstückt er? Sitzt er auf dem Klo? Arbeitet er in einer Falafel-Bude?« Ash sagte nichts. »Fragst du dich das nie?«, fragte er. »Natürlich tust du das.« Sie antwortete immer noch nicht. »Das *fragst* du dich nicht?«, wiederholte er.

»Doch«, sagte Ash endlich. »Sicher. Allerdings ist es auch nicht so«, fügte sie hinzu, »als wäre er Etan Patz.« Ethan sah sie an. Etan Patz war ein sechsjähriger Junge, der 1979 in SoHo verschwunden war, das erste Mal, als er allein zur Bushaltestelle gehen durfte. Das Kind war ein Prüfstein, ein Symbol einer immer verängstigteren Stadt. Aber mit Goodman war er tatsächlich kaum zu vergleichen: Mit Etan Patz hatte es ganz offenbar ein schlimmes Ende genommen, Goodman Wolf dagegen konnte überall sein und alles Mögliche tun.

»Das weiß ich. Du reagierst nur so eigenartig«, sagte Ethan.

»Das liegt am Thema«, sagte Ash in einem angespannten Ton, den er nur sehr selten von ihr hörte und nicht mochte.

»Ich habe kürzlich von Goodman geträumt und hatte es dir eigentlich erzählen wollen«, sagte Ethan. »Er war in unserer Wohnung, und er war noch ein Teenager. Ich versuchte, ihn zu fragen, warum er das Gefühl gehabt habe, fliehen zu müssen, und wo er jetzt sei, aber er wollte es mir nicht sagen. Er wollte überhaupt nicht mit mir reden. Er blieb absolut stumm.«

»Hmm«, sagte Ash. »Das klingt heftig.«

»Würdest du nicht alles dafür geben zu erfahren, wo er ist? Und ob es ihm gut geht?«

»Natürlich würde ich das.«

»Einfach eines Tages zu verschwinden und nie wieder aufzutauchen, wer macht so etwas? Was für ein Mensch mutet das seiner Familie und seinen Freunden zu? Manchmal denke ich, dass er noch viel gestörter war, als wir gedacht haben. Dass er vielleicht sogar … ein Soziopath war.«

»Mein Bruder war kein Soziopath.«

»Gut, in Ordnung, aber wir hatten damals keine Ahnung, mit was wir es da zu tun hatten. Wir waren Kinder. Wir waren Idioten. Wir haben auf alles gehört, was man uns gesagt hat.«

»Ethan.«

Er hatte sich unerwartet erregt. Dieses so frustrierende Thema regte ihn immer auf. »Es ist nur, dass das alles so völlig ungeklärt geblieben ist«, sagte er.

»Ja, das stimmt. Aber er war unschuldig, und es sollte einen Prozess geben«, sagte Ash. »Dick Peddy hätte ihn verteidigt. Erfolgreich.«

»Ja, es *sollte* einen Prozess geben, aber dann hat Goodman dafür gesorgt, dass es ihn nicht gab. Also wer weiß, was tatsächlich geschehen ist? Die Frage lauert immer irgendwie hinter der Ecke, oder? Bloß, nicht darüber zu reden heißt noch lange nicht, dass es etwas nicht gibt. Vielleicht sollten wir uns der Sache ehrlich stellen.«

»Was für einer Sache sollten wir uns stellen?«, fragte sie.

Ethan sah sie überrascht an. »Ist es nicht immer besser, etwas zu wissen, als es nicht zu wissen? Ich meine, ganz allgemein im Leben? Nicht, dass man dadurch etwas ändern könnte, aber dann kann man darüber nachdenken. ›Es ist, wie es ist.‹ Ist das nicht die Aussage deines kleinen Buches? Des *Dramas des begabten Kindes*? Dass du wissen musst, was vor langer Zeit tatsächlich geschehen ist, um heute wahrhaftig leben zu können?«

»Meines ›kleinen Buches‹? Herrgott, bist du herablassend!«

»Entschuldige. Aber wir könnten Privatdetektive anheuern. Haben du und deine Eltern je daran gedacht? Jetzt, wo dieses Geld hereinkommt ... Ich weiß, sie haben nur eine Staffel in Auftrag gegeben, aber im Moment haben wir reichlich. Wir könnten einen wirklichen Spitzenmann engagieren, und es könnte für dich und deine Familie eine Art Abschluss bedeuten, eine Auflösung ...«

»Würdest du bitte einfach aufhören?«, sagte Ash, und dann verzog sich ihr Gesicht und wurde ganz weich, so wie es immer war, wenn sie kurz davorstand, in Tränen auszubrechen. »Ich habe dir schon gesagt, Ethan, ich mag nicht über meinen Bruder reden, es regt mich zu sehr auf. Jeden Tag, jede Minute war er Teil meines Lebens und dann mit einem Mal nicht mehr. Du hast keine Geschwister, du kannst das nicht verstehen. Goodman hatte so viel Potenzial, er hatte es nur noch nicht unter Kontrolle. Er hätte etwas aus sich gemacht, ich weiß, dass er das getan hätte. Aber er konnte es nie, und das ist mit das Traurigste überhaupt.«

»Das kannst du nicht sicher sagen«, erwiderte Ethan.

»Denkst du, er baut gerade ein großes Museum, einen Wolkenkratzer oder … Fallingwater? Das bezweifle ich doch sehr«, sagte Ash mit scharfer Stimme. »Warum bedrängst du mich so? Dass wir ihn plötzlich nur nicht ›finden‹ können. Wenn wir es täten, würde er nur wieder unter Anklage gestellt und käme definitiv ins Gefängnis, weil er vor seinem Gerichtstermin geflohen ist. Sie würden ihn hart anfassen, und es gäbe keine Art von Gnade, was sein bestimmt sowieso schon schwieriges, eingeschränktes Leben nur noch schwieriger machen würde. Kannst du nicht davon aufhören? Willst du mich wirklich so quälen?«

Und dann liefen ihr die Tränen herunter, und sie wandte sich von ihm ab, was ihm unerträglich war. Wenn man einmal hatte, was er hatte, konnte man nicht mehr ohne. Er nahm an, dass das in jeder leidenschaftlichen Liebe so war. Und so sagte Ethan Figman, nachdem er unsinnigerweise die alte Frage nach Goodman Wolf neu aufgeworfen hatte, nach seinem Aufenthaltsort und dem, was Goodman Cathy Kiplinger tatsächlich angetan haben mochte, zu seiner Freundin, dass es ihm leidtue. Er habe vergessen, wie schmerzvoll das alles für sie sei. Nein, nein, verbesserte er sich, natürlich habe er es nicht *vergessen*. Es sei nur so, dass es ihm manchmal schwerfalle zu unterscheiden, was er als Gedanken für sich behalten sollte und was er aussprechen könne.

Sicher war es merkwürdig, dass Ash nie über Goodman sprechen wollte und er weggelaufen war, bevor es zum Prozess hatte kommen können. Ash und ihre Familie verweigerten sich dem Thema vollkommen. Falls Betsy oder Gil, wenn Ethan und Ash zum Essen da waren, ganz am Rande einmal Goodmans Namen fallen ließen, schwebte plötzlich ein feiner Traurigkeitsnebel über ihnen, und es dauerte eine Weile, bis er sich wieder auflöste. Vielleicht war

Goodman tatsächlich tot. Er konnte überall auf der Welt sein – oder nirgends.

Ethan wollte versuchen, seine Freundin nie wieder so aufzuwühlen und seine Gedanken stattdessen für sich zu behalten. Er war in einen idealistischen, frei assoziierenden Fluss geraten, hatte das Falsche gesagt und so im Nachhinein den ganzen Abend verdorben, das zur Feier des Vertrages veranstaltete japanische Essen und ihr anschließendes spannendes Dessert im Bett – das stille Ausruhen danach, das für ihn immer das größte Glück war. Aber nicht heute.

Elf

Dennis Jacobson-Boyd hatte einen Auftrag. Gleich nach dem Aufwachen an diesem Frühlingsmorgen ging er zum Laden an der nächsten Ecke und kaufte eine Zeitschrift, die erst kurz vor Tagesanbruch geliefert worden war. Die Titelgeschichte der Mai-Ausgabe 1986 von *Media Now* brachte die Liste der hundert einflussreichsten Leute in den Medien. Dennis blätterte durch die Seiten, fand, was er suchte, und ging zurück nach Hause zu Jules, die ihn bereits vom Fenster hoch über der Straße aus gesehen hatte und ihm im Pyjama auf der Treppe entgegenkam.

»Und?«, rief sie, als Dennis den Fuß auf die unterste Stufe setzte. Er sah nach oben und lachte.

»Konntest du nicht warten, bis ich oben bin?«, antwortete er.

»Nein.«

»Achtundneunzig«, verkündete Dennis.

»Von hundert?«, rief Jules. »Ist das gut? *So* gut scheint es nun auch wieder nicht zu sein.«

»Es ist sehr gut«, rief er zurück. »Überhaupt auf die Liste zu kommen bedeutet, dass du wirklich Einfluss hast.«

»Und was ist mit dem Geld?«, fragte sie. Das war natürlich der wichtigste Teil.

»Das ist komplizierter«, sagte Dennis.

»Warum?«, fragte sie mit immer noch erhobener Stimme.

»Nun schrei doch nicht so«, rief er. »Kannst du nicht warten?«

Als Dennis im vierten Stock ankam, war sie bereits wieder in der Wohnung. Mit ihren siebenundzwanzig Jahren waren Jules und Dennis eigentlich aus dieser Wohnung in der West 84th Street gleich um die Ecke von Dennis' altem Haus herausgewachsen. Sie hatten keinen Aufzug, dafür aber ein hartnäckiges Mäuseproblem – die kleinen Nager schienen sich, auf dem Tisch tanzend, über sie lustig zu machen und die Fallen zu ignorieren. Aber die Miete war bezahlbar, und sie konnten es sich nicht leisten umzuziehen. Jules betreute eine ganze Reihe von Patienten in einem psychiatrischen Krankenhaus in der Bronx, Dennis hatte eine Stelle als Ultraschalltechniker bei Metro Care angenommen, einer Klinik ganz in der Nähe. Beide hatten hektische, lange Arbeitstage, aber dennoch nur wenig Geld zur Verfügung.

Sie hatten Anfang des Jahres geheiratet. Es war eine kleine Zeremonie in einer griechischen Taverne im Village gewesen. Ash und Ethan waren gekommen, Jonah, Dennis' Freund Tom aus Collegezeiten, die Jacobsons und die Boyds. Beide Familien hatten kaum Geld, und es war nur vernünftig, die Hochzeit in bescheidenem Rahmen zu feiern. Jules' Schwester Ellen hatte ihren Mann Mark mitgebracht, die beiden wohnten auf Long Island. Dennis' Brüder standen breitschultrig in dunklen Anzügen da und hofften, möglichst bald ihre Krawatten wieder loszuwerden. Lois Jacobson wirkte klein und zaghaft in ihrem türkisfarbenen Kleid. »Dad hätte das so gerne noch erlebt«, sagte sie, und eine Sekunde lang überlegte Jules: *Wessen Dad?*, um gleich erschreckt zu denken: *Oh, meiner.* Warren Jacobson war für sie in ihren Gedanken nur selten ihr »Dad«, er war »mein Vater« oder noch öfter »mein Vater, der starb, als ich fünfzehn war«. Es war besser, ihn auf Distanz zu halten, und als ihre Mutter dort in der Taverne von ihrem Mann sprach, hatte Jules keine Vorstellung davon, was er wirklich gerne gehabt oder getan hätte. Er hatte sie nie als erwachsene Frau erlebt, sondern immer nur als leicht unausgeglichenes Mädchen mit lächerlichem Haar. Und auch als Jules hatte er sie nicht gekannt, sondern nur als Julie. Es war zu traurig, gerade an dem Tag an ihn zu denken, an dem sie ihr Leben mit dem Leben eines Mannes verband, der gelobte, über die Jahre bei ihr zu bleiben. Nach einer angemessenen Weile wandte sich Jules von ihrer Mutter ab und legte den Arm um ihren massigen Ehemann, der sein Jackett ausgezogen hatte und dessen Rücken so warm und so breit war wie ein Bett.

In der Mitte des Hochzeitsessens stand Ash auf und klopfte an ihr Glas. »Wir sind alle wegen Jules und Dennis hier«, sagte sie. »Als ich vor Tagen darüber nachdachte, was ich in meiner kleinen Ansprache zu meiner besten Freundin und ihrem Bräutigam sagen sollte …« Die beiden Frauen lächelten einander bei dem Wort »Bräutigam« an, das so ungewohnt und spannend war. *Ich habe einen Bräutigam,* dachte Jules, *und Ash gibt ihm ihren Segen.* »… da begriff ich, dass Dennis fest und Jules flüssig ist«, fuhr Ash fort. »Ich denke zwar nicht, dass wir heute irgendwelche Naturwissenschaftler unter uns haben, doch ich bin sicher, es gibt eine Art chemische Erklärung dafür, dass sich die beiden gefunden und ineinander verliebt haben. Wie auch immer, ich freue mich so sehr darüber.« Sie sah Jules mit feuchten Augen an. »Ich verliere dich nicht«, sagte Ash. »Eine Ehe ist, glaube ich, nicht so. Eine Ehe bewirkt anderes. In ihr sehe ich meine engste Freundin noch mehr die werden, die sie längst ist. Ich kenne Jules Jacobson – entschuldige, Jules Jacobson-Boyd, die Bindestrichkönigin – so gut wie nur irgend jemanden. Das Feste und das Flüssige haben sich verbunden, um ein … nun, nicht unbedingt ein Gas zu produzieren, das klingt nicht so schön.« Es gab einzelne Lacher. »Aber doch eine kraftvolle Substanz, die wir alle brauchen und die wir alle lieben.«

Sie setzte sich wieder, lächelte mit tränennassen Wangen, und Jules ging zu ihr und küsste sie. Dennis küsste sie ebenfalls. Es gab noch mehr Trinksprüche, etwa von Jonah, der sagte, zu sehen, wie seine Freunde erwachsen würden und ihre Leben begännen, sei etwas Erstaunliches, Schönes, das ihn an die Zeitrafferaufnahmen erblühender Pflanzen in der Schule erinnere. »Der einzige Unterschied besteht darin, dass mir die Filme nie Tränen in die Augen getrieben haben, aber mich das jetzt wirklich rührt.« Einer von Dennis' Brüdern beendete seinen Toast mit einem Eisenwarenhandlungswitz, den Jules nicht verstand. Was ihr aber vor allem im Gedächtnis blieb, waren Ashs Worte, die immer wusste, was zu sagen war, und es ehrlich meinte.

Zwei Monate später heirateten Ash und Ethan im Water Club mit zweihundert Gästen und aufgebrochenen Hummern, die hoch über dem Kopf herumgetragen wurden, während alle auf den East River hinaussahen. Die Wolfs gingen »in die Vollen«, sagten die Leute, und alle im Raum teilten stillschweigend die Vorstellung, dass der Verlust Goodmans wahrscheinlich den Wunsch in ihnen geweckt hatte, Ashs Hochzeit größer und aufwendiger zu feiern, als sie es normalerweise getan hätten. Sie feierten das Kind, das sie noch hatten, das noch da war. Aber natürlich hatten sie Goodman nicht so verloren, wie alle dachten.

Das Thema Goodman blieb immer präsent zwischen Jules und Ash, die das Geheimnis, dass Ashs Bruder versteckt auf Island lebte, aus ihrer Jugend mit in ihr Erwachsenenleben genommen hatten. Es war eine ungeheure Sache, darüber Bescheid zu wissen, das war Jules klar, und wenn sie auch manchmal einen gewissen Druck zwischen den Augen verspürte, eine Art rechtlich-moralische Migräne, so fühlte sie sich doch auch immer noch unsagbar geehrt dadurch, dass die Wolfs sie ins Vertrauen gezogen hatten. Ash musste manchmal unbedingt mit ihr über Goodman sprechen, packte Jules, zog sie an einen stillen, ungestörten Ort und ließ alles über ihren Bruder aus sich heraus. Ash rauchte dann eine Zigarette nach der anderen, gestikulierte mit den Händen und erzählte, was immer es über Goodmans begrenztes, aber ausführlichst beschriebenes Leben zu berichten gab. Jules konnte nur zuhören, ihrem Mitleid Ausdruck verleihen und einen gelegentlichen Ausruf einstreuen. Sie war sich bewusst, dass ihre Rolle rein passiv und klar festgelegt war: Ash brauchte eine Zuhörerin, und Jules war die einzige Freundin, der sie sich anvertrauen konnte.

Betsy und Gil Wolf fuhren regelmäßig nach Europa, um ihren Sohn zu besuchen. Bald sollte es wieder losgehen, und Jules nahm an, dass sie ihm die Fotos von der Hochzeit zeigen würden. Er war also nicht ganz weg, und man konnte durchaus sagen, dass er nicht völlig von allem abgeschnitten war. Selbst Ash schaffte es, ihren Bruder alle paar Jahre zu besuchen. 1981 nach Ashs Abschluss in Yale hatte es eine wolfsche Familienreise nach Paris gegeben. Ethan war sanft von der Teilnahme abgebracht worden: Ash ließ es so aussehen, als wäre es eine echte Last, mit Gil und Betsy fahren zu müssen, und sie überzeugte Ethan davon, dass er Glück habe, nicht mitkommen zu müssen. Wer wollte schon mit den Eltern seiner Freundin nach Europa reisen? Ash hatte Jules lange vorher in die Pläne eingeweiht und ihr von der Wohnung erzählt, die ihre Eltern im siebten Arrondissement gemietet hatten, und berichtet, dass Goodman sie dort treffen würde. Er fühlte sich mittlerweile sicher genug, um mit seinem falschen Pass durch Europa zu reisen, und es gab verschiedene Möglichkeiten für zukünftige Familientreffen. Als Ash wieder nach Hause kam, war sie in Hochstimmung und gleichzeitig voller Schwermut.

Ash hätte ihren Bruder so gern bei der Hochzeit dabeigehabt. Als sie und Ethan beim Essen ihre Runde durch den Raum drehten, beugte sich Ash zu Jules, der Stoff ihres Kleides knisterte und das Gebinde kleiner Blüten in ihrem Haar strich über Jules' Gesicht. Ash flüsterte erregt: »Weißt du, was ich gerade mache?« – »Nein, was?«, fragte Jules. »Ich tue so, als wäre er hier.« Und dann ging sie weiter, um mit ihren Gästen zu sprechen. Ash stellte sich vor, Goodman wäre mit auf ihrem Hochzeitsempfang, und damit war der so schöne und gefühlvolle Tag vollkommen.

Jules brachte einen Trinkspruch auf Ash und Ethan aus. Sie sagte, wie glücklich Ash und Ethan doch seien, einander gefunden zu haben. »Die beiden sind die wunderbarsten Menschen, die ich kenne«, erklärte sie der großen, beschwingten Gesellschaft, und dann rief die Situation nach einem kleinen Scherz. »Und jetzt«, sagte sie, »werde ich für sie *Beide Enden* aufführen, das Ein-Frauen-Stück, das Ash in der Highschool geschrieben hat, in voller Länge. Wenn Sie vielleicht auf die Toilette müssen, gehen Sie bitte jetzt. Das Ganze wird eine Weile dauern, vielleicht so, nun, um die drei, vier Stunden.« Die Gesellschaft brach in Gelächter aus, und Jules' Gesicht glühte. Als sie wieder saß, trank sie einen ganzen Krug Wasser leer, samt Eis.

Das Eheleben unterschied sich kaum von ihrem Leben zuvor, nur dass der Wunsch nach einer Erweiterung durch den nach Solidität ersetzt wurde. Jules und Dennis begannen ihren Weg in Berufe hinein, für die sie sich aus einem Kompromiss und purer Praktikabilität entschieden hatten, und sie wussten, sie würden niemals so viel wie ihre engsten Freunde verdienen, glaubten aber dennoch, dass sich da einiges finden und ihr Einkommen am Ende weit über dem liegen würde, mit dem sie trotz aller Arbeit im Moment auszukommen hatten. Zu Anfang ihrer Ehe und tief in ihren Zwanzigern tasteten sich Jules und Dennis an der Armutsgrenze entlang, mit erheblichen Ausbildungsdarlehen und Kreditkartenschulden, nicht genug Geld für einen Kabelanschluss und immer in Sorge, ob genug für die Miete da war. Doch alles das störte sie nicht sonderlich.

Als frisch verheiratetes Paar nahmen sie beide an, dass sich ihre finanzielle Situation irgendwann verbessern würde, und sahen sich zukünftig als Familie mit genug Geld und Stabilität. Dennis hatte einen Beruf erlernt, und zu seiner Anstellung gehörte eine Krankenversicherung, Gott sei Dank. Manchmal rauchte er mit einigen seiner Ultraschallfreunde, einer sehr gemischten Gruppe, weiß, schwarz, hispanoamerikanisch, eine Zigarre, und am Wochenende spielte er nach wie vor Football im Park und kam grasbeschmiert und zufrieden nach Hause. Er und Jules gingen davon aus, dass sich schon alles fügen würde, waren sie doch noch relativ jung, dazu anziehend und gebildet, hatten ihre Ehe glücklich begonnen und Dennis' Mao-Hemmer oder kurz MAOI, das I stand für »Inhibitoren«, taten nach wie vor ihren Dienst. »Klopf auf Holz«, sagten sie.

Die enge Freundschaft zwischen Ash und Jules hatte sich weiterentwickelt und unbemerkt eine erwachsene Form angenommen, was bedeutete, dass sich ihre Gespräche jetzt auf alle Menschen bezogen, mit denen sie zu tun bekamen, und von einer wachsenden politischen Bewusstheit geprägt waren: Ash in Bezug auf den Feminismus damals in den Achtzigern, Jules, was die finanzielle Ausstattung psychiatrischer Einrichtungen betraf, mit der sie tagtäglich in ihrem Krankenhaus in der Bronx konfrontiert wurde. Dabei genoss ihre Freundschaft immer noch den Vorzug vor den meisten anderen Dingen. Sowohl Ash als auch Jules trafen Jonah, sooft sie konnten, aber er war sehr mit seinem Roboterjob beschäftigt und zudem gerade in einer neuen Beziehung mit Jules' Freund Robert Takahashi, mit dem er ständig etwas vorzuhaben schien.

Wenn Jules und Ash einander sehen wollten, traten ihre Männer zur Seite. Das zu tun und zu wissen, dass Frauen etwas gemeinsam haben konnten, was es unter Männern kaum gab, schien fast etwas Befriedigendes zu haben. Für Ash und Jules ihrerseits war es eine Hilfe, sich so gut zu kennen. Ihre Freundschaft war eine Art Befestigungsanlage für ihre Ehen, eine zusätzliche Sicherheit. Ethan hatte viel mit seiner Serie zu tun, mit Drehbuchlesungen, Aufnahmen, Produktionstreffen, Telefonkonferenzen mit dem Sender, und Ash verbrachte einen Teil dieser Zeit mit Jules.

Einmal blätterten sie zusammen durch eine Frauenzeitschrift und stießen auf einen Artikel über einen legendären New Yorker Sexspielzeugladen für Frauen namens »Eve's Garden«. Es war nicht so, dass sie in ihren Ehen nicht ausreichend sexuelle Befriedigung fanden – sie hatten sich gegenseitig anvertraut, dass es da keine Probleme gab –, kamen aber dennoch darüber ins Gespräch, dass es eine ganz gute Idee sein könnte, »einen eigenen Vibrator« zu besitzen, »um die dahingeschiedene große Virginia Woolf zu paraphrasieren«, wie Jules es ausdrückte. Und dann, um Ash zu amüsieren, begann sie eine woolfsche Sex-Suada, die mit der anzüglichen Frage endete: »Sind das Steine in deinen Taschen, oder freust du dich nur, mich zu sehen?« In den Sexspielzeugladen zu gehen würde ein komisches kleines Abenteuer sein, entschieden die beiden Frauen. Eve's Garden war berühmt, und er hatte kaum etwas mit einem der anderen Sexshops in New York gemeinsam, da ihm der obszöne Unterton fehlte. Er trat als feministische Unternehmung auf und feierte die sexuelle Freiheit, damals in den ernsten Siebzigern, als die Frauen ins Arbeitsleben gedrängt wurden und ihre Klitoris entdeckten. (»Hoffentlich nicht gleichzeitig«, hatte Jules zu Ash gesagt. »Sonst wären sie gleich wieder rausgeflogen.«) Heute, tief in den Reagan-Jahren, konnte man immer noch die Nachwirkungen jener wundersamen, verschwundenen Zeit spüren, konnte mit seiner besten Freundin in den freundlichen, in einem neutralen Geschäftshaus untergebrachten Laden gehen und gemeinsam stumm und bebend lachen, zur gleichen Zeit ein Teenager und eine erwachsene Frau sein, wissend, dass man nie zwischen diesen beiden Reifestadien wählen musste, hatte man sie doch beide in sich.

»Kann ich Ihnen helfen?«, fragte eine Frau, die aussah, als wäre sie gerade aus einer Strichzeichnung der Reihe *Unser Körper, unser Ich* getreten. Ash und Jules ließen sich beim Kauf eines Vibrators beraten und entschieden sich am Ende beide für das gleiche Modell, ein grotesk durchsichtiges Ding, wie aus rosa Wackelpudding, mit dem Namen *Joystick* und einem übertEUERTen Satz Batterien. Jules benutzte den Vibrator ein paarmal, als sie allein zu Hause war, wenn auch zögernd und verlegen, und hin und wieder erzählten sie oder Ash einander: »Ich hatte kürzlich eine Verabredung mit dem Joystick.« Oder: »Du wirkst etwas angestrengt, vielleicht könntest du etwas *Joy* in deinem Leben brauchen.« Oder: »Stell dir vor, wen ich gestern Abend getroffen habe. Meine alte Freundin Joy Stick. Erinnerst du dich an sie? *Joy Stick?* Sie war immer so stimulierend, findest du nicht auch?« Nach einer Weile jedoch hatten beide so viel zu tun, dass die Scherze weniger wurden und schließlich ganz aufhörten. Jules verstaute das Ding tief in ihrem Schrank und vermisste es nicht. Erst etwa acht Jahre später tauchte es bei einer Schranksäuberung wieder auf. Da war eine der Batterien aufgebrochen und hatte das ganze poröse rosafarbene Ding zerfressen.

Ihrer Freundschaft war jedoch nichts anzuhaben, sie war solide. Sie war das Zentralstück beider Ehen, und alle vier wussten es. Jules' und Ethans Freundschaft als Erwachsene dagegen war anders, weniger öffentlich, ungewöhnlicher und unausgesprochener, dabei aber ziemlich tief und schwer zu erklären, wenigstens Dennis und Ash gegenüber. Die beiden Paare hatten eine gemeinsame Geschichte und boten sich gegenseitig Geborgenheit. Beide lebten in New York City, doch plötzlich wurde das Ungleichgewicht zwischen ihnen auf schrille Weise sichtbar. Bestanden hatte es schon lange, doch Ethans Platz auf der Rangliste von *Media Now* ließ Jules mit einem stechenden Schmerz begreifen, dass sich ihr Leben mit Dennis niemals wichtig und erfolgreich genug anfühlen würde, um erträglich zu sein, wenigstens nicht, solange Ash und Ethan ihre engsten Freunde waren. Dass Ethan Figman höchst erfolgreich und talentiert war, hatten Jules und Dennis lange gewusst. Aber einflussreich? Mächtig? Ethan? Dem war Macht doch egal. Nach wie vor trug er T-Shirts mit Felix, der Katze, und Gepetto und zeichnete in seine kleinen Spiralbücher. *Mächtig* war etwas anderes. Keiner von ihnen sollte mächtig sein. Macht war etwas, worauf sie es nie abgesehen hatten. Auch auf Geld nicht, aber in der Hinsicht waren Jules und Dennis längst in der Minderheit. Langsam wurde die Bewegung weg vom rein Kreativen hin zur Kreativität des Geldes immer sichtbarer.

Überall um sie herum genossen das Geldmachen und der Wunsch, Geld zu machen, ein gestiegenes Ansehen. Die Leute redeten von Geldmanagern, als wären es Künstler, und über Künstler wurde völlig unverblümt unter dem Aspekt ihres pekuniären Wertes gesprochen. Galeriebesitzer sonnten sich zusammen mit ihren berühmtesten Malern im Licht der Scheinwerfer. Die Neureichen überschütteten die Neuberühmten mit ihrem Wohlstand, und alle, ob Geschäftsleute oder Künstler, schienen sich ähnlich, austauschbar, überzogen mit dem identischen Geldglanz, als wären sie alle vom selben magischen Hund von Kopf bis Fuß abgeschleckt worden. Und selbst Künstler, die es noch nicht geschafft hatten, wollten daran teilhaben und rangelten darum, zum Unterhaltungsobjekt gewisser Upper-East-Side-Partys zu werden. Während der Suppe wandten sich ihnen alle erwartungsfroh zu, um zu hören, was sie über die Kunstwelt zu erzählen hatten, aber wenn ihr Stern nicht bald aufging, wurden sie nicht wieder eingeladen. In jenen Tagen galt ein hungernder Künstler als gescheitert, und selbst wenn seine Arbeiten wirklich gut waren, glaubte es niemand. Denn wenn das Zeugs *so* gut wäre, hätte es doch längst einer entdeckt. »Van Gogh wäre nie ein zweites Mal in die Park Avenue 1040 eingeladen worden«, sagte Jules zu Ethan. Und das traf nicht nur auf die visuellen Künste zu. »Früher«, hatte ein schreibender Freund Ethan kürzlich nach intensivem Biergenuss erklärt, »wollten alle Romane schreiben. Jetzt sind es Drehbücher. Es ist so, als wären Drehbücher exakt das Gleiche wie Romane, nur einfacher zu lesen und viel mehr Geld wert.«

Jules und Dennis waren sich des Klimawandels bewusst, und sie wussten auch, dass sie selbst ziemlich bald Geld brauchten, tatsächlich brauchten sie es jetzt schon. Jules wollte nur noch nicht daran denken, was eine kindische Haltung war, das wusste sie, aber auch irgendwie bewundernswert. Es gab so viele arme Menschen in der Stadt, die eine Therapie brauchten, Jules konnte sich nicht vorstellen, ihre Gebühren zu erhöhen und die Reichen zu behandeln. Sie hatte Angst, sich mit den Reichen nicht identifizieren zu können. Jules hatte auf dem College einen Jungen kennengelernt, einen sehr begabten Tenor, der seine Opernambitionen aufgab, um Aktien-Broker zu werden. Jetzt, verkündete er bester Laune, habe er ein verdammtes Vermögen verdient, singe einmal die Woche in einem schwulen Männerchor und habe das Beste beider Welten. Aber Geld als Endprodukt, Geld als *Kreation* schien Jules etwas Abscheuliches, genau wie Ethan. Veränderte Ethan sich? Empfand er anders, da er Teil einer so anderen Welt geworden war? Jules sagte sich, bloß weil er viel Geld verdiente, liebte er es noch längst nicht. Obwohl sie selbst, dachte sie, wenn sie Geld hätte, es wahrscheinlich schon lieben würde.

Dennis trat ins Wohnzimmer und hielt *Media Now* zusammengerollt in der Hand, als wollte er eine Fliege damit erschlagen. »Nun mach schon«, sagte Jules. »Was steht auf der Liste?« Dennis öffnete die Hand und strich die Zeitschrift auf dem Tisch glatt.

»Nummer achtundneunzig ist super«, sagte er. »Vergiss nicht, dass wir nicht wussten, ob er überhaupt aufgenommen werden würde. Er ist ein Neuzugang.« Damit schob er ihr die Zeitschrift hin, und gemeinsam studierten sie die Seite mit dem einigermaßen anständigen Foto Ethans und seinem geschätzten Vermögen unter der Rangziffer. Für Normalsterbliche war es eine sehr hohe Summe, allerdings stand ein Sternchen daneben und unten auf der Seite die Anmerkung, die Zeitschrift sei sich bewusst, dass die Summe nicht an den geschätzten Wohlstand der Leute um ihn herum herankomme. Aber, stand da geschrieben, man betrachte Ethan Figman als eine der hundert einflussreichsten Personen im Medienbetrieb wegen dem, was während der nächsten Jahre mit ihm geschehen werde, wenn *Figland*, diese bereits jetzt so beliebte Serie, in die *Syndication* gehe (wie es vorauszusehen sei, auch wenn es keine Garantie dafür gebe) und damit medienübergreifend verwertet werde.

Ethan hatte Jules erklärt, dass das wahrhaft heftige Geldverdienen im Fernsehen losging, wenn man fünf Staffeln erreichte, also grob gesagt hundert Folgen, denn dann komme man in die »Syndication«, was bedeutete, dass die Serie jahrelang auf verschiedenen Kanälen wiederholt würde. Ethan bestand darauf, dass er keine Ahnung habe, ob das auch seine Serie schaffen werde, nein, wahrscheinlich werde sie es nicht. »Die Chancen sind nicht sehr groß«, sagte er. »Es ist das reine Glück. Ich staune schon, dass wir überhaupt noch eine neue Staffel bekommen haben. Die Kritiken waren gut, aber die Quoten hätten besser sein können.« Aber vielleicht hatte er auch gelogen, um bescheidener zu erscheinen. Gelogen, weil es ihm Jules gegenüber, einer kleinen, mit einem Ultraschalltechniker verheirateten Therapeutin, peinlich war, davon zu reden, welchen außergewöhnlichen Verlauf sein Leben nehmen würde. Er sagte nie etwas wie: »Ist das nicht irre, Jules, was da mit mir geschieht? Ist das nicht völlig durchgeknallt? Ich meine, wir sprechen hier von mir. Von *mir*! Sollen wir nicht irgendwo aufs Dach rauf und schreien?« Oder: »Mach dir keine Sorgen, ich werde nicht eines von diesen Arschlöchern, die wir so hassen. Es gibt in meiner Zukunft keinen Ferrari.« Er gab nie an oder sagte direkt etwas zu dem, was mit ihm geschah, nur indirekt, verlegen. Meist hielt er den Kopf unten und arbeitete an den vielen verschiedenen Aspekten seiner Serie.

Die Zukunft, sagte Ethan, sei immer unsicher. Die Redakteure, die die Top-100-Liste zusammengestellt hatten, schienen optimistischer zu sein. Sie rechneten fest damit, dass *Figland* bald auf allen Kanälen sein würde, und besaßen genug Zuversicht, um zu sagen, Ethans Einfluss sei schon heute ziemlich beeindruckend – wenn auch sein Geld da noch nicht mithalten könne, wobei die angegebene Summe weit größer war, als Ethan und Ash es Jules und Dennis gegenüber jemals hatten durchblicken lassen, und auch weit größer, als ihr Lebensstil erahnen ließ.

»Unsere mächtigen Freunde«, sagte Jules. »Scheiße.«

»Warum Scheiße?«

»Ich weiß nicht mehr, was ich von ihm denken soll.«

»Warum musst du etwas denken?«, fragte Dennis.

»Wir dürfen ihnen niemals sagen, dass wir uns die Liste besorgt haben«, sagte sie. Ash hatte die Zeitschrift Jules gegenüber beiläufig erwähnt. Sie und Ethan wussten, dass die entsprechende Ausgabe bald herauskommen und die Liste, ein jährlicher, in bestimmten Kreisen lange erwarteter Event, große Beachtung finden würde. Ob er mit darauf sein würde, wussten sie nicht. »Es sähe aus, als wollten wir unbedingt wissen, wo er steht«, sagte Jules. »Als wollten wir ihm den Puls fühlen, ohne dass er es merkt.«

»Was genau das ist, was wir getan haben«, sagte Dennis. »Aber das ist in Ordnung. Das ist nicht kriminell, höchstens vielleicht ein bisschen unheimlich. Als spionierten wir ihnen hinterher.«

»Ich wollte nur wissen, woran wir sind«, sagte Jules. »Und das mit dem Geld auch, obwohl ich weiß, dass es im Vergleich mit den anderen Leuten auf der Liste nicht so viel ist. Aber natürlich geht es in den nächsten Jahren stark in die Höhe. Nach der Syndication, wenn es denn dazu kommt. *Angenommen*, es kommt dazu. Ethan sagt wahrscheinlich, das wird es nicht und dass die Serie eher prestigeträchtig ist als profitabel. Dass es immer um Marktanteile geht. Gott, ich tue so, als wüsste ich, wovon ich rede … Marktanteile. Dabei habe ich keine Ahnung.«

»Wir haben nur ein bisschen herumgeschnüffelt, wie mächtig und reich unsere guten Freunde tatsächlich sind«, sagte Dennis, »und jetzt haben wir es hinter uns gebracht und können wieder an etwas anderes denken. Gehst du später in die Bronx? Ist das Mädchen, von dem du mir erzählt hast, immer noch im Krankenhaus?«

Jules hatte eine Kundin, einen lieben, undeutlich murmelnden Teenager, der nach einem Selbstmordversuch eingeliefert worden war. Jules ging jeden Tag zu der jungen Frau, setzte sich zu ihr, redete und erntete manchmal sogar ein Lächeln oder ein Lachen. Ja, sagte sie zu Dennis, sie wolle später noch zu ihr. Aber sie war mit der Unterhaltung über Ethan noch nicht fertig. Sie würde es wohl nie sein. Wahrscheinlich standen Ash und Ethan in diesem Augenblick downtown in Tribeca auf, stellten ihre Füße auf den honigfarbenen Boden des weitläufigen Maisonette-Lofts, in das sie gezogen waren, und gingen hinüber in den begehbaren Kühlschrank, eine riesige, extravagante Anschaffung, die sie ihren Freunden zunächst etwas verlegen und mit kindlichem Stolz vorgeführt hatten. »Ich kann wirklich nicht erklären, welche Freude mir dieses bizarre Ding bereitet«, sagte Ethan.

»Meiner Theorie nach«, sagte Ash, »liegt es daran, dass der Kühlschrank bei ihm zu Hause immer leer war, nachdem seine Mutter seinen Vater verlassen hatte. Wisst ihr, was sein Vater darin aufbewahrt hat? Sardinen und Parkay-Margarine.«

»Und Augentropfen«, fügte Ethan hinzu. »Vergiss die Augentropfen nicht. Mein Dad hatte immer Schwierigkeiten mit den Augen, und die Tropfen mussten gekühlt aufbewahrt werden.«

»Ja, auch Augentropfen. Und jetzt«, sagte Ash, »kann Ethan in den Kühlschrank *hineingehen* und sich von Angeboten umgeben fühlen. Das macht nicht unbedingt wieder gut, was er entbehrt hat, aber es ist ein Versuch.«

»Das hat sie alles aus dem *Drama des begabten Kindes*«, witzelte Ethan.

Dennis ließ sich schwer auf das kleine Schaumstoffsofa neben Jules fallen und zerteilte das billige Ding fast. Er zog Schuhe und Strümpfe aus, schlug ein Bein über das andere und legte ihr einen Fuß auf den Schoß. »Eine kleine Fußmassage?«, fragte er. »Ich bezahle dich auch dafür.«

»Wie viel?«

»Was immer Ethan in der Stunde kriegt.«

»Gut«, sagte sie. »Am liebsten hätte ich es in bar, aber ein Goldbarren tut's auch.« Sie machte sich daran, die Daumen in die Sohle und die Seiten seines kalten, geäderten Fußes zu drücken.

»Ooh, das ist ausgezeichnet«, sagte er. »Wirklich, wirklich ausgezeichnet. Du weißt genau, was zu tun ist.«

Jules Jacobson-Boyd massierte den Fuß ihres Mannes intensiv und nach einer Weile etwas sadistisch. Er war dick und hatte Schwielen von den Sportschuhen, die er beim Football trug. Dennis schloss die Augen und ließ eine Reihe zufriedener Tiergeräusche hören. Er war hinausgegangen und hatte ein besseres Verständnis für Ethans Einfluss in der Welt und die gegenwärtigen Ausmaße seines Wohlstands mitgebracht, der, wenn alles gut ging, bald schon verrückt ansteigen würde. Aber auch jetzt schon bekam er Prozente nicht nur von den Einkünften der Serie selbst, sondern von jedem *Figland*-T-Shirt, Stofftier, Badetuch und Bleistiftspitzer, für die die Leute ihr Geld ausgaben.

»Was ich daraus lerne«, sagte Jules, die ihre Daumen immer weiter in den Fuß ihres Mannes grub, »ist, dass er mittlerweile in einer anderen Welt lebt, genau wie Ash. Und wenn wir sie hierher zu uns einladen, sagen sie wahrscheinlich: ›O Gott, wir mögen sie ja, aber müssen wir wieder in ihre deprimierende Wohnung mit den billigen Möbeln und all den Stufen?‹ Warum wird uns das erst jetzt klar, Dennis? Natürlich wussten wir, dass sie sehr, sehr reich sind, aber es hätte uns peinlich sein sollen, sie immer wieder hierher einzuladen. Sie *wollen* nicht herkommen, aber sie müssen so tun, als ob. Sie spielen ihren Wohlstand unglaublich herunter und sind irrsinnig zurückhaltend, was das angeht. Sie tun so, als lebten sie in derselben Welt wie wir, doch das stimmt nicht. Und die ganze Zeit, wenn wir zusammen essen waren und Ethan sich die Rechnung geschnappt hat und wir gesagt haben: ›Nein, nein, Ethan, das ist nicht nötig, lass sie uns teilen‹, war es völlig absurd von uns, ihn nicht zahlen zu lassen. Geradezu erbärmlich war es von uns, und er wusste es, nur wir nicht. Es war einfach nur nett von ihm, nicht darauf zu bestehen. Wahrscheinlich mag er nicht mal mehr mit uns in unsere Normale-Leute-Restaurants gehen«, fuhr sie fort. »Weißt du noch, letzten Monat in dem türkischen Laden? Wie ich von dem Kebab spezial geschwärmt habe? Oh, juchhu, all der kleingehächselte Salat und das mikrowellenheiße Fladenbrot, was für 'n Kick für Ethan Figman!«

»Was willst du damit sagen, Jules?«

»Ethan und Ash brauchen kein Kebab spezial mehr in ihrem Leben. Aber wirklich meine ich, dass sie *uns* nicht mehr brauchen. Wenn wir uns heute erst kennenlernen würden, würden wir niemals mehr Freunde werden. Denkst du, sie würden irgendeine Verbindung spüren, wenn einer sagte: ›Das hier ist eine sehr nette Therapeutin, und das ist ein sehr netter Ultraschalltechniker‹? Deshalb kann es so scheinen, als wäre es das absolut Beste, sich als Kinder und Jugendliche kennenzulernen – da sind alle gleich und gehen Bindungen ein, die allein darauf beruhen, wie sehr man einander mag. Allerdings kann es sich später als das Schlechteste überhaupt entpuppen, wenn du und deine Freunde euch nichts anderes mehr zu sagen habt als: ›War das nicht komisch damals in der Zehnten, als deine Eltern zu früh nach Hause kamen und wir alle so dermaßen voll waren?‹ Wer nicht sentimental an der Vergangenheit hängt, bricht so was dann ab, und wenn Ethans Serie in die Mehrfachverwertung geht, wird es alles noch weit massiver und verstörender. Wenn ich ein besserer Mensch wäre«, sagte Jules, »würde ich ihnen ihre Freiheit zurückgeben. Sie haben andere Freunde. Erinnerst du dich an die beiden beim Essen?«

Dennis nickte. »Die waren doch ganz okay«, sagte er. Es ging um ein Paar, mit dem sich Ash und Ethan kürzlich erst angefreundet hatten. Er war Portfolio-Manager, etwas älter, und sie eine Innenarchitektin, die nebenher ein Literarisierungsprogramm in Ost-Harlem leitete. Beide waren rank und schlank, ihre Kleider waren aus Leinen, und das Dinner war weniger unbehaglich als deprimierend gewesen. Der Portfolio-Manager und seine Frau hatten nichts, was sie Jules und Dennis hätten fragen können. Ihnen kam nicht einmal der Gedanke, ihnen eine Frage zu stellen, und der Umstand, dass sich alle Aufmerksamkeit auf die beiden selbst richtete, schien für sie nicht ungewöhnlich. Sie akzeptierten die Einseitigkeit des Interesses, und besonders Dennis hielt die Unterhaltung in Gang, indem er alles Mögliche wissen wollte. Wieder einmal interessierten ihn die anderen Leute, was ja grundsätzlich eine bewundernswerte Eigenschaft war, aber in diesem Fall ärgerte es Jules. Es passte ihr nicht, dass diese Leute dachten, das Interesse der anderen stehe ihnen zu. So begann sie ihnen in ihrem milden Zorn ebenfalls Fragen zu stellen. »Wie hoch ist die Alphabetisierungsrate in diesem Land?«, wollte sie betrunken von der Frau wissen und wandte sich, kaum die Antwort abwartend, auch schon an ihn: »Seit wann wird der Begriff ›Portfolio‹ eigentlich für Geld benutzt und nicht für Künstlerisches? Genauso wie heute ein Analytiker längst kein Freudianer mehr ist, sondern die Aktienmärkte studiert.« Das waren Bemerkungen, wie sie und Ethan sie manchmal austauschten. Es machte sie wütend, ignoriert zu werden, und Ash, die sich normalerweise so sensibel für die Bedürfnisse aller zeigte, war so sehr damit beschäftigt, für die Getränke zu sorgen, dass ihr die Unempfänglichkeit der neuen Freunde für Jules' Zorn nicht auffiel. Jules und Dennis waren die beiden, die an diesem Abend nicht in die Runde passten, die anderen bildeten einen Kreis, eine Umfriedung, einen begehbaren Kühlschrank des Wohlstands und der Bedeutung.

Es war ein verstörender Abend gewesen – und ein Hinweis darauf, dass noch anderes kommen würde. Jules und Dennis hatten noch nicht darüber gesprochen, wobei sie sich doch beim Verlassen des Hauses hätten ansehen und sagen müssen: »Wir sind solche Idioten.« Zu Ethan hätte Jules eher gesagt: »Wir sind *Die Idiotae*. Das klingt wie der Name eines griechischen Stücks, für das Ash die Regie übernehmen will.«

Jules dachte an das Paar und die anderen Bekannten, die Ethan und Ash in relativ kurzer Zeit neu um sich versammelt hatten. Ein paar von ihnen arbeiteten fürs Fernsehen oder in der Filmindustrie und schienen so umstandslos zwischen der Ost- und der Westküste hin- und herzuwechseln, als pendelten sie zwischen Manhattan und Brooklyn. Irgendwann hatte sich Ethan mit einem berühmten, jungenhaften Zauberer angefreundet, der einmal beim Essen Feigen aus Ethans Nase und Ohren hervorgeholt und Ashs Haar mit, wie er behauptete, Vulkanasche gepudert hatte.

»Wie hießen die beiden noch?«, fragte Jules ihren Mann. »Der Portfolio-Manager und seine ehrenamtliche Alphabetisiererin? Die beiden, die ich gelöchert habe und denen wir so scheißegal waren, dass ihnen nicht eine einzige Frage einfiel? Der Schwanz und die Fotze?«

»Der Schwanz und die Fotze?«, sagte Dennis lachend. »Wow, hör dich nur an. Die beiden hießen ... Duncan und Shyla, glaube ich.«

»Genau!«, sagte Jules. »Wir sollten Ash und Ethan Duncan und Shyla überlassen und ihnen nicht das Gefühl geben, dass sie zu mir halten müssen, zu *uns*, meine ich. Der Unterschied zwischen ihnen und uns ist erniedrigend, das begreife ich jetzt. Weißt du noch, an dem Tag bei Strand?«

Vor ein paar Wochen hatten Dennis und Jules mehrere Einkaufstaschen voller Bücher mit der U-Bahn zum Strand Bookstore geschleppt, eine riesige Secondhand-Buchhandlung am Broadway. »Ganz gleich, wie viel man auch hinbringt«, sagte Dennis, »am Ende scheint man immer achtundfünfzig Dollar zu bekommen.« Aber das reichte, damit lohnte sich die Sache. Achtundfünfzig Dollar in der Tasche ließen einen ein wenig größer werden. Als sie mit ihren übervollen, hier und da eingerissenen Tüten die Straße zum Laden hinunterächzten, trafen sie auf Ash und Ethan, die Arm in Arm ebenfalls dorthin und sich ein wenig umsehen wollten. »He, wohin wollt ihr denn?«, fragte Ash erfreut, als sie einander sahen. »Wir helfen euch.«

»Ja, wir helfen euch«, sagte Ethan. »Allerdings habe ich maximal eine Stunde, dann muss ich zurück zur Arbeit. Ich schwänze gerade, sie warten schon auf mich.«

»Was?«, sagte Jules. »Dann lass sie nicht länger warten, nur um uns unsere Bücher zu Strand schleppen zu helfen. Ich meine, das ist ja lächerlich.«

»Aber ich möchte es gerne«, sagte er. »Mir graut heute vor der Arbeit. Es gibt da eine Szene, bei der wir absolut nicht weiterkommen. Da gehe ich lieber mit euch zu Strand.«

So mussten sie es also aushalten, dass Ash und Ethan ihnen ihre Taschen in den Laden bugsieren halfen und dann auch noch darauf bestanden, mit ihnen in der Schlange all derer zu warten, die wie sie ihre Bücher verkaufen wollten. Ganz vorn standen ein Junkie-Pärchen, ein heruntergekommener, wie ein Schornsteinfeger verrußter Mann und eine Frau mit klappernden Zähnen, die in ihren knochigen, ruinierten Armen eindeutig gestohlene Bildbände mit Titeln wie *Mies van der Rohe: Eine Würdigung* hielt. Dieser Tag dort in der Schlange mit den Junkies war so unterschwellig erniedrigend gewesen, dass Jules Dennis gegenüber hinterher kein Wort darüber gesagt hatte. Und jetzt, als sie es tat, sagte er leise: »Das war doch nichts Großes.«

»Doch, das war es«, sagte Jules. »Wenn ich daran zurückdenke, mit dem Wissen um seinen Platz auf der Liste, fühlt es sich an, als hätten sie uns unser Blut verkaufen sehen.«

»Es wäre ein Schock für sie, dich so zu hören«, sagte Dennis. »Ist Ash nicht deine engste Freundin? Und ist Ethan nicht dein Lieblingsmann, mich nicht eingerechnet?«

»Ja«, sagte Jules. »Aber je mehr sich die Dinge für sie ändern werden, desto mehr, das weiß ich, werden sie darauf bestehen, dass sie sich selbst im Grunde nicht geändert haben. Wenn Ethan fürs Essen zu zahlen versucht, sehe ich jetzt, dass er es tut, weil er uns nicht in Verlegenheit bringen will, indem er uns die Wahrheit wissen lässt.«

»Und was ist die Wahrheit?«, fragte Dennis. Er zog den Fuß zurück und wollte plötzlich nicht mehr von ihr berührt werden.

»Dass er in ein paar Jahren wahrscheinlich nicht mehr über sein Einkommen nachdenken müssen wird. Dass er tun kann, was er tun will, für immer. Es fängt schon an. Und Ash wird ebenfalls tun können, was sie will.«

»Ja, wahrscheinlich«, stimmte Dennis ihr zu. »Wegen ihm.«

»Richtig. Wegen ihm und seinem Einfluss. Ihm und seinem Geld. Und ich gehe jede Wette ein, dass Ash in ein paar Jahren auch ihren Durchbruch hat, weil sie sich nicht mehr durch zig merkwürdige kleine Theaterprojekte von ihrem eigentlichen Ziel ablenken lassen muss.« Ashs Werdegang glich dem Hunderter junger Frauen fünf Jahre nach ihrem Abschluss an einer Ivy-League-Universität. Diese Frauen wollten alle in der Welt von Kunst und Kultur Fuß fassen und warteten auf den perfekten Moment, in dem sich ihnen der Zugang zu dieser nebulösen Welt öffnen würde. Durch ihre Verbindungen aus ihrer Kindheit, aus Yale und in der Stadt bekam Ash schlecht bezahlte oder unbezahlte Jobs im Theaterbereich, nahm, was sie bekam, führte Regie bei einer Reihe Einakter in einem deprimierenden Pflegeheim, veranstaltete mit ein paar Freunden vom College mitten in der Grand Central Station eine Performance mit dem Titel *Pendler*, während genau die verärgert einen Bogen um sie machen mussten, um ihren Zug zu erreichen. Aber diese Jobs gab es nur gelegentlich, und Ash machte sich ständig Notizen über feministische Aufführungen, bei denen sie Regie führen wollte, bei einer modernen *Lysistrata*, bei einem der Dramatikerin

Caryl Churchill gewidmeten Abend. Sie las lange, anstrengende Bücher über die russische Theatertheorie und lebte dabei äußerst gut, ohne Entmutigungen oder finanzielle Nöte.

»Du kannst absolut nicht wissen, wo sie in ein paar Jahren beruflich stehen wird«, sagte Dennis.

»Ich weiß es.« Es war, als verfügte Jules über eine neue Klarheit, die ihr bis jetzt gefehlt hatte. Sie begriff, dass es nie einfach nur um Talent gegangen war, sondern auch um Geld. Ethan war glänzend in dem, was er machte, und vielleicht hätte er es auch ohne die Ermutigung und die Ratschläge von Ashs Vater geschafft, dennoch hatte es ihm zweifellos geholfen, in einer Stadt wie New York aufgewachsen zu sein und in eine wohlhabende Familie eingeheiratet zu haben. Ash war talentiert, aber nicht *so* talentiert. Das war es, wovon niemand redete, nirgends. Aber natürlich war es ein Glück für Ash, sich nicht um ihr Auskommen sorgen zu müssen, sondern sich ganz ihren Zielen widmen zu können. Ihr wohlhabendes Elternhaus hatte ihr von Beginn an einen Vorsprung verschafft, und jetzt hatte Ethan den Stab übernommen.

»Ich komme mir schrecklich vor, wenn ich das sage«, gestand Jules ihrem Mann. »Ich liebe sie, sie ist meine beste Freundin, und sie ist sehr engagiert, liest, nimmt sich all die Zeit und ist ehrlich feministisch interessiert. Nur trifft das nicht auch auf viele andere Leute zu, die genauso talentiert sind und sich nebenher abrackern müssen? Sie hat ein paar gute Ideen, aber ist sie eine gute Regisseurin? Ist sie in Bezug aufs Theater so brillant wie Ethan auf seinem Feld? Nein! Oh, Gott wird jeden Augenblick einen Blitz auf mich niederfahren lassen.«

Dennis sah sie an. »Dein nicht existierender Gott, Frau Atheistin? Frau Jüdin? Das bezweifle ich.« Er ging in die Küche, und sie folgte ihm. In der Spüle stapelte sich das Geschirr, das sie für das chinesische Take-away am Abend zuvor benutzt hatten, und Dennis spritzte wortlos gelbes Spülmittel über die Teller und griff nach einem zerrupften Schwamm. Offenbar wollte er jetzt all das Geschirr spülen, auf dem Trockenständer abstellen und damit den Unterschied zwischen ihnen und Ash und Ethan aufs Neue illustrieren. Jules fragte sich, ob er es mit Absicht tat.

»Ash besitzt, glaube ich, keine eigene Größe«, sagte Jules über das Rauschen des Wassers hinweg. »Und sie braucht sie vielleicht auch gar nicht. Ich habe immer gedacht, Talent sei alles, dabei war es immer schon das Geld. Oder die Gesellschaftsschicht. Und wenn nicht die, dann zumindest die Verbindungen.«

»Das begreifst du jetzt erst?«, fragte Dennis. »Hast du nicht überall in der Welt Beispiele dafür gesehen?«

»Ich lerne langsam.«

»Nein, tust du nicht.«

»Ich wette, in ein paar Jahren hat sie ihr eigenes Theater, das sich den Arbeiten von Frauen widmet«, sagte Jules. »Das Ash Wolf Athenaeum.«

»Ihr eigenes Theater? Du verlierst den Verstand«, sagte Dennis. »Hier, trockne einen von den Tellern ab, sie passen nicht alle auf den Ständer.« Er hielt ihr einen hin, und sie nahm ihn und griff nach einem Geschirrtuch, das sich leicht schmierig, fast ölig anfühlte. Wenn sie den Teller damit abtrocknete, würde er voller Schlieren sein. Plötzlich wollte sie heulen.

»Dennis«, sagte Jules. »Vergiss das Geschirr, und lass uns irgendwohin gehen.«

»Wohin?«

»Ich weiß nicht. Einfach nur spazieren gehen oder so. Lass uns etwas von dem tun, was es in der Stadt umsonst gibt und was einen glücklich macht, wenn man sich entmutigt fühlt.«

Dennis betrachtete sie, die Hände tief im Spülwasser. Langsam hob er sie heraus, tropfend, und zog den Stöpsel aus dem Abfluss. Das Wasser verschwand mit einem obszönen Gurgeln, Dennis wischte sich die Hände an der Hose ab, machte einen Schritt auf sie zu und zog Jules an sich. Er roch nach Zitronenspülmittel und sie wahrscheinlich nach der Substanz, die man freisetzte, wenn man verbitterte. »Fühl dich nicht entmutigt«, sagte er. »Wir haben so vieles, was gut ist, und sitzen hier in unserem kleinen Liebesnest. Okay, unserem miesen kleinen Liebesnest. Aber wir sind hier.«

Es rührte sie, dass er das sagte. »Du bist so unglaublich nett zu mir, selbst wenn ich so bin wie im Augenblick. Es ist sehr schwer für mich«, erklärte sie ihm, »wenn ich sehe, wie weit wir von ihnen weg sind. Ich wusste, dass es am Ende mit meiner Schauspielerkarriere nichts werden würde. Ich wusste, dass ich mit der Vorsprecherei für all die Stücke aufhören musste. Es war nicht leicht für mich zu akzeptieren, was Yvonne mir gesagt hat. Zu schauspielern und komisch zu sein, das war mein Weg in die Welt, und dann musste ich es aufgeben. Bei Ash ist es anders. Ich habe das Gefühl, sie und Ethan sind schusssicher, er, weil er talentiert ist und so riesig, und sie, weil sie ihn hat. Und dass wir denken, dass das, was für uns bleibt, genug ist … Nun, seit heute weiß ich, dass es nicht so ist.«

Dennis' Ausdruck veränderte sich. Sein Mitgefühl für sie schrumpfte. Er war sie wieder einmal leid, es kam und ging in Wellen. »Ich dachte, du bist wieder auf dem Boden«, sagte er. »Und ich dachte: *Gut,* weil ich irgendwie genug habe. Und jetzt hebst du gleich wieder ab.«

»Nicht mit Absicht«, sagte sie.

»Ich habe einfach nicht die Kraft dafür, Jules, ehrlich nicht. Du erwartest von mir, dass ich dieser unveränderliche, komplett verständnisvolle Mensch bin, während du immer mal wieder deine kleinen Anfälle kriegst, und dass ich dich beruhige. So soll das zwischen uns funktionieren? Klingt das für dich nach Glück? Das war nicht das Versprechen, das ich dir gegeben habe.«

»Aber die Situation hat sich geändert«, sagte sie. »Du hast etwas

›versprochen‹, das jetzt ein wenig anders ist. So geht es. Die Dinge verschieben sich.«

»Nein, ›die Dinge‹ haben sich nicht verschoben, *du* hast sie verschoben«, sagte Dennis. »Du erwartest von mir, dass ich dich tröste, aber du selbst bringst hier alles durcheinander. Ich kann dich da nicht trösten. Ich mag unser Leben. Ist das so ein verdammtes Verbrechen? Ich mag unser Leben, egal, was um uns herum vorgeht, aber du augenscheinlich nicht.« Seine gewöhnlich tiefe, kratzende Stimme klang angespannt und war unangenehm geworden. Das war der wütende Dennis, den sie kaum zu Gesicht bekam, oder wenigstens hatte sie es kaum erlebt, dass sich seine Wut einmal gegen sie richtete. Einmal hatten sie eine Maus in der Küche entdeckt, und er hatte versucht, sie mit dem Bratenheber zu erwischen, dem einzig greifbaren Werkzeug, und das mit ziemlicher Wut, die, wie sie später gemeinsam feststellten, einen komischen Zug gehabt hatte. Das war jetzt nicht der Fall.

»Das stimmt nicht!«, sagte sie.

»Vielleicht ist diese ganze Geschichte«, fuhr er mit unveränderter Stimme fort, »ja nur eine verdeckte Möglichkeit für dich, mir zu sagen, dass du dich betrogen fühlst, weil *ich* kein Vermögen verdiene.«

»Nein, ist es nicht.«

»Dass du dir wünschst, ich wäre jemand anderes, damit du jemand anderes werden kannst.«

»Nein«, sagte sie. »Das stimmt nicht.«

»Aber langsam verstehe ich es so«, sagte Dennis.

»Das stimmt nicht«, sagte Jules. »Es tut mir leid«, sagte sie. »Ich weiß, ich sollte aufhören, so zu reden. Ich weiß, es ist ungesund.« *Bitte, sei nicht mehr wütend auf mich,* wollte sie sagen. Das war es, worauf es jetzt anzukommen schien.

»Ja«, sagte Dennis, »genau das ist es. Es ist sehr, sehr ungesund. Daran solltest du denken, Jules. Denk daran, was diese Kommentare uns antun. Sie schaffen eine ungesunde, kranke Atmosphäre.«

»Übertreib nicht.«

»Ich übertreibe nicht.«

»Ich bin glücklich mit dir«, sagte sie. »Das bin ich wirklich. Ich glaube nicht plötzlich, dass es eine direkte Wechselbeziehung zwischen Geld und Glück gibt. Als wir uns verliebt haben, hatte das nichts damit zu tun, dass ich dachte, wir hätten ein luxuriöses Leben vor uns. So ein Gedanke ist mir nie gekommen. So oberflächlich bin ich nicht, das weißt du.«

In diesem Moment klingelte das Telefon, und Jules war erleichtert, rangehen zu können. So hatten ihre Auseinandersetzungen schon oft geendet: Jemand rief an, und als das Gespräch vorbei war, hatte sich der Zwang zur Widerrede praktisch in Luft aufgelöst. Aber jetzt war Ash am Telefon und wollte wissen, ob sie am Abend alle gemeinsam essen gehen könnten. Ein neues asiatisches Fusion-Restaurant habe aufgemacht, sagte sie, und die Frühlingsrollen mit Glasnudelfüllung seien ein Traum. Ash klang so, wie Ash immer klang, enthusiastisch, warmherzig, und Ethan sagte im Hintergrund, sie solle Jules sagen, sie und Dennis müssten unbedingt kommen, sonst würde es ihnen nicht richtig schmecken.

Ash fragte: »Kommt ihr?«

Jules drückte sich den Hörer auf die Brust und sah Dennis an. »Sie wollen wissen, ob wir mit ihnen essen gehen.«

Er zuckte mit den Schultern. »Entscheide du.«

Also gingen sie. Das Essen war gut, und ihre Freunde waren wie immer. Sie wirkten in keiner Weise verändert oder reicher oder als lebten sie in einer anderen Welt. Aber als die Rechnung kam, griff Ethan danach. Jules und Dennis machten ebenfalls einen Versuch, sie zu nehmen oder sie sich wenigstens zu teilen, doch am Ende gaben sie nach. Und so, still, aber bemerkbar, begann ein neuer

Teil ihres Lebens. Von diesem Abend an zahlte Ethan für fast alle Essen und Urlaube.

Die erste Reise, die sie gemeinsam unternahmen, ging im Juli 1987 nach Tansania, um den Kilimandscharo zu besteigen. Jonah und Robert Takahashi, deren Beziehung zu etwas Ernstem geworden war, kamen ebenfalls mit. Ethan hatte seit Beginn seines Erfolgs schon einige teure Reisen unternommen, mochte das Reisen aber eigentlich nicht und schenkte ihm wenig Aufmerksamkeit. »Wir haben früher nicht viele Urlaube gemacht«, sagte er. »Das Protzigste, wohin mich meine Eltern mitgenommen haben, war das Pennsylvania Dutch Country. Da haben wir uns Leute in altmodischen Kleidern auf Pferden und in Pferdewagen angesehen, und meine Mutter hat mit ihrer Polaroid Swinger Fotos gemacht, obwohl sie es nicht sollte. Ein Amischer schrie sie an, woraufhin meine Eltern einen Riesenstreit hatten – nicht weiter überraschend. Dann haben wir ein Hex-Zeichen gekauft und eine komische Art Karamell, die *Penuche* hieß, was mich verlegen machte, weil es wie Penis klang, und sind wieder nach Hause gefahren.« Ethan hatte die Reise der drei Paare von seiner Assistentin buchen lassen. Er hatte sie gefragt, ob es ihr etwas ausmachen würde, und gesagt, dass sie später im Jahr fahren wollten, wenn *Figland* seine Pause habe. Er wünschte sich etwas »außerhalb meiner Komfortzone«, wie er es ausdrückte. »Schon meine Assistentin um so etwas zu bitten liegt außerhalb meiner Komfortzone«, sagte Ethan. »Überhaupt eine Assistentin zu haben.« Die Assistentin hatte im College Hemingway gelesen und schlug den Kilimandscharo vor. Der Preis der Reise schien jenseits aller Maßstäbe, was Ethan nervös machte, aber Ash erinnerte ihn: »Du bist achtundzwanzig Jahre alt und hast dir dein Geld selbst erarbeitet. Du musst dich an deinen Wohlstand gewöhnen und entsprechend leben. Es ist nicht gerade schmeichelhaft, wenn du jammerst und dich über dein Glück beklagst. Ich weiß nicht, wem das helfen soll. Du bist nicht mehr das kleine Kind deiner verrückten, schreienden, finanziell unberechenbaren Eltern. Du kannst neue Orte besuchen und neue Dinge ausprobieren. Du kannst Geld ausgeben. Das ist okay, wirklich okay.«

Die Assistentin hatte für sie alle einen Aufstieg mit bester Bergsteigerausrüstung gebucht. Nach Monaten des Treppensteigens mit schwerem Gepäck und Geländemärschen, wann immer es möglich war, um sich auf die Reise vorzubereiten, trafen sich die drei Paare mit anderen Kletterern in einer Hotelhalle in Arusha, wo sie von den Führern gebeten wurden, ihnen ihre Ausrüstung zu zeigen. Jules, Dennis, Jonah und Robert öffneten ihre Taschen und zogen die verschiedenen, leicht fremdartigen Dinge hervor, die sie in einem Campingladen downtown gekauft hatten. Feuchtigkeitsabführende Wäsche, eine Schlafunterlage. »Der Verkäufer meinte, der Schweiß werde abgeführt, nur wohin?«, fragte Jonah, aber Jules wurde von Ash und Ethan abgelenkt, die sich über ihre Sachen beugten, als hätten sie das alles noch nie gesehen. Da begriff sie, dass es tatsächlich so war: Jemand anderes hatte für sie eingekauft und für die Reise gepackt.

Weitere Urlaube der beiden Paare, gelegentlich auch wieder ergänzt durch Jonah und Robert, wurden sorgfältig mit dem Produktionsplan für *Figland* abgestimmt und führten zu anderen kleinen Entdeckungen. Auf einer Parisreise wollte Ethan Ash ein kleines Überraschungsgeschenk kaufen, »etwas Halstuchmäßiges«, sagte er, und Jules begleitete ihn unter dem Vorwand, einen Croque Monsieur mit ihm essen zu wollen. Das schien glaubhaft, hatte die beiden auf dieser Reise bisher doch hauptsächlich das Essen interessiert. In einer glitzernden Boutique in der Rue de Sèvres sagte Jules: »Ich möchte dich etwas fragen, was sehr unkultiviert klingen wird, aber ich frage es trotzdem: Woher weißt du, wie man sich als Reicher benimmt? Kommt das automatisch mit dem Geld? Oder lernt man es quasi ›bei der Arbeit‹?« Ethan sah sie überrascht an und sagte: »Das weiß man nicht, man mogelt sich einfach so durch.« Ihm schien die Frage nicht zu gefallen oder seine Antwort darauf, als zwänge sie ihn dazu, die Wende anzuerkennen, die sein Leben genommen hatte – so wie sich ein Staatsschiff drehte, langsam, schrittweise, mit großen, gewaltsamen, unsichtbaren Erschütterungen in der Tiefe.

Aber dann, mit der Zeit, sah Jules, dass Ethan sich nicht mehr so durchzumogeln schien. Er zog sich besser an und schien sich tatsächlich mit Weinen auszukennen, als ihm in einem Restaurant in Madrid die Weinkarte gegeben wurde. Wann hatte er das gelernt? Er hatte Jules nichts von seinem neuen Wissen erzählt. Hatte er einen Weinlehrer, der abends kam und ihn unterrichtete? Sie konnte ihn nicht länger fragen. Ethan war kein Trottel, sondern höflich, bescheiden und gütig, und er ging jetzt lockerer mit Geld um, als Jules es sich je hätte vorstellen können. Ihr wurde klar, dass sie das enttäuschte.

Ihre Leben bewegten sich weiter auseinander. Allein die Zeit zu finden, mit Ethan und Ash wegzufahren, war für Jules und Dennis schwierig. In Krankenhäusern beschäftigte Therapeuten, besonders solche, die nebenher neuerdings noch eine eigene Teilzeitpraxis betrieben, wie es Jules mittlerweile tat, und auch Ultraschalltechniker hatten für gewöhnlich nur sehr wenig Urlaub. Manchmal mussten sich der hektische Ethan mit seinem komplizierten, übervollen Zeitplan und die weit weniger hektische Ash den beiden sogar anpassen.

Auf einer Fünf-Tage-Reise der beiden Paare nach Venedig im Jahr 1988 – sie waren mit einem Firmenjet unterwegs, was immer öfter vorkam – erwachte die neunundzwanzigjährige Jules Jacobson morgens im Bett neben Dennis, öffnete ein Auge und ließ den Blick ruhig durchs Zimmer gleiten. So reiste sonst niemand, den sie kannte. Die kleine Gruppe Freunde, die sie von der Sozialarbeitsschule kannte, erzählte sich gegenseitig von ihren Urlauben und empfahl einander billige Pauschalreisen nach Jamaika oder ein Hotelzimmer in San Francisco. Dieses Hotel hier in Venedig war eines, in dem »altes Geld« abstieg, wohlhabende europäische Familien. »Die von Trapps hätten hier wohnen können, wären sie nicht auf der Flucht vor den Nazis gewesen«, schrieb Jules auf ihrer Postkarte an Jonah. »Hilfe, Jonah, Hilfe!«, fügte sie unten noch an. »Meine Werte werden entführt!« Das Hotel fühlte sich alles andere als ihnen angemessen an. Ein kleines Stück Kanal war durch das gewellte Glas des Fensters zu sehen, auf einem Tablett verwelkte eine Obst-Käse-Platte vom Abend zuvor, Jules sah hinauf zu einer edlen Kassettendecke, und der immer noch schlafende Dennis neben ihr lag mit dem Kopf auf einer langen Kissenrolle.

Figland war mittlerweile nach ganz Europa verkauft worden, und Ethan hatte verschiedene Termine wahrzunehmen. Dennis und Jules blieben in Venedig, als Ethan einen kurzen Abstecher nach Rom unternahm. Ash beschloss, währenddessen nach Norwegen zu fliegen, um sich da »einmal umzusehen«, wie sie es nannte, weil sie hoffte, im kleinen Open Hand Theater im East Village die Regie bei einer Produktion von Ibsens *Gespenstern* zu übernehmen. Sie hatte sich sehr darum bemüht, und die Entscheidung stand noch aus. Es stimmte, dass Ash sich in Norwegen umsehen wollte, aber Jules wusste auch, dass sie es zusammen mit Goodman tun würde. Ash hatte ihn eine ganze Weile schon nicht mehr gesehen, Island lag nur zwei Flugstunden von Norwegen entfernt, und alle auf dieser Reise, bis auf Ethan, wussten, dass Goodman zu seiner Schwester stoßen würde.

In den Jahren, als sie Ende zwanzig war, versuchte Ash, Goodman so oft wie nur möglich zu sehen, obwohl Jules ihre Besuche oft überhastet und gewagt vorkamen. Schon als Teenager war ihre geheime Fernbeziehung zu ihrem Bruder für Ash schwierig gewesen, das Zusammenleben mit Ethan hatte das alles noch weiter erschwert. Erst mit Ethans Erfolg gab es etwas mehr Freiraum, um die Verbindung mit Goodman zu halten. Ash verreiste jetzt manchmal auch allein und traf sich mit ihm. Dennoch war es immer ein kompliziertes und banges Unternehmen. Hin und wieder, alle paar Wochen, wenn sie und Ash allein waren, fragte Jules sie unvermittelt: »Gibt es etwas Neues von deinem Bruder?«

Ash wurde dann ganz aufgeregt und sagte Dinge wie: »Es geht ihm gut, wirklich. Er arbeitet jetzt nebenher als Assistent eines Architekten. Nun, nicht wirklich als sein Assistent, aber er übernimmt komplizierte Besorgungen und hat das Gefühl, dass er bald mehr Verantwortung bekommen könnte und vielleicht sogar etwas mit entwerfen darf. Es gefällt ihm einfach, damit zu tun zu haben, und er versucht immer noch, Baujobs zu bekommen.«

Einmal, fast ein Jahr vor ihrem Kurztrip nach Norwegen, hatte Ash ihrer Freundin erzählt, dass ihre Eltern Goodman besucht hätten und dass es ihm offenbar »nicht gut« gegangen sei. Jules fragte, was das bedeute. Oh, sagte Ash, das bedeute, dass Goodman sich ganze Nächte in Reykjavíks Trink- und Drogenszene herumgetrieben und angefangen habe, zu spät zur Arbeit zu kommen, worauf sie ihn hinausgeworfen hätten. Frustriert und ohne etwas zu tun, habe er das Geld seiner Eltern für Kokain ausgegeben und es ihnen in einem emotionalen Telefongespräch gebeichtet. Nach einem Monat in einer nüchternen isländischen Rehaklinik zog Goodman zurück in seine Wohnung über einem Fischladen mitten in der Stadt. Er wohnte schon seit einigen Jahren nicht mehr bei Gudrun und Falkor. Die beiden hatten ein Kind bekommen, eine Tochter, und brauchten Goodmans Zimmer. Am Ende waren sie in ein weit besseres Haus gezogen, denn Gudrun hatte sich schnell eine sehr erfolgreiche Karriere als Textildesignerin aufgebaut. Das Geld der Wolfs hatte es ihr über all die Jahre erlaubt, ihre Fähigkeiten zu perfektionieren. Es war erstaunlich zu sehen, dass es innerhalb der verschiedenen Welten noch so viele weitere Welten gab. Kleine Subkulturen, von denen man kaum etwas wusste, die aber mitunter durch die Kunst einer einzelnen Person aus den anderen herausragten. So wunderbar es sein mochte, es wirkte doch auch wie die Pointe eines Scherzes, dass Gudrun Sigurdsdottir offenbar ein Superstar in der Welt des isländischen Kunsthandwerks war.

»Behalte für dich, was wir dir gesagt haben«, hatte die Familie Wolf Jules im Sommer 1977 befohlen, und wie das gutmütige Mädchen, das sie damals gewesen war und vielleicht immer sein würde – die Witzige, aber Gehorsame, der Trottel, die Verführte –, gehorchte sie ihnen über die Jahre ohne große Schwierigkeiten. Der Familienglaube an Goodmans Unschuld war ein Organisationsprinzip und wurde bald zu ihrem eigenen. Erst später verblüffte es Jules, dass sie sich erlaubt hatte, in dieser nebulösen Sicherheit zu verweilen, die keine Sicherheit war, in einem Zustand, in den man leicht geraten konnte, wenn man als junger Mensch in ihn hineingestoßen wurde. In der Schule für Sozialarbeit hatte es eine alte Professorin mit einer Strickjacke gegeben, unter deren Ärmel stets ein Taschentuch eine Ausbuchtung bildete. Diese alte Frau pflegte davon zu sprechen, dass die Menschen oft etwas »wissen, ohne es zu wissen«.

In den ersten Jahren nach Goodmans Verschwinden hatte Jules niemanden, mit dem sie über die Situation sprechen konnte, nur Ash. Auch zu Jonah hatte sie nie ein Wort gesagt. Aber dann, in den ersten Wochen des Jahres 1982, kam Dennis. Jules erzählte ihm alles Wichtige, und endlich, nur ein paar Monate nach dem Beginn ihrer Beziehung, als sie auf eine Weise zusammengefunden hatten, die Jules dauerhaft schien, weihte sie ihn in das fortdauernde Geheimnis der Wolfs ein, die ihren versteckten Sohn unterstützten. Natürlich war er schockiert. »Sie schicken ihm Geld?«, fragte er. »Sie wissen, wo er ist, und sagen der Polizei kein Wort davon? Puh, das ist unglaublich. Unglaublich arrogant.«

»Ich glaube, die meisten Eltern würden das für ihren Sohn tun, wenn sie denken, er ist unschuldig«, sagte Jules, doch damit wiederholte sie nur, was Ash einmal gesagt hatte.

»Warum sind sie sich da so sicher?«

»Nun, weil sie ihn kennen«, sagte Jules.

»Trotzdem«, sagte Dennis, »hast du nie daran gedacht, du weißt schon, ihn anzuzeigen?«

»Oh, nun, vage«, sagte sie. »Aber ich wollte nie auf die Weise in die Sache hineingezogen werden. Da gehöre ich nicht hin.«

»Das kann ich verstehen«, sagte Dennis. »Es gab da eine Familie in meinem alten Haus, direkt über Isadora. Die Mutter beschimpfte ihre fünfjährige Tochter, nannte sie ein ›wertloses Stück Scheiße‹ und andere schreckliche Sachen. Schließlich rief einer im Haus das Jugendamt an, und das Mädchen wurde seiner Mutter weggenommen, obwohl die Kleine sie offenbar trotz allem liebte. Und dann erzählte mir Isadora, dass sie zu Pflegeeltern gekommen sei, wo sie von einem weit älteren Bruder, einem Pflegekind wie sie selbst, sexuell bedrängt worden sei. Man weiß eben nie, was man in Gang setzt. Trotzdem ist es schon heftig, dass die Wolfs das gemacht haben«, meinte Dennis. »Und dass sie es immer noch tun. Wobei wirklich heftig ist, dass sie Ethan nichts davon sagen. Dass Ash ihm nichts sagt. Ich meine, *puh*!« Er schüttelte den Kopf darüber, dass sie sich das erlaubten. Über ihre Anmaßung.

»Ich hätte es dir nicht sagen sollen«, sagte Jules. »Aber ich musste. Ich werde es Ash nie erzählen, das heißt, du darfst es ihr gegenüber niemals erwahnen. Ernsthaft, selbst wenn wir uns eines Tages trennen sollten und du mich für den Rest deines Lebens hasst, darfst du nie jemandem von Goodman erzählen, okay?« Sie begriff, dass sie ähnlich klang wie Gil Wolf, als er ihr in jener Nacht im Café Benedikt so streng, fast schon drohend, ungefähr das Gleiche gesagt hatte. »Ich kann nicht glauben, dass ich es dir erzählt habe, Dennis«, fuhr Jules fort. »Aber es ging nicht anders. Was bedeutet das?«

Er lächelte glücklich. »Etwas Großes!«

»Ja, das nehme ich auch an«, sagte sie. »Du könntest die Polizei noch in diesem Moment anrufen und Goodman verhaften lassen. Und die gesamte Familie Wolf wahrscheinlich dazu.«

»Und dich«, fügte Dennis hinzu. »Es ist Zeit, dir einen Anwalt zu nehmen.« Sie schwiegen. Er war zu weit gegangen. »Ich mache doch nur Spaß«, sagte er schnell. »Ich würde das niemals tun.«

»Ich weiß, dass du das nicht tun würdest.«

»Ich liebe dich einfach«, sagte Dennis, »und jetzt, wo du mir diese Sache verraten hast, liebe ich dich noch mehr.«

»Aber warum?«, fragte sie. »Was hat das damit zu tun?«

»Weil wir noch ziemlich neu füreinander sind, nach zwei Monaten, und trotzdem hast du es mir erzählt. Ich bin gerührt. Es ist wie ... eine Erklärung. Nur Ethan tut mir leid.« Nachdenklich fuhr Dennis fort: »Er ist ein Genie, weiß aber nicht mal etwas so Grundlegendes, Wichtiges über seine Freundin und ihre Familie. Ich mag die Wolfs nicht«, fügte er hinzu. »Ash natürlich schon, sie ist eine gute Freundin von dir und so, aber sie und ihre Familie zusammengenommen, als Einheit, mag ich nicht.«

»Du musst sie nicht mögen.«

»Bist du sicher?«

»Ja.«

Dennis war nie von jemandem zu etwas verführt worden, außer von Jules. Er war dankbar, Teil ihres Lebens geworden zu sein, und soweit er es beurteilen konnte, hatte die Sache mit Goodman Wolf kaum noch etwas mit jemandem zu tun. Jetzt, 1988, in Europa, hatte Ash Ethan nicht direkt belogen, was ihren Aufenthaltsort während der nächsten zwei Tage in Norwegen anging, sie hatte ihm nur ein paar zentrale Dinge ihres Plans verschwiegen. Es stimmte, dass sie im Grand Hotel in Oslo wohnen würde. Und während Ash und Ethan nach Oslo und Rom fuhren, blieben Dennis und Jules das Wochenende über in Venedig. Aber Jules fühlte sich unwohl allein mit Dennis in diesem beunruhigend teuren

Hotelzimmer. Sie legte eine Hand auf Dennis' Arm, der noch schlafend neben ihr im Bett lag. »Dennis«, sagte sie. »Dennis.«

»Was?« Er öffnete die Augen und drehte sich zu ihr. Sein Atem roch kräftig, aber nicht schlecht. Nach Eiche, Kork, vom Alkohol gestern Abend. Er war kaum wach, schob sich aber instinktiv auf sie, und sie spürte die Automatik seiner frühmorgendlichen Erektion, die sie nicht auf sich bezog. Er rückte sich zurecht, und obwohl ihr nur unwohl gewesen war wegen der üppigen Umgebung, sie eine undeutliche Sorge in sich gespürt und einfach über etwas hatte reden wollen, half sie ihm, denn das war jetzt gut und vielleicht sogar besser. Sex in einem italienischen Hotelzimmer hatte eine besondere Wirkung auf Amerikaner. Er sorgte dafür, dass sie sich wie Italiener fühlten. Der neunundzwanzigjährige Dennis mit seinem noch etwas verschlafenen, verschatteten Gesicht und den dunklen Augen, dem wuchernden Brustpelz und dem dichten Achsel- und Schamhaar hatte durchaus etwas Italienisches. Eine der Kopfkissenrollen fiel auf den Boden, schwer wie ein Anker. Immer noch fast im Halbschlaf hob Dennis Jules in die Höhe, als wöge sie nichts, und platzierte sie auf sich, und sie griff mit beiden Händen nach unten, weil sie nicht wollte, dass die Stellung nicht richtig stimmte und sie als Frau Korrekturen vornehmen musste, während der Mann diskret wegsah oder offen verfolgte, was sie tat. Dafür zu sorgen, dass der Penis richtig lag, damit es nicht wehtat, wenn er hineinstieß, war wie der Moment im Auto, wenn man sich bemühte, die Metallzunge des Sicherheitsgurts in ihren schmalen Verschluss zu schieben. Man wartet auf das Klicken, genau wie in einem italienischen Hotelbett, nur dass es hier eine andere Art Klicken war, das inneren Geheimnissen folgte. Es gab nur einen kurzen Widerstand und dann keinen mehr, und man war absurd glücklich darüber, wie sich alles gefügt hatte, als hätte man mit dem Arrangieren des Penis in sich etwas Wichtiges vollbracht.

Dennis, unter ihr, schloss die Augen, und sein Mund öffnete sich leicht und ließ einen Teil der Zunge sehen. Jules dachte an Ash und Goodman, wie sie anderswo auf diesem Kontinent in den Betten zweier benachbarter Hotelzimmer lagen. Und dann daran, wie sie ihn einst im Wohnzimmer der wolfschen Wohnung geküsst und wie ihre Zunge seine gesucht und gefunden hatte, bis ihm die Lust vergangen war und er den Kuss abbrach. Sie beugte sich vor und legte den Mund auf Dennis' Lippen, der ihren Kuss ohne jeden Spott oder Ennui mit seiner ganzen Person beantwortete, mit dem eichigen, nach Tannin schmeckenden Mund, den halb geschlossenen Augen und dem ungeduschten Körper mit seinen Pheromonen, die sie zu ihm hinzogen, wenn sich diese Anziehung auch nie ganz erklären ließ.

Hinterher frühstückten sie unten. Es gab eines jener merkwürdigen europäischen Frühstücke mit gekochten Eiern und Weetabix und direkt dazwischen, als wäre es völlig normal, Innereien. Im Babel des Frühstücksraums saßen sie und Dennis zwischen Spaniern und Deutschen. Jules sagte zu Dennis: »Ich frage mich, wie Goodman heute aussieht. Er ist jetzt dreißig. Himmel, Goodman mit dreißig! Das ist schwer vorstellbar.«

»Ich habe ihn zwar nie kennengelernt, aber er wird wahrscheinlich etwas wettergegerbt sein«, sagte Dennis. »Ist das nicht bei Leuten so, die rauchen und trinken und Drogen nehmen? Das macht die Haut rissig, die dann aussieht wie – wie nennt man das noch? – Antikleder?«

Sie stellte sich Goodman wettergegerbt und zerfurcht in der Suite im Grand Hotel in Oslo vor. Sein mächtiger Körper bedeckte beide Seiten des einen Doppelbetts, seine Schwester lag auf dem anderen. Die beiden rauchten und lachten. Ash musste so erleichtert sein, ihn endlich wiederzusehen, ihn fragen zu können, wie es ihm ging, und sich zu versichern, dass wenigstens ganz allgemein alles okay war. Seine schleppende, sardonische Stimme zu hören und dieses Gesicht zu betrachten, das ihr einmal so nahe gewesen war. Sie waren keine Zwillinge, und es war auch keine Romanze – was sie verband, glich eher der leidenschaftlichen Treue zu einer sterbenden Marke.

Jules und Dennis fuhren mit einem Hochgeschwindigkeitszug zurück nach Rom, wo sie mit Ethan und Ash zusammentrafen. An ihrem letzten Abend aßen die beiden Paare in der Nähe der Piazza del Popolo und berichteten sich von ihren Erlebnissen. Ethan beschrieb seine Treffen mit den Leuten vom italienischen Fernsehen, der RAI, von vielgängigen Essen und vielzähligen Weinen, die in ihm arbeiteten, während sie bis zwei Uhr morgens die Einschaltquoten von *Figland* feierten, das hier *Mondo Fig!* hieß.

Jules und Dennis erzählten von ihrem geruhsamen Wochenende in Venedig. »*Dennis in Venice*«, sagte Ethan. »Ein neuer Comic-Strip.« Sie erzählten von den Spaziergängen, die sie durch nieselige, unglaublich schmale Gassen gemacht hatten.

»Wie war Oslo?«, fragte Ethan schließlich seine Frau.

»Es hat mir dort gefallen«, sagte Ash und zuckte leicht mit den Schultern. »Ich bin einfach nur herumspaziert und habe mir die Atmosphäre des Stücks vorgestellt.«

Jules musste sich erinnern. Ach richtig, Ibsen, der angebliche Grund, aus dem Ash nach Oslo geflogen war. Ibsens *Gespenster*. Frauen, die barbusig die Bühne überquerten und in Ashs Version die Brustwarzen mit Leuchtfarben bemalt haben sollten. Erlaubte sich Ash einen kleinen Spaß, indem sie dieses spezielle Stück gewählt hatte? Goodman lebte im Land der Gespenster, seit er vor zwölf Jahren aus New York und Amerika vor seinem Prozess geflohen war, aber er war zwischendurch wiederbelebbar und bewegte sich zwischen Geisterdasein und Menschentum hin und her. Seine Mutter schickte ihm Hilfspakete, wie damals bei Spirit-in-the-Woods, nur dass jetzt statt Insektenschutzmittel und Dosenkäse Proteinpulver und bernsteinfarbene Flaschen mit Vitaminen darin waren. Ash schickte ihrem Bruder Bücher, erinnerte sich an das, was ihm als Jugendlichem gefallen hatte, und schloss von da auf seinen Erwachsenengeschmack. Sie schickte einen neuen Günter Grass, Thomas Pynchon und Cormac McCarthy und einen Roman von einem jungen Genie, David Foster Wallace, mit dem Titel *Der Besen im System*. Einmal legte sie auch ihr Lieblingsbuch *Das Drama des begabten Kindes* mit dem Hinweis bei, das Buch sei für sie relevant, nicht für ihn, aber vielleicht finde er es dennoch interessant, hätten sie doch dieselben Eltern. Goodman las alles, was ihm seine Schwester schickte, mischte brav das Proteinpulver unter seinen Joghurt, schluckte die Vitaminpillen seiner Mutter und suchte nach Jobs auf dem Bau – das mit dem Architekturbüro hatte am Ende nicht funktioniert –, hatte aber Rückenprobleme und war mitunter für Wochen außer Gefecht gesetzt. Er rauchte fast jeden Abend Pot, manchmal tat er es auch morgens, und hatte sich ein zeitweises Interesse an Kokain erhalten, was einen weiteren Reha-Aufenthalt notwendig machte.

»Trinken wir auf unseren Urlaub, auf *Mondo Fig!* und auf eure Großzügigkeit, wie immer«, sagte Dennis während des Essens und hob sein Glas auf die Weise, wie er und Jules es in den letzten Jahren gelernt hatten. Wenn man Trinksprüche auf Leute ausbrachte, war das der endgültige Übergang zum vollständigen Erwachsensein.

Nach dem langen Flug zurück aus Rom setzte eine Limousine Jules und Dennis in der 84. Straße ab. Ethan und Ash nahmen einen anderen Wagen. Sie mussten sofort ins Studio und hatten nicht die Zeit, erst nach Hause zu fahren. Alle warteten auf ihn, sagte Ethan, wie immer. Wieder vor ihrem schmalen Haus stehend, sahen Jules und Dennis nach oben und verzogen gleichzeitig das Gesicht, dann lachten sie. Es gab keinen Portier, der ihr Gepäck trug, keine Sherpas, und dort oben warteten auch keine Schalen mit Obst und Käse auf sie, keine flauschigen Bademäntel. Sie zwängten ihre Koffer durch die enge Eingangsdiele und richteten sie so aus, dass sie sich die vier Stockwerke hinaufschleppen ließen, ohne überall anzuecken. Schnaufend in der Wohnung angekommen, sahen sie den Anrufbeantworter nachdrücklich blinken, zwei Schnaken jagten sich um den offenbar fauligen Abfluss der Küchenspüle, und das Leben war wieder schwierig, vertraut und enttäuschend.

Es würde für lange Zeit keine Ferien mehr geben. Beide hatten ihre Urlaubstage aufgebraucht. Jules begann, ihre eigene private Praxis aufzubauen und sich nach und nach aus dem Krankenhaus zurückzuziehen. Zunächst waren alle ihre Kunden Niedrigzahler. Ein übergewichtiger Mann weinte seiner Frau nach, die ihn verlassen hatte, und ein noch halbwüchsiger Junge wollte unbedingt über Sid Vicious reden. Es sei, als öffne sich mit jedem weiteren Kunden ein neuer Roman, sagte Jules zu Ash. Ihre Therapiesitzungen langweilten sie nie, allerdings fürchtete sie, ihren Kunden nur begrenzt helfen zu können. Jules und Ash sprachen ständig über ihre Arbeit – über Ashs Ängste und Begeisterung darüber, tatsächlich bei ihrer ersten eigenen Produktion im Open Hand Regie zu führen, und über Jules' Interesse an ihren Kunden, ihre Sorge um sie und die Zweifel an ihren Fähigkeiten. »Was, wenn ich ihnen das Falsche sage?«, fragte sie. »Was, wenn ich ihnen den falschen Rat gebe und etwas passiert?« Ash sagte, sie sei sicher, dass Jules eine gute Therapeutin sei und nichts Schreckliches passiere. »Ich weiß noch, wie ich mich im Camp immer bei dir aufs Bett gesetzt habe«, sagte Ash. »Ich kann es nicht erklären, aber es war so eine Erleichterung. Ich wette, deine Kunden spüren es auch.«

Während ihre berufliche Entwicklung ernsthaft Form annahm, begannen die beiden Frauen auch, über mögliche Kinder zu sprechen. Es war noch nicht der richtige Zeitpunkt, Dennis machte in der Metro-Care-Klinik auf der Upper West Side, wo er seit seinem Abschluss als Ultraschalltechniker angestellt war, ständig Überstunden, aber vielleicht in einem Jahr? Manchmal träumten Jules und Ash davon, innerhalb weniger Monate beide ein Kind zu bekommen, sodass sie gemeinsam Mütter und ihre Kinder Freunde sein konnten. Beste Freunde. Vielleicht konnten sie sogar zusammen zu Spirit-in-the-Woods!

Im Moment wollte jedoch niemand den Lebensfluss unterbrechen. Es war der Beginn einer neuen Zeit, in der alle die Chance bekamen, etwas zu Ethan aufzuschließen. Nicht ganz aufzuschließen, sagte Jonah, das würde nie möglich sein. »Es ist mir persönlich auch gar nicht wichtig«, fuhr Jonah fort. »Ich bin unter sehr erfolgreichen Leuten aufgewachsen, berühmten Leuten, und es hat mich nicht sonderlich beeindruckt. Ich will nichts von alledem für mich selbst. Es wäre nur schön, wenn ich das, womit ich meinen Lebensunterhalt verdiene, lieber täte. Wenn ich mich tatsächlich morgens darauf freuen würde. Ich warte immer noch darauf, aber ohne Erfolg.«

Ash mochte ihre Arbeit. Ibsens *Gespenster* standen im Herbst 1988 für eine Weile auf dem Spielplan des Open Hand Theater. Jules besuchte sie bei den Proben und stellte fest, dass alles, was Ash im Theater von Spirit-in-the-Woods gelernt hatte, hier in erwachsener, substanzieller Form wiederkehrte. Die Produktion war gut recherchiert, ernsthaft und engagiert. Sie war nicht unbedingt witzig, schließlich war auch Ash nicht besonders witzig, dafür aber intelligent und ausgewogen und auch clever. Die leuchtend bunten Brustwarzen waren ein Hit. Die *Gespenster* waren keine Eitelkeitsproduktion, die durch Ethans Geld und Erfolg möglich geworden war. Man hörte immer wieder von den marginal talentierten Frauen bekannter Männer, die Kinderbücher schrieben, Handtaschen entwarfen oder, was besonders häufig der Fall war, zu fotografieren begannen. Es konnte sogar zu einer Ausstellung der ehefraulichen Werke in einer ein wenig abgelegenen Galerie kommen. Schon stürmten alle hin und behandelten die Frau mit salbungsvollem Respekt. Ihre Fotos ungeschminkter Berühmtheiten, ihre

Meeresbilder und Alltagsaufnahmen waren riesig, als könnten Größe, Ausrüstung und Aufwand aufwiegen, was künstlerisch fehlte.

Das war hier nicht der Fall. Der zweite Kritiker der *New York Times* kam zur Premiere im September und schrieb eine kurze, aber positive Besprechung. Er pries die Produktion für ihre »Genauigkeit«, ihren »Schwung« und ihren »nachdenklichen Blick auf die Moral des neunzehnten Jahrhunderts, mit einer überzeugenden Betonung der Rolle des Weiblichen darin«. Der Kritiker schrieb: »… dass Ms Wolf die Frau von Ethan Figman ist, dem Vater der Serie *Figland*, ist ohne jede Bedeutung. Aber es erinnert uns daran, dass diese gelungene Produktion mit ihren so überraschenden wie farbenfrohen anatomischen Blüten alles andere als ein Trickfilm ist.« Die Laufzeit wurde verlängert. Das Open Hand hatte seit langer Zeit keinen Kritiker der *Times* mehr anlocken können, keine seiner Produktionen hatte je eine so wichtige gute Besprechung bekommen, und so fragten sie Ash wie berauscht, was sie als Nächstes interessiere. Wolle sie vielleicht auch etwas für sie schreiben? Sie könne ihre feministische Hausautorin *und* -regisseurin werden. Das Theater war nach wie vor von Männern dominiert, und das Open Hand erklärte, sein Ziel sei es, das zu ändern. Ash könne da etwas bewegen.

Ethan arrangierte ein Essen, um den Erfolg zu feiern, und lud Jules, Dennis, Jonah und Robert dazu ein. Sie trafen sich im Sand, einem winzigen Restaurant im East Village, das ebenfalls gerade erst durch eine positive Kritik in der *Times* aus der Unbekanntheit aufgestiegen war. Es war ein schmaler Raum mit Sand auf dem Boden, der unter Füßen und Stuhlbeinen knirschte. Das Knirschen unter sich, kompliziert schmeckende Kreationen im Mund, saßen sie vor teuren, aufwendigen Speisen auf im Geiste der späten Achtziger dekorierten Tellern mit Sprenkeln hier und Tupfern da und sprachen über Ashs nächste Schritte. »Ich habe ihr gesagt, sie soll das Angebot definitiv annehmen und etwas originelles Eigenes schreiben«, sagte Ethan. »Sie kann eine doppelte Bedrohung werden. Hey«, sagte er und sah seine Frau mit einem verschmitzten Gesichtsausdruck an, »warum erweckst du *Beide Enden* nicht noch mal zum Leben?«

Alle lachten, und Robert Takahashi fragte, was das sei, *Beide Enden*, irgendwie klinge es für ihn nach einem schwulen Sadomaso-Stück. Jonah musste ihm erklären, dass es sich bei *Beide Enden* um ein Ein-Frauen-Stück über Edna St. Vincent Millay handele, das Ash in der Highschool geschrieben habe. »Ein *schreckliches* Ein-Frauen-Stück«, sagte Ash. »Mit einem offenbar unglücklichen Titel. Und die Leute hier mussten es gleich mehrmals ansehen.« Sie sah ihre alten Freunde an und sagte: »Es tut mir so leid. Wenn ich euch die Stunden zurückgeben könnte, würde ich es tun.«

»Spiel uns die Eröffnung vor«, sagte Robert.

»Ich kann nicht, es ist zu schrecklich, Robert«, sagte Ash. »Ich hab's endlich begriffen, auch wenn es lange gedauert hat. Meine Eltern fanden immer alles wundervoll, was ich getan habe.«

»Komm schon«, sagte Robert. »Ich muss es sehen!« Er schenkte ihr ein entzückendes Lächeln. Er und Jonah sahen jeder für sich und als Paar so gut aus, dass Jules sie manchmal insgeheim eine Weile betrachtete, wenn sich alle zu einem großen Essen trafen.

Ash sagte: »Okay. Ich bin also Edna St. Vincent Millay, und ich komme in meinem Nachthemd allein auf die Bühne, mit einer Kerze in der Hand. Abgesehen davon ist alles völlig dunkel. Ich trete in die Mitte und sage: ›Meine Kerze brennt an beiden Enden, / sie wird für die Nacht nicht reichen. / Aber ah, meine Feinde, und oh, meine Freunde, / sie gibt ein hübsches Licht!‹ Dann gehe ich an den Bühnenrand vorn, winke das Publikum gewissermaßen heran und sage: ›Wollt ihr euch nicht setzen und zuhören, solange meine Kerze noch brennt? Wir unterhalten uns, bis ihr Licht erstirbt.‹«

Alle lachten, Ash ebenfalls. »Das hast du gesagt?«, fragte Robert. »Das hast du tatsächlich so gesagt, ohne lachen zu müssen? Ich wünschte, ich wäre dabei gewesen.«

»Das wünschte ich auch«, sagte Dennis.

»Dennis«, sagte Robert, »du und ich sind viel zu spät dazugekommen. Wir hätten schon viel früher dabei sein sollen. Sieh doch nur, was wir verpasst haben. *Beide Enden.*«

»Ich denke, ich werde tatsächlich etwas Neues für das Open Hand schreiben«, sagte Ash. »Ich habe allerdings noch keine Ahnung, was, und wenn ich jetzt sofort anfinge, direkt nach den *Gespenstern*, würde es verdrossen und skandinavisch wirken.« Jules musste wieder an Goodman und Ash in Oslo denken, in einem Hotelzimmer, auf ihren Betten ausgebreitet und die Nacht durchredend.

»Du musst ja nicht gleich damit anfangen«, meinte Jonah. »Du kannst dir Zeit nehmen.«

»Ich mag den Gedanken, dass man sich Zeit nehmen kann«, sagte Dennis, der nie so schnell gewesen war wie die Freunde am Tisch, »dass man nichts planen und nur darauf warten muss, dass sich alles ergibt«, sagte er, und vielleicht waren dies die letzten ruhigen Worte, die er an diesem Abend sagte. Aber vielleicht war es auch nur eine Art Bühnenerinnerung an den Abend – an die Szene, in der der Ehemann einer der Frauen Gedanken über die Freuden des Zeithabens anstellt, bevor innerhalb einer Stunde alles ruiniert ist. Oder vielleicht hatte er die Sätze auch gar nicht gesagt, Jules war sich da später nicht mehr sicher. Es wurde so viel getrunken, und Ethan hatte eine ganze Serie von Amuse-Bouches bestellt, die vor dem Essen gereicht wurden. Wieder und wieder kamen kleine, köstliche Dinge mit farbigen Spritzern, und es war zu dunkel, um genau sehen zu können, was sie da eigentlich aßen. In den Achtzigern war die Textur des feinen Essens alles, die Details waren oft weniger bedeutungsvoll.

Dennis war wegen seiner MAOI immer vorsichtig mit dem, was er aß. Zu Beginn des Abends hatte er dem Kellner leise erklärt, was er alles nicht essen dürfe. Aber heute entstand ein besonderes Kraftfeld um den Tisch, zum Teil weil Ethan mit daran saß, was den Besitzer des Restaurants ganz aus der Fassung brachte, war er doch ein großer Fan von *Figland* und konnte ganze Passagen der Dialoge rezitieren, was wiederum Ethan rührte, der sich bereit erklärte, Wally Figman auf eine Tischdecke zu zeichnen. Alle am Tisch redeten und redeten, freuten sich mit Ash über ihren ersten großen Erfolg und wurden ganz fiebrig, was ihre eigenen Möglichkeiten betraf: Dreißig, das war ein bedeutendes und gutes Alter. Vielleicht hatte Dennis' Ton, in dem er mit dem Kellner gesprochen hatte, seine Worte so klingen lassen, als würde er ganz einfach kein geräuchertes, eingelegtes oder eingemachtes Fleisch, keinen alten Käse, keine Leber und keine Pasteten mögen. Und nicht so, dass etwas davon ihn tatsächlich hätte umbringen können.

Ein flacher Keramiklöffel kam für jeden von ihnen, mit etwas, das »Tomatenwasser« genannt wurde, und darin lag eine einzelne Jakobsmuschel, wie ein großer Zahn. Eine Flasche Wein kam, und das Wort *Pouilly* auf dem Etikett sagte Jules, dass es ein guter Wein war. Sie verspeisten, was ihnen gereicht wurde. Schmeckten einige der Häppchen geräuchert, eingelegt, eingemacht, *giftig*? Es war schwer zu sagen. Alles schmeckte gut, und Jules hatte keinen Grund zu der Annahme, dass Dennis an diesem Abend nicht wie gewöhnlich auf seine Essenseinschränkungen achtgab. Aber gegen Ende des Essens, als auf Kosten des Hauses verschiedene Desserts gereicht wurden, darunter eine Schale mit Keksen, die der Kellner als »Serrano-Pfeffer-Molé-Dukaten« bezeichnete, lehnte sich Dennis zu Jules hinüber und sagte: »Ich fühle mich nicht besonders gut.«

»Hast du etwas gegessen, was du nicht hättest essen sollen?«, fragte sie, aber er schüttelte den Kopf. »Möchtest du gehen?«, fragte sie und sah im Kerzenlicht, dass er schwitzte. Der Schweiß lief ihm in Strömen über das Gesicht. »Dennis«, sagte Jules mit scharfer Stimme. »Dennis, ich glaube, mit dir stimmt etwas nicht.«

»Ich glaube auch.« Er zog an seinem Hemdkragen und sagte nur: »Ich habe schlimme Kopfschmerzen. Ich glaube, ich sterbe.«

»Du wirst nicht sterben.« Dennis antwortete nicht, sondern beugte nur den Kopf vor und erbrach sich auf seinen Teller.

»O Gott«, sagte Jules und wandte sich panisch an ihre Freunde, die einander immer noch ansahen und lachten und aßen. Robert fütterte Jonah mit einem Crab Cake. »Ethan!«, rief Jules, ohne nachzudenken – er war es, der ihr helfen sollte. »Ethan, Dennis ist krank!«

Ethan blickte mit halb geöffnetem Mund auf, sah Jules' Panik, was ihn schnell sein Essen herunterschlucken ließ, und warf sich praktisch über den Tisch, wobei sein Hemd beinahe in die Flamme einer in einem Glas schwimmenden Kerze geraten wäre. »Dennis, sieh mich an«, sagte er, und Dennis, der sich nicht weiter erbrach, hob den Kopf, doch sein Blick war leer. Dann war Ethan irgendwie – war er geflogen? – neben ihm, riss ihm das Hemd auf und legte ihn auf den Boden zwischen ihrem und dem Nebentisch. Auf dem Rücken liegend, zeichnete sein Körper einen Engel in den Sand, einen Umriss, der von seinem bevorstehenden Tod kündete. Jules kniete auf seiner anderen Seite und weinte auf seinen Hals und sein schlaffes Gesicht. Sie fand den Puls an seinem Handgelenk, der wie wild raste. »Eine Tachykardie«, sagte der Notarzt ein paar Minuten später.

Über ihn gebeugt und auf Hilfe wartend, dachte Jules: *Hier liegt mein sterbender Ehemann.* Der sich immer weiterkämpfende Ultraschalltechniker, kein Stern am Himmel seines Berufes oder eines anderen. Gott, all die Sterne da draußen, dachte sie, all die Welten, in denen sie existierten, und dazu die Menschen, die sich um ihr Fortkommen und ihre Laufbahnen sorgten, darum, wie sie wirkten und was die Leute von ihnen dachten. Was die Dinge bedeuteten. Es war einfach zu viel, es war so widerlich und unnötig. *Überlass den Erfolg, den Ruhm, das Geld und das außerordentliche Leben Ash und Ethan, die wissen, was sie damit anfangen sollen,* dachte sie, als Sanitäter durch den engen Raum herankamen, mit ihren schweren Stiefeln zielgerichtet durch den Sand knirschten und sich zu ihrem Mann hinunterbeugten. *Überlass das alles Ash und Ethan, denn sie verdienen es. Gib mir nur, was wir hatten,* hörte sie sich denken oder vielleicht auch sagen. *Es ist genug.*

Zwölf

Jonah Bay fuhr im Morgengrauen mit Robert Takahashi neben sich im Taxi von der Notaufnahme des Beth Israel Hospital nach Hause und sagte: »Hast du gehört, was sie gesagt hat? Im Restaurant, direkt nachdem es passiert ist?«

»Ja.«

»Jules betet nicht. Sie war immer schon Atheistin. Zu wem sollte sie beten?«

»Keine Ahnung«, sagte Robert. Die beiden lehnten müde und stumm aneinander, während die Straßen vorbeiflogen und das Taxi zu dieser befremdlich frühen Stunde ohne jeden Verkehr auf den Straßen jede grüne Ampel erreichte.

»Nun, offenbar hat es funktioniert, was immer sie getan hat«, sagte Jonah.

»Oh, komm schon, das willst du mir doch nicht erzählen? Weißt du, in wie vielen Notaufnahmen ich schon gesessen habe? Mit Freunden, die eine Lungenentzündung oder das Zytomegalievirus hatten? Ihre Angehörigen haben immer für sie gebetet, und nie hat es was bewirkt. Bei einem Typen aus dem Fitnessstudio kamen all seine Tanten und Großtanten, eine riesige, tolle schwarze Familie aus North Carolina. Sie haben einen Gebetskreis geformt und so was gesagt wie: ›Bitte, Jesus, schütze unseren Jungen, schütze unseren William, er will noch so viel auf dieser Erde tun‹, und ich schwöre, ich dachte, diesmal funktioniert es, aber nein. Ich habe noch keine Wunder erlebt. Alle Geschichten enden auf die gleiche verdammte Weise.« Robert sah aus dem Fenster, während das Taxi über die vernarbte Straße polterte. »Weißt du«, sagte er, »eines schönen Tages wirst du mit mir in der Notaufnahme sitzen.«

»Sag das nicht«, protestierte Jonah. »Deine T-Zellen sind okay. Du hast kaum mal etwas. Ja, die Gürtelrose, aber sonst so gut wie nichts.«

»Das stimmt. Aber das geht nicht ewig so. Das tut es nie.«

»Nun, ich nehme an, ich habe immer noch was von diesem religiösen Wunderglauben in mir«, sagte Jonah.

»Ach ja? Ich dachte, dieser ›Deprogrammierer‹ hätte das damals ein für alle Mal aus dir herausgehauen?«

»Nein, einen kleinen Fetzen habe ich festgehalten. Aber erzähl Ethan und Ash nichts davon, sie haben sich solche Mühe gegeben.«

Sie stiegen bei Jonah in der Watts Street aus. Jonahs Haus sah bei allen möglichen Lichtverhältnissen, in der Morgen- und Abenddämmerung oder während jener furchterregenden violetten Momente vor einem Schneesturm, leicht gekippt und versengt aus, war aber immer noch bewohnbar. Was Jonah und seiner Mutter passiert war und ihn zum rechtmäßigen Bewohner ihres Lofts gemacht hatte, erstaunte ihn immer noch. Dabei war es damals einfach so gekommen, es war ihre Geschichte. Fast drei Monate lang hatte Jonah Bay 1981 zu Reverend Sun Myung Moons Vereinigungskirche gehört. Über die Moonies wurde oft gelästert, sie gehörten einem ähnlichen Zeitgeist an wie die Hare Krishnas.

Jonah war genauso wie viele andere eher zufällig und ohne bewusstes Bedürfnis in die Kirche hineingezogen worden, er hatte rein gar keine natürliche Kirchennähe in sich. Als Kind hatte ihn seine Mutter manchmal mit in die abessinische Baptistenkirche in Harlem mitgenommen, um befreundeten Gospelsängern zuzuhören. »Mach die Augen zu, und lass dich davontragen«, hatte Susannah gesagt. Jonah mochte die Musik, für Jesus hatte er jedoch keine Verwendung und weigerte sich, auch während der Predigten die Augen zu schließen, sondern betrachtete stattdessen seine Hände, seine Schuhe und oft die anderen Jungen in den Kirchenbänken.

Wenn er sich im College samstagabends auf seinen Robotertechnik-Kurs vorbereitete, atmete er den Duft von Maschinenteilen und Verdrahtungen ein und dazu, ganz besonders, den Geruch schlecht gewaschener MIT-Kommilitonen, die definitiv ihr eigenes Aroma in der Werkstatt verbreiteten. Und dann schien ihm ein ganz und gar unspirituelles Leben, nur getragen von Menschen, die geschäftig in ihren neonhellen akademischen Bienenstöcken werkelten, absolut annehmbar. Er hatte einen brillanten Freund, Avi, der ein orthodoxer Jude war, und Jonah konnte nicht verstehen, was ihm jene tiefere geistige Ebene gab. »Du arbeitest wissenschaftlich«, sagte er zu ihm. »Wie kannst du da an das Übersinnliche glauben?« – »Wenn du das fragen musst, kann ich es dir nicht erklären«, sagte Avi. War das spirituelle Leben wie ein besonderer Umhang? Jonah hatte das Erhabene verschiedentlich aufblitzen sehen: Einige der Gospellieder in der Kirche in Harlem hatten etwas geradezu Himmlisches gehabt, genau wie ein Gutteil der Musik seiner Mutter. *The Wind Will Carry Us* war außergewöhnlich, und vielleicht konnte Susannahs jüngere Stimme auf der Schallplatte bereits als erhaben gelten. Am übersinnlichsten jedoch schien Jonah Bay das Gefühl, das er als Junge gehabt hatte, als ein erwachsener Mann wiederholt mit seinen Gehirnzellen gespielt hatte, als wäre er Gott.

Während jener unfreiwilligen Drogentrips – Jonah hatte sich nie jemandem anvertraut oder auch nur eine Andeutung darüber gemacht – war Jonahs Körper hellwach und angespannt gewesen, sein Denken hatte alles erfasst, hyperaktiv, wie auf einer Mission. Das Gefühl der Überstimulation war so gigantisch gewesen, dass er es fast nicht ertragen konnte. Nur noch einmal hatte er Ähnliches gespürt, auf völlig andere Weise, als er zum ersten Mal Sex mit einem Mann gehabt hatte, mit achtzehn am MIT. Innerhalb von zwölf Sekunden hatte er sehr zu seinem Schrecken ejakuliert. Der andere Mann, ein Gehirn- und Kognitionswissenschaftler mit dem stumpfen Gesicht eines Boxers, meinte, das sei okay, absolut okay, doch das stimmte nicht. Jonah konnte nicht sagen: Hör zu, ich bin fürchterlich schnell überstimuliert, und das hat angefangen, als man mich mit elf mit einer Menge Acid gefüttert hat. Ja, mit *elf*, ist das nicht krass? Und wann immer ich heute erregt werde, habe ich Angst durchzudrehen. Aufregender Sex ängstigt mich zu Tode.

Jonah sagte nichts von alledem, weil er nie jemandem davon erzählt hatte, was mit Barry Claimes geschehen war, auch seinen Freunden aus Spirit-in-the-Woods nicht. Es wäre zu demütigend gewesen. Es war leicht gewesen, sich als schwul zu outen, was Jonah gleich in der ersten Woche am MIT getan hatte, kurz nachdem er zum ersten Mal, und das richtig, von Anfang bis Ende, mit einem Mann Sex gehabt hatte. Er hatte mit dem Outing warten wollen, bis es zum ersten Mal so weit gekommen war, nur um sicherzugehen, dass er sich nicht täuschte. Er täuschte sich nicht. Als er alle anrief, um es ihnen zu sagen, schien keiner von ihnen schockiert oder besonders überrascht, Ethan nicht, Ash nicht, Jules nicht und auch seine Mutter nicht. Aber ihnen von Barry Claimes zu erzählen, das war etwas, was Jonah nicht über sich brachte, obwohl er oft an den Folksänger denken musste, diesen Mann ohne Inspiration, der sich stattdessen bei Jonah bedient hatte. Einen Mann, der seinen musikalischen Goldesel verlor, als sich Jonah mit zwölf Jahren dazu entschloss, nicht mehr mit ihm zu reden. Aber obwohl Barry Claimes meist weit weg gewesen war (sein Auftritt im Camp 1974 mit Jonahs Mutter war eine Qual), hatte Jonah seine Präsenz immer gespürt, und das besonders während der Pubertät, als seine Sexualität von ihm Besitz ergriff. Jonah hatte, lange bevor Barry Claimes in sein Leben einbrach, Gefühle für Jungen verspürt. Als Ash seine Freundin wurde, war ihm bereits mehr oder weniger klar, dass er schwul war, er hatte oft Fantasien über Jungen, aber die waren so heftig, und er wusste so gar nicht, wie er damit umgehen und was er von ihnen halten sollte, dass er sie vor sich selbst verbarg. Ash *unterstimulierte* ihn, wenn es das Wort denn gab, und das war eine große Erleichterung für ihn gewesen.

Später im College, vor jedem tatsächlichen sexuellen Akt mit einem realen, nackten, keuchenden Mann, war er voller Angst, dass es ihn überkommen und er zu halluzinieren beginnen könnte. Die sexuelle Erregung war wie eine Droge, die ihm Übelkeit bereitete und den Wunsch in ihm weckte, sich abzuwenden und stundenlang zu schlafen. Das Halluzinogen, das ein mächtiger, opportunistischer Mann ihm als Kind eingeflößt hatte, war schuld daran. Barry Claimes hatte ihm das angetan.

Jonah hatte Robert Takahashi 1986 auf einer Dinnerparty bei Jules und Dennis kennengelernt. Robert arbeitete da schon lange nicht mehr in dem Kopierladen von früher. Er hatte an der Fordham University Jura studiert und war als Anwalt in Aids-Fragen tätig. Robert war gleich an Jonah interessiert und wollte, wie alle, mehr über dessen Zeit bei den Moonies und über seine Arbeit erfahren. Jonah arbeitete an der Entwicklung und Vervollkommnung neuer Technologien mit, die Behinderten bei der Bewältigung ihres Alltags halfen. Jonah erzählte von einer neuen Apparatur, einer Art Gerüst, die es Querschnittsgelähmten ermöglichte, ohne fremde Hilfe zu duschen, sich zu waschen und abzutrocknen. Das seien einfache Dinge, die Nichtbehinderte als selbstverständlich betrachteten, sagte Jonah, aber ein Behinderter sei dabei immer auf die Hilfe anderer angewiesen. Behinderte müssten sich jedes Schamgefühl versagen und lernen, ein nüchternes, sachliches Gefühl zu ihrem Körper und ihrem Hilfebedürfnis zu entwickeln, wozu er selbst, da war sich Jonah sicher, niemals fähig wäre. »Das klingt toll«, sagte Robert über Jonahs Arbeit, und der antwortete, ja, es sei eine sinnvolle Geschichte, fügte dann aber hinzu: »Ich hätte nie gedacht, einmal von so etwas zu leben.« Robert hakte nach, doch

Jonah blieb vage. »Ist es spannend und hat es eine Bedeutung?«, sagte Robert. »Das waren meine Kriterien, als ich meinem Job bei Lambda Legal angenommen habe.«

»Das könnte man auch über meinen Job sagen«, gab Jonah zu, obwohl es ihn nach wie vor überraschte, dass das heute sein Beruf war und er der war, der er war. Die Musik war völlig aus seinem Leben verschwunden. Seine Plattensammlung lag in Kisten verstaut, und er kaufte kaum einmal eine Kassette oder eine CD. Seine Gitarre verstaubte im Schrank. Jonahs Arbeit bei Gage Systems war mitunter hochinteressant und packend, doch das wollte er dem attraktiven japanischstämmigen Amerikaner gegenüber nicht zugeben, der sich auf Jules' und Dennis' Dinnerparty auf seinem Stuhl zu ihm hinbeugte wie eine Pflanze zum Sonnenlicht. Über die Jahre hatten sich immer wieder Männer zu ihm hingezogen gefühlt, in Kneipen, auf Partys, auf der Straße, doch nur selten so direkt. Für gewöhnlich ging die sexuelle Anziehung mit einer unterschwelligen Bedrohlichkeit einher, was einen Teil ihres Reizes ausmachte.

Robert Takahashi erzählte auch ein wenig von sich und nannte sich »ein Paradebeispiel für einen Aids-Infizierten«, was Jonah schockierte und ihn mit Mitleid erfüllte. Alle anderen im Raum, die von Roberts kürzlicher Diagnose wussten, taten so, als sei es keine große Sache. Die beiden Männer verließen die Dinnerparty zufällig zur selben Zeit, das heißt, Robert stand fast sofort auf, nachdem Jonah angekündigt hatte, dass er jetzt gehen werde. Als sie aus dem Haus traten, sagte Robert: »Ich habe den ganzen Abend versucht, dich zu durchschauen.«

»Wie meinst du das?«

»Ich kann nicht sagen, ob du mit mir flirtest.«

Jonah antwortete steif: »Nein, das tue ich nicht.«

»Nun, okay, gut. Aber darf ich dich etwas fragen? Bist du andersrum?« Es war eine ehrliche, nicht feindselig gemeinte Frage, doch irgendwie schockierte Jonah die Ausdrucksweise. Dass sich schwule Männer in einem freundlichen Kontext schon mal »Tunte« nannten, daran hatte er sich gewöhnt, auch an das »Tuntentum«, aber »andersrum« hatte ihm gegenüber noch niemand gesagt. »Weil ich nicht in eine dieser Situationen mit einem Hetero geraten will, der sich unters gemeine Volk mischt«, sagte Robert. »Ich meine, du strahlst definitiv was Schwules aus, aber es wäre nicht das erste Mal, dass ich mich täusche. Da hab ich schon böse danebengelegen.« Robert lächelte ihn die ganze Zeit an, und Jonah dachte, vielleicht sei »andersrum« ja das angemessene Wort, wenigstens fühlte er sich so, wenn ihn jemand erregte.

Da stand also dieser kompakte, schlanke, gut aussehende und sich für sein »Andersrum-Sein« nicht zu rechtfertigen versuchende junge japanisch-amerikanische Rechtsanwalt Robert Takahashi vor ihm auf der Straße, stellte ihm eine verblüffende, aufregende Frage, und Jonah Bay konnte sich nicht dazu überwinden, sie zu beantworten. Stattdessen wurde er immer schüchterner. Er sagte nicht Nein, sondern kurz angebunden: »Gute Nacht«, und ging weiter. Er sagte auch nicht Ja und verfiel in seinen Normalzustand, nachdenklich, hölzern, wortkarg.

»Das ist etwas Persönliches«, sagte er.

»Was ist etwas Persönliches?«

»Mein sogenanntes ›Andersrum-Sein‹. Oder dass ich es nicht bin.«

Robert lachte, und es klang wie ein hübscher dreifacher Schluckauf. »Das hat mir noch nie jemand geantwortet.«

»Läufst du herum und fragst die Leute, ob sie andersrum sind?«, fragte Jonah. »Als würdest du eine Volkszählung machen?«

»Normalerweise muss ich nicht fragen«, sagte Robert, »aber du bist ein schwieriger Fall. Eine harte Nuss.« Er grinste wieder, dieser selbstbewusste Mann mit seiner tödlichen Diagnose.

Robert Takahashi war schlank und in seiner alten schwarzen Lederjacke äußerst attraktiv. Er konnte sich keinen Reim auf Jonah machen, und so schloss er sein limettengrünes Motorrad auf, das an eine Parkuhr gekettet war, und sagte: »Nun, dann wird es wohl ein großes Geheimnis bleiben müssen, was sehr schade ist«, sprang auf den Sitz, trat den Motor an und fuhr davon, während Jonah zur U-Bahn ging. In Jonahs Kopf war nur der eine Gedanke: dass er fürchterlich enttäuscht war. Aber kurz darauf war Robert schon wieder da, direkt neben ihm, und sein Wiederauftauchen war eine große Erleichterung, eine Freude. Robert schaltete in den Leerlauf und fragte, wieder lächelnd: »Hast du dich schon entschieden?«

Ja, die Frage nach seinem Schwulsein war seit langer Zeit entschieden, doch Jonah posaunte seine Vorlieben nicht hinaus, sondern hütete sie und hielt sich zurück. Er wollte sich nicht von ihnen überwältigen lassen und die Kontrolle verlieren. Der schmale, kleine Robert Takahashi, der Fitnessstudiobesucher mit dem schnellen Juristenkopf war HIV-positiv, und welche Art Sex konnte es mit einem infizierten Mann geben? Vielleicht kontrollierten Sex – der für Jonah guter Sex wäre.

Eine Woche später, an einem verregneten Nachmittag, gingen die beiden zusammen ins Bett. Robert war ins Loft gekommen, und während Jonah seine Platten hervorzog und viel zu viel Zeit am Plattenspieler zubrachte, weil er die richtige Wahl treffen wollte, wusste er doch, dass die meisten Leute Musik als entscheidend betrachteten, wenn es um die Schaffung einer bestimmten Stimmung ging, legte sich Robert aufs Bett und stützte seinen bloßen Oberkörper gegen die Kissen. Seine ebenmäßige Brust zu sehen war für Jonah, als würde er in eine neue Dimension eingelassen. Robert war schmächtig und fast haarlos, aber doch muskulös. Er investierte viel Zeit in seinen Körper und hoffte, ihn so lange wie möglich in guter Form zu halten. »Genug mit der Musik«, sagte Robert endlich, als Jonah kein Ende finden wollte. »Komm schon her.«

Der Regen klopfte gegen die alten, losen Fenster des Lofts, in dem Jonah aufgewachsen war und noch immer lebte, und es hatte etwas Erlesenes, wie der Regen ihren langen ersten Kuss begleitete. Robert Takahashis Mund war heiß und bestimmt, und von Zeit zu Zeit trennten sie sich, als wollten sie sich versichern, dass ihr Gegenüber noch da und sie nicht zwei körperlose Münder waren. Aber das Küssen führte zu der größeren Frage, was erlaubt war und was nicht. »Was können wir tun?«, flüsterte Jonah verlegen und wusste ganz und gar nicht, was sicher war und was ihn eines Tages töten könnte. Robert Takahashis Körper wollte erkundet werden, aber es gab einen Rahmen, in dem man mit einem aidsinfizierten Mann bleiben musste. Jonah konnte nicht einfach tun, wonach ihn verlangte. Er musste aufpassen, damit ihm nicht in ein paar Jahren die Knoten im Hals auf Murmelgröße anschwollen, nur wegen etwas Sex, der ja durchaus ekstatisch gewesen sein mochte, an den er sich aber kaum noch erinnern konnte.

Robert sah ihn eindringlich an. Wie schön seine Augen mit ihrem Epikanthus doch waren. Jonah konnte sich nicht erinnern, wo er den Begriff gelernt hatte – vielleicht im Genetikseminar am MIT? –, doch jetzt tauchte er in ihm auf, zum ersten Mal in seinem Leben an die Oberfläche gerufen, als er in diese dunklen, wunderbaren Augen mit ihren Mongolenfalten sah. »Wir können eine Menge tun«, sagte Robert. »Aber vorsichtig.« Das wurden Jonahs Passworte zu einer Art Sex, die er mochte und aushielt. *Eine Menge, aber vorsichtig.* Robert riss mit den Zähnen die Verpackung eines Kondoms auf und holte eine Tube mit einem auf Wasserbasis hergestellten Gleitmittel heraus, das, ganz lasziv, »Loobjob« hieß.

»Ist das wirklich in Ordnung?«, fragte Jonah. »Ich meine, bist du sicher? Hast du irgendwelche Fachleute gefragt?«

»Nun, das nicht«, sagte Robert, »aber ich habe ziemlich viel darüber gelesen, und ich nehme an, du auch. Möchtest du einen Fachmann sprechen?«

»Jetzt?«, lachte Jonah.

»Ja. Jetzt. Wenn du dich dann besser fühlst …«

»Es ist Sonntagnachmittag. Sind da nicht alle Fachleute noch brunchen?«

Robert war bereits am Telefon, rief die Auskunft an und fragte nach der Nummer einer Hotline, die er kannte. Er wurde verbunden. Die Hotline wurde seit einiger Zeit stark frequentiert, die Leute waren panisch, voller Angst vor dem, was sie bereits getan hatten, unsicher, was sie tun durften, und gequält von ihrem Wissen und Nichtwissen, sich den Hals nach geschwollenen Lymphknoten abtastend.

»Hi«, sagte Robert. »Ich bin hier bei einem Freund, und der hat eine Frage an Sie.« Er hielt Jonah den Hörer hin, der ihn entsetzt ansah, »Was, ich?« sagte und zurückwich. »Ja, du«, sagte Robert, dem die Sache offensichtlich Spaß machte. Widerstrebend nahm Jonah den Hörer, die Schnur spannte sich über das Bett und teilte es in zwei Bereiche, mit ihm auf der einen und Robert auf der anderen Seite. »Hi«, murmelte er leise in den Hörer.

»Hi, ich heiße Chris. Wie kann ich helfen?«

»Ich wollte nur wissen, was … nun … was sicher ist.«

»Sie reden von der sexuellen Sicherheit zwischen zwei Partnern?«, fragte Chris. »Zwei männlichen Partnern?« Jonah stellte ihn sich blond vor, Anfang zwanzig, in einem schäbigen Büro, seine Keds auf dem vollgestellten Tisch vor sich.

»Ja.«

»Okay. Wir können nicht sagen, dass irgendein sexueller Akt ohne jedes Risiko ist, einiges ist jedoch eindeutig sicherer als anderes. Oralverkehr ist zum Beispiel nicht risikolos. Wir können zwar nicht beweisen, dass sich dadurch schon jemand angesteckt hat, aber auch nicht, dass es nicht so ist. Wenn Sie Wunden, Entzündungen oder Abschürfungen im Mundraum haben, steigt das Risiko. Einige Leute ziehen sich zurück, bevor sie kommen. Und dann gibt es die gegenseitige Befriedigung mit der Hand. Vielleicht haben Sie den Satz ›Auf mir, nicht in mir‹ schon gehört?«

Nein, Jonah hatte den Satz noch nicht gehört. Während Chris redete, war Robert ein Stück vorgerückt und hatte angefangen, Jonahs Nacken zu küssen, was kitzelte und Jonah zurückweichen ließ. Robert legte ihm die Hand mit einer besitzergreifenden Geste auf den Schenkel. »Was den Geschlechtsverkehr angeht«, fuhr Chris fort, als wäre er ein Kellner, der die Spezialitäten des Abends aufzählte, »so besteht ohne Kondom ein hohes Risiko, wenn der aktive Partner infiziert ist. Und selbst mit Kondom ist das Risiko nicht gleich null, da es reißen kann. Allerdings ist es meines Wissens unter Benutzung eines Kondoms zwischen zwei Partnern, von denen einer infiziert war, bisher nicht zu einer Serokonversion gekommen. Das heißt nicht, dass es nicht womöglich Fälle gibt, die nicht bekannt geworden sind, oder nie welche geben wird. Auf jeden Fall ist es wichtig, nur Latexkondome, keine natürlichen Häute, und ein auf Wasserbasis hergestelltes Gleitmittel mit dem Spermizid Nonoxinol 9 zu benutzen. Öle und Vaseline können den Latex schwächen und die Gefahr erhöhen, dass er reißt.«

Las Chris das alles von einem Blatt ab? Oder war ihm langweilig? War er erregt? Stellte er sich vor, dass da am anderen Ende zwei Männer auf einem Bett lagen und darauf warteten, in Aktion zu treten, nachdem einer von ihnen von einem Fremden am Telefon die nötigen Versicherungen bekommen hatte? Wusste Chris, dass sein Name und seine so ausdruckslose, jung klingende Stimme ihrerseits diese Männer erregten? »Chris«, wer immer er sein mochte, war eine Art epidemiologischer Pornostar.

»Sie meinen also, es ist okay, wenn mein Freund und ich ein paar Dinge gemeinsam ausprobieren?«, fragte Jonah mit steifer Stimme.

»Das kann ich nicht sagen. Um keinerlei Risiko einzugehen, ist Kuscheln eine gute Sache.«

»Kuscheln?«

»Sag ihm, du musst auflegen«, flüsterte Robert.

»Ich muss jetzt auflegen, aber danke.«

»Okay«, sagte Chris. »Einen schönen Tag noch, und bleiben Sie trocken.« Damit legte er auf.

»Was hat er damit gemeint? ›Bleiben Sie trocken‹?«, sagte Jonah beunruhigt.

»Was?«, fragte Robert.

»Ganz am Ende hat er gesagt: ›Bleiben Sie trocken.‹ Hat er damit irgendwelche Flüssigkeiten gemeint? Hat er mir seine ehrliche Meinung gesagt, obwohl er es eigentlich nicht sollte?«

»Er meinte den Regen draußen.«

»Oh. Oh. Okay«, sagte Jonah.

»Du bist hinreißend«, sagte Robert. »Ich mag sogar deine Ängstlichkeit.«

»Ich nicht. Ich hasse sie.«

»Wir müssen gar nichts tun, heute nicht und sonst wann nicht«, sagte Robert Takahashi, doch dieser Gedanke war für Jonah Bay nicht annehmbar. Er hätte Robert nicht erklären können, dass er zwar ängstlich und nervös war, aber eingeschränkten, restriktiven Sex wollte, weil allein der nicht drohte, ihn unter seinen Empfindungen zu begraben. Vielleicht hatte er die perfekte Möglichkeit gefunden, mit seinem Problem der Überstimulierung umzugehen, ohne sein grundsätzliches, überbordendes »Andersrum-Sein« verdrängen zu müssen.

An grauen, düsteren Tagen oder wenn das Loft von der Sonne in verschiedene Lichtkorridore aufgeteilt wurde, bei Nacht und im Dämmerlicht rissen Jonah und Robert Takahashi, einer bleich, der andere getreidefarben, Kondomverpackungen auf, um behutsam ineinander einzudringen. Es versetzte Jonah in Staunen, wie sich einzelne Körperteile mit der Genauigkeit von Lego ineinanderfügten. Sex mit Robert war ein intensives, äußerst vorsichtiges Erlebnis, das ihm ausnahmslos große Lust bereitete. Robert schien die gesamten mittelatlantischen Vorräte von Loobjob aufgekauft zu haben und bewahrte einige Tuben in Jonahs Schublade auf, in der früher einmal Dutzende Gitarrenplektren von Susannah gelegen hatten.

Als Paar sahen Jonah und Robert weder auf ihre noch junge gemeinsame Vergangenheit zurück noch in die Zukunft, die sich nicht lange vorausplanen ließ. Robert Takahashi musste seinen T-Zellen-Spiegel möglichst lange oben halten. Beide verspürten kein großes Bedürfnis, seinen Zustand zu diskutieren, dennoch ließ sich die Tatsache, dass Robert aller Wahrscheinlichkeit nach jung sterben würde, nicht ignorieren. Bis jetzt hatten sich so gut wie keine Symptome gezeigt, und sein T-Zellen-Wert war in Ordnung. Später wurde ein paar Freunden AZT verschrieben, ein Medikament, das ihr Leben auf ein vierundzwanzigstündiges Warten auf das nächste Erinnerungspiepen für eine weitere Pille, auf Durchfallphasen und andere Demütigungen reduzierte. Ähnliches würde wohl auch Robert irgendwann bevorstehen, aber unter Anleitung eines in gewisser Weise abtrünnigen Arztes aß er Bienenbrot, bekam Weizengrasinjektionen und Vitamin B12 und ging jeden Morgen vor der Arbeit eine volle, kampflustige Stunde lang ins Fitnesscenter, wo jedes Ächzen ein Kampfschrei war. Sein Job bei Lambda Legal bildete das Zentrum seines Lebens. Jonah beneidete ihn darum, sein eigener Job bei Gage Systems war okay, wie er den Leuten erzählte, füllte ihn jedoch nicht richtig aus. Jonahs Designteam hatte kürzlich einen sehr emotionalen Brief von einem Mann bekommen, dessen Oberkörper durch einen lange zurückliegenden Verkehrsunfall gelähmt war und der sich mit Hilfe eines Roboterarms, den Jonahs Team perfektioniert hatte, nun wieder jeden Morgen das Frühstück machen konnte.

Ja, seine Arbeit war von Bedeutung, aber Robert folgte einer Berufung, und das war etwas anderes. Nach etwa einem Jahr ihrer Beziehung, im Frühling 1987, lud Robert Jonah ein, mit nach Washington zu kommen, um vor dem Weißen Haus an einem Akt zivilen Ungehorsams teilzunehmen. Sie malten Plakate, bevor sie losfuhren, und viel später, als Jonah an diesen Tag und diese Zeit in seinem Leben zurückdachte, erinnerte er sich noch an den Geruch der dicken Filzstifte, scharf und kräftig wie ein Riechsalz, das einem unter die Nase gehalten wurde. Reagans Anwesenheit war zu spüren, obwohl er nicht da war. Jonah stellte ihn sich in einem breitschultrigen Mantel vor, wie er an den Protestierenden vorbeigeführt wurde, ohne richtig Notiz von ihnen zu nehmen. Reagan war kein realer Mensch für ihn, nur ein gefühlloses Subjekt, und obwohl er mit überwältigender Mehrheit wiedergewählt worden war, hatte er sich seit langer Zeit nicht dazu überwinden können, das Wort »Aids« auch nur auszusprechen, geschweige denn, sich schwule Männer in ihren Betten oder auf den Beerdigungen ihrer Geliebten vorzustellen.

Als die Menge vor dem Weißen Haus zu singen begann, ihre Schilder schwenkte und in die Höhe reckte, zog sich der Ring der Gummihandschuhe tragenden Polizisten um sie zusammen. Jonah landete auf dem Boden, und im allgemeinen Durcheinander trat ein Absatz auf seinen Schenkel. Jonah schrie auf, und als er sich nach Robert umwandte, war der nicht mehr da. Verzweifelt rief er Roberts Namen, doch da waren zu viele Leute, die herandrängten, zu viel Bewegung. Er hatte Robert Takahashi verloren und sah sich einem alten Muskelprotz gegenüber, der wie Popeye aussah. »Robert!«, schrie Jonah wieder, und dann lag eine Hand auf seinem Rücken. Jonah sah auf, und da stand Robert direkt über ihm. Seine kraftvollen Arme hoben ihn hoch, und die beiden stolperten davon.

Heute Abend, nach Dennis Boyds Zusammenbruch im Restaurant, hatten Jonah und Robert Seite an Seite mit Jules, Ethan und Ash in der Notaufnahme des Beth Israel gesessen, und die schreckliche, verstörende Klinikatmosphäre erinnerte Jonah an eine andere Situation, in der er und seine Freunde in einem hell erleuchteten

Raum auf Plastikstühlen gesessen hatten. Wo war das gewesen? Erst konnte er es nicht sagen. Er zermarterte sich das Hirn, und dann endlich erinnerte er sich: Es war eine Polizeiwache auf der Upper West Side gewesen, in den ersten Stunden des Jahres 1976. Jonah und die anderen hatten die ganze Nacht dort gewartet. Es war schon so lange her, dass Jonahs Erinnerung nur mehr bruchstückhaft war. Und alles war ungelöst geblieben. Cathy Kiplinger war aus ihrem Freundeskreis getilgt worden, ausgestoßen von erwachsenen Mächten. Dabei hatte er Cathy immer gemocht. Es stimmte, dass sie etwas Hysterisches hatte, aber er hatte ihre Ausdrucksstärke bewundert. Er selbst wusste sich nie auszudrücken, und sie schrie und kreischte und war voller Meinungen. Im Übrigen hatte sie auf Goodman immer sardonisch reagiert, der genau das brauchte. Cathy war Jonah auf ihre eigene Weise mutig erschienen, hatte keine Angst gehabt, Forderungen zu stellen, und bereits einen Frauenkörper mit sich herumgetragen, als sie tatsächlich noch ein Mädchen war.

Was war aus ihr geworden? Während der ersten Jahre nach jener Nacht hatte sich Jonah das manchmal gefragt, doch niemand hatte ihm jemals darauf eine genauere oder verlässliche Antwort geben können. Es war ähnlich wie mit ehemaligen Kinderstars aus irgendwelchen Fernsehserien, von denen eine Unzahl in Vietnam gestorben sein sollte. Den Berichten war nicht zu trauen. Jemand hatte Cathy »gesehen« und gesagt, dass es ihr gut gehe. Erst war sie im College gesichtet worden, dann in einer Business School. Und dann ... Jonah hatte keine Ahnung, wo sie war. Seit Jahren hatte er nichts von ihr gehört. Mitunter fühlte sich Jonah scheußlich wegen Cathy Kiplinger, schließlich hatte er ihr und Goodman in jener Nacht geholfen, das Taxi zu bekommen, als sie völlig zugedröhnt gewesen waren von dem Hasch, das er mitgebracht hatte. Wieder und wieder hatten seine Freunde ihm versichert, dass er absolut keine Schuld an den Geschehnissen trage. »Herrgott,

Jonah, muss ich dir erst eins mit der Bratpfanne überziehen?«, hatte Ethan ihn einmal in den ersten Wochen danach angefahren. »Ich weiß nicht, wie ich es dir anders begreiflich machen soll. Du hast nichts mit dem zu tun, was zwischen den beiden vorgefallen ist. Nichts. Du bist unschuldig. Du bist kein ›Mittäter‹, und du hast auch niemanden ›unter Drogen‹ gesetzt, okay?«

Mit der Zeit begann Jonah zu glauben, dass Ethan recht hatte. Ihn beschäftigten jetzt andere Dinge: Vorstellungen, wie andere Jungen ausgezogen aussehen mochten, bestimmte Männer, Gedanken, was er mit seinem Leben anfangen sollte, jetzt, da er entschieden hatte, definitiv kein Musiker zu werden. Im Laufe der Jahre dachte er weit weniger an Cathy, als er es früher getan hatte. Er ging ins College, machte seinen Abschluss, wurde kurz von der Vereinigungskirche vom Weg abgebracht, nahm den Job bei Gage Systems an, und bis 1989 war auch das Bild des dreisten, aufregenden Goodman Wolf komplett verblichen, obwohl der doch einmal so klar konturiert und erotisch aufgeladen gewesen war wie nur sonst einer auf dieser Welt.

In der Notaufnahme an diesem Abend war Ethan derjenige, der sich grundlos schuldig fühlte. Völlig aufgewühlt lief er hin und her und sagte mit erregter Stimme zu Jules: »Warum begreifst du es nicht? Ich habe dieses Essen arrangiert. Ich habe ihnen gesagt, was Dennis nicht essen kann, aber ich hätte mich noch einmal versichern müssen, dass sie es auch kapiert haben.« Jules hatte gerade gesagt: »Ethan, hör auf. Es ist nicht deine Schuld«, und dann hatte sich Ash über ihn aufgeregt und gesagt: »Könntest du jetzt bitte Jules in Ruhe lassen? Sie hat auch so schon genug am Hals.« Alle schienen immer zu glauben, dass alles ihr Fehler war. Vielleicht war es einfach schwer vorstellbar, wenn man noch einigermaßen jung war, dass es Dinge in der Welt gab, die nichts mit einem selbst zu tun hatten.

Endlich kam der junge Arzt heraus und sagte: »Ich kann Ihnen sagen, dass Mr Jacobson-Boyd einen sehr leichten Schlaganfall hatte. Wir glauben, dass er etwas gegessen hat, das sich nicht mit seinen MAOI verträgt.« Offenbar war in einer der Speisen eine erhebliche Menge Tyramin enthalten gewesen, obwohl nie jemand würde sagen können, worin genau es enthalten gewesen war. Sein Blutdruck sei »durch die Decke« gegangen, sagte der Arzt. Dennis werde sich erholen, er müsse jedoch eine Weile unter Beobachtung bleiben. »Wir setzen die MAOI ab«, sagte der Arzt. »Es gibt mittlerweile weit bessere Antidepressiva. In den Siebzigern, als ihm die Hemmer verschrieben wurden, hatten die Leute noch keine Ahnung. Ich persönlich würde es mit einem trizyklischen Medikament versuchen. Wofür braucht er einen MAOI? Die verursachen so viele Probleme, wie Sie heute eindrücklich erlebt haben. Ein Stück geräucherter Käse, und Sie haben mit dreißig schon eine hypertensive Krise. Wir behalten ihn ein paar Tage hier, und wegen der Depressionen machen wir uns später Gedanken. Vielleicht braucht er ja gar keine Behandlung mehr. Wir müssen einfach abwarten.«

»Er wird also nicht sterben?«, fragte Ash. »Er kommt wieder ganz in Ordnung? Jules, hast du das gehört?«

Jules brach in ein heftiges, schubweises Weinen aus, Ash ebenfalls, und die beiden umarmten sich. Schließlich beruhigte sich Jules etwas und sagte, sie müsse Dennis' Eltern in New Jersey anrufen. Seine Mutter werde zweifellos die Fassung verlieren und sein Vater barsch und einsilbig reagieren. Jules musste auch noch in die Patientenaufnahme und dem Krankenhaus die nötigen Versicherungsdaten geben. Es war so viel zu tun. Als Therapeutin wusste sie, was für ein Papierkram da wartete. Das sei erst der Anfang, sagte sie, aber Ethan unterbrach sie: »Du tust jetzt nichts von alledem.«

»Nein?«, fragte Jules.

»Nein«, sagte Ethan. »Du gehst zu Dennis. Ernsthaft. Ich kümmere mich um alles.«

Eines Nachmittags im Juni 1981 war Jonah in Cambridge, Massachusetts, eine Seitenstraße hinuntergegangen, als ihm zwei Mitglieder der Vereinigungskirche mit einer Nachricht begegneten. Sie sagten nicht: »Gott ist Liebe«, oder etwas Ähnliches. Das hätte bei Jonah Bay, der ein völliger Agnostiker war, nicht verfangen. Ihre Nachricht, auch wenn sie es nicht offen aussprachen, war, dass sie sahen, wie einsam er war, und dass sie ihm helfen wollten. Offenbar konnten sie seine Einsamkeit spüren. Jonah kam aus Dr. Pasolinis Ingenieurswerkstatt, wo er für einen Minimallohn arbeitete, hatte gerade seinen Abschluss gemacht und wollte noch bis zum Herbst in einem der Sommerwohnheime bleiben, unsicher, was für einen Job er am Ende annehmen und in welcher Stadt er landen würde. Im Gegensatz zum Großteil seiner Studienkollegen war Jonah nicht besonders ehrgeizig. Wenn die Leute fragten, was er denn jetzt vorhabe, antwortete er, dass die wenig gewinnsüchtigen Werte seiner folksingenden Mutter auf ihn abgefärbt haben müssten, denn er empfinde keinerlei Bedürfnis danach, sein Leben festzulegen. Die Wahrheit war allerdings, dass er sich nicht damit beschäftigen wollte.

Ein alter lila VW-Bus parkte auf der abschüssigen Straße, und ein Mann und eine Frau, die ein paar Jahre älter waren als er, beide in artgerechter, übrig gebliebener Hippiekleidung, saßen in der offenen Tür, einen großen Labrador zwischen sich. Jonah lächelte höflich, und der Mann sagte: »Hübsches Hemd.«

Jonah trug ein altes Bowling-Hemd mit einem *Dex* auf der Brusttasche.

Die Frau sagte: »Und ein hübsches Lächeln, Dex.«

Also lächelte Jonah noch einmal, ohne sich die Mühe zu machen, ihnen zu sagen, dass er nicht Dex hieß. »Danke«, sagte er.

»Weißt du, wo wir etwas Wasser für Cap'n Crunch herbekommen können?«

»Ihr meint Milch«, sagte Jonah.

Die beiden lachten, als wäre er ungeheuer witzig. »Cap'n Crunch ist unser Hund«, sagte die Frau. »Wir sind lange gefahren, und er ist fürchterlich durstig. Ich heiße Hannah«, sagte sie, »und das ist Joel.«

Es war nur vernünftig, sie mit ihrem Hund ins Wohnheim einzuladen und den Napf mit echtem MIT-Wasser füllen zu lassen. Auf den Gängen war es ruhig, und die Krallen des Hundes klackten laut über den Fußboden. Die Atmosphäre hatte etwas Melancholisches, und auf einigen der weißen Schilder an den Türen standen lange überholte, mit wegwischbarem Filzstift hingeschriebene Nachrichten. *Amy, wir gehen uns um zwölf* Das Tier *ansehen!!!* Oder: *Sorry, Dave, ich habe alle deine Drosophila umgebracht!!!! Hahahaha – dein übler, verdammter Lab-Partner.* Im zweiten Stock war es zu warm, aber der Mann und die Frau sahen sich zustimmend um, ganz so, als wären sie noch nie im Wohnheim eines Colleges gewesen, und vielleicht war es ja so. Cap'n Crunch schlabberte das Wasser, das Jonah ihm brachte, und verlangte mit beschwörendem Blick nach einer zweiten Füllung, während es vom losen Rand seiner Lippen noch tropfte.

»Langsam, Crunch«, sagte Joel und strich seinem Hund über die schwarze Flanke. »Du willst doch nicht auftreiben.«

»Was?«

Hannah und Joel erklärten ihm, in was für eine unheilvolle Situation sich Hunde manchmal brachten. »Ich überlege, ob ich nicht Tierärztin werden soll«, sagte Hannah. »Das ist das Einzige, was man auf der Farm studieren kann.«

»Der Farm?«, wiederholte Jonah.

»Ja. Wir leben auf einer Farm in Dovecote, Vermont, zusammen mit Freunden. Wir haben da ein paar Tiere. Ist eine ziemlich tolle Sache.« Sie sah sich um. »Aber wie es scheint, geht's dir hier auch nicht schlecht.«

»Nun ja«, sagte Jonah. Er öffnete ihnen die Tür zu dem Zimmer, in dem er wohnte, um ihnen den Minimalismus seiner Sommerunterkunft zu demonstrieren. Sie betrachteten das schmale eiserne Studentenbett, den Schreibtisch mit der Gelenkklampe und den Stapel Bücher über die Prinzipien des Maschinenbaus, Roboterdesign und Vektoren. »Vektoren!«, sagte Joel. »Ich habe keine Ahnung, was das ist, und ich bin sicher, ich würde es auch nicht verstehen.«

Jonah zuckte mit den Achseln. »Wenn es dir jemand erklären würde, wahrscheinlich schon.«

Das Paar setzte sich aufs Bett, die Federn kreischten, und Cap'n Crunch sprang zwischen die beiden. Jonah setzte sich auf seinen Schreibtischstuhl. Außer ihm war noch nie jemand in diesem Zimmer gewesen, seit er im Sommer eingezogen war. Auch im College selbst war Jonah während der vergangenen vier Jahre nicht besonders gesellig gewesen. Er war mit Bekannten zu großen Partys gegangen, hatte ein paar sexuelle Kontakte gehabt, aber, soweit er es übersehen konnte, keine Freunde fürs Leben gefunden. Seine engsten Freunde waren immer noch Jules, Ethan und Ash, und sie trafen sich nach wie vor in New York. Eine Weile hatte er in einer MIT-Band namens Seymour Glass Gitarre gespielt und gesungen. Alle waren sehr talentiert, doch nachdem sie im letzten Jahr beschlossen hatten, sich im Studio zu treffen und ein Band aufzunehmen, um es »herumzuschicken«, beschloss Jonah, dass er nicht mehr mitmachen wollte.

»Warum nicht?«, fragte der Bassist. »Du bist so gut.«

Jonah hatte nur mit den Schultern gezuckt. Seit Barry Claimes war er empfindlich, wenn es um Musik ging. Nicht empfindlich genug, um nicht für sich ein wenig Gitarre zu spielen. Lieder zu schreiben versuchte er jedoch nicht mehr. Wann immer er seine Gitarre in die Hand nahm, erinnerte er sich daran, wie er dagesessen hatte und Songs für den grotesken Kerl hatte erfinden müssen, der sie ihm stahl.

Seymour Glass unterschrieb kurz vor Ende des Studienjahres einen Vertrag bei Atlantic Records, und die Bandmitglieder zogen mit einem neuen Gitarristen nach L.A. Jonah wünschte ihnen alles Gute, und obwohl ihn der Gedanke schmerzte, dass sie womöglich erfolgreich werden würden (was am Ende tatsächlich der Fall war, sie wurden als die coole MIT-Abgänger-Nerd-Band bekannt), war er doch im Grunde erleichtert, nichts damit zu tun zu haben. Es stimmte, seinem Talent zu entsagen hatte etwas Deprimierendes, doch die Erleichterung überwog. Zu College-Zeiten war er der scheue, gut aussehende, langhaarige Junge gewesen, dessen Mutter »diese Folksängerin« war, wie die Leute sagten, wobei niemand mehr wirkliches Interesse an Susannah Bay zeigte. Ihre Zeit war vorbei, und das schon seit einer ganzen Weile. Die Talking Heads waren groß und die B-52s, deren weibliche Mitglieder Retro-Frisuren trugen. Susannah Bay hatte kein einziges Mal in ihrem Leben Haarspray benutzt, und die Frauen von den B-52s schienen ihre Sensibilität zu beleidigen, auch wenn ihre Frisuren eindeutig merkwürdig und affektiert aussehen sollten. Susannahs langes schwarzes Haar sei ihr Erkennungszeichen, hatten die Journalisten geschrieben, genau wie *The Wind Will Carry Us* ihr Erkennungssong war.

Man bekam nur einmal im Leben die Chance, ein Erkennungszeichen zu entwickeln, und die meisten Leute hinterließen keine bleibenden Eindrücke. Ruhig und für sich hatte Jonah im Maschinenbau ausgezeichnete Leistungen erbracht, hatte seine Abschlussarbeit über Robotertechnik geschrieben und sein Studium mit Auszeichnung beendet. Er war ein versierter Arbeiter und wurde von Dr. Pasolini immer wieder gelobt, der ihn wegen einer möglichen Anstellung mit den Leuten von Gage Systems in New York zusammenbringen wollte, dennoch fühlte sich Jonah in diesem Sommer isoliert. Er wusste nicht, was und wohin, und wollte auch nicht zu seiner Mutter nach New York, die zunehmend den Mut verlor, da ihre Karriere austrocknete wie eine alte Samenschote.

Als Jonah in den Frühjahrsferien nach Hause gekommen war, hatte sie eine Platte der B-52s aufgelegt und die Lautstärke voll aufgedreht. »Hör dir das an!«, hatte sie geschrien. »Das ist so grotesk! Magst du die etwa?« Natürlich mochte er die Musik, er hatte bei der Abschlussparty des letzten Halbjahres die ganze Nacht dazu getanzt. Sein Nachbar hatte ihn dazu gebracht mitzukommen, und er stieß immer wieder gegen den Körper eines Studenten aus dem nachfolgenden Jahrgang, der einen Schlüsselbund in der Tasche trug, der angenehm gegen Jonahs Hüfte stieß. Seiner Mutter sagte er allerdings, dass ihm die Musik ziemlich egal sei.

»Dann erkläre uns doch mal, was Vektoren sind«, sagte Joel, und aus einem ihm nicht bewussten Grund wollte Jonah der Bitte nachkommen.

»Nun, da gibt es die euklidischen Vektoren«, begann er. »Interessiert euch das?«

»Absolut«, sagte Hannah mit einem ermutigenden Lächeln.

»Einen euklidischen Vektor braucht ihr, wenn ihr Punkt A zu Punkt B transportieren wollt. ›Vektor‹ kommt aus dem Lateinischen und bedeutet ›Träger‹.«

»Siehst du, jetzt bekommen wir eine MIT-Ausbildung«, sagte Hannah zu Joel.

»Wir werden auf der Farm allen erzählen, dass wir am MIT waren und ein Vektorenseminar besucht haben«, sagte Joel. »Nur werden sie es uns nicht glauben. Du musst es ihnen selbst sagen, Jonah.«

Jonah spürte, wie er sich innerlich verspannte, als er seinen Namen hörte. Eben noch hatten sie ihn mit »Dex« angeredet. Woher wussten sie, wie er hieß? Oh, natürlich, auf einem der Lehrbücher auf seinem Tisch stand auf einem großen auf den Einband geklebten Etikett: *Jonah Bay, '81.*

»Hättest du Lust, ein Wochenende bei uns auf dem Land zu verbringen?«, fragte Hannah. »Zur Heuernte? Um auch den anderen zu erklären, was Vektoren sind? Es würde deinen Geist und deinen Körper anregen. Und das Essen ist superlecker.«

»Nein danke, ich glaube nicht«, sagte Jonah.

»Okay, gut. Wenn du nicht kannst, dann nicht«, sagte Hannah und lächelte ihn an, als täte es ihr ehrlich leid, und vielleicht war es ja auch so. Sie drängten ihn nicht, er verspürte keinerlei Druck, höchstens vielleicht ihren Wunsch, dass er mitkäme.

»Also dann«, sagte Joel. »Wir sollten uns langsam wieder auf den Weg machen. Es war schön, mit dir zu sprechen, Jonah. Ich hoffe, du hast noch einen guten Sommer.« Er stand auf und winkte dem Hund, der ebenfalls auf die Beine kam.

Jonah dachte, wie voll von Menschen- und Hundeleben der Raum in diesem Moment doch war und dass diese Fremden, wenn sie wieder gingen, all dieses Leben mit sich nehmen würden. Plötzlich wollte er das verhindern, und aus einem Impuls heraus fragte er, der kaum je seinen Impulsen folgte: »Wie lange fährt man denn bis zu euch?«

Bevor es losging, nahm er noch schnell einen breiten, weichen Filzstift und schrieb in trockenen milchgrauen Buchstaben auf das Schild an seiner Tür: *Bin auf einer Farm in Dovecote, VT, mit Leuten in einem lila VW-Bus. Komme Montag zurück.* Für den unwahrscheinlichen Fall, dass sie ihn ermorden wollten, gab es damit ein paar Hinweise für die Polizei.

Die Farm war nett, wenn auch etwas schmuddelig. Einige der Leute dort schienen vom Leben leicht mitgenommen: Sie sprachen etwas zu langsam, wirkten ausgebrannt, und einer hatte keine Beine und fuhr in einem kleinen motorisierten Rollstuhl durch die lehmigen Schlaglöcher. Das Essen war weich und warm, und es gab vor allem Reis, Kartoffeln, Dinkel und Bulgur. Jonah wollte essen und essen, und eine sehr nette Frau füllte seinen Teller ein ums andere Mal neu, bis er das Gefühl hatte, die Form eines Schneemanns anzunehmen. Alle waren so unglaublich nett zu ihm, und es war so anders als am MIT, wo jeder mit sich selbst und seinen Aufgaben beschäftigt war und man beim Essen jemandem gegenübersitzen konnte, der sich in einer anderen Dimension aufhielt. Die Ingenieure waren ständig mit ihren Ingenieursproblemen beschäftigt, und die Mathematiker hatten unsichtbare Tafeln in ihren Köpfen, auf denen sie ihre Gleichungen lösten. Die Gespräche waren zwar allgemein freundlich, verliefen oft jedoch wie aus einer Distanz heraus, und im letzten Jahr waren alle mit der Planung ihrer nächsten Aktivitäten beschäftigt gewesen und hatten hinterlistig wie Doppelagenten geredet.

Auf der Farm schien niemand andere Ambitionen zu haben, als auf immer neue Arten herzhafte Dinge zu kochen, über ein altes Schaf zu reden, das davongelaufen war, oder den neuen Gast Jonah zu begrüßen und sich glücklich zu schätzen, ihn kennenzulernen. Gegen Ende des Abendessens, als die Frauen braunen, entenkleingleichen Karobe-Arab-Pudding in geschliffene Glasschälchen löffelten, neigte Joel betend den Kopf, und alle taten es ihm nach. Das Gebet war kurz, gefolgt von einigen unbekannten Liedern, eines davon auf Koreanisch. Im Nachhinein betrachtet, kam sich Jonah so unschuldig vor. Er staunte, dass er sich dort hatte hinführen lassen, wie das alte Schaf, das zurück auf seine Wiese gebracht wurde.

Nach dem Essen ging es in eine umgebaute Scheune, wo noch mehr gesungen und gebetet wurde. Dann fuhr Tommy, der Mann ohne Beine, mit seinem Rollstuhl vor die Versammlung, und alle verstummten. »1970«, sagte Tommy, »geschah Folgendes: Ich wurde eingezogen und nach Vietnam geschickt, wo sie mir nach zwei Monaten mit einer Bouncing Betty, einer Splittermine, die Beine wegsprengten. Ich schaffte es, mich bemerkbar zu machen und aus dem Fluss gezogen zu werden und zurück in die Staaten zu kommen, verbrachte ein Jahr im Krankenhaus, und als ich nach Hause kam, sagte meine Frau: ›Nein, nein, Freundchen, ich werd doch nicht mit 'nem verdammten Krüppel verheiratet bleiben, der nicht mal durchs Zimmer gehen kann, um mir 'n Päckchen Kippen zu holen.‹« Es gab ein leises mitfühlendes Stöhnen, Jonah war erschüttert und sprachlos. »Ich war vom Glück verlassen«, fuhr Tommy fort, »und wurde sehr verbittert. Meine Freunde haben mich allesamt im Stich gelassen, jeder einzelne, und wenn ich ehrlich bin, kann ich es ihnen nicht mal übel nehmen. Und dann saß ich eines Tages in meinem erbärmlichen kleinen Rollstuhl in einer Straße von Hartford, Connecticut, und bettelte um etwas Kleingeld – das war aus mir geworden –, als ein Transporter am Straßenrand hielt. Und die liebsten Menschen dieser Welt kamen aus ihm heraus. Sie sagten, ich sähe aus, als hätte ich keine Familie, und ich gab zu, dass es so war. Und sie sagten, wir sind deine Familie. Und auch das stellte sich als wahr heraus.« Er wischte sich mit dem Handrücken über die Augen. »Sie sahen, dass ich sie brauchte und sie mich. Genau wie alle hier in dieser Scheune eine Familie sind und wir alle einander brauchen, denn der Satan ist überall. Wie ihr wisst, war Israel Gottes auserwählte Nation. Aber wie es scheint, sind die Juden unter die Herrschaft Satans geraten und haben sich von Jesus abgewandt. Gott tat, was er konnte, um ihnen zu zeigen, wie gefährlich ihr Pfad war«, fuhr Tommy leichthin fort. »Jahrhundert für Jahrhundert hat er sie leiden lassen und dann am Ende, um es klarzumachen, hat er sechs Millionen von ihnen mit einem fürchterlichen Schlag ausgelöscht. Es heißt, dass die Juden einen tödlichen Fehler begingen, als sie sich von Jesus abwandten, und Gott anderswo suchen musste, um einen neuen Messias zu finden, einen neuen Ort, an dem er sich einrichten konnte. Wohin also hat Gott sich gewandt?«

Es war eine rhetorische Frage. Tommy drückte einen Hebel an seinem Rollstuhl, drehte sich einmal um die eigene Achse und rief: »Niemand weiß, wo er landet!«, um gleich wieder abrupt anzuhalten und zu sagen: »Aber Gott *wusste*, wo er landen sollte. Korea war der perfekte Ort. Als Halbinsel glich es dem männlichen Geschlechtsorgan, dem Organ der Macht. Es stellte sich als der ideale Ort für den Kampf zwischen Gott und dem Satan heraus, und Reverend Moon erwies sich als die ideale Reinkarnation Jesu Christi, nur ohne dessen Schwächen.«

Jonah hätte über diesen absurden Monolog gelacht, aber er war allein unter Fremden in der Scheune einer Farm weit weg von allen, die er kannte. Niemand würde ihm freundlich begegnen, wenn er sich über diesen Vietnamveteranen in seinem Rollstuhl lustig machte. Alle hörten höflich zu und zeigten sich nachsichtig, wahrscheinlich weil er so übel versehrt war. Als Tommy fertig war, gab es Applaus und noch mehr Gesang. Jonah lernte die Texte schnell, und die Melodien waren einfach. Dann plötzlich waren einige Gitarren da, und Hannah gab ihm eine und sagte: »Ich weiß, du spielst, Jonah, ich habe die Gitarre in deinem Zimmer gesehen.« Aber die Gitarre, die sie ihm gab, war das schlechteste Instrument, auf dem er je in seinem Leben gespielt hatte, ein völlig verstimmtes Schrottding, das in den Müll gehörte. Jonah verbrachte eine hoffnungslose Weile damit, es zu stimmen, und spielte dann darauf, während sich die etwa fünfundzwanzig Leute um ihn gruppierten und sangen. Sie machten ihm Komplimente für sein Spiel und hatten keine Ahnung, wer seine Mutter war.

Als er später im gemeinschaftlichen Schlafsaal der Männer lag, einem großen, loftartigen Raum mit Reihen von Bettzeug auf einem billigen Teppich, spürte Jonah, wie zufrieden und erschöpft er war. Sie waren mehrere Stunden gefahren, um herzukommen, und er hatte große Mengen stärkehaltigen Essens zu sich genommen und Lied um Lied gesungen. Passiv war er gewesen und hatte zugehört. Gebetet hatte er, gewissermaßen, obwohl er nicht an Gott glaubte, Gitarre gespielt, gleichsam auf Befehl, und jetzt schlossen sich seine Lider. Er lag auf dem Rücken und schlief ungestört ein, sein Haar über das Kissen gebreitet. Am Morgen gab es mehr weiches, reichhaltiges Essen, diesmal mit Sirup. Und es gab mehr Gebete und Lehren, mehr Wärme, Liebe und Güte. Jonah war ein Skeptiker, so wie es alle guten Wissenschaftler sind, aber sein Skeptizismus wurde von dem guten Gefühl aufgehoben, das es ihm bereitete, unter diesen Menschen zu sein. So fühlte sich eine Familie an. Es war eine Familie.

Es schien nicht merkwürdig, dass Jonah Bay drei Wochen später an einer Straßenecke im nahen Brattleboro, Vermont, rosa und blau gefärbte Blumen aus einem Plastikeimer verkaufte. Und wenn es doch merkwürdig war, so trotzte er dem, und im Übrigen mochte er Lisa, das Mädchen, das mit ihm die Blumen verkaufte, obwohl »verkaufen« nicht das richtige Wort war, denn niemand wollte eine. Die Leute, die sie ansprachen, begegneten ihnen mit Verdruss oder offener Feindseligkeit. Wie schon bei früheren Gelegenheiten in seinem Leben hatte Jonah das Gefühl, dass er zwar wusste, was er tat, dass er sich jedoch wie in der dritten Person beobachtete, ohne etwas gutzuheißen oder abzulehnen, unfähig, den Verlauf der Dinge zu ändern.

Natürlich hatte seine Mutter hysterisch auf seine neuen Pläne reagiert. Er war mit Hannah, Joel und Cap'n Crunch im VW-Bus zurück nach Cambridge gefahren, um sein Sommerzimmer im Wohnheim zu räumen, und von dort nach New York, wo er seine weltlichen Besitztümer ablud, die er auf der Gemeinschaftsfarm nicht brauchen würde. Ein Kissen, eine Decke und ein paar Kleidungsstücke reichten dort. Im Loft in der Watts Street hatte seine Mutter wütend gesagt, sie hätte gedacht, er besäße einen zu unabhängigen Kopf, um sich einem, wie sie es nannte, »gewöhnlichen Kult« anzuschließen. Zu ihrer moralischen Unterstützung holte sie einen ihrer Musikerfreunde, und die beiden versuchten, mit Hannah und Joel zu diskutieren, die Experten darin waren, sich nicht mit zornigen Eltern anzulegen. Je aufgebrachter Susannah Bay wurde, desto ruhiger reagierten sie. Irgendwann sagte Hannah zu Susannah: »Ich muss sagen, wir mögen ja aus einer ganz anderen Richtung kommen, aber ich bewundere Ihre Musik sehr.« Als Jonah den beiden gegenüber erwähnt hatte, wer seine Mutter war, hatte Hannah gesagt, sie würde sie wirklich gern kennenlernen, was, wie er annahm, einer der Gründe war, warum sie ins Loft zurückgekehrt waren.

»Oh«, sagte Susannah ein wenig überrascht. »Also, vielen Dank.«

»Ich bin mit Ihren Liedern aufgewachsen, Mrs Bay«, sagte Hannah. »Ich habe jede Platte gekauft, die Sie je herausgebracht haben.«

»Sogar die Disco-Folk-Platte?«, fragte Jonah unnötig grausam.

Seine Mutter sagte schnell: »Das war ein Fehler, diese Platte. Und das jetzt, Jonah, ist auch ein Fehler. Wir tun alle möglichen Dinge, die wir später bereuen. Komm schon, du hast gerade deinen Abschluss am MIT gemacht. Du bist so ein heller Kerl, dir steht alles offen, und da willst du mit Leuten auf einer Farm leben, die kaum etwas wissen und den Lehren eines Koreaners folgen, der behauptet, der Messias zu sein?«

»Das bringt es auf den Punkt«, sagte Jonah, packte seine alte Decke und das Kissen und hängte sich beides über die Schulter. Er wusste und wusste es nicht, dass seine Wahl radikal war. Er fühlte sich dankbar, dass ihm endlich einmal Entscheidungen abgenommen wurden und er auf der Farm nicht von Gefühlen übermannt werden würde, mit denen er nur schwer umzugehen verstand. Er, seine neuen Freunde und ihr schwarzer Hund schlenderten aus dem Loft, stiegen in ihren VW-Bus mit den kaputten Stoßdämpfern und fuhren zurück nach Vermont. Sie erreichten die Farm bei Sonnenuntergang, gerade rechtzeitig für ihre Gebete.

Nach drei Monaten ging Jonah so im Leben auf der Farm und in den Lehren der Kirche auf, die ihm von anderen Farmbewohnern nahegebracht wurden, dass es war, als wäre er gleich dreifach in ein Ideologiebad getaucht worden. Seine Mutter blieb beunruhigt und kontaktierte einige von Jonahs Freunden, die sie im Grunde aufforderte, »etwas zu tun«. Und so bereiteten Ethan und Ash in Absprache mit Susannah Bay im Herbst die »Deprogrammierung« Jonahs vor, die in einem Hotel in Midtown Manhattan stattfinden sollte. Ashs Vater »kannte jemanden« – natürlich, er kannte alle möglichen Leute. Der Mann war ihm von einem Kollegen bei Drexel empfohlen worden, dessen Tochter eine Hare Krishna geworden war, sich den Kopf rasiert und sich »Bhakti« genannt hatte, was so viel wie »Hingabe« hieß. Alles war arrangiert, und Susannah willigte ein, das entsetzlich hohe Honorar zu zahlen.

Zunächst einmal mussten sie Jonah von der Farm holen, was offensichtlich oft schwerer war als die Deprogrammierung selbst. Ethan, Ash und Jules fuhren mit Susannah nach Vermont, um Jonah zu besuchen, sich umzusehen und am folgenden Tag irgendwie einen Weg zu finden, ihn nach Hause zu bringen. Die vier blieben zum Abendessen und übernachteten auch auf der Farm. Im Gegensatz zu Jonah bei seinem ersten Besuch dort war keiner von ihnen daran interessiert, mehr über das zu erfahren, was sie beim Essen und in der Scheune sahen und hörten, sie wollten Jonah nur da herausholen. »Hör zu, Jonah«, sagte Ethan am nächsten Morgen nach dem Frühstück. »Ich habe vor dem Herkommen ein bisschen was gelesen. Ich war in der New York Public Library und habe nach allem gefragt, was es auf Mikrofiche zu lesen gab. Meiner Meinung nach ist Moon größenwahnsinnig.«

»Nein, Ethan, das stimmt nicht. Er ist mein spiritueller Vater.«

»Ist er nicht«, sagte Ethan.

»Ich scheine mich an etwas über *deinen* Vater zu erinnern«, sagte Jonah und gab die einzige Antwort, die ihm einfallen wollte, »deine Mutter und deinen Kinderarzt.«

»Nun, wenigstens erinnerst du dich noch an unsere Gespräche«, sagte Jules. »Das ist gut. Das ist ein Anfang.«

»Offenbar geben die Anhänger Moons ihre Individualität und Kreativität auf. Aber genau das war uns immer wichtiger als alles andere«, sagte Ethan. »Wenn uns die Wunderlichs etwas beigebracht haben, dann das. Hast du Angst vor etwas? Liegt es daran, dass es schwer für dich war, dich als schwul zu outen? Es stört niemanden, dass du schwul bist, Jonah. Ich meine, was soll's? Gib das nicht auf, nimm es nicht zurück. Sei du selbst, verliebe dich, schlafe mit Männern, tu all die Dinge, die dich ausmachen. Lass dich nicht von einer rigiden äußeren Philosophie steuern. Sei aktiv. Spiele Gitarre. Baue Roboter. Mehr haben wir alle nicht, oder? Was gibt es im Grunde anderes, als Dinge zu bauen, bis wir sterben? Komm schon, Jonah, lauf da nicht einfach mit. Ich kann das nicht verstehen. Warum bist du überhaupt hier?«

»Weil ich endlich meinen Platz gefunden habe«, murmelte Jonah, und dann rief jemand, er solle sich um den Hydrokultur-Salat kümmern. »Ich muss gehen«, sagte er, »und ihr solltet auch wieder fahren. Ihr wollt doch nicht im Stau stehen. Wo ist eigentlich meine Mutter? Jemand sollte ihr sagen, dass es Zeit wird.«

»Du stehst unter *Einfluss*, Jonah«, sagte Ash. »Bitte, sag nicht, dass sonst nichts von dir übrig ist.« Sie trat an ihn heran und ergriff seine Handgelenke. »Erinnerst du dich, wie wir zusammen waren?«, fragte sie scheu und flüsterte: »Ich weiß, es war nichts Großes. Aber es war unverdorben und zart, und ich bin froh, dass es so war. Du warst der schönste Junge, den ich in meinem Leben gesehen hatte. Ich weiß nicht, was dich so anfällig für etwas wie das hier macht. Du solltest ein Künstler sein, Jonah.«

»Ich bin kein Künstler«, sagte Jonah tonlos. »Dazu ist es nicht gekommen.«

»Du musst ja auch keiner sein«, warf Jules plötzlich ein. »Du kannst sein, was immer du willst. Es ist egal.«

Jonah sah sie alle an. »Ich brauchte etwas, okay?«, sagte er. »Ich wusste nicht einmal, dass es so war, aber es stimmt. Ash, du und

Ethan, ihr habt einander. Ich, ich bin völlig allein.« Er war den Tränen nahe, als er seinen ältesten Freunden seine Isolation gestand. »Vielleicht brauche ich eine tiefe Liebe, die stärker als alles andere ist. Hat von euch nie einer dieses Bedürfnis gehabt?«, fragte er, sah dabei aber nur Jules an. Sie war die andere ohne eine Verbindung hier, diejenige, die still zu warten schien, neben dem Fluss ihres Lebens stehend, so wie es Jonah getan hatte. Jules senkte den Blick, als schmerzte sie der Augenkontakt mit ihm.

»Klar, manchmal«, sagte Jules, und es war so sonderbar, aber Ethan sah Jules jetzt auch an. Er und Jonah musterten Jules Jacobson voller Aufmerksamkeit. Ethan schien auf sie fixiert, als wäre sie der Messias. Jonah konnte fast den Lichtkranz erkennen, in dem Ethan sie zweifellos sah, die leuchtende Umrandung, die durch intensive, gelebte Liebe entstehen konnte.

Ethan liebt sie, dachte Jonah. Es war eine Offenbarung, eine von vielen, die er auf der Farm erlebt hatte. Ethan Figman liebt Jules Jacobson, obwohl er sein Leben an Ash Wolf gebunden hat, selbst jetzt noch, nachdem so viele Jahre seit jenem ersten Sommer vergangen sind. Er liebt sie immer noch, und weil ich ein Anhänger des Messias bin, kann ich das mächtige strahlende Licht sehen.

»Du liebst sie«, sagte Jonah völlig indiskret. Er hatte es gesehen und verspürte den Drang, es auszusprechen.

»Wen? Du meinst Jules? Ja, natürlich«, sagte Ethan in kurz angebundenem Ton. »Sie ist meine alte Freundin.« Alle sahen in alle möglichen Richtungen, um den Moment von der Bedeutung zu trennen, die Jonah ihm gab. Ethan ging hinüber zu ihm und legte ihm einen Arm um die Schultern. »Hör zu«, sagte er. »Wenn du uns lässt, können wir dir helfen.«

»Wobei, denkst du, brauche ich Hilfe?«

Mittlerweile hatten ein paar Farmbewohner angefangen, der erregten Szene zwischen Jonah und seinen Besuchern Beachtung zu schenken. Hannah und Joel kamen herbei, um einzugreifen, und schon summte auch Tommy in seinem Rollstuhl heran, die Baseballkappe umgedreht auf dem Kopf. »Gibt es hier etwas Ungutes?«, fragte Hannah. »Einen Streit?«

»Nein, wir unterhalten uns nur«, sagte Ethan.

»Jonah sollte sich um den Hydrokultur-Salat kümmern«, sagte Joel.

»Himmel, ich scheiß auf deinen Hydrokultur-Salat, Joel«, sagte Ethan. »Ich meine, willst du ernsthaft das Bedürfnis des Salats, dass da einer Wasser nachfüllt, mit dem Bedürfnis dieses Menschen, dieses alten Freundes von uns, vergleichen, ein Leben in der Welt da draußen zu leben? Sollte nicht jeder die Chance auf ein Leben in der Welt haben, statt sich auf einer Farm zu verstecken und gefärbte Blumen zu verkaufen, die niemand will, ja, vor denen die Leute *weglaufen*, sobald sie den Eimer mit den bunten Dingern in ihre Richtung kommen sehen? Was ist das mit euch und eurem Blumenverkaufen? Die Hare Krishnas machen es auch. Habt ihr alle *My Fair Lady* gesehen und denkt: Uuh, was für 'ne gute Idee?«

»Ich weiß nicht, wovon Sie reden«, sagte Tommy, »aber Sie sind unhöflich, und es ist an der Zeit für Sie zu gehen.« Er drückte einen Knopf und wich mit seinem Stuhl etwas zurück.

Da tauchte plötzlich Susannah Bay mit ihrer Gitarre auf, die zwei jungen Frauen in der Scheune eine Gitarrenstunde gegeben hatte. »Wir wollten gerade einen kleinen Ausflug in die Stadt machen, Susannah«, sagte Ethan, und sein Gesichtsausdruck versuchte, ihr zu sagen: *Wir müssen hier jetzt weg.* Zu Jonah sagte er: »Ich habe einen Vorschlag. Lass uns ein Stück fahren. Du kannst uns die Stadt zeigen. Deine Mom kommt auch mit.«

»Oh«, sagte eine der beiden naiven jungen Frauen, die mit ihr gekommen waren. »Susannah hat uns *Boy Wandering* beigebracht. Die Akkorde sind eigentlich ganz einfach. Es sind hauptsächlich a-Moll, d-Moll und E.«

»Und sie hat uns die offene D-Stimmung für *The Wind Will Carry Us* gezeigt«, sagte die andere Frau.

Nachdem es sie so beschäftigt hatte, dass ihr Sohn hier auf die Farm gezogen war, schien Susannah Bay ausgesprochen ruhig, als sei alles längst nicht so schrecklich, wie sie es sich vorgestellt hatte. Sie hatte sich die Gärten, die Felder und die Schafe auf der Wiese zeigen lassen und einigen Farmbewohnern, die sich noch an sie erinnerten und ihre Musik mochten, ein wenig improvisierten Gitarrenunterricht gegeben. Die Zeit stand still in dieser Kommune in Dovecote. Alle waren angezogen, als befänden sie sich auf einem mehrtägigen Musikfestival, und niemand besaß mehr als ein paar persönliche Dinge. Was sie in der Vergangenheit verdient hatten, oder das wenige, was sie hier verdienten, ging an die Kirche. Susannah Bay fand sich und ihre Musik von den Farmbewohnern geschätzt. Das hatte sie überrascht, und jetzt sollte sie es schon wieder aufgeben?

»Wir haben mit Susannah geredet«, sagte die erste junge Frau, »und sie um einen Gefallen gebeten.«

»Was?«, fragte Ash. »Was könntet ihr von Jonahs Mutter wollen?«

»Reverend Moon wird in diesem Winter eine spirituelle Zusammenkunft im Madison Square Garden in New York abhalten«, sagte die Frau mit leichter, selbstsicherer Stimme. »Und wir alle lieben *The Wind Will Carry Us*, und deshalb haben wir uns gefragt, ob wir unseren Chor nicht womöglich – das sind fünfhundert der besten Stimmen aus der ganzen Welt –, ob wir den nicht vielleicht das Lied singen lassen sollten, mit einem leicht geänderten Text.«

»Mit einem geänderten Text?«, sagte Jonah. »Wie meinst du das?«

»Nun, ich bin ja selbst keine Musikerin«, sagte die Frau, »aber ich dachte, es könnte so was werden wie: *Der Reverend Moon wird uns tragen / Wird uns ... auseinandertragen ...*«

Alle schwiegen entsetzt. »Oh ja«, sagte Ethan endlich mit einer Stimme voller Ironie und Herablassung. »Genau das wird er tun, uns alle *auseinandertragen*.« Er und Jules sahen einander an und ließen den Anflug eines Lächelns sehen.

»Wie bitte?«, fragte eine der Frauen.

»Nichts. Hört zu«, sagte Ethan. »Natürlich wird Susannah Bay ihre Texte nicht von euch verhunzen lassen. Darüber lässt sich nicht reden.«

Aber Jonahs Mutter schien nachdenklich. Machte sie allen etwas vor? Es war unmöglich zu sagen. Nach einer Weile meinte sie ruhig: »Man könnte darüber reden.«

Eine der Frauen fragte Susannah, ob sie sich vorstellen könne, noch ein paar Tage auf der Farm zu bleiben, um mit ihnen an dem Lied zu arbeiten und ganz allgemein an ihrer Gitarren- und Gesangstechnik. Sie hatte doch keine dringenden Termine? Und zur allgemeinen Verblüffung stimmte Susannah zu. Bis Mittwoch werde sie bleiben, wenn sie dann jemand nach Brattleboro zum Bus brächte. Jonah, sagte Ash darauf, solle jetzt aber erst einmal mit ihnen in die Stadt fahren. Hätten sie ihm gesagt, dass sie ihn zurück nach New York bringen wollten, wäre er sicher nicht mitgekommen. Jonah, Susannah und ein paar Schlüsselfiguren der Kommune gingen ein Stück zur Seite, um die Sache zu besprechen.

»Mir gefällt das ganz und gar nicht«, flüsterte Ethan Ash und Jules zu, während sie zu der diskutierenden Gruppe hinübersahen. »Das Ganze kommt mir vor wie ein Geiselaustausch.«

»Sie sagen, es ist nur für ein paar Tage«, sagte Ash. »Offenbar gefällt Jonahs Mom der Gedanke, mit ihnen zu arbeiten und sie vielleicht ihren Song bearbeiten zu lassen, obwohl ich ehrlich nicht sehe, warum. Es scheint mir ein schrecklicher Fehler zu sein.«

»Ich denke, sie ist einfach dankbar, dass sich jemand für ihre Musik interessiert«, sagte Ethan. »Es ist toll, so eine Stimme zu haben wie sie, aber wenn sie niemand mehr zu schätzen weiß, ist es deprimierend. Der Zuspruch tut ihr wahrscheinlich ungemein gut, und so können wir wenigstens Jonah hier herausholen. Um seine Mutter kümmern wir uns später.«

Jonah kam während all der verwirrenden, komplizierten Verhandlungen – warum wollten sie so unbedingt mit ihm in die Stadt, warum waren sie überhaupt *hier*? – der Gedanke, dass er nie von zu Hause hatte fortlaufen wollen, sondern nur einfach *sein* Zuhause gewollt hatte, in Person seiner Mutter, die ihm hinterherlaufen sollte. Jetzt war sie hier, mit ihm in Reichweite, aber sie zögerte. Doch das war ihm nicht wirklich wichtig. Offenbar wurde sie hier geschätzt, wie sie früher geschätzt worden war, wenn auch in kleinerem, konzentrierterem Rahmen. Sie traf die Entscheidung, dahin zu gehen, wo ihr Publikum war.

Jonah willigte ein, mit seinen Freunden in die Stadt zu fahren. Er konnte sich im Laden ein Eis holen. Er hatte seit Langem nichts künstlich Gefärbtes oder Gezuckertes mehr gegessen, mochte solche Dinge aber immer noch. Als der alte Wagen von Ethans Vater dann an Dovecote vorbeipreschte und Jonah sagte: »Warum biegst du nicht ab?«, glaubte er die Antwort bereits zu wissen. Er griff nach dem Türöffner, und Ash und Jules legten hinten auf dem Rücksitz ihre Arme um ihn und drückten ihn an sich. »Ist ja okay«, sagte Ash, und Jules sagte: »Es kommt alles in Ordnung«, und Jonah begann zu weinen, weil er verwirrt war und sehr, sehr müde. Er spürte das unterschwellige Beben eines namenlosen, anwachsenden Gefühls, das vielleicht – obwohl er nicht sicher war und es nicht zugeben konnte – Erleichterung war. Er wollte nichts als schlafen, wie ein neugeborenes Baby, eingeklemmt zwischen seinen alten Freunden in diesem winzigen Wagen. Seit er auf die Farm gekommen war, hatte er kaum mehr richtig Ruhe gefunden. Die Arbeiten hatten jeden Morgen in der Dämmerung begonnen, und die Gebete dauerten bis spät in die Nacht.

In der Stadt erwartete ihn der Deprogrammierer im Zimmer 1240 des tristen Wickersham Hotel, das einen halben Block von Penn Station entfernt lag. Seine Dienste wurden volle drei Tage und Nächte benötigt, und am Ende war Jonah so erschöpft vom Schlafentzug, der zur Deprogrammierung gehörte, von der kargen Ernährung, die kaum aus mehr als ein paar kalten Burger-King-Pommes-frites bestand, wenn die Sonne über der Stadt aufging, von den endlosen negativen, von Band abgespielten Aussagen ehemaliger Sektenmitglieder über die Kirche und den immer aufs Neue wiederholten Versicherungen, dass alles, was er auf der Farm gehört hatte, falsch sei, dass er dankbar einwilligte, als Ethan und Ash ihm anboten, ein paar Tage auf ihrem Sofa im East Village zu schlafen.

Als er sehr viel später daran zurückdachte, kam es ihm komisch vor, dass Ethan und Ash in ihrer ersten Wohnung kein Gästezimmer hatten. Es war ein einfaches Apartment mit einem alten Teppich, den Ash aus der elterlichen Wohnung mitgebracht hatte. 1981 waren die beiden noch wie alle anderen. 1981 waren sie trotz der Liebe, die Jonah zwischen Jules und Ethan gesehen hatte, ein perfektes Paar. Durch die Deprogrammierung, und weil er nur für relativ kurze Zeit in der Kirche gewesen war, vergaß Jonah am Ende, was er auf der Farm gefühlt und gelernt hatte. Die Lehren sickerten aus seinem Bewusstsein, als wären sie der Stoff eines Pflichtseminars am College gewesen, das ihn nicht richtig interessiert hatte. Aber er vergaß nie, wie er die andauernde Liebe gesehen hatte, die Ethan für Jules empfand und sie vielleicht auch für ihn. Das vergaß er nie, war aber klug genug, es nie wieder zu erwähnen.

Susannah Bay blieb ein paar Tage länger auf der Farm in Vermont, nachdem ihr Sohn zurück nach New York gefahren war, und sang für einen Kreis begeisterter, ehrfürchtiger Zuhörer, deren Bewunderung sich nicht mit der nächsten Mode ändern würde. Sie würden das Interesse an Susannah Bays Talent, das eine feste Größe für sie darstellte, nicht verlieren. Nein, sie wollten sich immer weiter darin sonnen. Susannah kehrte noch einmal kurz nach New York zurück, nicht wie geplant mit dem Bus, sondern in dem lila VW-Bus, um ein paar wichtige Dinge aus dem Loft zu holen, die mit ihr auf die Farm kamen. Einige Monate später redete Reverend Sun Myung Moon im World Mission Center in New York, und Susannah Bay wurde auf die Bühne gerufen, um ihr Erkennungslied mit neu geschriebenem Text zu singen. Ihre Stimme war so kräftig und klar wie zu Beginn ihrer Karriere, und einige der Zuhörer brachen in Tränen aus und dachten daran zurück, wie sie ihr damals, vor langen Jahren, zugehört hatten, als sie noch so viel jünger gewesen waren, und wie dramatisch sich ihr Leben seitdem verändert hatte. Viele von ihnen hatten mit ihren Eltern und ihrem angenehmen Vorstadtleben gebrochen, um sich einem höheren Ziel zu widmen. Diese so besondere, so talentierte Sängerin sang allein für sie, und sie waren ihr dankbar.

Im folgenden Jahr heiratete Susannah zusammen mit viertausend anderen in einer Segnungszeremonie im Madison Square Garden. Ihren Bräutigam, den zwölf Jahre jüngeren Teppichverleger Rick McKenna, ein Mitglied der Vereinigungskirche aus Scranton, Pennsylvania, lernte sie erst kennen, als sie sich vor dem Messias bei den Händen fassten. Direkt nach der Zeremonie stiegen Susannah Bay und ihr Ehemann in den VW-Bus und fuhren zurück zur Farm, auf der sie den Rest ihres irdischen Lebens verbringen sollten.

Dreizehn

Wenn man seine Tochter Aurora nennt, ist es gut möglich, dass sie das Gewicht des Namens irgendwann nicht mehr leicht und anmutig tragen kann, es sei denn, sie ist sehr schön oder sehr selbstbewusst – oder beides. Dennis und Jules begriffen das nicht, als sie 1990 ihr Kind bekamen. Vorher hatte es viele typische Gespräche über mögliche Namen für das Baby gegeben, Diskussionen, was der blechern dahinratternden Silbenfolge »Jacobson-Boyd« am besten vorangehen würde. Die Diskussionen fanden hauptsächlich zwischen Jules und Ash statt, nicht zwischen Jules und Dennis. Ash war in einer Familie aufgewachsen, in der beide Kinder ungewöhnliche Namen bekommen hatten. Ungewöhnliche Namen waren ihr *Beat*, und Jules ließ ihr eigenes ästhetisches Empfinden davon beeinflussen und entschied entsprechend, dass auch ihr Kind einen ungewöhnlichen Namen bekommen würde. Dennis war zu trübselig und zu sehr abgelenkt, um sich lange mit dem Thema zu beschäftigen. Er versuchte es, doch die Anstrengung wurde bald schon zu groß, und schließlich sagte er zu Jules: »Oh, entscheide du das!«

Sie hatte nicht schwanger werden wollen, nicht jetzt. Es war nicht der richtige Zeitpunkt. In den Wochen nach seiner Entlassung aus dem Krankenhaus, nach seinem kleinen Schlaganfall, hatten ihm seine Depressionen wieder zu schaffen gemacht. Zwar war er sofort auf ein anderes Antidepressivum umgestiegen, aber er meinte, da könne er auch ebenso gut Pez nehmen. Die MAOI hatten ihm seit dem College gut geholfen, doch jetzt befand er sich in einem schwankenden, niedergedrückten Zustand. Verschiedene

Wirkstoffkombinationen wurden ausprobiert, aber nichts hob seine Stimmung. Einen Monat nach seinem Schlaganfall nahm Dennis seine Arbeit bei Metro Care wieder auf, konnte sich jedoch kaum konzentrieren und hatte Schwierigkeiten, den Anweisungen zu folgen, die ihm gegeben wurden. Manchmal verstrickte er sich auch zu sehr in den Geschichten, die in den grauen Dimensionen des Ultraschalls aufschienen.

An dem Tag, an dem Dennis seine Stelle verlor, herrschte in der Klinik die gewohnte Hektik, und unter den ersten Patienten war eine junge Frau, die Schmerzen in der rechten Seite hatte. Sie war hübsch, redselig, zweiundzwanzig Jahre alt und hatte gerade in Kentucky das College beendet. Sie war mit einer ganzen Welle Universitätsabsolventen nach New York gekommen und arbeitete als Platzanweiserin in der Radio City Music Hall. »Ich kann mir alles umsonst ansehen«, sagte sie, als sie vor ihm auf dem Tisch lag, den Kopf von ihm abgewandt. »Selbst die Rockettes. Und all die Konzerte, was ziemlich was ist, weil da, wo ich herkomme, gab es so etwas nicht.« Dennis fuhr sanft mit der Sonde unter ihrem Brustkorb entlang. »Oh, das kitzelt«, sagte sie, und dann kam plötzlich ihre Leber in den Blick, wie das Wrack eines alten Schiffs tauchte sie auf dem Bildschirm auf.

Er sah die Masse sofort, sie war unübersehbar, und ohne nachzudenken, sagte Dennis: »O Gott.« Den Technikern war es nicht erlaubt, eine Meinung über das, was sie sahen, zu äußern, schon eine Andeutung, ob es normal oder unnormal zu sein schien, war zu viel. Bisher hatte er jede einzelne Ultraschalluntersuchung – und es waren Tausende – mit unbewegter Miene durchgeführt, war immer nett und aufgeräumt gewesen. Wenn Patienten eine Frage murmelten oder in seinem Gesicht nach etwas Beruhigendem suchten, sagte er, sie sollten sich keine Sorgen machen, der Arzt werde ihnen das Ergebnis erklären und es sei nicht sein Job, die Bilder zu interpretieren. Aber natürlich tat er es insgeheim, alle Techniker taten das.

Er hatte noch nie so reagiert wie jetzt, aber die junge Frau war so unschuldig und neu in der Stadt, dass er den Gedanken nicht ertrug, sie könne Krebs haben und daran sterben.

»Was?«, fragte sie und wandte ihm das Gesicht zu.

»Nichts«, sagte er. »Ich habe nichts gesagt.«

»Doch, das haben Sie«, sagte sie, und ihre weiche Kentucky-Stimme bekam etwas Anklagendes. »Sie haben ›O Gott‹ gesagt.«

»Das war, weil ich Sie gekitzelt habe«, versuchte er, sich herauszureden, doch er wusste, so ging es nicht. Die Welt umfing Dennis Jacobson-Boyd mit all ihren Grautönen und verwundbaren, weichen Organen, und er hob die Sonde vom Körper der jungen Frau, steckte sie in ihre Halterung und hob die Hände vors Gesicht, denn jetzt weinte er. Er konnte nicht glauben, dass ihm dieser Ausrutscher unterlaufen war! Aber wenn man jemanden mit einer unbehandelten klinischen Depression auf diesen Stuhl setzte, konnte es leicht zu einer kritischen Situation kommen, und hier war sie. Die junge Frau zog ihren papiernen Kittel zu; sie war noch voller Gel und hatte Angst vor diesem Mann und um ihr Leben. Vorsichtig stieg sie vom Tisch und eilte, nach Beistand rufend, hinaus auf den Gang.

Zwei andere Ultraschalltechniker, Patrick und Loreen, drängten Sekunden später durch die Tür. »Dennis«, sagte Patrick mit scharfer Stimme, »was hast du der Patientin gesagt?«

»Nichts«, sagte er. »Aber sie hat einen Tumor. Ich habe ihn gesehen. Er sah aus wie ein Monster.«

»*Dennis*«, sagte Patrick. »Du weißt absolut nicht, ob er bösartig ist, und du hast dich da nicht einzumischen. Du bist hier in Tränen ausgebrochen. Sie hat dich weinen sehen. Was zum Teufel ist mit dir los?«

»Ich weiß es nicht«, sagte er. Und dann: »Doch.«

»Hör zu, ein Schlaganfall ist eine einschneidende Sache«, sagte Loreen. »Mein Großvater hatte auch einen. Man braucht Zeit, um sich zu erholen. Du bist nicht du selbst, du brauchst mehr Zeit, Dennis.«

»Es ist nicht der Schlaganfall. Der war nicht so schlimm. Davon habe ich mich erholt.«

»Was ist es dann?«, fragte sie. Patrick und Loreen gingen während der Pausen hinaus auf die Straße, um zu rauchen, und Dennis stand gerne bei ihnen und leistete ihnen Gesellschaft. Patrick war ein massiger Kerl, ein ehemaliger Marine mit kahl rasiertem Kopf, der etwas von einem Heiligen hatte; er war verheiratet und Vater von vier Kindern. Loreen hatte Dreadlocks, war schwarz, klein, Single und sehr ehrgeizig. Die drei hatten nichts gemein, aber bis zu seinem Schlaganfall und den neuerlichen Depressionen war Dennis gern mit ihnen zusammen gewesen. Sie waren wirkliche Freunde geworden, verbunden durch die Ultraschallwellen, und wurden jetzt augenscheinlich durch sie getrennt.

Er antwortete Loreen nicht, sondern knöpfte seinen weißen Kittel auf und legte ihn mit düsterer Miene zusammen wie eine militärische Flagge. »Ich muss gehen«, sagte er.

»Himmel«, sagte Loreen, »Mrs Ortega feuert dich, sobald sie herunterkommt.«

»Ich habe mich unangemessen verhalten«, sagte Dennis. »Ich weiß es. Ich war so traurig. Die Flüchtigkeit der Dinge hat mich überwältigt.« Er nickte seinen Freunden zu und ging hinaus auf den Gang, wo ihm eine aufgebrachte Mrs Ortega entgegeneilte.

Sein Pharmakologe, Dr. Brazil, wollte ihm immer noch nicht wieder MAOI verschreiben. »Nicht, wo wir so viele schärfere Werkzeuge in unserem Kasten haben«, sagte er. Aber es schien, dass selbst die schärfsten von ihnen zu stumpf für Dennis waren, oder Dennis war derjenige, der zu stumpf war, denn morgens, wenn sich Jules für die Arbeit bereit machte oder für eine Besprechung mit ihrem Supervisor, lag er da und sah sie durch den dichten Schleier eines klinisch depressiven Menschen an.

»Dennis«, sagte Jules und wackelte mit dem Fuß hin und her, um ihn in den flachen Schuh zu bekommen. »Ich mag deinen gegenwärtigen Zustand nicht.«

»Ich mag meinen gegenwärtigen Zustand auch nicht, Jules«, sagte er und ahmte einfach nur ihre Diktion nach, klang dabei aber feindselig. Warum war er ihr gegenüber feindselig gestimmt? Es gab keinen Grund dafür, aber er war es.

»Es tut mir leid«, sagte er und stand vom Bett auf, um sie flüchtig zu umarmen, nicht weil er Liebe für sie empfand, sondern wohl eher weil er Angst hatte, keine Liebe mehr für sie zu empfinden. Jules war geschminkt, geduscht und frisch angezogen und duftete nach den verschiedenen blumigen und fruchtigen Waschlösungen und Lotionen, mit denen sie ihren Tag begann. Dennis dagegen roch noch wie eine Schlafkammer, und sie wollte ihn nicht berühren.

Eines Tages traf sich Ash, die sich wegen der schwierigen Situation Sorgen machte, mit Jules zum Mittagessen in einem Lokal in der Amsterdam Avenue, wo die Popovers groß wie Babyköpfe waren, und als die beiden Frauen sie aufbrachen, stieg Dampf zu ihren Gesichtern auf. Ashs Fahrer wartete draußen im Wagen, und das würde er so lange tun, wie es nötig war. »Erzähl schon«, sagte Ash.

»Du weißt ja, wie es steht.«

»Ja, aber erzähl es mir genauer.«

»Ich weiß einfach nicht, was ich tun soll«, sagte Jules. »Er ist nur noch der halbe Dennis, eine vage, gereizte Version seiner selbst. Als hätten sie ihn weggeholt und mir eine schlechte Kopie dafür dagelassen. Er kommt mir vor wie einer von Jonahs Kultbrüdern damals.« Ash schüttelte den Kopf und drückte Jules' Hand, mehr musste sie nicht tun. Die beiden Frauen fühlten sich schuldig, dazusitzen, ihre dekadenten Popovers zu essen und über Dennis zu reden, als wäre er ein besonders widerspenstiger Kunde von Jules.

Dennis würde es hassen, sie so reden zu hören, dachte Jules, er wäre entsetzt. »Ich sollte das nicht so sagen«, fügte sie hinzu, aber es musste aus ihr heraus.

»Nein, ist schon gut so. Du tratschst ja nicht über ihn«, sagte Ash. »Du liebst ihn, und du redest es dir von der Seele. Und du erzählst es *mir*, Jules, nur mir.«

Dennoch stellte sich Jules Dennis' beschämtes Gesicht vor, und sie wusste, dass sie ihn hinterging. Aber Ash wollte helfen, wollte zuhören und Vorschläge machen. »Vielleicht wacht er aus diesem Zustand plötzlich wieder auf, wie aus einer Art Koma«, sagte sie, ohne zu wissen, was sie da redete. Dennis' Depressionen schoben sich trennend zwischen die beiden Frauen. Jules konnte Ash zwar beschreiben, in was für einem Zustand sich Dennis befand und wie es war, mit so einem Mann zusammenzuleben, doch ihre Beschreibungen griffen zu kurz. Man musste es selbst erleben, und das tat nur Jules, Ash nicht.

Jules' Kunden schienen dagegen aus ihren schlimmsten Niederungen herauszukommen, ganz so, als spürten sie, dass es ihrer Therapeutin half. Sie munterte sie auf eine Weise auf, die bei Dennis nicht verfing. Ihre trockenen Kommentare halfen ihm nicht, sondern ließen ihn sich nur noch schlechter fühlen, wie alles andere auch. Schon mit ihm zu reden schien ihm zuzusetzen, aber sie konnte nicht anders und erzählte von ihren Therapien, als könnte er mit davon profitieren. »Diese Kundin von mir, sie ist verheiratet, eine Grundschullehrerin und Spezialistin für Kinder mit Leseschwierigkeiten, sie hatte sich für eine Weile völlig verrannt und findet gerade erst wieder zu sich«, erklärte ihm Jules. Es war nicht erfunden, aber Dennis wusste nichts dazu zu sagen. Abends ging er früh schlafen, und sie schlich ins Wohnzimmer, um Ash und Ethan anzurufen. Sie sprach aus dem Inneren ihrer düsteren Ehe zu ihnen und stellte sie sich in einer Welt des Lichts vor. Sie fühlte sich fast krank vor Klaustrophobie durch das Leben mit diesem depressiven Menschen, der keine Arbeit hatte, zu viel schlief und sich nur dann rasierte, wenn er es anders nicht mehr aushielt. Dennis begann, wie ein Gebirgsmensch auszusehen – oder eher wie Rip Van Winkle, denn er schlief und kletterte nicht.

»Ich weiß nicht, was ich tun werde«, sagte sie zu Ash. »Ich meine, ich werde nichts tun. Ich fühle mich einfach nur schrecklich. Ich kann ihm nicht helfen, nichts erreicht ihn. Er leidet wirklich.« *Und ich auch,* wollte sie noch hinzufügen, ließ es aber, weil es so egoistisch geklungen hätte.

Dennis' Eltern kamen aus New Jersey, und seine Mutter sah sich argwöhnisch in der Wohnung um, als hätte das Zusammenleben mit Jules ihrem Sohn das angetan. »Wo bügelst du?«, wollte sie wissen.

»Wie bitte?« Sie bügelten kaum etwas, und wenn es doch einmal unbedingt nötig war, legten sie ein Badetuch übers Bett. So leben wir, wollte sie zu Dennis' Mutter sagen. Bügeln ist uns nicht wichtig, wir haben kein Geld, und jetzt verliert dein Sohn dank seiner genetischen Anlagen auch noch die Züge, die ich an ihm geliebt habe. Aber die Boyds schienen Jules die Schuld an seiner Depression zu geben – weil es kein Bügelbrett gab und vielleicht auch weil Jules Jüdin war. (Dennis hatte sie mehr als einmal darauf aufmerksam gemacht, mit welcher Versunkenheit sein Vater Dokumentationen über das Dritte Reich konsumierte.) Aber Jules erkannte auch, dass die Boyds Menschen waren, deren Liebe mit einem Schuss Säure einherging, und vielleicht hatte ihr Sohn ja deshalb diese Fähigkeit zu unaussprechlicher Traurigkeit entwickelt. Wer konnte ihm das vorwerfen? Dennis und Jules stammten beide aus Familien, die sich nicht wirklich gut angefühlt hatten. Das hatten sie gemeinsam, und sie hatten sich zusammengetan, um sich ein Zuhause zu schaffen, das anders war, und manchmal sogar um ihre alten Familien zu verfluchen: *Zum Teufel mit euch!* Der Haushalt der Wolfs im Labyrinth hatte Jules bewiesen, dass eine dicht strukturierte, emotional befriedigende Familie möglich war. Zusammen mit Dennis hatte sie eine bescheidene Variante davon schaffen wollen, und etwa zu der Zeit, als Ash und Ethan in für alle anderen unerreichbare Höhen aufzusteigen begannen, schien es ihnen auch zu gelingen, doch dann holten Dennis seine Depressionen ein, und ihnen blieb die Erfüllung ihrer schlichten Wünsche verwehrt.

Eines Morgens wachte Jules auf und sah, wie entspannt und neutral Dennis' Gesichtsausdruck im Schlaf war. Aber kaum dass er aufwachte, würde er sich daran erinnern, wie es sich anfühlte, in seiner Haut zu stecken, und der Tag war gelaufen. Es war zu dumm, dachte sie, dass er nicht einfach immer weiterschlafen konnte, denn so schien er fast glücklich. Der Gedanke machte nun wiederum Jules so unglücklich, dass ihr schlecht wurde und sie sich übergeben musste. Über die kalte Kloschüssel gebeugt, erinnerte sie sich daran, wie selten sie sich in ihrem Leben bisher hatte übergeben müssen. Am besten war ihr noch ihre Übelkeit in dem Hotel auf Island im Gedächtnis, und später im College hatte es ein paar Fälle wegen zu viel Alkohol gegeben. Das jetzt war etwas anderes, sie übergab sich aus Traurigkeit, obwohl es das eigentlich nicht gab. Eine Stunde später spürte sie ein winziges elektrisches Zucken in einer ihrer Brustwarzen und noch mal etwas später auch in der anderen. Vage und mit leicht gemischten Gefühlen dachte Jules an ihre letzte Periode zurück, die besonders leicht ausgefallen war, wobei sie sich deswegen keine großen Gedanken gemacht hatte. Es war nicht zum ersten Mal so gewesen und alles andere als außergewöhnlich, sie schrieb es der Anspannung zu, die auf ihr lastete.

Jules nahm zum frühestmöglichen Zeitpunkt einen Schwangerschaftstest mit nach Hause, saß mit im Kopf pochendem Puls in ihrem kleinen Bad, starrte das Ergebnis an und versuchte herauszufinden, wann das hatte passieren können. Die leichte Periode war offensichtlich keine Periode gewesen, sondern das, was in den Büchern eine Implantationsblutung genannt wurde. Seit Dennis' Schlaganfall und seiner Erholung hatten sie nur unregelmäßig miteinander geschlafen, er war jetzt eher uninteressiert daran. Jules' neuer Kunde Howie, ein Computerprogrammierer mit großen Übertragungsproblemen, hatte ihr so kläglich wie mutig gestanden, dass er sich einmal in Gedanken an sie, neben seiner Frau liegend, selbst befriedigt habe, wobei das Bett derartig ins Wackeln geraten sei, sagte er, »dass meine Frau aufwachte und dachte, es sei ein Erdbeben«. Jules' eigener, depressiver Mann dagegen verspürte kein körperliches Interesse an ihr.

Sie versuchte zurückzurechnen in die Wochen vor Dennis' Schlaganfall und dann vor den Beginn seiner neuerlichen Depression, die ihn so konturlos und langsam gemacht hatte, und erinnerte sich an einen Abend kurz vor der Premiere von Ashs *Gespenstern*, als sie bei einer feierlich-förmlichen Eröffnung einer Ausstellung mit dem Titel *This Land Is Figland* im Fernsehen-und-Radio-Museum gewesen waren. Ethan hatte mit Ash neben sich in einer Ecke des größten Ausstellungsraumes gestanden, umringt von einer Menge Museumsmäzenen, Zeichnern und Freunden. Jules sah zu Ethan in seinem Frack hinüber, der den Arm um Ash gelegt hatte. Ash trug ein zum Teil transparentes, sehr kurzes Kleid, auf dem Rücken mit einer Reihe winziger Perlmuttknöpfe verziert, wie ein Kostüm für den *Mittsommernachtstraum*, den sie möglichst bald schon als Regisseurin auf die Bühne zu bringen hoffte. Das Kleid war »ein Marco Castellano«, hatte Ash ihr vor dem Abend erklärt, was Jules nichts gesagt hatte. Ethan bemerkte, dass Jules ihn ansah, und lächelte ihr durch den Raum zu.

Was sollte dieses Lächeln bedeuten? Wahrscheinlich nur: *Ist dieser ganze Trubel nicht beschämend?* Oder: *Ich weiß, du langweilst dich, ich mich auch.* Oder vielleicht auch einfach: *Hallo da drüben, Jules Jacobson-Boyd, Freundin meiner Jugend, Seelen-*

verwandte, Kumpel. Was immer es tatsächlich besagen sollte, es rief in ihr jene altbekannte drängende Empfindung wach, dass das, was sie und Dennis hatten, klein und traurig war. Später, als sie all die Stufen aus der U-Bahn hinaufstiegen, scheuerten ihr die schmalen, hochhackigen Schuhe die Zehen auf. In der Wohnung angekommen, zogen sie sich die Mäntel aus, und Jules hielt im Bad einen blutenden Fuß unter den Wasserhahn. Dennis kam herein und sagte: »Du siehst aus wie ein Kranich.«

»So fühle ich mich auch. Unbeholfen und dumm. Das Gegenteil von Ashs verzaubertem Geist. Das war übrigens ein Marco Castellano.«

»Was?«

»Genau das meine ich.« Sie dachte, dass ihr Leben immer noch in seinen Anfängen steckte, voller Freunde und Liebe war, am Beginn zweier beruflicher Werdegänge, und dass alles absolut in Ordnung wäre, wenn es ihre besten Freunde nicht gäbe, deren Leben so viel besser war.

Aber Dennis sagte: »Wenn ich einen verzauberten Geist gewollt hätte, wäre ich in einen verzauberten Wald gegangen und hätte mir einen gesucht.«

Seine Krawatte war gelöst, der Kummerbund geöffnet. Der dunkle, kräftige Dennis sah weit besser aus als Ethan, doch das machte ihr keine Sorgen, denn er war nicht der Mensch, der sie mit einer anderen Frau betrügen würde. Seine Größe, sein gutes Aussehen, seine Ehrbarkeit und seine Weigerung, sich durch einen glamourösen Abend oder ein Kleid von Marco Castellano einschüchtern zu lassen, beeindruckten sie, und sie musste an diesem Abend ihr Leben nicht mit dem ihrer Freunde vergleichen. Das musste sie grundsätzlich nicht, begriff sie, und es war eine erstaunliche Erleichterung. Stattdessen fühlte sich Jules zu den hypnotischen, unerklärlichen Kräften ihres Mannes hingezogen, der so schön und so eindeutig allein auf *sie* konzentriert war, während seine dunklen Augen an ihrem Körper auf- und abglitten. Das Bad kam ihr normalerweise so klein und unangemessen vor, jetzt füllte es sich mit Dennis, diesem gewichtigen Mann, auf den sie einen Anspruch hatte. Das hatte nichts mit Ethan und Ash zu tun, Dennis gehörte ihr allein. Alle anderen blieben ausgeschlossen, und die private Szene begann.

»Ach ja?«, sagte Jules. »Du wärst in einen verzauberten Wald gegangen?«

»Ja, das wäre ich«, sagte Dennis, nahm sie beim Arm und zog sie aus dem mikroskopisch kleinen Bad mit dem vom Vormieter grob auf den Boden getackerten wasserabweisenden Teppich in das kaum größere Schlafzimmer, wo er sie aufs Bett legte. Sie lächelte zu ihm auf, als er die Reste seines Fracks auszog, den er allein für Gelegenheiten brauchte, die mit Ethan und Ash zu tun hatten. Dann half er Jules mit dem Reißverschluss ihres Kleides, der einen rosa Abdruck auf ihrem Rücken hinterließ, als bezeichnete er den Ort, wo die beiden Hälften ihres Körpers in der Fabrik zusammengesetzt worden waren. Sie befreiten sich von ihrer Ethan-and-Ash-Garderobe, die reifer schien als die Menschen, die sie getragen hatten, auch wenn sie nicht mehr allzu jung waren.

Eigentlich mussten sie an diesem Abend ein Kondom benutzt haben, sie taten es fast immer, allerdings hatten sie reichlich getrunken, weshalb sie es womöglich vergessen hatten. Jules wollte noch nicht schwanger werden. Der Sex an diesem Abend, so erinnerte sie sich später, war ungewöhnlich mitreißend gewesen, nahm das ganze Bett in Anspruch, und das Laken war am Ende aufgedreht wie ein Seil. Dennis war leidenschaftlich, großartig und zielgerichtet, er trieb die Szene voran und machte aus jedem Moment einen neuen. Ein Buch, das geöffnet auf Jules' Nachttisch lag – eine Sammlung von Fallstudien über Essstörungen aus der Bibliothek der Columbia University, zu der sie immer noch Zugang hatte – geriet irgendwie auf die andere Seite des Raumes und verschwand in einem staubigen Eck unter der Kommode. Sie fand es erst im nächsten Jahr wieder, als die Säumnisgebühren längst den Anschaffungspreis des Buches überstiegen. Aber sie hatte aufgehört, danach zu suchen, denn mittlerweile war Aurora Maude Jacobson-Boyd geboren und das Leben ein anderes.

Im September 1990, drei Monate nach Auroras Geburt, brachte Ash ihre Tochter Larkin Templeton Figman auf die Welt. Zunächst genossen die beiden Frauen den Schleier der Mutterschaft gemeinsam, und endlich einmal war Jules die Expertin und gab Ash Rat in Bezug auf das Stillen und Schlafen Larkins. Ausdrücke wie »Saugverwirrung« benutzte sie mit freudiger Autorität. Eines Morgens dann aber rief Ash schon früh an und klang irgendwie anders. Sie schien nicht überfordert, wie es so oft seit Larkins Geburt der Fall gewesen war. Es war etwas anderes. Sie fragte, ob es okay sei, wenn sie herüberkomme, und ließ sich von ihrem Fahrer nach Uptown bringen. Larkin hatte sie in einer der schwedischen Babytragen dabei. Jules war immer noch etwas verlegen, wenn Ash oder Ethan zu ihnen kamen, hatte sich jedoch eine passende Fassade zugelegt, als wäre es ihr egal, wie die Wohnung aussah – alles war durcheinander, voller Babysachen, der Kinderwagen versperrte den Flur, und die Strampler hingen auf einem Gestell, bis sie trocken und brettig waren. Ash setzte sich angespannt in Jules' und Dennis' Wohnzimmer und lehnte die angebotene Tasse Kaffee und etwas zu essen ab. Sie ließ sich auf dem Sofa nieder, machte es sich mit dem Baby bequem und sah Jules eindringlich an.

»Du machst mir Angst«, sagte Jules. Sie waren allein. Dennis war mit Aurora und den Müttern, Kindermädchen und Babys, mit denen er manchmal den Tag verbrachte, im Central Park unterwegs. Jules hatte bereits zwei Kundentermine hinter sich und würde für den Rest des Tages zu Hause bleiben. Später hatte sie noch einen

Telefontermin mit einer Frau, die sich das Sprunggelenk gebrochen hatte und nicht aus dem Haus konnte.

»Entschuldige, das will ich nicht. Ich weiß, du hast es selbst nicht leicht mit Dennis und allem.« Die Art, wie Ash sprach, so vorsichtig, ließ Jules vermuten, dass es eine Goodman-Unterhaltung werden würde. Sie hatten schon seit Wochen nicht mehr über ihn geredet, die Babys lenkten so gut wie alle Gedanken von ihm ab. Jetzt hatte Jules das Gefühl, dass Ash so etwas sagen würde wie: »Ich wollte dir nur erzählen, dass Goodman wieder in einem Entzug ist.« Oder: »Stell dir vor, Goodman hat eine Architektenausbildung angefangen.« Oder: »Goodman stirbt. Goodman ist tot.« Doch stattdessen sagte sie: »Ich muss dir unbedingt etwas erzählen, Jules. Ich muss es einfach loswerden, und das geht nur bei dir.«

»Okay.«

»Du weißt doch, wie sehr es meine Eltern mitgenommen hat, als bei Drexel alles auseinanderfiel? Die Untersuchung und alles?« Jules nickte. »Und dass mein Vater nach dem Bankrott verfrüht in Rente gegangen ist und die Abfindung bekommen hat?«

»Ja. Aber du hast gesagt, es sei alles okay«, antwortete Jules.

»Ist es auch.«

»Gut«, sagte Jules und wartete.

»Ich glaube, mein Vater genießt seine Pensionierung. Und, ja, meine Eltern haben tatsächlich angefangen nachzudenken. Sie haben mich in die Wohnung gerufen und mir umständlich eröffnet, dass sich ihre finanzielle Situation geändert habe. Es sei alles in Ordnung, sagten sie, nur wäre es nicht mehr so üppig. Ich verstand nicht, warum sie mir das erzählten, und brauchte eine Ewigkeit, bis ich darauf kam, weil sie einfach nicht damit herauskommen und es aussprechen wollten. Endlich begriff ich dann, worum es ging. Endlich hatte ich es kapiert und fragte: ›Geht es um Goodman?‹ Sie sahen sich leicht verlegen an, und da wusste ich, dass es genau darum ging. Meine Mutter sagte etwas wie: ›Wir wollten nichts sagen, aber wir haben uns lange um ihn gekümmert, und er kann kaum arbeiten und hat seine Ausgaben, wie jeder. Und du und Ethan, ihr seid finanziell so außerordentlich gesichert, nun, das ist eine Untertreibung, aber wenn es irgendwie möglich wäre, euch diese Verantwortung zu übertragen, würde uns das wirklich helfen.‹ – ›Aber nur, wenn ihr es wirklich wollt‹, fügte mein Vater hinzu, als wäre das alles meine Idee.«

»Und was hast du gesagt?«, fragte Jules, obwohl dieses ganze Familienszenario jenseits dessen lag, was sie sich vorstellen konnte. Ihre eigene Mutter schnitt Coupons für Frozen Yogurt aus und schickte sie ihr.

»Ich habe gesagt: ›Nun, wenn es wichtig für euch ist, könnte ich mir etwas überlegen.‹ Goodman findet keinen festen Job, wie du weißt, nichts Professionelles, nichts, was gut bezahlt wird. Er hat ja keine Ausbildung. Und bei der Arbeit auf dem Bau macht ihm sein Rücken ziemlich Schwierigkeiten. Vor nicht allzu langer Zeit hat er sich einen Stressbruch in einem Lendenwirbel zugezogen, und er kann jetzt körperlich nicht mehr viel machen. Er braucht eine Physiotherapie und hat kein regelmäßiges Einkommen. Darüber hinaus muss jemand die Flugtickets zahlen, wenn er uns besucht. Und für seine gelegentlichen Gewohnheiten, wenn wir es so nennen wollen. Da kommt was zusammen.«

»Wow«, sagte Jules. »Das ist ein Schock.«

»Ich weiß. Und natürlich kann ich Ethan nicht nach dem Geld fragen. Sie waren immer beeindruckt, dass ich ihm nie etwas gesagt habe.«

»Tut es dir jetzt leid?«, fragte Jules. Das hatte sie Ash schon immer fragen wollen, doch es war nie der passende Moment gewesen.

»Oh, manchmal schon, sicher«, sagte Ash leichthin. »Weil wir über alles reden. Alles bis auf das. Und ich kann nie mit ihm hin.

Aber es ist viel zu spät, ich weiß nicht, ob er sich davon erholen würde. Ich will, dass mein Leben und meine Arbeit aufrichtig sind, aber ich musste meinen Eltern gehorchen, als sie mich darum gebeten haben, du weißt, dass ich es musste, und jetzt stecke ich fest. Ethan und ich sprechen kaum noch über Goodman. Er denkt, es sei zu schmerzlich für mich, und da hat er nicht ganz unrecht. Es ist schmerzlich. Alles – und wie es dazu gekommen ist. Was aus Goodman hätte werden können.«

»Ich wünschte, Ethan wüsste Bescheid«, sagte Jules leise. »Er macht einfach alles besser«, fügte sie hinzu, bevor sie es sich anders überlegen konnte.

»Ich weiß, was du meinst«, sagte Ash. »Er ist der Mensch, zu dem ich immer will, wenn etwas nicht stimmt. Ich wünschte wirklich, ich könnte ihm alles von Beginn an erzählen. Aber es geht nicht. Ich habe getan, was sie wollten. Ich war das gute Kind, ihr *begabtes Kind*. Ich habe alles mitgemacht, und es ist nicht so, als könnte ich jetzt plötzlich zu Ethan sagen: Oh, übrigens, Liebe meines Lebens, Mensch, dessen Kind ich geboren habe, ich hatte all diese Jahre mit meinem Bruder Kontakt, meine Eltern und Jules wissen davon, und du bist der Einzige, dem ich es nicht gesagt habe.«

Jules sagte mit kräftiger Stimme: »Sag es ihm, Ash. Tu's einfach.« Dennis sagte immer, dass Ethan es eines Tages wahrscheinlich sowieso herausfinden würde. »Das Leben ist lang«, sagte er.

»Du weißt, ich kann nicht«, sagte Ash. »Er ist so moralisch, Jules, was ich natürlich im Grunde an ihm liebe. Und er hält sich nicht zurück.«

»Was wirst du also tun? Hast du Zugang zu Geld, von dem er nichts weiß?«

»Die kurze Antwort ist Ja. Und es ist nicht so, als setzte sich Ethan jeden Monat hin und sähe die Rechnungen durch. Dafür haben wir jemanden. Es kommt so viel herein und geht wieder hinaus. Ich muss ihm da keine Rechenschaft ablegen oder Duncan, der uns die Bücher führt. Natürlich ist die Hauptsache, es ungesehen zu tun. Es macht mich ungeheuer nervös, weil ich nicht sehr gut mit Geld umgehen kann oder überhaupt mit Zahlen. Aber ich denke, es wird funktionieren. Ich muss dafür sorgen.« Sie zuckte mit den Schultern, streichelte den ein wenig flachen Hinterkopf des Babys und sagte: »Jemand muss sich um Goodman kümmern, und ich nehme an, das bin ich jetzt.«

In den ersten Jahren ihrer Mutterschaft strickten Ash und Jules ihren Traum einer engen Freundschaft zwischen ihren Töchtern fort und stellten sie sich wie einen Spiegel ihrer selbst vor. Die Mädchen freundeten sich tatsächlich an und mochten sich ihr ganzes Leben lang, doch sie waren so verschieden, dass die Freundschaft zwischen ihnen eher ein Geschenk an ihre Mütter war als etwas, das natürlich heranwuchs.

»Gott, sind die beiden verschieden«, sagte Jules zu Dennis, nachdem sie einen Tag bei Ash und Ethan verbracht hatten. Die Mädchen waren jetzt vier Jahre alt. Ash und Ethan waren vor Kurzem in ein größeres Brownstone in der Charles Street gezogen, ein elegantes, historisches Haus an einem sonnigen, schönen Ort in Greenwich Village. Drinnen ging es ruhig und geordnet zu, trotz der vierjährigen Tochter und eines schwierigen zweijährigen Sohnes, Morris Tristan Figman, kurz Mo. Das lag weitgehend an dem jamaikanischen Paar, Emanuel und Rose, die als Hausmann und Kinderfrau angestellt waren und sich um den Großteil des Familienalltags kümmerten. Sie waren die unauffälligsten Hausangestellten, die man sich vorstellen konnte, ein höflicher Mann mit einem rasierten Kopf und seine aufmerksame, verspielte Frau. Die Zimmer waren makellos, die Kinder sauber und umsorgt, genau wie ihre Eltern.

Das große Spielzimmer oben ähnelte einer Airport-Lounge für Erste-Klasse-Passagiere – mit Teppich ausgelegt, damit sich niemand wehtun konnte, und in leuchtenden Farben gehalten, wie Kinder sie wohl mochten, allerdings leicht gedämpft und weich ausgeleuchtet. Es gab ein Trampolin und ein Bassin voller Bälle, eine Rutsche, eine Wippe und lebensgroße Stofftiere. Jules stellte sich vor, dass Ethans Assistentin bei FAO Schwarz angerufen und gesagt hatte: »Bringen Sie, was Sie haben.«

Was für ein Ort zum Großwerden, dachte Jules, in so einer Umgebung und mit so kreativen, unangestrengten Eltern. Jules saß auf einem der hellen Sofas und hielt ein Glas Wein in der Hand, das Rose ihr gebracht hatte. Sie nahm einen kräftigen Schluck und wollte die Weichheit und das Klärende in der Kehle und der Brust spüren, damit sie nicht wieder den deprimierenden Vergleich anstellen musste: zwischen *diesem* Haus, *diesem* Leben und ihrer eigenen Wohnung ohne Aufzug in der 84. Straße, wo sie mit Dennis und Aurora inmitten von Chaos, finanziellen Engpässen und dem alles umschließenden Nebel einer klinischen Depression lebte.

Aurora rannte durch das figman-wolfsche Spielzimmer und rief: »Ich bin ein Sergeant! Ich bin der König!« Der Sergeant/König warf sich tief in das Bassin mit den Bällen, während Larkin mit einem Buch am Fenster saß und beeindruckt zu ihr hinübersah. Mo schlafe in seinem Zimmer, hatte Ash erzählt, was eine erstaunliche Leistung sei, aber Rose sei eben genial mit Mo, der um zwei für gewöhnlich jammerte und schrie und nicht die nötige Ruhe für seinen Mittagsschlaf fand. Jules versuchte Aurora zu zügeln, damit sie leiser war und ihn nicht weckte, aber Ash sagte, das würde sie nicht, die Mauern seien äußerst dick und ließen keine Geräusche durch.

Ash bemerkte: »Ich sehe, dass Aurora gerne die Kontrolle übernimmt. Vielleicht leitet sie einmal ein Fernseh-Network.«

»Nein!«, sagte Aurora. »Ich bin die Armee! Ich befehle *allen*!«

Die beiden Frauen lachten. Aurora war ganz »sie selbst«, wie Ash gesagt hatte. Jules empfand eine Art verrückter Liebe für ihre

Tochter. Aurora war auf eine sehr offene Art albern, nicht geistreich, aber Jules betete sie an, genau wie Dennis, dem es, wenn nötig, sogar gelang, dem Summen seiner Depression zu entkommen und sich seinem kleinen Mädchen gegenüber zu öffnen. Eltern vermochten ein Auto anzuheben, um das eigene Baby darunter hervorzuholen. Ähnliche Kräfte setzte Aurora in Dennis frei. Er war depressiv, aber fähig, das Gewicht seiner Depression zu heben, um sich um Aurora zu kümmern. Eine atypische Depression erlaube solche Inkonsistenzen mitunter, sagte Dr. Brazil.

Jules beobachtete den Nachmittag über, dass Larkin, wann immer sie sich Aurora in körperlichem Spiel näherte, es aus Höflichkeit zu tun schien. Larkin tauchte ins Bassin und ließ sich von Aurora mit einem Ball nach dem anderen bewerfen. Sie rutschte mit dem Kopf voraus von der Rutsche, doch dann strich sie sich die Sachen glatt und kehrte zu ihrem Buch am Fenster zurück.

Aurora setzte sich neben sie. »Was ist das für ein Buch?«, fragte sie.

»*Laura im großen Wald*«, sagte Larkin.

»Sind da Witze drin?«

Larkin überlegte. »Nein.«

»Kannst du selbst lesen?«, wollte Aurora wissen.

Larkin nickte. »Als ich lesen gelernt habe«, vertraute sie Aurora an, »hat das alles verändert.«

Larkin war reif, aber sie war weder gemein noch überheblich. Sie war ein offenes kleines Mädchen, das die zerbrechliche Schönheit seiner Mutter geerbt hatte, deren Intelligenz und Freundlichkeit, von ihrem Vater aber auch die Anfälligkeit für Ekzeme, und sie brauchte bereits Spezialcremes. Hatte sie auch die Fantasie ihres Vaters geerbt? Es war noch zu früh, das zu sagen, doch die deprimierende Antwort war: ja, wahrscheinlich.

»Bist du eigentlich völlig besoffen von Larkin?«, fragte Dennis an dem Abend, als Jules beim Zubettgehen immer noch Larkins

Anmut, Reife und zarte Eleganz pries – und natürlich das Haus in der Charles Street. »Oder ist das eine dumme Frage?«, fuhr er fort. »Ist die richtige Frage: Wie lange dauert es, bis du wieder zurück auf den Teppich kommst?«

»Hör auf«, sagte Jules. »Ich würde Aurora gegen nichts und niemanden eintauschen.«

»Verstehe«, sagte er. »Du sagst das, um sie von mir zu unterscheiden: Mich würdest du schon eintauschen.«

»Nein«, sagte sie. »Ganz sicher nicht.«

»Doch, das würdest du. Ich verstehe schon.« Das Gespräch schien ihn aufzumuntern, als dächte er, er könne die Welt endlich wieder durch Jules' Augen sehen, mit ihrem lebhaften Blick, während sie sich darauf vorbereitete, ihn zu verlassen.

»Hör auf mit dem Verstehen. Das ist völlig daneben, Dennis«, sagte Jules. »Diese ganze Unterhaltung. Würde ich deine Depression loswerden wollen? Würde ich dich gegen die Version von dir eintauschen, die nicht depressiv war? Ja, okay. Das würde ich. Aber würdest du das nicht auch? Ist es nicht das, was wir uns wünschen?«

Seit er die MAOI vor fünf Jahren abgesetzt hatte, hatte Dennis nur selten einmal zu seiner früheren Beschwingtheit zurückgefunden. Stattdessen kämpfte er mit dem, was sein Pharmakologe abwechselnd eine »schwache Depression«, eine »atypische Depression« oder eine »Dysthymie« nannte. Es gebe eben einige Leute, die nur sehr schwer zu behandeln seien, sagte Dr. Brazil. Sie seien fähig, ihr Leben zu leben, mitunter fast in vollem Ausmaß, aber sie fühlten sich nie gut. Dennis' atypische Depression würde ihn nicht in die Knie zwingen, wie sie es im College getan hatte, aber sie ließ ihn auch nicht los. Sie war wie ein Staubkorn im Auge, ein chronischer, rasselnder Husten. Verschiedene Mittel wurden ausprobiert, aber nichts wirkte nachhaltig, und wenn doch, waren die Nebenwirkungen unvertretbar. Zu Anfang hatten sie es irgendwann auch wieder mit den MAOI probiert, aber selbst die wirkten nicht mehr. Die Chemie in Dennis' Gehirn schien sich verändert zu haben, und die MAOI waren wie eine verflossene Geliebte, die im Licht des neuen Tages ihre Anziehungskraft verloren hatte.

Als genug Zeit nach dem Verlust seiner Anstellung bei Metro Care verstrichen war, hatte Dennis intensiv nach einer neuen Stelle gesucht, aber nichts gefunden. Er bekam keine gute Referenz von der Klinik nach seinem »empörenden Verhalten einer Patientin gegenüber«, wie Mrs Ortega es in jedem Brief an einen potenziellen neuen Arbeitgeber zu schreiben versprach. Und Dennis gestand Jules seine Angst, falls er tatsächlich eine neue Stelle finde, die Angst vor dem, was er entdecken könne, wenn er wieder in einen menschlichen Körper sehe. Eines Abends lagen er und Jules im Bett und sprachen darüber. »Was denkst du, was du sehen wirst?«, flüsterte sie.

»Alle möglichen Dinge.«

»Ich weiß nie, was mich erwartet, wenn jemand in mein Sprechzimmer kommt«, sagte Jules. »Ich wünschte, ich hätte einen Apparat, um in sie hineinzusehen. Ich beneide dich um dieses Ding, diesen – wie heißt er noch? – Signalprozessor, und du erträgst es nicht, ihn zu benutzen. Deine Sonde, deinen *Zauberstab*. Was ich mache, fühlt sich so primitiv an. Ich weiß, dass eine Therapie tatsächlich das Denken verändern kann, da gibt es erstaunliche Studien. Aber dabei muss so viel ausgesessen werden, und man muss sich wieder und wieder die gleichen wenig konstruktiven Gedanken anhören. Du hast ein gutes Auge, Dennis. Du kennst dich aus, vergiss das nicht. Und du hast deine Ausrüstung. Sie wird noch da sein, wenn es dir besser geht und du bereit bist, neu anzufangen.«

Dennis lag mit offenen Augen da und sagte: »Ich habe mich ausgekannt, ja, aber ich will es nicht mehr. Ich kann den Gedanken nicht ertragen, in die Tiefe zu sehen, denn dabei stößt du unvermeidlich auf schreckliche Dinge.«

»Ich weiß nicht, aber für jemanden, der es nicht erträgt, in die Tiefe zu sehen, ist das eine ziemlich tiefe Beobachtung«, sagte Jules. »Von dir ist noch eine Menge da, Dennis, mehr, als du denkst. Sonst wäre es eine ganz andere Geschichte. Du bist nicht weg.« Sie wollte ihn etwas aufmuntern, sich ihre bescheidenen Heilkräfte zunutze machen. Erst vor ein paar Tagen hatte ihre neueste Kundin, die sechzig Jahre alte Sylvia Klein, die bis dahin während des Großteils ihrer Sitzungen mit Jules geweint hatte, zu lächeln begonnen. Sie hatte erzählt, dass ihre Tochter Alison, die vor drei Jahren an Brustkrebs gestorben war, als Kind völlig von Julie Andrews besessen gewesen sei, immer wieder *The Sound of Music* habe sehen wollen und mit einem britischen Akzent zu sprechen begonnen habe. »Mummy, klinge ich jetzt englisch?«, habe sie von ihrer Mutter wissen wollen.

»Sie haben gelächelt, als Sie das erzählt haben«, sagte Jules zu ihr.

»Nein, habe ich nicht«, sagte Sylvia Klein und wich zurück, doch dann neigte sie den Kopf etwas und lächelte noch einmal ganz vorsichtig. »Nun, vielleicht doch«, sagte sie.

Aber Jules konnte nicht viel für Dennis tun, nur mit ihm essen, bei Blockbuster Filme mit ihm ausleihen und mit ihm im Bett liegen und zuhören, wie er von der Hartnäckigkeit seines dysthymischen Zustands redete. Dann, als Jules herausfand, dass sie schwanger war, waren sie beide ähnlich geschockt und sorgten sich, ob ihr Geld ausreichen würde, wie es für Dennis mit einem Baby in der Wohnung sein würde – und wie es für das Baby sein würde, einen depressiven Vater zu haben. Einen dysthymischen Vater, sagte Jules, weil das weniger bedrohlich klang. Würde ein Baby das merken? Dennis hatte eine zusätzliche Sorge: Was, wenn mit dem Baby etwas nicht stimmte? »Es gibt so viel, was schiefgehen kann«, sagte er. »Eine merkwürdige DNA, anatomische Absonderlichkeiten. Dem Baby könnte ein Teil seines Gehirns fehlen, Jules. So etwas habe ich schon gesehen. Ein ganzer großer Teil kann fehlen, weil er einfach nicht gewachsen ist. Oder es hat einen Hydrocephalus, einen Wasserkopf, das ist auch eine Möglichkeit.« Er erschöpfte sie mit seinen Ängsten um das Baby und machte ihr auch Angst. Nach zwanzig Wochen stand die zweite Ultraschalluntersuchung an, der große anatomische Scan, und sie bat Dennis, mitzukommen, obwohl er sie bisher zu keiner ihrer Untersuchungen hatte begleiten wollen. Er sei sicher keine sehr gute Gesellschaft, sagte er, was wahrscheinlich stimmte, und so hatte sie nicht gedrängt.

»Ich kann nicht«, sagte er.

»Diesmal brauche ich dich«, sagte Jules. »Ich kann nicht immer alles alleine machen.«

Also ging er mit und saß neben ihr im dämmrigen Licht des kleinen Raumes, in dem eine junge Technikerin Jules' runden Leib mit Gel bestrich und mit der Sonde darüberfuhr. Plötzlich wand sich das Baby in den Blick. Dennis hörte auf zu atmen. Er starrte auf den Bildschirm, während die junge Frau verschiedene Knöpfe drückte, und fragte sie ein paar angespannte, knappe Ultraschallfragen. Jules erinnerte sich, wie sie, am Tag nachdem sie und Dennis zum ersten Mal miteinander geschlafen hatten, in den Zoo im Central Park gegangen waren und im Pinguinhaus über seine Depressionen gesprochen hatten. Auch hier waren sie an einem dunklen Ort und sahen auf ein Wesen hinter Glas. Die Technikerin nahm die Maße, lächelte beruhigend und deutete auf das Bild.

»Oh, sieh nur, wie sie sich bewegt«, sagte Dennis, das Gesicht jetzt nahe am Bildschirm, und studierte das sich verschiebende körnige Bild, das nur er und die Technikerin lesen konnten und das für Jules nicht mehr als ein geheimnisvolles Spiel von Licht und Schatten war.

»Sie?«, sagte Jules. »Sie? Wir wollten das Geschlecht doch nicht wissen.«

»Ich meinte das eher allgemein«, sagte Dennis. »Ich kann das Geschlecht nicht erkennen.« Die Technikerin wandte den Blick diskret zur Seite, und Jules wurde bewusst, dass Dennis die Wahrheit sagte. Wieder hatte er unangemessenerweise etwas Wichtiges in einem Ultraschallraum verraten, nur dass sich diesmal niemand deswegen aufregte.

Das Baby war ein Mädchen, die Tochter einer nervösen Mutter und eines labilen Vaters. Nach Auroras Geburt kamen sie überein, dass Dennis zu Hause bleiben und sich tagsüber um sie kümmern würde. So würden sie Aurora nicht in eine Krippe geben oder eine Tagesmutter anstellen müssen, die sie sich wahrscheinlich sowieso nicht hätten leisten können. Dennis suchte nicht weiter nach einer Stelle in einer Klinik, sondern Aurora wurde sein Job. Vorher hatten er und Jules sich zusammengesetzt und über die Frage gesprochen, ob er zu depressiv war, um sich den ganzen Tag um ihre Tochter zu kümmern. Dennis sagte, er wolle es versuchen und es herausfinden. Es interessiere ihn, erklärte er ihr vorsichtig. Jules sprach auch mit Ash und Ethan darüber. Ethan sagte: »Was denkst du, wird er ihr aus der *Glasglocke* vorlesen? Ich wette, es funktioniert.«

Nicht lange nachdem Dennis angefangen hatte, sich tagsüber um das Baby zu kümmern, stellte Jules fest, dass ihm die Zeit mit Aurora oft guttat. Seltsamerweise störten ihn auch die lästigen Dinge nicht, nicht einmal die offen unangenehmen, wie mit Aurora in der Trage in den heißen Waschmaschinenraum hinunterzugehen, eine Karre voller schmutziger Kleidung und Babywäsche hinter sich herziehend. Er war erleichtert, sich nicht mit anderen Erwachsenen den ganzen Tag über Themen wie den Golfkrieg unterhalten zu müssen. Der war im August ausgebrochen, der erste Fernsehkrieg, der sich wie ein fürchterliches Footballspiel konsumieren ließ, mit General Norman Schwarzkopf als Quarterback. Jedes Mal, wenn dieser plötzlich neue Krieg zum Thema einer Unterhaltung wurde, verspürte man eine Bedrohung und dachte: Was wird als Nächstes kommen? Wird er sich ausbreiten? Wird er *zu uns* kommen?

Im abgesonderten, eigenständigen Universum kleiner Kinder, Mütter und Kinderfrauen redete Dennis über Babyphone, Kinderwagen und darüber, wer von den Kinderärzten in der Gegend der beste war. Im Fernsehen gab es keine Nachrichten vom Krieg, sondern sanfte Videos mit leiser Musik, und genau das schien Dennis zu brauchen, genau wie es Aurora brauchte. Sie schufen sich ein Leben, das sie so nie geplant hatten: eine Familie mit einem Einzelverdiener. Der Ernährer war die Mutter und die zu Hause sorgende Seele der Vater. Mit der Zeit sollte es in der Stadt immer mehr Väter geben, die mit ihren Babys zu Hause blieben, ob es nun eine Folge fortschrittlichen Denkens oder der abstürzenden Wirtschaft war. 1990 war es jedoch noch ein ungewöhnlicher Anblick, und bis sie ihn kannten, sahen Mütter und Kinderfrauen Dennis im Park und auf der Straße zunächst noch vorsichtig und argwöhnisch an und fragten sich, was wohl mit ihm nicht stimmte.

Dennis litt unter einer andauernden und offenbar erträglichen Depression, und Jules hatte ebenfalls Wege gefunden, damit umzugehen. Aurora wuchs heran und war anstrengend und laut, aber sie schenkte Jules wahre Freude, und wenn »Freude« auch für das, was Dennis empfand, ein zu starkes Wort sein mochte, so bewegte ihn seine Tochter doch zumindest und rührte ihn in seiner Depression. Jules stellte sich Dennis' Empfinden wie das Bassin voller bunter Bälle im figman-wolfschen Spielzimmer vor. Hin und wieder wurden sie umgerührt, und ein paar flogen in die Luft, wenn ihn etwas erreichte.

Als Aurora in den Kindergarten kam, befreite sie sich von ihrem Vornamen, als wäre er eine schreckliche Qual gewesen, ein Büßerhemd mit viel zu weiblichen Pailletten und Schleifchen, und verwandelte sich wie eines der Transformer-Roboterautos, mit denen sie stundenlang spielen konnte, in Rory, ganz ähnlich, wie aus Julie vor langer Zeit Jules geworden war.

Larkin dagegen blieb Larkin, für immer, eine Studie in Rosa- und

Cremetönen, und sie schob Umschläge unter der Tür des Elternschlafzimmers durch oder legte sie neben die Teller auf den Frühstückstisch. In ihrer frühen, fortgeschrittenen, zittrigen, entzückenden Kinderschrift schrieb sie Briefe wie:

Mommy und Daddy wert ihr meine Geste bei einer Puppen Tehparti sie ist in meinem Zimmer um 4 Uhr. Von Larkin eurer Tochder.

»Oh, die musst du aufbewahren«, sagte Jules trübe, als Ash ihr ein paar von den Briefen zeigte. Rory zeigte keinerlei Interesse am Schreiben, sondern musste den ganzen Tag in Bewegung sein. Jules und Dennis kauften ihr jede Art von Vehikel, auf dem sie fahren konnte: orangefarbene Plastikdinger mit dünnen Reifen, die sie die Treppen hinaufschleppen mussten wie ehedem den Kinderwagen, als Rory noch kleiner gewesen war. »Wir sind zu alt, um ein Kind wie Rory in einer Wohnung wie unserer großzuziehen«, sagte Jules zu Dennis. Rory hatte nicht einmal ihr eigenes Zimmer, sondern schlief auf einem Klappbett in der Ecke des Wohnzimmers. Jules musste an das denken, was Cathy Kiplinger vor langer Zeit im Mädchen-Tipi über ihre zu großen Brüste gesagt hatte: »Man gewöhnt sich an die Dinge, die man hat.« Trotzdem war es hart. Manchmal, wenn Jules die Notizen einer Therapiesitzung durchgehen musste und Rory bat, ihre »innere Stimme« zu gebrauchen oder sich ruhig mit einem Labyrinth zu beschäftigen, konnte ihre Tochter ihr einfach nicht gehorchen.

»Ich kann nicht stillsitzen«, rief sie wie aus einem tiefen Unwohlsein heraus. »Es juckt so fürchterlich in mir!«

»Kann sie sich kratzen?«, fragte Ash. »Das scheint das Wichtige zu sein, meinst du nicht? Dass sie weiß, wie sie sich kratzen kann.«

»Ich denke, sie meint eine Art metaphorisches Jucken.«

»Ich weiß, was sie meint. Und ich sage nur, dass sie sich ausdrücken können sollte, nicht für dich, sondern für sich selbst. Du willst schließlich nicht in eine Situation geraten wie im *Drama des begabten Kindes*.«

Larkin Figman war schön, kreativ und empfindsam. Im efeuumrankten Tudor-Wochenendhaus, das Ash und Ethan kürzlich in Katonah, eine Stunde nördlich der Stadt, gekauft hatten – und Jahre später wieder für weit mehr Geld verkauften (am Ende hatten sie es kaum benutzt) –, kam sie oft mit einem kleinen verletzten Tier oder einer wütenden Grille in den Händen zu ihren Eltern gelaufen. Larkin wollte ein Krankenhaus für das kleine Wesen bauen und, wenn es wieder gesund war, eine Teeparty zu seinen Ehren veranstalten. Die winzigsten Tassen der Welt wurden gefertigt.

»Wir brauchen hier oben jede Menge Eichelbecher«, sagte Ethan, als Dennis und Jules übers Wochenende mit dem Zug gekommen waren und er tatsächlich einmal die Zeit gefunden hatte, sich vom Studio freizumachen. »Wisst ihr, wie schwer es ist, die verflixten Dinger da rauszukriegen? Ich habe einen Eicheldaumen.«

Ethans und Dennis' Liebe für ihre Töchter war nicht kompliziert, sondern bei beiden einfach nur riesig und wild. Gewöhnliche Vater-Tochter-Liebe war mit etwas aufgeladen, das erlaubt und gehätschelt wurde. Es war etwas Schönes, den großen Vater neben dem winzigen Mädchen zu sehen. Größe und Winzigkeit – und die Größe würde dem Winzigen nie etwas antun! Sie respektierte sie. In einer Welt, in der das Große das Kleine immer zerstört, wollte man fast über die Schönheit weinen, wenn jemand dem Kleinen gegenüber liebevoll, ehrfürchtig, ja, demütig war. Jules musste an ihren eigenen Vater denken, wenn sie ihr kleines Mädchen mit ihrem Mann sah. Der Anblick der beiden überwältigte sie, und sie musste sich zusammennehmen und schließlich den Blick abwenden.

Für Jules war offensichtlich, dass Rory etwas fehlte, aber da derartige Wünsche für gewöhnlich nicht laut ausgesprochen wurden, überging sie es. Es passte auf eine finstere Weise, dass Jules, die ihre Freunde so sehr beneidete, eine neidische Tochter hatte. Aber im Gegensatz zu ihrer Mutter war Rory nicht auf Ash, Ethan und Larkin neidisch. Sie beneidete Jungen. Sie kam aus dem Kindergarten nach Hause und erzählte von dem Jungen, dessen Ruheplatz neben ihrem lag. »Oh, Ma, Andrew Menzes bleibt stehen, wenn er Pipi machen muss. Und das Pipi kommt in einem runden Strahl heraus. Einem runden *goldenen* Strahl«, malte sie es aus und fing an zu weinen.

Jules hätte ebenfalls weinen können – zwei neidische Heulsusen –, blieb jedoch stumm und spielte die Bedeutung des runden goldenen Strahls herunter. »Dein Pipi kommt auch in einem goldenen Strahl aus dir heraus«, sagte sie leichthin. »Er ist nur gerade.«

»Andrew Menzes' Strahl kommt aus einer Rakete«, sagte Rory leidenschaftlich, worauf ihre Mutter keine Antwort hatte. Einige Träume im Leben konnten wahr werden, andere nicht, ganz gleich, wie sehr man es sich wünschte. Es war alles unfair und hatte mehr mit Glück als mit etwas anderem zu tun. Aber manchmal, wenn sie Dennis gegenüber eine besonders harsche Bemerkung über Ashs und Ethans Glück gemacht hatte, wozu deren Wohlstand gehörte, ihre Besonderheit, Ethans übergroßes Talent und jetzt auch ihre Tochter, spürte sie einen heftigen Auftrieb – und schon setzte sich alles wieder, die Welt kehrte zurück und mit ihr ein Bild ihrer eigenen wundervollen Tochter, und sie stellte sich die Gesichter ihrer Freunde vor, Ethans flaches, reizloses und Ashs schönes, fein gezeichnetes, wie sie über Jules' Gehässigkeit staunten.

Und wenn Jules ein Stück weiter von ihrer fiesen kleinen Hochstimmung herunterkam, fühlte sie sich noch schlechter, weil sie sich daran erinnerte, dass Ashs und Ethans Leben zwar groß und wunderbar sein mochte, ihre Ehe aber einen verschlossenen Raum enthielt, in dem sich nicht nur das Verheimlichte über Goodman befand, sondern auch Ashs Schmerz. Der Bruder ihrer Kindheit war weg, auch wenn sie einmal im Jahr nach Europa entschlüpfte, um ihn zu treffen, auf einem speziell für diesen Zweck reservierten Handy mit ihm telefonierte, von dem Ethan nichts wusste, »mein Batphone« nannte Ash es, und ihm Briefe schrieb, wenn ihr Mann nicht zu Hause war. Und ihn jetzt auch noch mit einem winzig kleinen Teil des Geldes unterstützte, das Ethan aus den erstaunlichen mit *Figland* erwirtschafteten Gewinnen zufloss. Fast ließ sich durch das komplizierte geheime Hilfs- und Liebesnetz der Familie mit dem Verlust Goodmans umgehen. Aber dennoch.

»Alle leiden«, hatte Jules' Lieblingsdozentin an der Schule für Sozialarbeit am ersten Tag eines Seminars mit dem Titel »Verluste verstehen« gesagt. »*Alle*«, hatte sie noch einmal wiederholt, als könnte jemand denken, manche Menschen seien davon ausgenommen.

Manchmal gab es eine plötzliche, überraschende Erinnerung an jenes frühere Leben vor der Ehe, vor dem Wohlstand oder seinem Ausbleiben und vor den Kindern. An ein Leben, in dem Jules noch ein Mädchen gewesen war, voller Bewunderung für ein anderes Mädchen, für dessen Bruder und Eltern, die große Wohnung und ihr vornehmes, großartiges Leben. Selbst wenn sie die Gedanken an jene frühe Zeit nicht in Trauer versetzten, erinnerte sie sich doch an die Geschehnisse damals. Im Herbst beim jährlichen Psychotherapeutentreffen im Waldorf Hotel stand Jules zwischen den Vorträgen mit einer Gruppe ihr bekannter Sozialarbeiter in einem Bankettsaal zusammen und trank eine Tasse Kaffee, als die Vergangenheit plötzlich einen Kurzauftritt hatte. Der Saal war voller Therapeuten mit allen möglichen Abschlüssen: Masters of Social Work, klinische Sozialarbeiter, klassisch in Psychologie, in Erziehungswissenschaften oder Medizin Promovierte, und ihre Stimmen vereinigten sich zu einem einzigen Chor in der nüchternen großen Räumlichkeit. Da fiel Jules ein älterer, gebrechlicher Mann auf, dem von einer jüngeren Frau durch die Menge geholfen wurde. Er musste um die neunzig sein, Jules ging langsam an ihm vorbei, um sein Namensschild lesen zu können: Leo Spilka, M.D., stand dort, und mit einem leisen Nach-Luft-Schnappen erinnerte sie sich an den Namen. Ohne an die Vertraulichkeit zwischen Arzt und Kunde zu denken oder daran, was es überhaupt bringen mochte, ihn anzusprechen, ging sie zu ihm.

»Dr. Spilka?«, fragte sie.

»Ja.« Der alte Mann hielt inne und starrte sie an.

»Mein Name ist Jules Jacobson-Boyd. Darf ich Sie kurz sprechen?«

Er wandte sich der Frau zu, die ihn führte, als wollte er ihre Zustimmung, und sie zuckte mit den Schultern und nickte. Dr. Spilka und Jules traten ein paar Schritte beiseite, in die Nähe eines Tischs mit einigen übrig gebliebenen Gebäckstücken.

»Ich bin Therapeutin«, sagte Jules. »Aber als Teenager war ich mit einem Jungen namens Goodman Wolf befreundet. Sagt Ihnen der Name etwas?« Dr. Spilka antwortete nicht. »Goodman Wolf«, wiederholte sie ein wenig lauter. »Er war Ihr Kunde in den Siebzigern. Er ging noch in die Highschool.« Dr. Spilka schwieg noch immer, und so fügte Jules hinzu: »Er wurde beschuldigt, in der Silvesternacht ein Mädchen in der Tavern on the Green vergewaltigt zu haben.«

Endlich sagte Dr. Spilka leise: »Fahren Sie fort.«

Mit schneller, erregter Stimme sagte Jules: »Nun, die Sache ist für uns alle, die wir seine Familie kannten, und auch für das Mädchen, das ihn beschuldigte, nie geklärt worden. Keiner von uns hat je wirklich offen darüber geredet, es war kompliziert, die Zeit verging, und es war schwer, es zur Sprache zu bringen. Aber jetzt habe ich Sie gesehen und mich gefragt, ob Sie das Gefühl haben, mir vielleicht etwas sagen zu können, einfach nur, wissen Sie, um es irgendwie zurechtrücken zu können. Was immer Sie sagen, bleibt natürlich unter uns. Ich weiß, es ist nicht richtig, Sie nach einem ehemaligen Kunden zu fragen, aber es ist so lange her, und nun sah ich Sie hier plötzlich und dachte einfach: Okay, ich muss ihn fragen.«

Dr. Spilka betrachtete sie eine Weile und nickte dann langsam. »Ja«, sagte er.

»Ja?«

»Ich erinnere mich an den Jungen.«

»Tatsächlich?«

»Er war schuldig«, sagte Dr. Spilka. Jules starrte ihn an, und er starrte zurück. Sein Blick war ruhig und kühl, wie der einer alten Schildkröte. Ihrer war erschreckt.

»Wirklich?«, fragte sie mit leiser Stimme. »Schuldig?« Sie wusste kaum, was sie sonst sagen sollte. Der Gedanke, Ash von diesem Gespräch berichten zu müssen, gab ihr das Gefühl von etwas Dickem, Starrem in ihrem Mund, etwas Festsitzendem, als bisse sie auf einen Knebel. Sie hatte sich über die Jahre nicht zu oft Gedanken über Goodmans Schuld oder Unschuld gemacht, seine Familie wusste, dass er unschuldig war, sie waren sicher, und das war es, was sie wusste.

Der Psychoanalytiker sagte: »Ja, er hat das Mädchen ermordet.«

»Nein, nein. Nein, das hat er nicht«, sagte Jules. »Sie lebt und hat heute etwas mit Finanzen zu tun. Sie hat ihn beschuldigt, sie vergewaltigt zu haben, erinnern Sie sich nicht?«

Dr. Spilka bestand darauf. »Oh ja, das hat er. Er hat sie vergewaltigt und gewürgt, bis ihr die Augen aus dem Kopf getreten sind. Sie mag ja eine Schlampe gewesen sein, aber er war ein Dreckskerl, und sie haben ihn in ein Hochsicherheitsgefängnis gesteckt, wo er auch hingehört, dieser Dreckskerl mit dem großen vorspringenden Kinn.«

»Nein, Dr. Spilka, Sie verwechseln ihn mit einem anderen, dem Preppy-Mörder, denke ich. Das war zehn Jahre danach. Noch eine Central-Park-Geschichte. Es gibt so viele, vielleicht vermischen sie sich für Sie miteinander. Das ist nur zu verständlich.«

»Ich verwechsele ihn ganz sicher mit niemandem«, sagte der alte Psychoanalytiker und drückte den Rücken durch.

Die Frau, die ihn begleitet und in der Nähe gewartet hatte, kam herbei und sagte, dass sie seine Tochter sei und hoffe, Jules würde ihren Vater entschuldigen. »Er ist dement«, vertraute sie ihr leichthin an, direkt vor ihm. »Er bringt alles durcheinander, richtig, Dad? Ich begleite ihn jedes Jahr her, weil er immer so gern hier war. Es tut mir leid, wenn er Sie mit etwas verstört hat.«

»Er hat sie umgebracht«, sagte Dr. Spilka mit einem Achselzucken, und dann führte seine Tochter ihn weg.

Vierzehn

Was später von Ethan ein wenig ironisch die »Jakarta-Transformation« genannt wurde, hatte ursprünglich ein Erholungsurlaub sein sollen. Mo war kurz zuvor im Yale Child Study Center als im autistischen Spektrum liegend eingestuft worden, und Ash hatte entschieden, die Familie müsse irgendwo weit weg von aller Alltagsroutine zusammen sein. Mos Diagnose hatte Ash zu Anfang immer wieder weinen lassen, doch sie hatte auch gesagt: »Ich liebe ihn, er ist unser Kind, und ich gebe ihn nicht auf.« Aber zunächst einmal wollte sie, dass die Familie in ihrer »neuen Wirklichkeit« zusammenfand, wie sie es nannte.

Ethan, wie benommen nach der Diagnose, sagte tonlos und kühl: »Klar, gut.«

Ash hatte Indonesien ausgesucht, weil sie dort noch nie gewesen waren und es ein schöner, ruhevoller Ort zu sein schien, und auch, weil sie mit dem Gedanken spielte, im Open Hand ein Stück mit balinesischen Schattenpuppen zur Aufführung zu bringen, wobei nicht sicher war, wann sie wieder Regie führen konnte. Sie wollte zunächst einmal für Mo da sein. Mos Autismus-Störung war nichts, worüber Ethan gern redete, nicht mal mit seiner Frau. Es war, als starrte er in eine Sonnenfinsternis, er hatte das Gefühl, innerlich auszubrennen und zu zerfallen, wenn er an seinen Sohn dachte. Ash war wie immer, emotional und zerbrechlich, aber am Ende diejenige, die die Initiative ergriff, für Mo eine zweitägige Untersuchung in Yale zu vereinbaren, und dann auch diejenige, die trotz ihrer Trauer und Verunsicherung gehandelt und die Mannschaft der Lehrer, Ärzte und Betreuer Mos zusammengestellt hatte.

Sie war die Starke, und Ethan bezweifelte nie, dass sie in der Lage war, sich mit der unbedingten Liebe einer Mutter um ihren Sohn zu kümmern und für ihn zu kämpfen. Ethan verbarg seine tiefe Trauer nicht vor Ash, die auch an ihrer eigenen zu tragen hatte, wie sie sagte, ließ sie aber seine Wut und seinen Gleichmut nicht spüren.

Wann immer Ethan mit den Gedanken bei seinem Sohn und den Möglichkeiten landete, die Mo auf ewig verschlossen bleiben würden, versuchte er, an etwas anderes zu denken, gewöhnlich an seine Arbeit, die wie ein fortwährendes interessantes Problem war, das es zu lösen galt. Der einzige Ort, an dem er in diesen Tagen sein wollte, war das Studio, war seine Arbeit. Während der letzten Jahre hatte er das Studio für sich immer den »Trickfilm-Schuppen« genannt, und kürzlich hatte das Sender-Network den Namen offiziell gemacht, mit großen Buchstaben auf der gläsernen Wand, die man sah, wenn man im siebzehnten Stock des Gebäudes an der Avenue of the Americas in Midtown Manhattan aus dem Aufzug trat. Tatsächlich wurden die *Figland*-Filme mittlerweile in Korea produziert, doch die Vorarbeiten und verschiedene andere Projekte lasteten den »Schuppen« immer noch mehr als aus. Seit Mos Diagnose – und auch schon vorher – war Ethan oft lange über die normale Zeit hinaus im Büro geblieben. Allein war er dabei selten. Es gab immer jemanden, der noch zu tun hatte und nicht wegkonnte. Eines Abends war er zusammen mit dem Regisseur da, der das Timing auf den Einstellungsplänen, den X-Sheets, korrigieren musste, und sie hörten so laut Velvet Underground, dass ein Sicherheitsbeamter kam, um zu sehen, ob auch alles in Ordnung war. Spätabends noch bedachte Ethan Figman, der Vater zweier kleiner Kinder, eines davon zart und brillant, das andere beeinträchtigt, seine Mitarbeiter im Trickfilm-Schuppen mit Hinweisen und Kritik in Bezug auf wichtige wie triviale Dinge. Die Diskussionen mit den Leuten vom Network, die Skriptlesungen, die Aufnahmen und alles andere laugten ihn aus, und jetzt litt er auch noch schrecklich unter dem Schicksal seines Sohnes. Trotzdem hätte er das Studio am liebsten tagelang nicht verlassen und sich in seinem kleinen Privatbereich versteckt, der im Stockwerk über dem Studio für ihn eingerichtet worden war. Gelegentlich verbrachte er sogar die Nacht dort, trotz aller Proteste Ashs. Auf diesem Familienurlaub hatte sie jedoch bestanden, dieser Verbundenheitsübung zwischen drei Menschen, die einander längst verbunden waren, und eines vierten, der ihnen – und der Welt – noch hinzugefügt werden musste.

Ash hatte mittlerweile eine feste, verlässliche Stelle als künstlerische Leiterin des Open Hand. Sie hatte der mitgenommenen kleinen Theatergruppe im East Village neues Leben eingehaucht und das Open Hand zu einem Ort gemacht, an dem junge Autoren einen Einstieg fanden und besonders junge Frauen eine Chance in der immer noch stur sexistischen Welt des Theaters bekamen. Männliche Dramatiker und Regisseure dominierten die Szene nach wie vor. »Seht euch die Untersuchungen an«, sagte Ash und verteilte zusammengeheftete Kopien, auf denen die unfaire Situation im Detail nachgezeichnet wurde. »Ich weiß, ich wirke wie eine Irre«, sagte sie zu Ethan. Aber nein, das tat sie nicht, aber ja, sie wiederholte sich mitunter, auch wenn das, was sie sagte, stimmte und es letztlich eine Schande war. Das Open Hand hatte einen größeren, eleganteren Raum um die Ecke in der East 9th Street gekauft, und die erste Produktion, die dort aufgeführt wurde, das Zweipersonenstück einer afroamerikanischen Frau über die entfremdete Tochter eines Black-Panther-Mannes, die ihren Vater an dessen Totenbett besucht, hatte gleich mehrere Obie Awards gewonnen. Es gab Gespräche, es an den Broadway zu holen. Ash wurde auf den Theaterseiten von Zeitungen und Zeitschriften vorgestellt, doch die respektvollen, lobenden Artikel erwähnten ohne Ausnahme, dass sie mit Ethan verheiratet war – was alle längst wussten –, und erwähnten ihre Schönheit und Anmut. Beides ärgerte sie.

»Was muss ich *noch* tun?«, fragte sie. »Ich meine, ehrlich? Oder vielleicht lautet die Frage ganz allgemein: Was muss eine Frau tun, um als ernsthafter Mensch betrachtet zu werden?«

»Ein Mann werden, nehme ich an«, sagte Ethan und fügte hinzu: »Es tut mir wirklich leid. Ich weiß, es ist schrecklich«, als wäre der Sexismus im Theater und anderswo sein Fehler. Er war dafür bekannt, auf allen Ebenen Frauen anzustellen und sie in ihren Bemühungen zu unterstützen, trotzdem fühlte er sich schuldig. Alle wussten, dass die meisten Leute eher Männern Verantwortung übertrugen. Ethan war erleichtert, dass Ash eine Ausnahme bildete und einiges an Aufmerksamkeit erfuhr, wenn die Off-Broadway-Welt im East Village auch immer weit kleiner und weniger aufsehenerregend sein würde als die von Fernsehen und Film. Aber Ash musste kein Aufsehen erregen, niemand musste das, und bei Ethan war es reiner Zufall.

Die Ferien wurden geplant, und die Anlage auf Bali erwies sich, was nicht weiter überraschend war, als luxuriös. Das letzte Mal, dass Ethan in solch einem Bett geschlafen hatte, mit nur einem Moskitonetz zwischen sich und dem Nachthimmel, waren Ash und er zusammen mit Dennis und Jules auf Kauai gewesen, beide Paare noch kinderlos. Ihm wurde bewusst, wie sehr er das vermisste. Aber er vermisste auch Jules, was wohl niemals aufhören würde. Eine Weile waren sie sich während der absurden Jahre seines steilen Aufstiegs noch nahe geblieben, doch die Kinder hatten alles verändert. Kaum dass sie kamen, formierten sich die Familien neu, man schloss die Reihen. Das war nicht geplant, aber es geschah. Familien glichen abgelegenen, von Wasser umgebenen Inselstaaten. Die kleine Bevölkerung hockte instinktiv auf ihrem Stück Fels zusammen, fast schon defensiv, und alle außerhalb, selbst wenn es einmal die besten Freunde gewesen waren, wurden zu Außenseitern. Familien funktionierten auf ihre eigene Weise. Man sah, wie andere Leute ihre Kinder großzogen, sie liebten, und alles schien falsch. Die Kultur und die Praktiken der eigenen Familie waren der Maßstab, im Guten wie im Bösen. Wer konnte sagen, warum sich eine Familie für einen bestimmten Stil entschied, die Scherze machte, die sie machte, und ihre ganz speziellen Magneten an den Kühlschrank klebte?

Seit sie Kinder hatten, sah Ethan nicht nur Jules nicht mehr so oft wie früher, auch Jonah sah er kaum noch. Jules hatte das Gleiche in Bezug auf Jonah gesagt. Die Kluft zwischen denen mit Kindern und denen ohne Kinder war noch größer als die zwischen zwei Familien, und das galt es zu akzeptieren. Und jetzt, da sie ein entwicklungsgestörtes Kind wie Mo hatten, geriet alles noch mehr aus den Fugen. Ethan begriff das. Er und seine Familie brauchten Zeit, um zu *heilen*, und das ging nicht zusammen mit ihren Freunden, den kinderlosen wie denen mit Kindern, sosehr er es sich auch wünschte. Ethan würde Ash niemals gestehen, was er wegen Mo empfand, aber er brannte darauf, mit Jules darüber zu reden. »Ich weiß nicht, ob ich ihn liebe, Jules«, würde er sagen. »Ich bin so ein Sturkopf, was meine Liebe angeht, ich bin so knauserig damit, und sie kommt und geht immer zur falschen Zeit.«

Im großen Open-Air-Bett in ihrer Villa vollführte Larkin einen Kopfsprung zwischen ihre Eltern, und Mo, dreijährig, lag auf der Seite und sah beinahe wie absichtlich von ihnen weg. Die ganze Familie lag unter einem lilafarbenen balinesischen Stoff. Hatte die Heilung schon begonnen? Läute es ein, wollte Ethan leicht höhnisch zu Ash sagen. Sie waren noch keine achtundvierzig Stunden hier. War das bereits die »neue Wirklichkeit«? Wie um alles in der Welt konnte man sagen, ob es bereits begonnen hatte?

Am Morgen ihres vierten Tages lag Ash noch im Bett und schlief in der sanften Brise, während die Kinder auf der Terrasse mit Rose frühstückten. Ethan saß im Schatten eines großen Baumes mit zottiger Krone und schrieb eine Postkarte. Sie war taktvollerweise an Dennis *und* Jules adressiert, tatsächlich aber galt sie nur Jules, und das würde sie wissen.

Lieber D und liebe J, schrieb er,
es wäre so schön, wenn ihr hier wärt, aber es ist extra nur die Familie, wegen Mos Diagnose. Alles, was ich tun kann, ist, Gott für Rose danken, sonst würde es mit der Familie vielleicht etwas viel und wir wären geneigt, Mo bei dem freundlichen Fischhändler unten an der Straße abzugeben ... EIN SCHERZ!!! Bis jetzt war die Reise weitgehend friedlich. Ash hatte recht, es war nötig, einmal gemeinsam aus allem herauszukommen.
Ich denke viel an euch beide und hoffe, es geht etwas besser als letzte Woche. Bitte, denkt noch mal über das nach, was wir gesagt haben, okay? Fortsetzung folgt.
Alles Liebe
Ethan

Ethan wusste, dass Dennis mit seinen Freunden nicht gern über seine Depression sprach. Es machte ihn verlegen, und er war nur Jules gegenüber wirklich offen, was seine Verfassung anging. Obwohl Rory jetzt in die Schule ging und er nicht mehr den ganzen Tag zu Hause sein musste, war er immer noch nicht so weit, wieder eine Arbeit anzunehmen, die Energie, Konzentration, Genauigkeit und Ruhe erforderte. Jules verdiente jedoch nicht genug Geld, um ihre Familie so zu finanzieren, wie es im New York des Jahres 1995 erforderlich war. Ihre Praxis war so gut wie ausgebucht, aber das Geld reichte nicht annähernd aus. Ihre Wohnung war etwas für kinderlose Leute, die gerade in der Stadt anfingen und die vier Stockwerke hinaufrannten, um dem Geliebten um den Hals zu fallen und gleich wieder nach unten zu stürmen und mit Freunden um die Häuser zu ziehen, alle in ihren Zwanzigern, alle ungebunden und ohne große Bedürfnisse. Die Jacobson-Boyds gehörten dort nicht mehr hin. Rory hatte nicht mal ihr eigenes Zimmer, und die beengten, schwierigen Verhältnisse ließen ihre Situation – Dennis' Depression, den chronischen Geldmangel und die immer gleichen Kunden in Jules' Praxis – nur noch schlimmer erscheinen.

»Wir wollen euch aushelfen«, hatte Ethan ihnen kürzlich in einem übervollen Restaurant erklärt. Es war nicht das erste Mal, doch bisher war sein Angebot immer nur mit einem Schulterzucken bedacht worden. Die beiden Familien hatten sich zu einem der chaotischen Sonntagsbrunches getroffen, zu denen junge Eltern mit ihren Kindern gehen. Niemandem gefallen sie, aber alle suchen nach etwas, was sie mit ihren Kleinen am Wochenende tun können. Mo saß in einem Hochstuhl und schrie wie gewöhnlich – er schrie immer, es war unerträglich, aber jetzt wussten sie wenigstens, warum. Alles rieb an ihm und ließ ihn sich wund fühlen. Ash stand auf und ging zu ihm, wie sie es so oft tat, wenn es ihm zu viel wurde. Sie war so natürlich und unerschütterlich mit ihm. Als Mädchen hatte sie solche Ansprüche gestellt, und doch war sie zu einer Mutter geworden, die damit umzugehen verstand, ein Kind zu haben, das, wie die Leute heute sagten, »spezielle Bedürfnisse« hatte. Ihr Ego hatte die Diagnose verwunden. Sie war dem armen Mo eine fürsorgliche Mutter, genau wie sie Ethan eine fürsorgliche Geliebte und Jules und Dennis, Jonah und seinem Partner Robert eine fürsorgliche Freundin war. Und so verhielt sie sich auch den Schauspielern und Theaterleuten gegenüber. »Kommt alle mal her«, sagte sie mit ihrer ruhigen Stimme, und die Leute, wo immer sie auch gerade waren, legten Werkzeuge und Skripte beiseite und scharten sich um sie. Und auch Mo hörte bei ihrem Brunch auf zu weinen, als hätte sie einen Schalter umgelegt. Die Hand seiner Mutter legte sich kurz auf seinen steifen Rücken mit dem knubbligen Rückgrat, und er sah auf, blinzelte sie an und erinnerte sich, dass sie ihn liebte. Erinnerte sich, dass es in dieser Welt ein Element wie die Liebe gab. Ethan war nicht dazu fähig, das in ihm auszulösen, oder hatte noch nicht daran gedacht. Ash flüsterte ihrem Sohn magische Worte zu – was sagte sie da, *»Shazam«*? –, und Mos Körper entspannte sich ein wenig. Selbst Ethans Körper entspannte sich. Dann kehrte sie auf ihren Platz zurück, und Ethan sah sie staunend an.

Rory stand neben ihrem Stuhl und sang lauthals. Larkin saß ruhig da und malte mit den Buntstiften auf ihrem Platzdeckchen. Eine Kellnerin hatte beides unter den Kindern verteilt, wie zur Bestechung. Gelangweilt sah Ethan zu seiner Tochter hinüber, um zu sehen, was sie malte, und es war eine äußerst genaue Darstellung von Wally Figman und einem Neuzugang in der Besetzung von *Figland*, der starrsinnigen neuen Angebeteten Wallys auf dem Planeten Figland, Alpha Jablon.

»Hübsch«, sagte er, verblüfft über ihr Talent.

Larkin sah auf, als käme sie von weit, weit her. »Danke, Dad«, sagte sie.

Oh, dachte er, es ist klar, dass sie eine Künstlerin ist, und unversehens tat sie ihm leid, wie er sich auch selbst manchmal leidtat. Obwohl er so stolz auf seine Larkin war, fragte er sich oft, in was für ein Schicksal ihr frühes Talent münden mochte. In Gedanken ging er die sechs Freunde durch, die sich in jenem lange zurückliegenden Sommer getroffen hatten, um ihre Talente zu pflegen und zu entwickeln: Was war aus ihnen geworden? Eine war eine kunstvolle, ernsthafte Regisseurin, die endlich ihren Durchbruch geschafft hatte. Aber wäre es auch ohne das Geld ihrer Eltern und das ihres Mannes so gekommen? Wahrscheinlich nicht. Einer hatte sich aus unbekannten Gründen von seinem musikalischen Talent verabschiedet und blieb selbst den Leuten, die ihn liebten, ein Rätsel. Eine war mit einem großen Tanztalent geboren worden, hatte durch einen unglücklichen Zufall der Natur aber einen Körper bekommen, der von einem gewissen Alter an nicht mehr zu ihrem Talent passte. Einer war beeindruckend, privilegiert und faul gewesen, mit dem Potenzial, Dinge zu errichten, gleichzeitig aber auch der Sehnsucht danach, sie zu zerstören. Und einer, Ethan selbst, war das »Original«, wie es in Artikeln und Porträts hieß. Er war zwar unprivilegiert auf die Welt gekommen, doch auch ihm war die Leiter hinaufgeholfen worden, wobei das Talent ganz allein seines war. Das hatte es bereits vor Erscheinen der Leiter gegeben. Dennoch hatte er nicht das Gefühl, sich etwas darauf einbilden zu können, war er doch damit geboren worden und zufällig eines Tages beim Zeichnen darauf gestoßen, ganz so, wie Wally Figman den kleinen Planeten Figland in der Schuhschachtel entdeckt hatte. Und dann war da noch die Letzte aus Ethans Freundeskreis, die auf der Bühne nicht witzig genug gewesen war und auf ein anderes Feld hatte wechseln müssen, wo es weniger um Kunst als um eine Fertigkeit ging. Jules' Kunden mochten sie offenbar sehr, brachten ihr ständig Geschenke mit und schrieben ihr bewegende Briefe, wenn sie nicht mehr zu ihr kamen. Trotzdem war Jules enttäuscht davon, wie sie heute dastand, und Ethan wollte etwas daran ändern, jetzt noch, und vielleicht war es ja möglich. Ein Talent konnte sich in so viele Richtungen entwickeln, je nachdem, welche Kräfte darauf einwirkten und wie sich die wirtschaftliche und persönliche Situation darstellte. Ganz entscheidend – und entmutigend – war jedoch auch, ob man das nötige Quäntchen Glück besaß oder nicht.

»Hört zu, ich frage euch ganz offen«, sagte Ethan zu Dennis und Jules bei dem Brunch. »Werdet ihr euch von uns helfen lassen?«

»Nein«, sagte Dennis. »Das haben wir doch alles schon besprochen.«

Ein kurzes, nachdenkliches Schweigen breitete sich am Tisch aus, und es war fast so, als lauschten die Kinder der Unterhaltung der Erwachsenen und verständen sie. Ethan hoffte sehr, dass sie es nicht taten, wartete, bis die Mädchen wieder zu reden begannen, und sagte dann leise zu Jules und Dennis: »Ich würde mir gern vorstellen, dass ich, wenn die Situation umgekehrt wäre, eure Hilfe akzeptieren könnte.«

Dennis sah ihn lange an und verengte dabei leicht die Augen. Es war, als versuchte er sich eine Situation vorzustellen, in der Ethan Figman ihn tatsächlich brauchte, vermochte es aber nicht, und Ethan konnte es auch nicht. Das machte beide verlegen.

Ash sagte: »Jules rettet mir praktisch jeden Tag das Leben«, und als Jules protestieren wollte, sah Ash sie an und sagte: »Doch, es ist so. Du musst eine wundervolle Therapeutin sein, und es ist mir gleich, dass du sagst, dass deine Kunden nicht wirklich aus ihren alten Mustern herauszukommen scheinen. Du bist mitfühlend und aufrichtig, intelligent und verständnisvoll, und sie bekommen so viel von dir. Ich weiß nicht recht, was Freundschaft bedeuten soll, wenn ich nicht kommen und meinen besten Freunden helfen kann, wenn sie Hilfe brauchen. Wir haben eine Menge gemeinsam erlebt. Sicher, unsere Leben haben sich unterschiedlich entwickelt, das sehe ich, aber zu wem gehe ich, wenn ich jemanden zum Reden brauche – zu Shyla?«

»Zu wem?«, fragte Dennis.

»Du weißt schon«, sagte Jules leise. »Duncan und Shyla, ihre guten Freunde.«

»Ach richtig«, sagte Dennis, und Ethan glaubte, einen Blick zwischen Jules und Dennis hin- und hergehen zu sehen, war sich jedoch nicht sicher, und lesen konnte er ihn sowieso nicht.

»Du bist mein Fels, Jules«, sagte Ash, »und warst es von Anfang an.« Sie brach ab und verzog das Gesicht. Als Ethan ihre Tränen sah, dachte er gleich an Goodman, und wahrscheinlich ging es Jules genauso. Es war ein Augenblick des Gedenkens an einen verlorenen Bruder und daran, wie Jules Ash geholfen hatte, damit umzugehen. »Und nicht nur das, sondern zuletzt auch mit Mo«, fuhr Ash fort, wobei sie Dennis ansah und in seine Richtung plädierte. »Sie bei mir zu haben, als ich mit ihm ins Yale Child Study Center fuhr und Ethan nach L.A. musste, das hat mich gerettet, ehrlich. Und dass sie hinterher noch bei mir geblieben ist, hat mich so beruhigt. Jetzt kümmern wir uns um Mo und die Zukunft, und zu wissen, dass ich Jules dabei an meiner Seite habe, ist so eine Erleichterung. Drehe es also einen Moment um, Dennis, und betrachte es aus unserer Sicht. Unser Leben, Ethans und meines, hat seine eigene Traurigkeit. Jeder hat damit zu kämpfen, das weißt du. Aber wir haben Möglichkeiten, die andere Leute nicht haben. Ich will nicht angeben, es ist einfach so. Ich weiß, dass ihr knapp dran seid und dass ihr durch eine schwierige Phase geht und euch zu dritt in eurer Wohnung auf der Pelle sitzt. Das ist nicht unbedingt komisch, Jules hat einiges darüber erzählt.«

Dennis sah zu Jules hinüber, und die senkte den Blick auf ihren Teller mit ihrem widerwärtigen Brunch unter dickflüssigem Sirup. Ethan hatte das Gefühl, dass Ash die Situation falsch eingeschätzt hatte und ungewollt zu weit gegangen war. Er konnte es nicht ertragen, Dennis zu verunsichern oder Jules zu beschämen, und ihm wurde unwohl in seiner Haut, als er sich vorstellte, wie peinlich Jules das alles sein mochte. »Ehrlich gesagt«, fügte er schnell an, »geht es bei alledem mehr um uns als um euch. Ihr mögt das Gefühl haben, ihr solltet keine Hilfe annehmen, aber es ist uns ein tiefes Bedürfnis, sie euch zu geben, und konnt ihr das euren ältesten Freunden tatsächlich verweigern?« Er sah Jules und Dennis mit einem Ausdruck übertriebener Bedürftigkeit an, aber niemand lachte. »Hört zu, denkt darüber nach, während wir im Urlaub sind«, sagte er, und so willigten sie ein, ja, das wollten sie tun, und wenn es nur war, um die missliche Situation zu beenden.

Ethan wollte nicht, dass Jules Geldsorgen plagten. Er wollte nicht, dass sie sich überhaupt wegen etwas sorgte, obwohl ein Teil seiner über die Jahre fortbestehenden Liebe für sie doch dem Umstand zu verdanken war, dass sie sich ungehemmt voreinander sorgten, dumm, idiotisch oder neurotisch wirken durften und sich mit ihren Ängsten und Klagen gegenseitig auf den Arm nahmen. Der von seiner Frau nach Indonesien getriebene Ethan ging den Zugang zu ihrer balinesischen Villa hinunter und hielt die Postkarte fest in den Händen. In der Halle beim Empfang saß ein Gast auf einem der rissigen Ledersofas und las die *Financial Times*. Ethan hatte ihn während der Woche schon am Strand gesehen. Er war Amerikaner, in seinen Fünfzigern, schlank, mit der zuversichtlichen Ausstrahlung eines Geschäftsmannes. Ethan kannte die Haltung von seinem Schwiegervater aus der Zeit, als der noch gearbeitet hatte. Dieser Tage saß Gil Wolf auf seinem ergonomischen Stuhl in der Wohnung im Labyrinth und starrte mit stummer Ehrfurcht auf den Bildschirm seines neuen Dell-Computers und ins World Wide Web.

Der Leser der *Financial Times* legte die Zeitung zur Seite und lächelte. »Sie sind Ethan Figman«, sagte er. »Ich habe Sie mit Ihrer Familie bereits gesehen.«

»Ah.«

»Es freut mich, dass sich jemand wie Sie hin und wieder eine Auszeit nimmt. Die Leute sagen, Sie seien ein Workaholic.«

»Die Leute?«

»Oh, Gerede«, sagte der Mann. »Ich bin auch ein Workaholic. Marty Kibbin. Paine und Pierce.« Die beiden Männer schüttelten einander die Hand. »Gut, dass Sie nicht beruflich hier sind. Auf Erkundungsmission gleichermaßen. Die Kinderarbeit-Szene in Jakarta, Sie wissen schon.«

»Was meinen Sie?«

»Sie wissen schon, das Merchandising.«

»Ah ja«, sagte Ethan.

»Es ist gottserbärmlich, ganz gleich, wie man es betrachtet«, fuhr der Mann leichthin fort. »Die Subunternehmer mit den Herstellungsrechten können einem echte Kopfschmerzen bereiten, aber wenn die Bosse plötzlich fürchterlich fromm werden, müssen sie gehen und sich daran erinnern lassen, dass man nicht die ganze Welt kontrollieren kann. Keiner kann das. In der Herstellungskette geschehen Sachen, die man nicht in der Hand hat. Man muss die Lizenzen an Leute vergeben, die gut aussehen und anständig wirken, verstehen Sie? Und vor allem den eigenen Laden nach den ethischen Maßstäben führen, mit denen man großgezogen worden ist.«

»Ja«, sagte Ethan. »Nun, ich sollte jetzt gehen.« Was für eine lahme Entschuldigung das war. In dieser Ferienanlage musste niemand nirgends hin, es sei denn, er hatte einen Termin bei der vierhändigen Massage. Ethan lächelte dünn und wandte sich ab. Er musste die Postkarte an Jules in den Schlitz des Messingbriefkastens geworfen haben, hatte später aber keinerlei Erinnerung daran. Die selbstsicheren Worte des Mannes hatten ihn aus der Fassung gebracht, und er hoffte, dass er die Karte nicht einfach auf den mit Binsenmatten ausgelegten Boden hatte fallen lassen.

Als er zurück in die Villa kam, stand Ash unter der Teak-Dusche mit den verschiedenen Düsen, die ihr Wasser aus allen Richtungen auf sie abschossen. Durch die offene Tür konnte er die Konturen des jung wirkenden Körpers seiner Frau sehen und ihren Kopf, der mit nassen Haaren immer so klein wirkte wie der eines Otters. Er sah auch die Kinder mit Rose und Emanuel draußen am Strand hinter der Villa. Mo schrie wieder und wedelte unbeholfen mit den Armen. Rose und Larkin versuchten ihn zu beruhigen.

Alle betrachteten Ethan als einen guten Menschen – »moralisch«, sagte Ash immer –, aber sie hatten keine Ahnung. Nein, man konnte nicht die ganze Welt kontrollieren, aber man sagte sich, dass man sein Bestes tat. Jedes Jahr saß er in mehreren Besprechungen, in denen es um das Merchandising und die verschiedenen *Figland*-Produkte ging. Die damit befasste Firma, PLV Manufacturing, war theoretisch eines der saubereren Unternehmen, ließ die einzelnen Artikel aber ebenfalls in China, Indien und Indonesien fertigen, und man verlor jede Handhabe, sobald die Dinge in die Hände eines Herstellers in Übersee gegeben wurden. Ethan bekam ernsthafte Beklemmungen, wann immer er überlegte, was da draußen geschehen mochte. Vielleicht, dachte er, hatte Ash, so lächerlich der Gedanke war, diesen Ort hier unbewusst als ihr Ferienziel ausgesucht. Vielleicht war er deswegen hier.

Ethan ging zum Telefon und rief in L.A. an, wo es vierzehn Stunden früher war, also noch gestern Abend, aber die Leute, mit denen er zusammenarbeitete, würden noch im Büro sein, die gingen immer erst spät nach Hause. Er wusste, er würde jemanden erreichen. Selbst wenn es in L.A. noch das letzte Jahr wäre, würde er zu jemandem durchgestellt werden.

Jack Pushkin hatte vor einigen Jahren Gary Roman ersetzt, er nahm selbst ab. »Ethan?«, fragte er überrascht. »Bist du nicht in Indien?«

»In Indonesien.«

»Das sind die mit der *Rijsttafel*, stimmt's? Diesem Reisgericht? Das wollte ich immer schon mal probieren.«

»Jack«, unterbrach er ihn.

»Was ist, Ethan? Was stimmt nicht?«

»Ich will mich umsehen.«

Die Bedingungen in der Leena Toys Factory im Komplex DK2 in Jakarta waren so erbärmlich wie angenommen, aber nicht direkt empörend – wobei »nicht direkt empörend« sicher kein juristischer, technischer oder sonstiger Fachausdruck war. Ethan trug das eine schöne Leinenhemd, das Ash Emanuel »nur für den Fall« hatte einpacken lassen, und folgte dem kleinen gebieterischen Mr Wahid durch die gedrungenen, miteinander verbundenen gelben Industriegebäude, in denen Textilien hergestellt wurden. Er sah die über ihre alten Nähmaschinen gebeugten Frauen, viele von ihnen mit Kopftüchern, in den überhitzten, von einem Rohrgewirr durchzogenen Räumen, und die Szenerie schien sich nicht zu sehr vom Textildistrikt New Yorks zu unterscheiden, wo einst Ethans Großmutter Ruthie Figman gearbeitet hatte. Einige der Maschinen waren nicht besetzt. »Ruhiger Tag«, sagte Mr Wahid und zuckte uninteressiert mit den Schultern, als Ethan danach fragte.

Ein magerer alter Mann wurde geholt, um Ethan zu zeigen, was er produzierte: ein glänzendes Satinkissen mit Wally Figmans Gesicht. Wie alle war auch Ethan entsetzt darüber, was die Arbeiter verdienten, und er vermochte es nicht, sich mit seinem kurzen Besuch in der deprimierenden Leena Toys Factory zufriedenzugeben, einem Ort, an den man nie wieder zurückdenken wollte. Trotzdem war er hinterher nicht außer sich vor Schuldgefühlen und Selbsthass. Er hatte sehen wollen, wie es in einer der Fabriken aussah, und jetzt wusste er es und konnte allen im Studio und dem Network davon berichten und darauf drängen, dass sie etwas unternahmen, um die Löhne zu erhöhen. Ash würde auch dabei mithelfen wollen, obwohl ihr die Leitung des Theaters und Mos komplizierter neuer Betreuungsplan kaum Zeit ließen.

Ethan hatte einen Piloten engagiert und war morgens mit einer kleinen Maschine von Bali nach Jakarta geflogen. Bevor er zurückflog, wollte er sich noch ein wenig in der Stadt umsehen. Er hatte es nicht eilig damit, zum Heilungsprozess seiner Familie zurückzukehren, lief durch die Straßen des alten Batavias, streifte durch Geschäfte, kaufte eine Schneekugel für Larkin und wusste nicht, was er Mo mitbringen sollte. Was würde diesem kleinen Jungen gefallen, der nichts wollte und seinem Vater nichts gab? Es war grausam, aber Ethan wusste, dass er nicht der richtige Vater für den kleinen Kerl war, dessen Probleme mit jedem Monat offensichtlicher geworden waren und Ash dazu gebracht hatten, die blasierten

Beobachtungen des Kinderarztes zu ignorieren, dass manche Kinder eben länger bräuchten, um »sich zu finden«. Ash war aktiv geworden und hatte den Termin im Yale Child Study Center arrangiert. »Was immer die sagen, denen können wir trauen«, hatte sie zu Ethan gesagt. »Ich habe mich informiert.«

Diese Worte waren es gewesen. Ethan konnte den Gedanken nicht ertragen, eine *unanfechtbare* Diagnose für Mo zu bekommen und von da an – angenommen, sie war schlecht (und das nahm er an) – die Erwartungen an ihn auf ein Minimum herunterschrauben zu müssen. »Der Termin beginnt am Dreiundzwanzigsten um zehn Uhr morgens«, sagte Ash. »Wir fahren hin und bleiben zwei volle Tage. Wir nehmen uns ein Hotel, und sie untersuchen Mo. Sie werden eine ganze Reihe Tests mit ihm durchführen und ihn sich auch körperlich genauer ansehen. Am Ende setzen wir uns mit ihnen zusammen, und sie erklären uns, was sie herausgefunden haben und was sie uns empfehlen.«

»Ich schaffe das nicht«, sagte Ethan nachdenklich.

»Was?«

Es war ein Schock für ihn, das gesagt zu haben, doch jetzt ließ es sich nicht mehr zurücknehmen. Er musste dabei bleiben. »Ich kann nicht, es tut mir leid. Der Dreiundzwanzigste? Zwei Tage? Da muss ich in L.A. sein. Leute aus Übersee kommen. Wenn ich nicht erscheine, beleidige ich sie.«

»Kannst du das nicht verschieben?«, fragte sie. »Ich meine, du bist schließlich die zentrale Person.«

»Genau deswegen geht es nicht. Es tut mir leid, ich wünschte, es wäre anders. Ich weiß, es ist schrecklich von mir, doch ich kann nichts daran ändern.«

»Dann versuche ich, Yale zu verlegen«, sagte sie wenig überzeugend. »Normalerweise dauert es ewig, da einen Termin zu bekommen, manche Leute warten ein Jahr und länger. Aber ich habe an ein paar Fäden gezogen, wie du weißt, und ich nehme an, ich kann noch einmal an ihnen ziehen, auch wenn ich nicht undankbar erscheinen will, indem ich einen Termin ablehne, den sie mir gegeben haben, als es eigentlich keine mehr gab.«

»Du musst mit ihm hin. Bleib bei dem Termin.« Er dachte schnell nach, dann sagte er: »Kann Jules nicht mitkommen?«

»Jules? Anstelle von dir? Du bist Mos Vater, Ethan.«

»Ich fühle mich schrecklich«, sagte er, und das stimmte, wenn auch aus anderen Gründen.

Es war eine dreiste, unerhörte Lüge gewesen, und als der Dreiundzwanzigste kam und er offiziell nach L.A. musste, versteckte er sich zwei Nächte im Royalton Hotel in New York, in einem schicken, aber kleinen Zimmer mit einer Dusche, die schwer zu bedienen war, und einem Waschbecken aus rostfreiem Stahl, das eher einem Wok glich. Am Ende des ersten Tages, als es noch nichts Abschließendes zu sagen gab, rief Ash Ethan auf seinem Handy an – und dann wieder spätnachmittags am Ende des zweiten Tages, als ihr die Diagnose einer tief greifenden Entwicklungsstörung mitgeteilt worden war, eine Diagnose, die bedeutete, dass Mo im »Spektrum« lag. Sie telefonierte mit Ethan aus dem Auto, weinte beim Reden, und er blieb äußerst ruhig und sagte, dass er sie liebe. Sie fragte nicht, ob er Mo noch liebe, die Frage wäre ihr nicht in den Sinn gekommen. Ethan redete eine Weile mit Ash und fragte schließlich, ob er Jules sprechen könne, die er völlig gelassen bat, über Nacht bei Ash zu bleiben, um sie zu trösten. Nach dem Telefonat bestellte er über den Zimmerservice etwas zu essen und schlang das Steak, die kleinen Kartoffeln und den Rahmspinat mit einer halben Flasche Wein herunter. Nachdem er das kleine Wägelchen zurück vor die Tür geschoben hatte, sah er sich einen Porno mit Cheerleadern an, befriedigte sich dabei auf erbärmliche Weise und schlief ein, den Mund offen und laut schnarchend.

Er beschloss, Mo ein Windrad mitzubringen, und trug es durch die Straßen: Es gefiel ihm, wie es beim Drehen klickte. Ethan setzte sich in ein verschlafen wirkendes Restaurant in einem sehr alten Gebäude, bestellte Nudeln in einer Brühe, die in einer blauen Schüssel vor ihn hingestellt wurden, und saugte sie geräuschvoll in sich hinein. Seine Frau hätte er damit in Verlegenheit gebracht, aber sie war glücklicherweise nicht da. Er schlürfte weiter und las dabei in einem Buch, das er mit in den Urlaub genommen hatte, *Die Blechtrommel* von Günter Grass, Goodmans Lieblingsbuch damals, als sie noch Kinder gewesen waren. Und es war auch Goodmans Exemplar, sein Name stand in schräger Highschool-Schrift vorn auf der Titelei. All die Jahre hatte es in Ashs und Ethans Regal gestanden, und nie war ihm eingefallen, es zu lesen. Ethan hatte kaum noch die Zeit, Bücher zu lesen. Kürzlich erst hatte er sich dabei erwischt, wie er im Web einen Artikel über Hedgefonds studierte und so im Thema versunken war, als handelte es sich um Literatur. Er dachte an sein Geld, las weiter und weiter und überlegte, ob er es von diesem offenbar charismatischen Mann investieren lassen sollte – und war schockiert, als ihm bewusst wurde, was er da tat und dachte. Der flimmernde Bildschirm und das Versprechen sich selbst vermehrenden Geldes hatten ihn eingelullt und eingefangen. So ging es vielen Leuten.

Als er dann den Roman von Günter Grass auf dem Regal sah, verspürte er ein gewaltiges, trauriges Verlangen danach, dieses Buch zu lesen und sich so mit Ashs Bruder, seinem alten, verlorenen Freund zu verbinden. Goodman war ihnen entrissen worden, und er hatte ihre Leichtigkeit mit sich genommen. Ethan wollte diese Leichtigkeit zurück, wollte den fiesen, vor Leben strotzenden Goodman zurück, all die Blödeleien und Gespräche, nachdem das Licht ausgemacht worden war im Tipi, die Diskussionen, was sie am liebsten mit Nixon anstellen würden, was sie ihm körperlich antun wollten, und das war nichts Nettes gewesen. Und die Gespräche über Sex, die Angst vor dem Tod und darüber, ob es danach noch etwas gab. Das alles wollte Ethan zurück, hatte aber nur Goodmans Exemplar der *Blechtrommel*, behandelte es ehrfürchtig und achtete darauf, dort in dem Restaurant in Jakarta keine Brühe daraufzukleckern. Mit seinen Nudeln und seinem Roman saß er da und tat sich leid, als ihm plötzlich klar wurde, wie andere ihn sehen mussten. Die Menschen in der Fabrik heute Morgen mussten ihn für einen weiteren amerikanischen Idioten gehalten haben, der sich versichern wollte, dass alles in seiner Welt in Ordnung war. Alles ist bestens, du reicher amerikanischer Idiot, hatte dieser Mr Wahid ihm letztlich gesagt, als er ihn herumgeführt und schließlich wieder hinausgeworfen hatte. Hatten alle applaudiert, als er endlich wieder weg war? Hatten die Arbeiter eines der Kissen mit Wally Figmans Gesicht hervorgeholt, damit Fußball gespielt und es schließlich zertreten und zerrissen?

Unversehens stand Ethan auf, atemlos, und stieß sich das Schienbein. Er bezahlte, ließ zu viele Geldscheine zurück und eilte auf die Straße hinaus, wo er unbeholfen mit den Armen wedelte, um ein *Bajaj* anzuhalten, eines der orangefarbenen dreirädrigen Taxis, die in der Stadt unterwegs waren. Das Bajaj preschte die Straße hinunter, und als es um eine Ecke bog, war Ethan sicher, die beiden Hinterräder würden wegbrechen und er selbst gegen eine Mauer geschleudert werden. *Ethan Figman, 36, der Vater Figlands, stirbt bei Verkehrsunfall in Jakarta*, würden die Zeitungen titeln.

Als er die Leena Toys Factory erreichte, war er froh, seinen Besucherpass noch in der Tasche zu haben, und der Wächter am Tor winkte ihn zerstreut durch. Ethan stand im Hof, unsicher, an wen er sich diesmal wenden und was er sagen sollte. Vielleicht sollte er Mr Wahid noch einmal aufsuchen und ihm den Grund seiner Rückkehr nachdrücklich klarmachen: Sie haben gesagt, hier gebe es sonst nichts für mich zu sehen, doch das glaube ich Ihnen nicht. Der Mann würde ihn nicht zufriedenstellen können. Niemand hatte bisher etwas zugegeben, und sie würden auch jetzt nicht damit anfangen. Ethan drückte die schweren Eisentüren auf und ging zurück in den überhitzten Nähsaal. Zunächst sah er nur das gleiche Durcheinander, tauchte in die gleiche Hitze ein, und doch spürte er, dass etwas anders war. Es war lauter und voller. Die Maschinen ratterten jetzt alle, wie er sah, es gab keine Lücken zwischen den Leuten. Neben einem vorgebeugten Mann saß ein vorgebeugter kleinerer Mann, und Ethan trat näher, um ihm in sein glattes Gesicht zu sehen, das die Härte des Lebens noch nicht gezeichnet hatte. Das war ein Teenager, vielleicht dreizehn?, vierzehn?, am Morgen war er nicht da gewesen. Er hielt den Kopf gebeugt und arbeitete mit großer Konzentration, die Hände wirbelten um die Maschine. Der Mann neben ihm sah Ethan mit dem Ausdruck offener Angst an. Erwischt, dachte Ethan. Erwischt! Und dort gegenüber, war das nicht ein junges Mädchen? Nein, nur eine alte Frau von zarter Erscheinung. Aber da in der Ecke, das war ganz sicher ein Mädchen, vielleicht zwölf Jahre alt, es war schwer zu sagen. Die Minderjährigen waren nicht hier gewesen, als Ethan seine Führung bekommen hatte, ihnen war gesagt worden, sie sollten heute später kommen oder in ihren kleinen, menschenunwürdigen Kammern bleiben, bis sie gerufen wurden. Alles war arrangiert gewesen, unverfroren, ruhig, weil ihre Anwesenheit hier völlig normal war, so war es eben, weil die Leute wussten, dass Ethan Figman irgend so ein sentimentaler, liberaler Ami-Trickfilmer war, der zwar komische Stimmen nachmachen konnte, sonst jedoch von nichts eine Ahnung hatte. Im Grunde war er noch ein Kleinkind, den zwar die Profite lockten, der aber gleichzeitig sein Gewissen beruhigen und wissen wollte, dass hier alles in Ordnung war. Wie viele Kinder arbeiteten in diesem Saal, fragte er sich und konnte es nicht sagen. Es musste mindestens ein Dutzend sein, und jedes von ihnen hatte ein dunkles Gesicht und dunkle Augen, die sich auf ein beschissenes Stoffquadrat konzentrierten, das unter dem stotternden Nadelkolben durchratterte. Es war unerträglich.

Er stand da, von all dem umgeben, sah in die Kindergesichter und spürte sich von ihrem Schicksal umhüllt. Nach einer Weile musste er die Augen schließen, sah sie aber immer noch. Sie überschwemmten den Nähsaal und widmeten ihre Tage dem *Figland*-Merchandising. Er schämte sich für das lächelnde Gesicht von Wally Figman auf den Kissen und sogar für das Glück seiner Tochter, wenn er ihr später die Schneekugel geben würde. Dann dachte er an Mo, und er wusste, das Windrad würde ihn nicht glücklich machen, würde ihn nicht aufbauen, aber was konnte Ethan tun? Er war unfähig, seinem Sohn sein Herz zu öffnen. Er fühlte sich pervers. Er wusste, seine Distanz hatte mit seinem Bedürfnis zu tun, dass Mo etwas leistete, so wie Ash für ihre Eltern etwas hatte leisten müssen. Ethan und Ash hatten zwei Kinder, einen Jungen und ein Mädchen, genau wie die Wolfs, und so wie Goodmans fehlende Disziplin für Gil Wolf unerträglich gewesen war, ließen Mos Probleme Ethan fürchten, dass die Welt in seinem Sohn seine, Ethans, eigene gequälte Natur erkennen würde. Ethan hatte sich sein Leben als fast perfekt vorgestellt, bis auf diesen fehlerhaften Sohn, aber der Fehler war der des Vaters.

Er würde seine Distanz und seine Leere wiedergutmachen. Dort, in der Hitze und dem Lärm, umgeben von Reihen gesenkter Köpfe, zwang sich Ethan Figman zum Aufwachen aus jenem langen Schlaf, in dem man träumt, dass die unmenschlichen Dinge, die sich die Menschen auf fernen Kontinenten antun, nichts mit dir und deinesgleichen zu tun haben.

Die Postkarte landete erst Wochen später im Briefkasten der Jacobson-Boyds, nachdem sie offenbar zerrissen und wieder zusammengeklebt worden war. Die Reise von Bali nach New York City war für das rechteckige Stück Karton mit dem Bild des balinesischen Liebesgotts darauf fast zu viel gewesen. Ethan dagegen war in bester Form, als er Jules Tage nach ihrer Rückkehr besuchte. Ohne

Vorwarnung hatte er sie angerufen und gefragt, ob er rüberkommen könne.

»Wann?«

»Jetzt.«

»Jetzt?«

Es war ein Samstag, und Jules' und Dennis' Wohnung war unaufgeräumt. Rory hatte kürzlich Karate »gelernt«, und sie zerteilte Bleistifte und Balsaholzstücke, die ihr Dennis im Haushaltswarenladen an der Ecke im Dutzend besorgte. Der Boden des Wohnzimmers lag voller Holzsplitter, und niemand hatte die Energie, sie aufzusammeln. Dennis schlief noch. Er probierte wieder einmal ein neues Antidepressivum aus, das ihn sehr, sehr müde machte. Sollte so ein Mittel nicht versuchen, den Patienten wieder mehr in die Welt zu bringen? Dieses tat das sicher nicht. Jules hatte Dennis gebeten, mit Dr. Brazil darüber zu sprechen, wusste aber nicht, ob er es getan hatte.

»Ja, jetzt«, sagte Ethan.

»Ich habe nichts im Haus«, sagte Jules. »Und ich sehe beschissen aus.«

»Das bezweifle ich.«

»Außerdem schläft Dennis. Es ist hier ziemlich chaotisch, um nicht zu sagen: die Hölle. Ich warne dich: Du kommst in die Hölle.«

»Du weißt ganz genau, wie du mich ködern kannst, du Sirene du«, sagte Ethan.

Es war ungewöhnlich, dass Ethan Jules ohne Ash besuchen kam. Gelegentlich waren die beiden in den letzten Jahren zu zweit essen gegangen, hatten sich in ihren Dreißigern aber meist zusammen mit ihren Partnern gesehen, dann mit ihren Familien. Als die Kinder geboren wurden, war es auch mit den Paarurlauben vorbei gewesen, die Ethan und Jules die Gelegenheit gegeben hatten, zusammenzusitzen und zu reden. Es war bereits eine ziemliche Weile her, dass sie sich zu zweit getroffen hatten, und fast hatte es den Anschein, als hätten sie die Vollkommenheit ihrer ursprünglichen Zweierfreundschaft vergessen.

Jules legte den Hörer auf und drehte sich um. Rory trug ihren Karategi, hob einen Arm über den Rand des Tisches, wo er über einem Bleistift schwebte, schrie: »*Hei-jaaa!*«, und als der Bleistift brach, sprang sie vor Freude auf und ab, als wäre es tatsächlich möglich, dass ein einfacher Ticonderoga Nr. 2 der Handkante eines Mädchens mit ihren Kräften widerstand.

Etwas später – Rory führte im Bad Experimente durch und Dennis war immer noch nicht aufgestanden – stand Jules am Wohnzimmerfenster und sah unten auf der Straße Ethans Town Car vorfahren. Der Fahrer stieg aus, öffnete die Tür hinten, und Ethan erschien und kratzte sich am Kopf. Der Fahrer gab ihm eine kleine Tasche, und Ethan trat auf den Eingang des Hauses zu. Jules hoffte, dass er nicht dachte: Wie ärmlich das Gebäude doch aussieht, sondern stattdessen daran erinnert wurde, dass hier Leute bescheiden und im Reinen mit sich lebten. Dass sich einige Menschen nicht komplett verändert hatten. Nicht jeder hatte ein Town Car. Was war das überhaupt, und warum wurden die Dinger so genannt? Welche Stadt war mit »Town« gemeint? Es klingelte, und sie drückte den Türöffner. Durch die Wohnungstür linsend, sah sie Ethan Figman die vier Stockwerke erklimmen und langsamer werden, je höher er kam. Als er im dritten Stock kurz schnaufend innehielt, rief sie zu ihm hinunter: »Du kommst bestens voran! Du bist fast auf sechstausend Metern!« Er sah zu ihr herauf und winkte.

Oben angekommen machte er kein Gewese darum, was für ein Aufstieg es gewesen sei. Er schien zu wissen, dass Jules die witzelnde Haltung zu ihrer Aufzugslosigkeit nur entwickelt hatte, um die Kommentare abzuwehren, die sie von ihren atemlosen Besuchern zu hören bekam. Ethan legte die Arme um sie, und

Jules konnte sich nicht erinnern, wann sie sich zum letzten Mal tatsächlich umarmt hatten. In ihrer Viererformation gab es oft Küsse und ein hastiges Sich-aneinander-Drücken, aber weil ihre Leben wirr waren und ständig die Kinder um sie herumwirbelten und an ihnen zogen, hatten diese Berührungen meist etwas Zerstreutes, Gedankenloses. Jetzt, hier in der Tür, zu zweit, umarmte Ethan Figman seine Freundin Jules Jacobson-Boyd mit einem, wie es ihr schien, unverwässerten und fast schon überwältigenden Gefühl.

»Hallo«, sagte er.

»Hallo.« Sie trat einen Schritt zurück und sah ihn an. Er war im Grunde immer noch der Alte, immer noch unleugbar reizlos. Er hatte allerdings etwas Farbe im Gesicht und schien den Kopf weniger voll zu haben als sonst. »Hast du auf Bali etwa in der Sonne gelegen?«, fragte sie.

»Nein«, sagte er. »Aber ich bin durch Jakarta spaziert. Das war interessant. Können wir hineingehen? Ich habe Sachen dabei, die gegessen werden sollten.«

Er hatte die besten Brioches New Yorks mitgebracht. »Sie sind so warm wie kleine Vögelchen«, sagte Jules, als sie die Tüte öffnete. »Piep, piep, piep.«

»Wo sind denn alle?«, fragte Ethan.

»Dennis ist heute noch nicht aufgetaucht, und Rory steht am Waschbecken im Bad und produziert Penicillin. Sie wird sicher bald kommen und dich begrüßen wollen.«

Sie setzten sich auf das Sofa im Wohnzimmer und aßen die kleinen buttrigen Dinger. Weder Ash noch Dennis waren große Esser. Ash war dafür zu winzig, und Dennis' Appetit hatte während der letzten Jahre abgenommen, obwohl er wegen der verschiedenen Medikamente immer noch etwas zu viel wog. Jules und Ethan dagegen war der Genuss anzusehen. Jules musste an Ethans begehbaren Kühlschrank denken, der den Umzug aus dem Loft in

Tribeca in das Brownstone in der Charles Street überlebt hatte und der wahrscheinlich ganz anders bestückt sein würde, wenn sie diejenige wäre, die mit Ethan verheiratet wäre. Brioches wie diese würden immer in Reichweite sein und dazu ein Ziegel Farmbutter wie der, den Ethan mitgebracht hatte. Man würde in den Kühlraum gehen und alles finden, was Leute wie sie und Ethan mochten.

Wie war es möglich, dass sie ihm immer noch so nahe war und er ihr? Da hing ein Stückchen Butter an seiner Lippe und wahrscheinlich auch eines an ihrer. Ethan kam ihr heute eigentümlich glücklich vor. Der Grund für seinen Besuch, da war sie sich sicher, war das Geldgeschenk, dass er und Ash ihr und Dennis machen wollten. Er würde ihnen mehrere Tausend Dollar anbieten, vielleicht sogar fünf- oder zehntausend, und ihr würde ganz schlecht werden, so sehr brauchten sie dieses Geld, aber sie würden es dennoch nicht annehmen, vor allem weil Dennis dagegen war.

Es war wahrscheinlich das Beste, dass Dennis noch im Bett lag. Er musste nicht dabei sein, nachdem sie schon bei ihrem Brunch darüber geredet hatten. Sie würde Ethan auch weiter einen Korb geben, obwohl sie und Dennis große Schulden bei zwei Kreditkartenunternehmen hatten, genau wie bei dem wohlmeinenden, aber weitgehend erfolglosen Dr. Brazil. Jules musste zudem noch Studiendarlehen zurückzahlen, und dazu kamen die vierteljährlichen Steuervorauszahlungen. Zunächst hatten sie noch an ein zweites Kind gedacht, doch mit ihrem Einkommen allein und Dennis' Depressionen war das keine gute Idee. Im Übrigen musste man miteinander schlafen, um schwanger zu werden, und dazu kam es nicht mehr sehr oft. Alles wurde langsamer oder kam zum Stehen.

»Jetzt hör zu«, sagte Ethan.

»Ich will das nicht, Ethan.«

»Du weißt doch gar nicht, worum es geht«, sagte er. »Zuerst wollte ich dir erzählen, was in Indonesien passiert ist.«

»Oh«, sagte sie und lehnte sich zurück, ein wenig überrascht, jedoch immer noch argwöhnisch. »Also gut, schieß los.«

Ethan trank seinen Kaffee aus einer *Figland*-Tasse, die er ihnen vor Jahren geschenkt haben musste. Er hob sie hoch, betrachtete den Boden und stellte sie wieder ab. »Ich wollte eine Fabrik sehen«, sagte er, »in der sie unsere *Figland*-Artikel herstellen. Es gibt da verschiedene, zum Beispiel welche für Metall und für Plastik, die arbeiten mit diesen Gussformen. Ich war in einer Näherei, und natürlich ist das, was ich da gesehen habe, nämlich Kinderarbeit, in Indonesien ein gewohnter Anblick, aber ich ertrage es einfach nicht. Es schreit dich an, und du musst etwas tun. Man kann nicht einfach immer so lustig weitermachen. Ich weiß, wie ich darauf gekommen bin, ist nicht unbedingt toll. Es ist wie bei den Republikanern, die erst dann für eine Waffenkontrolle sind, wenn ihrer Frau in den Kopf geschossen wurde. Aber ich habe mich entschieden, dass ich aus dieser Sache herausmuss, wenigstens so weit, wie sie mich lassen. Ich habe meinen Anwalt angerufen und ihn gefragt, was er meint, wie weit wir mit unseren Forderungen gehen können und damit dann auch kommen. Und dann haben wir eine riesige Telefonkonferenz mit Pushkin veranstaltet.«

»Ich nehme an, du meinst nicht den russischen Schriftsteller.«

»Pushkin hat seinen Namensvetter nie gelesen, was durchaus etwas über ihn aussagt. Wenn du den gleichen Namen wie ein großer russischer Autor hättest, würdest du dann nicht wenigstens versuchen, ihn zu lesen? Jack Pushkin ist einer der Manager im Studio, und er ist ganz und gar kein schlechter Kerl, aber als mein Anwalt ihm sagte, dass wir einige der Merchandising-Artikel von den derzeitigen Fabriken abziehen und in die Staaten holen wollen, wurde er ganz schnell ganz ruhig. Klar. Es ist unglaublich kompliziert, und was wird aus diesen Kindern und ihren Familien? Werden sie auch weiter Arbeit haben? Wie wird es ihnen gehen? Gibt es etwas anderes, was wir für sie tun können? Es ist eine absolut fürchterliche Situation. Diese Fragen können einem den Kopf platzen lassen.«

»Das sehe ich.«

»Über all das habe ich nachgedacht, während Pushkin und mein Anwalt im Clinch lagen, und dann legte Pushkin einfach auf. Zwei Sekunden später rief er zurück, entschuldigte sich fürchterlich, und alle mussten wieder dazugeschaltet werden, was nicht so einfach ist, wenn einer aus der Runde in Indonesien sitzt. Später haben sie ohne mich weiterdiskutiert, und als ich zurück nach New York kam, hatten sich alle grundsätzlich auf die Idee geeinigt, obwohl sie immer noch herumfeilschen. Das ist echt eine riesige Sache. Mein Anwalt meint, wenn sie am Ende nicht Ja sagen, würde sie das wirklich schlecht aussehen lassen, aber es kostet sie derartig viel Geld, nicht nur wegen der Arbeitskosten, sondern auch wegen der steuerlichen Vorteile, die sie jetzt dem übergeordneten Wohl opfern müssen. Es ist ein Schlag für sie, aber wenigstens tue ich etwas, womit ich leben kann. Obwohl, wer weiß, vielleicht wird am Ende alles schlimmer, als es war. Auf jeden Fall werden sie eine Pressemeldung herausgeben, in der sie verkünden, wie stolz sie sind, dass wir das so machen. Ein kleiner, noch festzulegender Teil der Produktion wird an unter Druck stehende Firmen in Upstate New York vergeben. Und ich habe Kontakt zu einer Frau bei UNICEF aufgenommen, um herauszufinden, wie man diese Arbeiter, die Kinder, finanziell unterstützen kann. Ich habe sie gefragt, inwieweit es vielleicht sogar moglich ist, eine Schule für sie zu gründen. Sie sagte, sie würde ein paar Kontakte für mich machen. Ich weiß, ich verursache da immer noch Unheil, wahrscheinlich reichlich, ganz gleich, was ich unternehme, und es bringt mich um, es bringt mich einfach um, dass es ohne nicht geht, höchstens mit weniger. Aber so ist es.«

»Entschuldige, aber ich denke, du bist der am wenigsten unheilvolle Mensch, den ich kenne.«

»Oh, ich bin sicher, das stimmt nicht«, sagte Ethan. »Aber wenigstens bin ich jetzt ein Unheilbringer, dem sich etwas offenbart hat. Ich nenne es die ›Jakarta-Transformation‹. Wenigstens mir selbst gegenüber.«

»Was sagt Ash dazu?«

»Sie unterstützt mich. Sie ist keine von den alles kritisierenden Frauen«, sagte er. »Da ist sie wie du«, fügte er nach einer kurzen Pause hinzu, aber Jules sagte nichts. »Das würdest du Dennis nicht antun. Du lässt ihn, wie er ist, und machst mit durch, was er durchmacht.«

»Was bleibt mir übrig?«, fragte Jules, und es klang bitter. »Es ist mitten am Tag, und du und ich, wir unterhalten uns über reale Dinge und essen etwas. Dennis liegt noch im Bett.«

Ethan sah sie lange und nachdenklich an. »Ich weiß, es ist schwer für euch beide«, sagte er.

»Er ist so passiv«, platzte es aus ihr heraus. »Früher haben wir ständig gelacht und geredet, und im Bett war's gut – entschuldige, dass ich das sage, Ethan. Er hatte so viel Energie. Dann hörte alles auf. Er kümmert sich um Rory, was ein riesige, bewundernswerte Sache ist, und Eltern, die zu Hause bleiben, werden nie genug gewürdigt. Ich will sicher nicht herunterspielen, was er tut. Aber er ist immer noch nicht wieder richtig da. Er hat keinerlei Verlangen nach etwas. Es ist wie beim Tod meines Vaters, der auf die gleiche Art alles verloren hat: in Zeitlupe. Nur dass es bei Dennis immer weitergeht. Er ist halb hier und halb anderswo. Ich will das nicht, und ich komme mir egoistisch vor, wenn ich es ausspreche. Ich will natürlich nicht, dass er das alles durchmacht, aber ich denke auch an Rory und mich.«

»Und kann er wirklich nichts anderes probieren? Es kommt mir so vor, als nähme die ganze Welt Antidepressiva, und alle kommen damit zurecht. Ich will das nicht auf die leichte Schulter nehmen, aber gibt es denn wirklich nichts, was ihm helfen könnte?«

»Oh, weißt du, manchmal scheint ein neues Medikament eine Wirkung zu haben, und wir fangen an zu hoffen. Aber dann sagt er, es funktioniert doch nicht. Oder die Nebenwirkungen sind zu schlimm. Ich habe depressive Kunden in meiner Praxis, aber seine Depression, auch wenn sie nur ›leicht‹ sein soll, ist so hartnäckig und schwer zu behandeln. ›Atypisch‹ nennen sie das.«

»Wenn du eine richtig schwere Depression willst«, sagte Ethan, »flieg nach Jakarta, und sieh dir an, wie die Arbeiter da leben. Das wird dich wirklich deprimieren.«

»Genau das wünsche ich mir«, sagte Jules, »noch mehr Niedergeschlagenheit in meinem Leben.«

Rory erschien in der Tür, immer noch in ihrem Gi, aber die Ärmel waren jetzt tropfnass von dem, was sie im Waschbecken angestellt hatte. Sie verbeugte sich tief vor Ethan, der aufstand und sich ebenfalls verbeugte. »Ethan, ich bin jetzt sehr gut darin, Holz zu zerschlagen«, sagte Rory.

»Das ist toll, Rory. Holz ist *böse*. Das sage ich Larkin ständig.«

»Ich weiß, du ziehst mich auf. Willst du sehen, wie ich ein Stück Holz zerschlage?«

»Aber klar.«

Rory legte ein dickes Stück Holz auf den Rand des Tisches, schrie ihr »*Hei-jaaa!*« und zerteilte es in zwei Hälften. Das Holz flog durch die Luft, und ein Stück landete unter der Heizung. Da würde es für Monate liegen bleiben, für Jahre, in eine kleine Lücke geklemmt, selbst noch als die Jacobson-Boyds ausgezogen waren. Unbemerkt würde es bleiben, genau wie das Buch aus der Bibliothek, das bei Rorys Empfängnis unter der Kommode gelandet war. Jules musste oft an jene Nacht denken. Sie sah Dennis mit seiner schwarzen Krawatte vor sich und wie gewichtig er gewirkt hatte, wie erfüllt von sich. Das war es: Ethan war von sich erfüllt, Dennis nicht mehr. Die Depression hatte ein Leck geschlagen. Dennis lief aus.

»Du bist ein geniale Karatekämpferin, meine Kleine«, sagte Ethan und zog Rory auf seinen Schoß.

»Du kannst in Karate kein Genie sein«, sagte Rory.

»Nein, das stimmt. *Ich* nicht, aber *du*.«

Rory verstand den Witz und lachte herzhaft. »Ethan Figman, DAS HABE ICH NICHT GEMEINT!«, sagte sie mit einer Stimme, die so selbstsicher und so tief klang, dass Jules Rory manchmal James Earl Jones nannte. Es hatte keinen Sinn, Rory zu erklären, sie solle ihre *innere Stimme* benutzen, sie hatte keine Vorstellung davon, dass sie ihre Stimme modulieren konnte. Sie sprühte vor Leben und war ebenso erfüllt von sich wie Ethan, dachte Jules.

Rory rutschte von seinem Schoß und lief in den Flur, um mehr Holz zu zerstören. Ethan sagte zu Jules: »Okay, ich muss wieder. Ash möchte, dass ich mir ein paar Entwürfe für das balinesische Stück ansehe. Aber bevor ich gehe, müssen wir noch über diese Sache zwischen uns reden. Diese fürchterliche Geschichte, dass ein Freund dem anderen hilft.«

»Ich helfe dir nie«, sagte Jules. »Du hilfst nur immer mir und Dennis und allen anderen.«

»Machst du Witze?«, fragte er. »Du weißt, dass du mir hilfst.«

»Oh«, sagte sie. »Redest du davon, dass ich mit Ash in New Haven war? Das hat sie schon beim Brunch gesagt, doch das war keine große Sache. Und überhaupt habe ich ihr da mehr geholfen als dir.«

»Uns beiden hast du geholfen.« Er sah sie lange ohne ein Blinzeln an und sagte dann: »Okay. Ich werde dir jetzt etwas erzählen, das ich dir wirklich nicht erzählen wollte. Aber jetzt tue ich es. Und wenn ich es getan habe, kannst du über mich denken, was du willst.« Er verschränkte die Arme, wandte den Blick ab und ihr dann wieder zu. »Du weißt doch, dass ich an dem Tag nicht mitkommen konnte, weil ich nach L.A. musste?«

»Ja.«

»Ich war nicht in L.A. Ich habe mich im Royalton Hotel in Midtown versteckt. Ich habe es einfach nicht über mich gebracht, mit da hinaufzufahren und zu hören, wie sie meinem Sohn eine definitive Diagnose aufdrücken. Sie waren die Experten, und wenn sie erst ausgesprochen hatten, was ich mehr oder weniger bereits wusste, konnten sie es nicht mehr zurücknehmen. Ich hätte mit Ash fahren sollen, aber ich konnte es nicht ertragen.«

Jules starrte ihn an, erst mit großen Augen, die dann schmaler wurden. »Ernsthaft?«, sagte sie. »Das hast du getan?«

»Ja.«

»Wow.«

»Nun sag schon was«, sagte Ethan.

»Das habe ich gerade. ›Wow‹ habe ich gesagt, wie in: Wow, ich kann nicht glauben, dass du etwas … etwas moralisch so Übles tun konntest. Und das auch noch Ash gegenüber.« Ohne es zu wollen, musste Jules lachen.

»Wie kannst du da lachen?«, sagte Ethan, der nicht mal lächelte, sondern finster und still wirkte.

»Was du da sagst, ist so unwahrscheinlich«, sagte Jules. »Das war wirklich übel von dir, und ich weiß nicht, was ich davon halten soll.«

»Ich sage dir schon seit Langem, dass ich nicht einfach nur der Gute bin. Warum glaubt mir keiner? Wusstest du, dass ich Leute anschreie? Leute, mit denen ich zusammenarbeite? Früher habe ich das nicht getan, aber es wird alles so stressig. Ich habe einen der Dramaturgen angeschrien und ihn einen ›Schmierfinken‹ genannt. Und dann habe ich mich während der gesamten Skriptlesung bei ihm entschuldigt. Ich bin unbeherrscht und habe einige schreckliche Entscheidungen gefällt. Du weißt doch von dem geplanten *Figland*-Spin-off *Alpha*? Das gerade eingestampft wurde? Das Studio hat einen Wahnsinnshaufen Geld verloren, weil ich darauf bestanden habe, dass es funktionieren würde. Ich habe mir eingeredet, alles, was irgendwie mit *Figland* zu tun hat, würde ein Renner. Aber das stimmt nicht, wenn es nicht gut ist, und *Alpha* war lahm. Trotzdem habe ich die Sache in meinem Wahn durchgeboxt. Die sind alle völlig angepisst, aber sagen natürlich nichts. Das waren zuletzt nicht so gute Tage für mich, doch ich tue so, als wäre nichts. Und ich habe mich zwei Tage in dem Hotel versteckt, während du mit Ash nach New Haven gefahren bist, um Mo untersuchen zu lassen.«

»Ich kann wirklich nicht glauben, dass du das gemacht hast«, sagte Jules. Es war schlimm, was er Ash da angetan hatte, indem er sie in einem so wichtigen Augenblick im Stich gelassen hatte, und der Umstand, dass er es nicht Ash, sondern ihr gestand, verlieh der Situation eine unerwartete Intimität.

Ethan sah sie mit seinen so vertrauten, suchenden Augen an und sagte voller Elend: »Ich weiß nicht einmal, ob ich ihn liebe.«

Jules überlegte einen Moment, und es schien grob, ihm zu widersprechen, doch sie hatte das unbedingte Gefühl, es tun zu müssen. Sie verschränkte die Arme und sagte: »Ich glaube schon.«

»Ich sage dir doch, ich weiß es nicht.«

»Das musst du nicht wissen. Tu einfach die richtigen Dinge mit ihm. Sei liebevoll, aufmerksam. Überlass nicht wieder Ash alles, okay? Sage dir einfach: Das ist Liebe, obwohl es sich nicht so anfühlt. Und bleib dabei, auch wenn du dich betrogen fühlst, weil es ist, wie es ist. Er ist dein kleiner Junge, Ethan. Liebe ihn, und liebe ihn, und liebe ihn.«

Ethan schwieg und nickte schließlich. »Okay«, sagte er. »Ich werde es versuchen. Ich werde es wirklich versuchen, Jules. Aber Himmel noch mal, da ist nichts vom alten Mo in ihm. Nichts.« Und dann sagte er besorgt: »Du wirst doch Ash nichts erzählen?«

»Nein.« Aber dann dachte sie plötzlich, wenn Ethan es Ash gestand, könnte sie ihm womöglich von Goodman erzählen. Am

Ende kam es immer darauf an, wie lang der Hebel war, und für Ash würde er in dem Moment ziemlich lang sein. Aber das würde Ash nicht wollen, niemals würde sie das.

Ethan sagte: »Genug von alledem. Danke, dass ich mein Gewissen erleichtern konnte. Bitte, hasse mich jetzt nicht, wenigstens nicht offen. Ich werde wirklich über das nachdenken, was du gesagt hast. Und jetzt kommt der Teil, der sich nicht um mich dreht, sondern um dich und Dennis. Jeden Tag in meinem Arbeitsleben gibt es Leute, die wollen, dass ich ihnen etwas gebe, weil es mein Job ist, und dann gibt es andere, die wollen, dass ich ihnen etwas gebe, weil sie denken, es bringt ihre Karriere voran. Für gewöhnlich sage ich zu allem Ja, ohne Unterschied, weil es einfacher ist. Wobei *du* der Mensch bist, dem ich wirklich etwas geben will. Euch beiden, dir und Dennis«, verbesserte er sich. Ethan griff in die Tasche und fühlte in ihr herum. »Himmel«, sagte er, »ich weiß, ich habe ihn eingesteckt.« Er durchsuchte seine Taschen. »Gott, wo ist er? Oh, warte, hier.« Ethan zog ein kleines zusammengefaltetes Stück Papier hervor und strich es glatt. Es war ein Scheck mit einer Unterschrift. Er gab ihn ihr, und sie sah, dass er auf sie und Dennis ausgestellt war, der Betrag belief sich auf hunderttausend Dollar.

»Nein!«, sagte Jules. »Das ist eine lächerlich hohe Summe. Und Dennis wird das niemals mitmachen.«

»Ist es fair, einen depressiven Menschen so etwas entscheiden zu lassen?« Jules antwortete nicht. »Es wird das Leben etwas leichter machen«, sagte Ethan. »Das ist das eine, was Geld wirklich kann. Du weißt, ich bin kein Materialist, aber Geld ist nicht allein für Materielles da. Meiner Erfahrung nach ebnet es den Weg, sodass du dich nicht ständig mit Sorgen und Problemen beschäftigen musst. Mit Geld geht alles so viel einfacher.«

»Wir könnten dir das niemals zurückzahlen.«

»Das sollt ihr auch nicht. Der Punkt ist doch, dass du dir beide Beine ausreißt, engagiert bist, und New York ist so hart und unerbittlich. Dennis wird sich am Ende schon wieder fangen. Da wird sich etwas ändern, ich weiß es. Aber erst mal müsst ihr aus dieser Wohnung raus, Jules. Das ist ein erster Schritt. Macht eine Anzahlung für etwas Helles, Modernes, in dem ihr euch wohlfühlt. Etwas Optimistisches. Ich unterschreibe den Vertrag mit. Ich möchte, dass ihr das Gefühl habt, noch mal neu anfangen zu können, auch wenn es kein richtiger Neuanfang ist. Manchmal muss man sich selbst ein wenig austricksen. Zieht in ein Haus mit einem Aufzug, diese Treppen sind die Pest. Und gebt Rory ein eigenes Zimmer, sie braucht das! Kauft ihr mehr Bleistifte und Holz, und was immer sie will. Es gibt nichts Schlimmeres als Geldsorgen. Ich habe meine Eltern immer über Geld streiten gehört, und ich war überzeugt, sie würden sich das Fleisch von den Knochen reißen. Ich glaubte, eines Morgens würden sie aus dem Schlafzimmer kommen und die Haut hinge ihnen herunter. Im Übrigen ist es langweilig, sich immer über Geld Gedanken machen zu müssen. Benutze dein Gehirn für deine Kunden und deren Probleme. Sei kreativ.«

»Ich kann unmöglich hunderttausend Dollar von dir annehmen.« Jules versuchte, den Scheck zurück in seine Hemdtasche zu stecken.

»Hey, was machst du da?«, sagte er, wich ihr aus und lachte leise. »Komm schon, nimm es, Jules, nimm es.«

»Ich kann nicht«, sagte sie.

»Es tut mir leid, du musst. Ich fürchte, es ist zu spät«, sagte Ethan und wich noch weiter zurück, als könne er nichts daran ändern.

Kurz nachdem Ethan gegangen war, stürmte Rory zu Dennis ins Schlafzimmer, kletterte aufs Bett und stand über ihm. Als er die Augen in dem abgedunkelten Raum öffnete, sah er seine Tochter über sich, die Beine links und rechts von seiner Brust. »Daddy«, verkündete sie. »Rate mal, was passiert ist. Ethan Figman hat Mom *hundert Dollar* gegeben. Und er hat gesagt: ›Nimm es, Jules, nimm es.‹ Ich hab's vom Flur aus gehört. Hundert Dollar!«, rief sie empört.

Dennis stand auf und kam ins Wohnzimmer. »War Ethan hier?«, fragte er.

»Ja«, sagte Jules. »Er rief an und fragte, ob er kommen könne. Und er hat ein paar richtig gute Brioches mitgebracht, falls du eines willst.«

»Ich will seine richtig guten Brioches nicht, und wie du längst weißt, will ich auch sein Geld nicht. Waren es Zwanziger oder ein einzelner neuer Schein? Ich meine, es ist so erbärmlich, Jules, so demütigend. Ich kann es nicht glauben. Wie kannst du das annehmen? Wer bist du, eine Obdachlose?«

»Wovon redest du da, Dennis?«

»Rory hat mir von den hundert Dollar erzählt.«

»Oh, hat sie das?« Jules lachte kurz und hohl auf.

»Was?«, fragte er verwirrt.

Sie holte den Scheck und hielt ihm ihn auf eine Weise hin, dass er später, wenn sie darüber diskutieren würden, nicht würde sagen können, sie habe ihn ihm *hingedonnert*.

Dennis nahm ihn, sah ihn an und schloss die Augen. »Himmel«, sagte er, setzte sich aufs Sofa und verbarg das Gesicht mit seinen Händen. »Die hundert Dollar wären schon eine Beleidigung gewesen, aber das ist noch weit schlimmer. Ich weiß nicht mehr, was ich tun soll.«

»Dennis, es ist ja schon gut«, sagte Jules.

»Wenn du aus dieser Ehe rauswillst, in Ordnung«, sagte er. »So hast du dir das alles nicht vorgestellt.«

»Ich sage nichts dergleichen. Wie kommst du darauf?«

»Es ist einfach nicht gut. Vor dem Schlaganfall, bevor sie meine Medikamente umgestellt haben, da war es witzig mit mir, oder?«

»Ja, natürlich.«

»Gott, ich hasse all diese Pillen. Ich hasse es, dass sie etwas sind, worüber ich nachdenken muss. Ich versuche, mich zu erinnern, und sage mir: *Ich war witzig und kann wieder witzig sein*, aber es geht nicht. Oder ich mache etwas fürchterlich falsch. Die junge Frau aus Kentucky mit ihrer riesigen Leber – wenn das bösartig war, ist sie wahrscheinlich längst tot. O Gott, jetzt reite ich auf der wieder herum. Alles ist so eine Anstrengung. Ich bin nicht frisch wie du und Rory, und ich weiß, ich werde euch verlieren.«

»Das wirst du nicht«, sagte Jules. Da saß er, am helllichten Tag in seinem weichen, verknitterten Pyjama. Seit dem Tyramin und seinem Schlaganfall hatte er alle Frische verloren, und Jules und alle anderen waren weiter durch die Welt marschiert, während er ins Straucheln geraten war. Vielleicht verlor er sie, wenn nichts geschah. Das sah sie jetzt, und es war, als läse sie das traurige Ende eines Romans und klappte ihn schnell zu, als ließe es sich so verhindern. »Dennis, wir müssen diesen Augenblick in unserem Leben hinter uns lassen«, sagte sie, »und dazu müssen wir zunächst einmal aus dieser Wohnung hier raus. Und du musst auch weiter tun, was möglich ist. Neue Medikamente probieren. Mehr Sport treiben. Deine Achtsamkeit trainieren, was immer. Ich glaube, dieses eine Mal müssen wir Ethans und Ashs Hilfe annehmen.«

Dennis sah sie forschend an, und dann kam Rory. Es war, als würde sie von einem Magneten geleitet, der sie zu jedem angespannten Moment führte. Sie stellte sich vor ihre Eltern und sah sie abwechselnd an. »Sind das die hundert Dollar?«, fragte sie.

»Ja.«

Befriedigt wandte sie sich an ihre Mutter, und wer wusste schon, welche Zusammenhänge sie zu der Bitte, der Forderung brachten, die sie dann aussprach: »Mommy, küss Daddy«, sagte sie.

»Was?«, sagte Jules.

»Küss Daddy. Ich will es sehen.«

»Ein Kuss ist etwas Persönliches, Schatz«, sagte Dennis, aber Jules fasste sein Gesicht mit beiden Händen und zog ihn an sich heran. Er widersetzte sich nicht. Ihre Augen waren geschlossen, und sie konnte Rory lachen hören. Es war ein tiefes, befriedigtes Lachen, als wäre sie sich des ganzen Ausmaßes ihrer Macht bewusst.

Fünfzehn

Und dann waren sie in einer anderen Wohnung, ein halbes Dutzend Straßen weiter nördlich, in einer saubereren, helleren Wohnung, in einem »Haus mit Aufzug!«, wie sie staunend sagten, als wäre das eine ganz unerhörte Sache. Und ihnen *gehörte* diese Wohnung, und als sie der wundersame Aufzug am Umzugstag hinauf in ihre hellen, neuen, wenn auch irgendwie zusammengestückelten Räume mit dem Geruch frischer Farbe und den polierten Böden trug, fühlten sie sich wie gerettet. Das waren sie jedoch nicht, sie waren nur an einen anderen, besseren Ort verpflanzt worden, in ein Genossenschaftshaus, und den Hypothekenvertrag für die Wohnung hatte Ethan mit unterschrieben. Dennis' Depression würde auch hier wie ein nicht vergehender Farbgeruch in der Luft hängen, trotzdem war es etwas. Die Umzugsleute stellten alles in die Mitte der Zimmer. Die alten gerahmten Plakate – von der *Dreigroschenoper*, ein Tierschädel von Georgia O'Keeffe –, die einer früheren Phase ihres Lebens angehörten, die sie aber noch nicht ersetzen konnten, würden auch diese neuen Wände schmücken. Ash kam nachmittags, um zu helfen, und trug als Scherz eines der roten T-Shirts des Umzugsunternehmens. »*Shleppers*« stand darauf. Wer wusste, wie sie das von ihnen bekommen hatte? Sie ging gleich an die Arbeit, riss Kartons auf und half Rorys Möbel aufzubauen, tatsächlich in einem eigenen Zimmer und nicht nur in einer Ecke des Wohnzimmers, die nachts zu einem Schlafzimmer wurde. Jules konnte die beiden hören. Ashs weiche, fragende Stimme und dann Rory, die laut verkündete: »Stell die Rollerblades nicht weg, Ash. Mom und Dad sagen, ich darf sie auch IN DER WOHNUNG tragen, wie meine

Indianer-Mokassins.« Die beiden blieben da drinnen, ihre beste Freundin und das kleine Mädchen, bis alles komplett ausgepackt war. Um acht Uhr abends war Ash immer noch da, und sie holten etwas aus dem vietnamesischen Restaurant, das für die nächsten zwölf Jahre ihr Lieblings-Take-away bleiben sollte, bis es während der Rezession 2008 geschlossen wurde. Jules riss die Plastikhülle und den Klebestreifen von ihrem Sofa, und sie aßen von Tellern, die sie aus der Kiste *Küche 1*, und mit Besteck, das sie aus der Kiste *Küche 2* gefischt hatten. Rory aß eine Frühlingsrolle nach der anderen, stieß schließlich anerkennend auf, verschwand in ihrem neuen Zimmer und schlief komplett angezogen ein. Die drei Erwachsenen waren hoffnungsvoll, selbst Dennis, wenn auch verhalten.

»Das hier wird gut«, sagte Ash. »Ich freue mich für euch.«

Sie saß mit ihnen zusammen, redete über die Wohnung, das Theater und darüber, wie toll Mos Therapeuten seien und dass er schon Fortschritte zeige. »Er arbeitet so hart mit Jennifer und Erin. Er ist mein Held, dieser Junge.« Ethan war in dieser Woche in Hongkong, und Ash hielt in New York die Fäden zusammen.

»Wenn du ein Kind bekommst«, hatte sie kürzlich zu Jules gesagt, »ist da gleich von Beginn an diese grandiose Fantasie, was aus ihm einmal wird, und dann vergeht die Zeit, und ein Trichter taucht auf. Und das Kind wird durch diesen Trichter gedrückt, von ihm geformt, und die Möglichkeiten schwinden. Jetzt weißt du, dass es kein Athlet werden wird, und dann wird kein Maler mehr aus ihm, kein Linguist. Alle diese verschiedenen Möglichkeiten fallen weg. Bei Mo habe ich so viel so schnell wegfallen sehen. Vielleicht tritt Neues an die Stelle des Weggefallenen, vielleicht sind es Dinge, die ich mir noch nicht vorstellen kann. Ich weiß es nicht. Kürzlich habe ich eine Mutter kennengelernt, die sagte, sie sei mittlerweile so dankbar, dass ihr Kind hochfunktional sei. Sie sagte, allein der Begriff ›hochfunktional‹ mache sie stolz, als wäre es damit ein *National Merit Scholar*.«

Jules dachte an ihr eigenes Kind. Sie hatte den Verdacht, dass Rorys Leben nicht das eines herausragenden, privilegierten Menschen sein würde, doch sie war sicher, dass ihre Tochter solch ein Leben auch gar nicht wollte. Sie war glücklich mit sich, wie sie war, das war offensichtlich. Und ein solches Kind bedeutete für seine Eltern, dass sie den Jackpot gewonnen hatten. Rory und Larkin mochten beide gut zurechtkommen mit ihrem Leben, aber wer wusste, wie es Mo mit seinem schmalen, ängstlichen Gesicht und den nervösen Fingern ergehen mochte?

Etwa gegen zehn fuhr Ash nach Hause. Sie sagte, sie sei erschöpft, und witzelte, sie und die anderen *Shlepper* hätten in aller Frühe einen Job in Queens.

Später, noch in derselben Nacht, nicht zu weit entfernt, im sechsten Stock des Labyrinths, wachte Betsy Wolf, fünfundsechzig Jahre alt, mit so fürchterlichen Kopfschmerzen auf, dass sie nur »Gil« wimmern und die Hand an den Kopf heben konnte, um ihm zu zeigen, was ihr wehtat. Es war eine Gehirnblutung, sie starb auf der Stelle. Später, nach der Fahrt ins Krankenhaus und den zu erledigenden Formalitäten, rief Ash Jules an und konnte kaum sprechen. Die nächtliche Stunde und das Weinen der Freundin sagten alles. Ethan sei nicht in New York, erinnerte Ash sie. Ob Jules vielleicht zu ihr kommen könne? »Natürlich«, sagte Jules, »ich bin gleich da«, und sie zog sich in der Dunkelheit der neuen, noch unvertrauten Wohnung zwischen den unausgepackten Kisten an, fuhr mit dem Aufzug nach unten und hielt nach einem Taxi Ausschau.

Sie war schon seit Jahren nicht mehr im Labyrinth gewesen, es hatte keinen Grund mehr dafür gegeben, und als sie jetzt in dem goldenen Aufzug nach oben fuhr, schlang sie die Arme um den Körper und war voller Trauer und Angst vor dem, was sie dort oben erwartete. Ash öffnete die Wohnungstür und fiel so fest gegen Jules, als hätte sie jemand gestoßen. Nachdem sie ihre Mutter verloren hatte, wirkte sie so anders als am Nachmittag und Abend, als sie

Rory in ihrem Zimmer geholfen und mit ihnen auf dem Sofa gesessen und Zuckerrohr-Shrimps gegessen hatte. »Was soll ich nur tun?«, sagte Ash. »Wie kann ich keine Mutter haben? Wie kann ich *meine* Mutter nicht mehr haben? Wir haben am Abend noch gesprochen, als ich aus eurer neuen Wohnung kam. Und jetzt … existiert sie nicht mehr?« Ein neuer Weinanfall erfasste sie, der klang, als werde sie von jemandem angegriffen.

Jules hielt sie im Arm, und so standen sie ein paar Minuten beieinander. Die Wohnung hinter Ash lag im Dämmerlicht, wirklich und unwirklich zugleich, wie eine Bühne, die für diese Szene eingerichtet worden war. Jules sah die große Diele, das Wohnzimmer und den langen Gang, der zu den einzelnen Zimmern führte, in denen die Wolfs einmal alle gelebt und geschlafen hatten. Sie überlegte, was sie sagen sollte, doch sie konnte Ash nur zustimmen. »Es ist schrecklich«, sagte sie. »Deine Mutter war so ein wunderbarer Mensch. Sie hätte nicht so jung sterben dürfen.« Oder überhaupt jemals, wollte Jules sagen. Betsy Wolf war auch mit fünfundsechzig noch eine Schönheit gewesen. Sie war Dozentin am Metropolitan Museum und hatte dort samstags Kunstunterricht für Kinder gegeben. Alle hatten immer gesagt, wie jung und elegant sie doch aussehe.

Der Tod von Jules' Vater war ebenfalls eine Tragödie gewesen, sogar noch eine größere, wenn man an sein Alter dachte. »Zweiundvierzig«, hatte Ethan einmal gestaunt. »Das ist so verdammt unfair.« Jules wollte Ash erklären, dass der Tod eines Vaters oder einer Mutter etwas so Großes und Unaussprechliches sei, dass man sich nur ganz in sich zurückziehen könne. Das war es, was Jules – Julie – damals getan hatte. Sie hatte sich in sich verkrochen und war erst wieder aus sich herausgekommen, als sie im Sommer die anderen getroffen hatte. Julie wäre auch allein wieder auf die Beine gekommen, dachte Jules plötzlich. Sie wäre zurechtgekommen und wahrscheinlich ziemlich glücklich geworden.

Endlich machte Ash sich frei und ging hinüber ins Wohnzimmer. Jules folgte ihr. Was war mit der Wohnung, was ließ sie so abgenutzt erscheinen? Vielleicht müsste wieder einmal gestrichen werden, oder vielleicht spiegelte sie auch den Tod ihrer Besitzerin, und alles, was in ihr früher jene warme, schimmernde Atmosphäre verbreitet hatte, war mit einem Mal verdüstert und trüb. Selbst die vertrauten Lampen, Teppiche und Ottomanen hatten aufgehört, Symbole der Behaglichkeit und Vertrautheit zu sein, sondern wirkten nur noch sinnlos und öde, fast schon scheußlich. Ash warf sich auf das mit einem Überwurf bedeckte Sofa und barg das Gesicht in den Händen.

Jules hörte ein Geräusch, drehte sich zur Tür und sah Ashs Vater auf der Schwelle stehen. Während Ash in ihrer neuen Trauer wie ein kleines Mädchen wirkte, sah Gil Wolf einfach nur alt aus. Er trug einen Bademantel, sein silbriges Haar stand in Büscheln ab, und er wirkte verwirrt und langsam. »Oh«, sagte er. »Jules. Du bist hier.«

Sie drückte ihn vorsichtig an sich und sagte: »Das mit Betsy tut mir so leid.«

»Danke. Wir hatten eine gute Ehe«, sagte er. »Ich dachte nur, sie würde noch so viel länger dauern.« Er zuckte mit den Schultern und hustete einen Schluchzer weg, dieser dünne Mann in seinen Sechzigern mit dem weichen, androgynen Gesicht, das mit dem Alter zu kommen schien, als vermischten sich die Hormone am Ende in einem großen gemeinsamen Topf, weil es einfach nicht mehr darauf ankam. Er sah zu Ash hinüber und sagte: »Die Schlaftablette, die du mir gegeben hast, wirkt noch nicht.«

»Das wird sie, Dad. Gib ihr etwas Zeit, und leg dich einfach hin.«

»Hast du angerufen?«, fragte er nervös.

Jules wusste nicht, was er meinte, doch dann begriff sie: Hast du deinen Bruder angerufen?

»Das mache ich gleich.« Ash half ihrem Vater den Flur hinunter und ins Bett und ging dann in ihr Zimmer, um den Anruf zu tätigen. Jules traute sich nicht, ihr zu folgen und in die Mausoleen zu sehen, die einmal Ash und Goodman gehört hatten. Sie blieb im Wohnzimmer und setzte sich steif in einen Sessel. Ashs Mutter »existiert nicht mehr«, hatte Ash gesagt. Betsys Haar, der Knoten, die Strähnen, die sich daraus losmachten, all das existierte nicht mehr. Die Silvesterpartys, die sie organisiert hatte, existierten nicht mehr, die Latkes, die sie jedes Jahr zu Chanukka gebraten hatte, existierten nicht mehr. Goodman hielt sich versteckt, und Betsy war die, die nicht mehr da war.

Vier Tage später wurde Ashs Mutter beerdigt. Die Trauerfeier fand in der Ethical Culture Society statt, wo Jules auch schon an verschiedenen Gedenkfeiern für an Aids gestorbene Männer teilgenommen hatte. Außerdem hatte ihre Tipi-Mitbewohnerin Nancy Mangiari hier geheiratet. Die Beerdigung hatte warten müssen, bis Ethan mit dem privaten Firmenjet des Networks aus Hongkong zurückgekommen war. Jules' Mutter wollte ebenfalls kommen. »Aber warum, Mutter?«, hatte Jules gereizt am Telefon gefragt. »Du hast Ashs Mutter doch kaum gekannt. Ein einziges Mal hast du sie am Flughafen getroffen, vor etwa hundert Jahren, als ich 1977 mit ihnen nach Island geflogen bin.«

»Ich weiß«, sagte Lois. »Daran erinnere ich mich gut. Es war sehr großzügig von ihnen, dich mitzunehmen. Und Ash war immer so nett. Ich möchte ihr die letzte Ehre erweisen.«

So kam Lois Jacobson mit der Long Island Railway aus Underhill in die Stadt und ging mit Jules zur Beerdigung. Es war eine sehr emotionale Trauerfeier mit vielen Freunden und Verwandten, und offenbar wollten alle, die sich mit den Wolfs verbunden fühlten, etwas sagen. Cousine Michelle, die im Wohnzimmer der Wolfs geheiratet und zu *Nights In White Satin* getanzt hatte, stand unglaublicherweise kurz davor, Großmutter zu werden, und pries

Betsys Großzügigkeit. Jules selbst stand ebenfalls auf und sagte ein paar steife Worte dazu, wie gern sie bei den Wolfs gewesen sei. Während sie sprach, wurde ihr jedoch bewusst, dass sie nicht zu weit gehen und die Gefühle ihrer Mutter nicht verletzen durfte. Da Lois Jacobson mit im Raum war, konnte sie nicht sagen: »Wenn ich bei ihnen war, fühlte ich mich glücklicher, als ich es je für möglich gehalten hatte.« Sie fasste sich kurz und sah dabei Ash an, der es äußerst schwerfiel, das alles durchzustehen. Ethan hatte den Arm um sie gelegt und hielt sie aufrecht, was kaum möglich schien. Auf Ashs anderer Seite saß Mo in Hemd und Krawatte. Er hockte vorgebeugt da und spielte mit seinem Gameboy, als könnte er sich so aus dieser Versammlung entfernen.

Nach Jules erhob sich Jonah. Er sah gut aus in seinem dunklen, maßgeschneiderten Anzug, und Robert Takahashi behielt ihn aufmerksam im Blick. Jonah sprach selten vor Leuten, es war nicht seine Sache, er tat so etwas nicht. Ashs und Ethans Hochzeit war womöglich das letzte Mal gewesen, dass er das Wort ergriffen hatte. Aber hier stand er nun, und alle sahen ihn gespannt an und wollten hören, was er zu sagen hatte. »Als ich jung war, habe ich oft bei den Wolfs zu Abend gegessen«, sagte er. »Alle schienen immer ewig am Tisch sitzen zu bleiben, es wurde viel herumgealbert, es gab wirklich gute Gespräche, und das Essen war herrlich. Ich habe dort Dinge gekostet, die ich noch nie im Leben gegessen hatte. Meine eigene Mutter war schon Vegetarierin, als man noch keiner sein und gleichzeitig gut essen konnte. Das heißt, unser Essen zu Hause war ein bisschen … nun ja. Aber wann immer ich in die Wohnung der Wolfs kam, war Betsy in der Küche und kochte etwas Köstliches. Einmal abends gab es eine neue Pasta, und sie sagte, die heiße ›Orzo‹, und sie buchstabierte es für mich, als ich danach fragte: *O-r-z-o*. Aber ich merkte es mir nicht richtig und ging von einem Laden in den anderen und fragte: ›Haben Sie Ozro? *O-z-r-o?*‹, und keiner wusste, wovon ich da redete.« Es waren ein paar Lacher zu hören. »Aber mein Gott, das ist alles so lange her«, fügte Jonah hinzu. »Ich wollte …« Er hielt inne und war unsicher, wie er enden sollte. »Ich wollte nur sagen, dass ich alles dafür gäbe, noch einmal von Betsy bekocht zu werden.«

Zuletzt stand Larkin, kaum fünfeinhalb Jahre alt, auf, ging nach vorn, zog das Mikrofon zu sich herunter und sagte mit belegter Stimme: »Ich lese jetzt ein Gedicht vor, das ich für Grandma B. geschrieben habe.« Es war merkwürdig zu sehen, wie sehr Larkin ihrer Mutter glich. Sie sah genau aus wie Ash auf den Fotos aus ihrer Kinderzeit. Larkins Schönheit schien unberührt vom Aussehen ihres Vaters, der allein in ihrem Denken und der Haut zu erkennen war, jedoch nicht in den Gesichtszügen. Larkin trug ein Kleid mit langen Ärmeln, und Jules glaubte zu wissen, warum.

Das Gedicht war sehr frühreif und bewegend: »Ihre warme Hand konnte stets unser Fieber kühlen«, lautete eine der Zeilen, und Larkin weinte beim Vorlesen. Zum Schluss sagte sie: »Grandma B., ich werde dich niemals vergessen!« Ihre Stimme brach, und einem Großteil der Leute im Raum traten Tränen in die Augen angesichts dieses überwältigten kleinen Mädchens. Jules dachte, dass auch Goodman hier sein sollte. Erst hatte er den Tod des Hundes verpasst – was eine Art Probe für Kommendes gewesen war – und jetzt das hier, den Ernstfall.

Vielleicht dachten auch alle anderen an Goodman. Jules fragte sich, ob er hatte kommen wollen, ob er vielleicht mit Ash die Möglichkeit diskutiert hatte, herzufliegen und dabei zu sein. Jules sah zur Tür hinten, als erwartete sie, dass er sich dort unter dem Ausgangsschild herumdrückte und darauf hoffte, dass sich niemand umdrehte und ihn erkannte. Mit gebeugtem Kopf sah sie ihn dort stehen, die Schultern vorgezogen, die Hände gefaltet, ein mittelalter Mann in den zerknitterten Kleidern von jemandem, der die Nacht in einem Flugzeug verbracht hatte. Aber Jules hatte ihn seit neunzehn Jahren nicht mehr gesehen, und sie vermochte sich nur sein junges, gut aussehendes Gesicht vorzustellen, umgeben von grau meliertem Haar.

Goodman wurde in der Hinterbliebenenliste der Pastorin eher nebenbei genannt. Immer wenn Jules während der Messe zu Ash und Ethan hinübersah, saß Ash vorgebeugt da, als hätte der Tod ihrer Mutter sie selbst nahe an den Tod herangebracht. Ethan hielt die ganze Zeit den Arm um sie gelegt. Er werde alles eine Weile ruhen lassen, hatte er nach seiner Rückkehr aus Hongkong versprochen, sagte eine Rede am Caltech ab und verschob mehrere Besprechungen wegen der Keberhasilan-Schule, die er in Jakarta zu gründen versuchte. Schließlich, als die Leiterin der Ethical Culture Society zum Ende zu kommen schien, warf Mo, der ganz in sein Spiel versunken gewesen war, den Gameboy krachend zu Boden, schrie, als wäre er mit kochendem Wasser übergossen worden, und sprang auf. Er entwand sich seiner Schwester und seiner Mutter, an der Tür gab es ein kurzes Durcheinander, als ihn jemand aufhielt, und die Feier wurde hastig beendet.

Jules brachte ihre Mutter nach dem Empfang mit einem Taxi zurück zur Penn Station. Auch heute noch fühlte sich Lois Jacobson unwohl, wenn sie sich allein durch New York bewegen musste. Manhattan war für sie nie ein gastlicher Ort gewesen. Wenn sie einen schwungvollen, aber anstrengenden Tag mit dem Besuch einer Broadway-Show oder einem Einkauf bei Bloomingdale's in der Stadt verbracht hatte, sah sie zu, möglichst schnell wieder in den Zug nach Hause zu kommen. Jules' Schwester Ellen war da genauso. Sie und ihr Mann Mark wohnten zwei Orte von Underhill entfernt und führten einen Party-Service. Ellen hatte einmal bemerkt, dass sie den »Trubel« nicht brauche, ohne den Jules seit ihrem ersten Aufenthalt bei Spirit-in-the-Woods offenbar nicht könne, und das stimmte wahrscheinlich.

»Werde keine Fremde«, sagte Lois Jacobson an diesem Abend auf dem Bahnsteig zu ihr. Hinter ihr wartete der Zug mit seinem

Zischen und seinen gastrischen Geräuschen. Sie küssten sich auf die Wangen, und Lois mit ihrem Regenmantel und dem blassgrauen Haar schien zerbrechlich, aber vielleicht wirkte sie auch nur auf Jules so, die sie mit einem Mal im warnenden Licht des Todes einer anderen Mutter sah.

In ihrer neuen Wohnung schlief Jules schlecht in dieser Nacht. Sie dachte an Ash und Betsy und daran, wie alle geduldig darauf warteten, einen geliebten Menschen nach dem anderen zu verlieren, und dabei so taten, als wäre es nicht so. Weder sie noch Dennis hatten bisher den Matratzenbezug in den Kisten finden können, und irgendwann nachts musste sich auch das Spannbetttuch gelöst haben, sodass Jules am Morgen auf der nackten Matratze erwachte wie eine politische Gefangene. Dennis war bereits mit Rory in der Küche und machte Frühstück. Es war ein Schultag und dem Geruch nach zu urteilen auch ein Frühstückseiertag. Sie fragte sich, ob Dennis den Pfannenwender in einem der immer noch unausgepackten Küchenkartons gefunden hatte, und dann dachte sie: *Oh, Ashs Mutter ist tot.* Der Pfannenwender und Betsy Wolf standen in ihren Gedanken nebeneinander und hatten einen Augenblick lang das gleiche Gewicht. Jules lag auf der unbedeckten Matratze, atmete den Farbgeruch der frisch gestrichenen Wände ein, und als das Telefon klingelte, hatte sie ihre Hand eher auf dem Hörer, als Dennis an den Apparat in der Küche herankam. *Das muss Ash sein,* dachte sie. Wahrscheinlich hatte sie die ganze Nacht geheult, und jetzt war es Morgen, und sie brauchte frischen Trost. Jules hatte einen Termin um zehn: eine junge Mutter, die panische Angst davor hatte, ihr Baby fallen zu lassen. Den Termin konnte sie nicht verschieben.

Aber auf ihr »Hallo« antwortete eine männliche Stimme. Im Hintergrund zischte etwas.

Wann immer sich eine Stimme am Telefon meldete, ohne den Namen ihres Besitzers zu nennen, dachte Jules, dass es ein Kunde sein könnte. »Wer ist da bitte?«, fragte sie dann ganz neutral, und so machte sie es auch heute.

»Du erkennst mich nicht«, sagte er.

Jules gab sich eine Extrasekunde zum Nachdenken, ganz so, wie sie es auch in ihren Therapiesitzungen tat. Das Zischen am anderen Ende war ein Hinweis, aber sie glaubte auch so zu wissen, wer es war, setzte sich auf und zog sich eine Decke um ihr aufklaffendes Nachthemd und ihre sommersprossige, schlafwarme Brust. »Goodman?«

»Jacobson.«

»Wirklich?«

»Ja. Ich wollte einfach nur mit dir reden«, sagte Goodman. »Ethan hat Ash erklärt, dass er sie ein paar Wochen lang nicht allein lassen werde. Er will bei ihr sein. Also, sagte Ash, wird sie mich nicht so viel anrufen können, selbst mit ihrem supergeheimen Batphone nicht.« Jules wusste nicht, was sie sagen sollte, sie war nicht gefasst, sie war aus dem Gleichgewicht gebracht. Sie hörte, wie ein Streichholz angerissen wurde, und stellte sich Goodman mit einer Zigarette zwischen den Lippen vor: wie er das Kinn vorschob, um die Spitze in die Flamme zu halten.

»Es tut mir so leid, das mit deiner Mutter«, sagte sie schließlich. »Sie war wunderbar.«

Er sagte: »Ja, danke, sie war schon toll. Es ist eine verdammte Schande.« Und dann sagte er nichts mehr, rauchte nur ein wenig, und Jules hörte Eis in einem Glas klacken. Da, wo Goodman war, war es nur vier Stunden später, es war also zwölf, aber vielleicht trank er ja schon. Goodman fragte: »Und? Wie war's?«

»Wie war was?«

»Die Beerdigung.«

»Die war gut«, sagte sie. »Es fühlte sich an wie etwas, das sie gewollt hätte. Keine Bezüge zu Gott. Alle haben etwas gesagt, und es klang ehrlich. Sie haben sie alle wirklich gemocht.«

»Wer ist alle?«

Jules nannte ihm einige Leute, darunter Jonah und Cousine Michelle, und dann sagte sie: »Larkin hat ein Gedicht vorgelesen, das sie für sie geschrieben hat. Sehr bewegend und sehr reif. In einer Zeile war von der warmen Hand deiner Mutter die Rede, die ein Fieber zu kühlen vermochte.« Kaum dass sie das gesagt hatte, wurde ihr klar, dass Goodman seine Nichte noch nie gesehen hatte. Larkin war nicht mehr als ein Name für ihn, ein Kopf auf einem Foto.

»Das stimmt, das konnte sie wirklich«, sagte er. »Sie hat sich gut um Ash und mich gekümmert, als wir Kinder waren. Ich habe meine Eltern natürlich nicht sehr oft gesehen, und wenn sie hier waren, sahen sie eher geschrumpft aus, besonders mein Dad. Ich habe immer gedacht, er würde als Erster gehen. Ich kann nicht glauben, dass ich meine Mom nie wiedersehen werde«, sagte er. Seine Stimme wurde rau, und Jules hörte den Frosch in seinem Hals.

Dann begann Goodman zu weinen, und Jules' Augen füllten sich ebenfalls mit Tränen, und sie weinten gemeinsam über einen Ozean hinweg. Jules versuchte, sich das Zimmer vorzustellen, in dem er saß, die Wohnung, in der er lebte, sah aber nur irgendein trübes, braun-goldenes Muster vor sich, ein Farbschema, das sich in jener Nacht 1977 im Café Benedikt in ihr festgesetzt hatte. Er hatte nie zuvor daran gedacht, sie anzurufen, sie war kaum von Interesse für ihn gewesen. Wahrscheinlich war er immer noch so arrogant, aber auch tief getroffen. Zuletzt hatte Ash, wenn Goodmans Name aufkam, immer gesagt: »Frag nicht nach ihm.« Goodman war ein hoffnungsloser Fall. Wann immer Jules während all der Zeit einmal an ihn gedacht hatte, war sie sich bewusst gewesen, dass er seinerseits kaum je an sie dachte. Aber trotz dieses Ungleichgewichts fühlte sie sich ihm in diesem Moment nahe. Ihre Gefühle hatten etwas Mütterliches, hatte er doch wie seine Schwester gerade seine Mutter verloren. Goodman schien sich die Nase zu putzen, danach hörte sie nur noch seinen Atem. Sie wartete, so wie sie es in ihren Therapiesitzungen tat, war mitfühlend und nicht in Eile, obwohl es eigentlich an der Zeit war aufzustehen. Sie wollte sich von Rory verabschieden, bevor ihre Tochter zur Schule ging. Sie wollte duschen. Sie wartete, dass er zu weinen aufhörte.

»Kommst du zurecht?«, fragte Jules schließlich, als er ruhiger wurde.

»Ich weiß es nicht.«

»Hast du da, du weißt schon, jemanden zum Reden?«

»Jemanden zum Reden? Eine isländische Ausgabe von Dr. Spilka?«, fragte Goodman. »Richtig, Ash sagt, du bist jetzt Analytikerin. Das heißt, du glaubst an das alles.«

»Ich meinte eher einen Freund.«

»Eine Freundin?«

»Oder eine Gruppe Freunde«, sagte sie. »Es ist egal.«

»Ob ich eine Gruppe Freunde habe, die hier in Reykjavík in einem Tipi hockt? Fragst du mich das?« Seine Stimme klang jetzt herausfordernd, nicht mehr weinerlich.

»Ich weiß nicht, was ich dich frage«, sagte Jules. »Ich improvisiere. Du kannst mich nicht einfach so nebenbei anrufen, als wäre nichts. Ich meine, komm.«

»Einige Dinge ändern sich nie, was?«

»Was soll das jetzt heißen?«

»Du warst immer hinter mir her«, sagte Goodman. »Einmal hatten wir sogar eine Art Augenblick, bei uns im Wohnzimmer, erinnerst du dich? Ein kleines *Zungenspiel*, denke ich.« Er lachte leichthin, machte sich lustig, und sie hörte ein Gluckern, dann wieder Eis.

»Daran kann ich mich nicht erinnern«, sagte Jules mit veränderter Stimme, das Gesicht glühend rot.

»Oh, ich bin sicher, du erinnerst dich an alles von damals«, sagte er. »Ich weiß, wie wichtig dir das alles war. Die Sommer im Camp. Die *Interessanten*.«

»Für dich war es genauso wichtig«, sagte sie bissig. »Bei Spirit-in-the-Woods warst du eine große Nummer. Und dein Vater war nicht da und konnte dich nicht kritisieren. Für dich war es der Himmel. Nicht nur für mich.«

»Du hast ein gutes Gedächtnis« war alles, was er darauf sagte.

»Hör zu, Goodman, mir ist klar, dass dich der Tod deiner Mutter trifft«, sagte Jules, »und ich weiß, es ist schwer für dich, so weit weg zu leben. Aber ich bin sicher, Ash wird einen Weg finden, dich bald schon anzurufen, und dann könnt ihr zwei über alles reden. Mir wird das jetzt ein bisschen zu komisch. Und zu viel. Tut mir leid.« Ihre Stimme stockte ein wenig. »Ich denke, ich lege jetzt auf«, sagte Jules. Goodman blieb stumm, und sie sagte noch einmal, sinnloserweise: »Ich lege jetzt auf«, legte den Hörer zurück auf die Gabel und saß volle zwei Minuten aufrecht im Bett, wartete und hörte die Geräusche von Tellern und Pfannen, und dazu die tiefen Stimmen von Dennis und Rory, und endlich nahm sie den Hörer noch einmal ans Ohr, um sich zu versichern, dass er wirklich nicht mehr da war.

So lebten die beiden Paare auch weiter ihr Leben, manchmal getrennt, manchmal nicht, aber es blieben sehr unterschiedliche Leben. Eines der Paare reiste um die Welt, das andere packte seine restlichen Kisten aus, nagelte dieselben alten Plakate an die Wand und füllte dasselbe alte leichtgewichtige Besteck in eine Schublade. Es gewöhnte sich an den Aufzug und konnte sich bald schon kaum mehr an all die Stufen erinnern, die es hinaufgestiegen war. Die neue Wohnung gab ihnen etwas mehr Luft, allerdings schienen sie auf ewig mit gewissen Demütigungen leben zu müssen: Eines Tages rannte eine Maus quer durch die Küche, und Jules bestand Dennis gegenüber darauf, dass es dieselbe Maus sei, die sie schon in ihrer alten Wohnung geärgert habe. Sie sei ihnen hierher gefolgt wie einer jener Hunde, der seinem Besitzer um die halbe Welt nachläuft und ihn am Ende wunderbarerweise findet.

Ash trauerte lange um ihre Mutter und rief Jules immer wieder an, wollte reden und fragte, ob sie ihr auf die Nerven gehe. »Wie kannst du mir auf die Nerven gehen?«, sagte Jules. Ethan erlebte nach seinem Pech mit *Alpha*, dem misslungenen Spin-off von *Figland*, eine weitere Pleite, die so groß, so öffentlich und so teuer war, dass sie das gesamte *Figland*-Unternehmen zu bedrohen schien. Der *Hollywood Reporter* brachte dazu einen Artikel mit der Überschrift: »Ist Figman am Ende?« Ethan hatte einen High-Budget-Trickfilm mit dem Titel *Dam It!* konzipiert und geschrieben, dessen Helden Biber waren und der die schlimme Geschichte der Kinderarbeit erzählte. Die Kritiken waren schlecht und die Quoten schrecklich, wie Jules es ihm vorausgesagt hatte, als er ihr erzählte, dass er daran denke, die Idee weiterzuentwickeln. »Bist du sicher, dass du das willst?«, hatte sie gefragt. »Das klingt nicht gerade attraktiv und ein wenig wie von der Kanzel herunter, Ethan. Bleib bei deinem tatsächlichen Engagement, mach nicht auch noch einen Trickfilm daraus.« – »Andere Leute sehen das ganz anders«, hatte er geantwortet, »und Ash gefällt die Idee ebenfalls.« Aber die »anderen Leute« sagten immer zu allem Ja, was von Ethan kam, und Ash unterstützte ihn auch immer, so war sie nun mal. »Der *Ishtar* der Trickfilme«, schrieb der *Reporter*, und danach war für Ethan jeder Misserfolg der *Ishtar* von etwas. Jahre später nannte er den Irak-Krieg den »*Ishtar* der Kriege«. Niemand im Studio gab Ethan offen die Schuld, doch natürlich war es sein Fehler, wie er seinen Freunden eines Abends beim Essen erklärte, da sich die dringende Arbeit seiner Anti-Kinderarbeit-Initiative offenbar nicht *ins Launige* übersetzen ließ. »Ich hätte auf dich hören sollen, Jules«, sagte er trübe gestimmt und sah sie über den Tisch hinweg an. »Ich sollte immer auf dich hören.«

Nach dem schrecklichen Eröffnungswochenende des Films nahm sich Ethan ein paar Tage frei und blieb zu Hause in der Charles Street, wo ihm mehr denn je bewusst wurde, wie man ohne Arbeit auf den Kern seines persönlichen Lebens zurückgeworfen wird: in diesem Fall – vor allem – die Entwicklungsprobleme seines Sohnes. Mo war widerspenstig und oft teilnahmslos. Er schrie und schrie und wurde während der Woche von verschiedenen Lehrern und Therapeuten betreut. Nette junge Frauen strömten durchs Haus, alle entzückend, und alle hießen Erin, scherzte Ethan, alle so ungeheuer umsichtig und auf eine Art und Weise liebevoll, dass sie ihm engelhaft vorkamen, während er selbst, wenigstens in seinen eigenen Augen, kaltherzig und gleichgültig war oder noch schlimmer.

Seine Tochter Larkin war leicht zu lieben, so reif und kreativ, wie sie war. Sie redete bereits davon, dass sie als Teenager im Trickfilm-Schuppen ihres Vaters eine Lehre machen wolle. »Ich könnte Trickfilme schreiben und sie auf Papier aufzeichnen«, sagte sie. »So wie du es früher getan hast, Dad.« Was Ethan fast umbrachte, denn er hatte sich natürlich weit von den alten Bleistift-und-Papier-Tagen wegbewegt. Ethan synchronisierte noch zwei seiner *Figland*-Charaktere, leitete die Vorproduktion, war bei den Skriptlesungen dabei und im Aufnahmestudio und verließ das Studio auch am Ende des Tages nicht, wenn sich alle wahrscheinlich sagten: *Oh bitte, Ethan, ich nicht. Ich will nach Hause, ich möchte einfach etwas Zeit für mich und meine Familie. Ich bin nicht wie du, Ethan, ich kann nicht so viel arbeiten und trotzdem mein Leben leben.* Obwohl Ethans Kinofilm eine Katastrophe und sein Fernseh-Spin-off eine Pleite gewesen waren, lief *Figland* nach wie vor bestens. Vielleicht ging es immer so weiter.

Ash führte auch weiter Regie bei ernsten und für gewöhnlich feministischen, doch auch irgendwie uninspirierten Stücken und bekam respektvolle Reaktionen von Kritikern, die von ihrem bescheidenen, aber hintergründigen Stil beeindruckt waren, der in solchem Gegensatz zur ungeheuer offenen, hyperaktiven Arbeit ihres berühmten Mannes stand. Sie erschien in Programmen wie *Frauen im Theater*, obwohl es sie ärgerte, dass die Leute solche Programme noch für interessant und notwendig hielten. »Es ist peinlich, auf Dauer als Minderheit gesehen zu werden. Warum suchen wir nach wie vor bei Männern Autorität?«, beschwerte sie sich Jules gegenüber. »Nun, ich sollte nicht ›wir‹ sagen. *Wir* tun es nicht, aber *sie*. Ich meine alle anderen.« Es war verwunderlich und deprimierend für sie, dass selbst heute noch, in dieser aufgeklärten Welt, die Männer überall die Macht in den Händen hielten, selbst in der Nischenwelt des Off-Broadway-Theaters.

Jules' Praxis war einigermaßen ausgebucht, doch wie alle Therapeuten hatte auch sie unter einer abnehmenden Kundenzahl zu leiden. Die Leute nahmen heute Antidepressiva, statt sich in eine Therapie zu begeben. Die Versicherungen zahlten für weniger und weniger Sitzungen, und obwohl sie ihre Gebühren niedrig hielt, beendeten manche Kunden ihre Therapie möglichst schnell. Diejenigen, die blieben, waren Jules für ihre ruhige, humorvolle, freundliche Art dankbar. Sie mühte sich mit ihrer Praxis ab, um ihre Familie zu ernähren.

Rory wurde älter, wuchs aus ihrem tiefen Neid auf Jungen heraus und genoss ihr Leben. Sie war ein sehr körperlicher Mensch und musste ständig in Bewegung sein. Am Wochenende spielte sie in einer Fußballmannschaft, und während der Woche ging Dennis mit ihr nach der Schule in den Park, und sie schossen einen Ball hin und her. Dennis redete immer noch davon, wieder zu arbeiten, doch seine Stimme zitterte, wenn das Thema aufkam. Er informierte sich über die letzten Neuerungen in der Sonografie und abonnierte eine Fachzeitschrift, weil ihn das alles interessierte und weil er hoffte, eines Tages in den Beruf zurückkehren zu können, nur eben jetzt noch nicht.

Im März 1997 waren Jules und Dennis bei Ash und Ethan zum Essen eingeladen, zusammen mit Duncan und Shyla, dem Portfolio-Manager und der Alphabetisierungsanwältin. »Den Schwanz und die Fotze« hatte Jules die beiden einmal genannt. Sie und Dennis hatten nie verstanden, warum Ash und Ethan die beiden so sehr mochten, waren über die Jahre aber bei lockeren Abendessen und offizielleren Feierlichkeiten so oft mit ihnen zusammengetroffen, dass es längst zu spät war, danach zu fragen. Duncan und Shyla mussten sich ähnlich über Ashs und Ethans Treue zu ihren alten Freunden wundern, der Therapeutin und dem Depressiven. Niemand verlor ein Wort über den anderen, alle gingen zu den Essen, zu denen sie eingeladen wurden. Beide Paare wussten, dass sie einer anderen Seite Ashs und Ethans entsprachen, aber wenn sie zu sechst zusammenkamen, ergab das Zusammensein keinen Sinn.

An diesem speziellen, ungewöhnlich warmen Abend saßen die drei Paare bei Fackellicht an einem Tisch im kleinen Garten hinter dem Haus. Larkin kam mit Mo heraus, um den Erwachsenen Gute Nacht zu sagen. Sie hielt ihren Bruder fest an der Hand, als sie ins orangefarbene Licht des Gartens traten. Die Gäste versuchten, den Augenblick leicht und freundlich zu gestalten, aber er war angespannt und forciert. »Mo«, fragte Ash, »hat euch Rose etwas zu essen gegeben, Schatz?«

»*Nein*«, sagte Mo.

»Möchtest du etwas von unserem Essen probieren? Es ist noch etwas Paella übrig.«

Alle warteten steif auf seine Antwort und lächelten ängstlich, auch wenn sie sich entspannt zu geben versuchten. Mo machte sich frei, entriss seiner Schwester die Hand und rannte zurück ins Haus.

»Ich laufe ihm besser nach«, sagte Larkin. »Ich passe auf meinen Bruder auf. Gute Nacht, alle zusammen. Oh, Mom, Dad, hebt mir bitte ein Stück Zitronenkuchen auf. Bringt es in mein Zimmer, und stellt es auf die Kommode, selbst wenn es schon sehr, sehr spät ist, okay?« Dann gab sie ihrer Mutter und ihrem Vater einen Kuss und tanzte gewinnend zurück nach drinnen. Alle sahen ihr hinterher, schweigend.

»Sie sind so reizend, alle beide«, sagte Jules schließlich, und rund um den Tisch waren zustimmende Geräusche zu hören.

Die von einem unbekannten Koch bereitete Paella war köstlich gewesen, und die Teller der Männer und der von Jules waren leer, der Reis gegessen, Säfte und Öle mit Brot aufgewischt, nur am Rand lagen noch ein paar Muschelschalen. Ashs und Shylas Teller dagegen waren auf die typisch weibliche Art, die Jules so auf die Nerven ging, noch halb voll. Das Gespräch heute drehte sich wie schon bei den letzten Essen ums World Wide Web. Alle hatten Geschichten über Webseiten zu erzählen, die sie gefunden, und über Start-ups, von denen sie gehört hatten. Duncan erzählte von einer Finanz-Website, in die er zusammen mit drei Partnern investiert hatte, versuchte, Ethans Interesse zu wecken, sich ihnen anzuschließen, und hatte dabei nicht einen Blick für Jules oder Dennis übrig, um sie in das Gespräch miteinzubeziehen, nicht mal aus Höflichkeit.

Nach Duncan berichtete Shyla von einer alten Freundin in L.A., der Frau eines Plattenproduzenten. »Sie und Rob hatten das absolut schönste Haus im Canyon. Und eines in der Provence, ich habe die beiden wirklich beneidet.«

»Oh, das hast du nicht«, sagte Ash.

»Doch, und dann an einem Wochenende, als ich in L.A. war, habe ich Helena angerufen und gefragt, ob wir uns sehen könnten. Sie war sehr abwehrend, sagte am Ende aber, ich solle zu ihr kommen. Also bin ich hin, und sie hatte zugenommen, was mich erstaunte. Ich hatte sie ewig nicht gesehen, wir waren alle zusammen bei den Grammys gewesen, doch das war Jahre her. Ich meine, wenn ich darüber nachdenke, wer in dem Jahr gewonnen hat, waren es wahrscheinlich die Bee Gees. Ich mache Spaß, aber es war sehr lange her.

Sie sagte, dass sie das Haus kaum noch verlassen würde. Nichts ließ sie sich mehr gut fühlen, und sie gab zu, ernsthaft darüber nachzudenken, sich das Leben zu nehmen. Ich war erschüttert. Auf jeden Fall, um es kurz zu machen, kam sie in der nächsten Woche ins Cedars-Sinai, auf eine spezielle Station, ein bisschen wie ein Spa, aber mit harten Medikamenten. Sie haben alles Mögliche bei ihr ausprobiert, und nichts hat geholfen. Die Versicherung wollte nicht dafür zahlen, doch das war für Rob nicht das Problem. Sie wollten es schon mit Elektroschocks probieren, doch als der Doktor bei der Visite erzählte, es gebe da dieses neue Medikament, mit dem sie in eine Testreihe an der UCLA gehen wollten – die Meinungen seien noch kontrovers, weil es auf eine völlig neue Weise an das Serotonin herangehe und niemand wisse, ob es funktioniere, weshalb es eine Blindstudie gebe –, sagte Rob: ›Gut, lassen wir sie mitmachen, aber können Sie dafür sorgen, dass sie nicht in die Placebo-Gruppe kommt?‹ Offenbar ging das nicht. Diese Forscher sind so vollkommen ethisch. Nun, vielleicht nicht ganz, weil sie Helena noch mit hineingequetscht haben, und es würde mich nicht wundern, wenn sie dafür jemand anderen aus der Versuchsgruppe hinausgeworfen hätten. Nach einem Monat fühlte sie sich besser. So in etwa wie eine Marionette, die zurück ins Leben geholt wurde. Das war ihre Metapher, nicht meine.«

Im Ernst, dachte Jules.

»Und das Ende vom Lied ist«, sagte Duncan, »dass Rob, als er sah, wie seiner Frau geholfen worden war, der Psychiatrie dort die größte Spende gemacht hat, die sie je bekommen hat. Ich weiß«, sagte er, »dass ›blind‹ nun mal ›blind‹ bedeutet, aber wenn die Frauen von potenziellen großen Spendern in einen klinischen Versuch aufgenommen werden, glaubt ihr dann nicht, dass es klug ist, dafür zu sorgen, dass sie kein Placebo kriegen?« Alle lachten ein bisschen, und Jules sah zu Dennis hinüber, den die Geschichte zu ihrer Überraschung überhaupt nicht zu interessieren schien. Sie, Jules, musste für ihn interessiert sein. Er könnte in den Versuch mit eintreten, dachte sie, wenn er noch andauerte. Er könnte versuchen, sich vorzudrängen, und wegen Rob und Helena und Duncan und Shyla und Ethan und Ash angenommen werden. Wegen der reichen Leute, von denen hier gesprochen wurde und die hier saßen. Sie wusste, dass Dennis nie danach fragen würde, ob es eine Möglichkeit gab, das Medikament auszuprobieren. Er würde nicht mal annehmen, dass es ihm helfen könnte. Aber vielleicht konnte es das. Wie bei allem anderen auch musste man jemanden kennen, man musste Verbindungen, Macht und Einfluss haben, und die Ärzte in L.A., wenigstens einige von ihnen, waren für Ethan Figman und seine bedeutenden Freunde erreichbar. Als Jules am nächsten Tag in der UCLA anrief, wurde ihr gesagt, ja, der Versuch laufe noch, man nehme jedoch keine neuen Patienten mehr mit hinein. Dann rief Jules Ethan an, der einwilligte, sich zu erkundigen.

Nicht lange danach flog Dennis nach L.A., um den leitenden Arzt zu treffen und sich untersuchen zu lassen. Tags darauf wurde er in die Blindstudie aufgenommen, und er und Jules hofften sehr, dass er keine Placebos bekam. Nach einem Monat der Einnahme des Medikaments Stabilivox war er ziemlich sicher, dass es nicht so war. »Nur die armen Wanderarbeiter haben in der Studie Placebos bekommen«, sagte Jules zu Ethan und Ash. Obwohl vielleicht auch er, dachte sie kurz, das Placebo bekommen hatte. Vielleicht war der Gedanke, nur durch eine mächtige Person an dieses Medikament heranzukommen, als solcher schon so suggestiv, dass er seine Neurochemie verändern konnte. Aber nein, das wäre höchstens bei Jules möglich gewesen, nicht bei Dennis.

Alles in ihm scheine sich zu entfalten, erklärte er ihr, und erst jetzt begreife er, wie verschlossen er all die Jahre gewesen sei. »Geduckt«, sagte er zu Jules. Bisher hatte er gedacht, dass seine Depression ihn vor allem auslauge, wie es auch Jules gesehen hatte, doch jetzt erkannte er, dass sie ihn in eine unnatürliche Haltung gezwungen hatte. Über Jahre war er nicht nur depressiv, sondern auch »geduckt« gewesen. Die Öffnung, die Rückkehr vollzog sich während des Frühjahrs und Sommers langsam und schrittweise, war aber echt. Jules hatte ein paar Kunden behandelt, die zusätzlich zu ihrer Therapie Antidepressiva bekommen hatten und bei denen sie eine ähnliche Veränderung beobachtet hatte, bei Dennis war es bisher nie dazu gekommen.

»Ich schlafe tiefer«, sagte er verwundert. Einmal weckte er Jules mitten in der Nacht mit dem Kopf zwischen ihren Brüsten auf und weinte, und sie fragte alarmiert: »Was ist mit dir?« Nichts, sagte er, er sei nur aufgewacht und habe sich gut gefühlt. Mit dem Wunsch, etwas zu tun, etwas mit ihr zu tun. Der Sex, der nur mehr gelegentlich stattgefunden hatte, kehrte wie ein altes Geschenk, das sie einmal bekommen und lange Zeit unter einem großen Haufen anderer Dinge verloren hatten, zu ihnen zurück. Erst war er unsicher und schob einmal seine Finger auf eine Weise in sie hinein, die sie wie ein Hund aufjaulen ließ, dem jemand auf den Schwanz getreten hatte, und er war entsetzt, ihr wehgetan zu haben. »Ich bin schon in Ordnung«, erklärte sie ihm. »Sei nur etwas ruhiger. Sei sanfter.« Es gab andere Probleme: Er brauchte jetzt länger, und sie machten Witze über ihr unvermeidliches Wundgefühl später. »Weißt du, was für eine Art Küchengerät ich mir wünsche?«, fragte sie ihn einmal, als sie nach einer Episode dieses neuen, postdepressiven Sexes beieinanderlagen.

»Was? Oh, das ist ein Witz«, sagte Dennis. »Ein Wortspiel. Moment ... Nein, ich habe keine Ahnung, worauf du hinauswillst.«

»Eine Warmhalteplatte«, sagte sie lächelnd, das Kinn auf seiner Brust.

Am Ende des Sommers hatte Dennis das Gefühl, zum ersten Mal, seit er 1989 seine MAOI abgesetzt hatte, wieder ganz er selbst zu sein. Beide vertrauten sie noch nicht darauf, dass es so bleiben würde, nicht einmal für eine Weile. Ende August ging Dennis wieder arbeiten. Obwohl er von seiner letzten Anstellung einen Fleck auf seiner Karriereweste hatte, vermochte er zu zeigen, dass sein unangemessenes Verhalten seiner unbehandelten Depression geschuldet gewesen war und es ihm wieder gut ging. Dr. Brazil unterstützte ihn von ganzem Herzen. Eine unterbesetzte Klinik in Chinatown suchte verzweifelt jemanden und stellte Dennis mit einem schlechten Anfangsgehalt ein. Zunächst arbeitete er nur Teilzeit, ein paar Monate später dann wieder Vollzeit.

So ging es weiter, als das Jahrzehnt endete und das neue Millennium begann. Es gab Ängste vor einem weltweiten Computercrash, und die beiden Paare, ihre Kinder, Jonah und Robert hielten am Silvesterabend in der Charles Street gemeinsam den Atem an, um anschließend erleichtert durchzuatmen. Jules fühlte ihren Neid auf Ash und Ethan langsam weniger werden, als hätte es sich auch dabei um eine lange, widerspenstige Depression gehandelt. Zu sehen, wie sich Dennis morgens für die Arbeit bereit machte, schien für sie eine Weile lang eine ausreichende Befriedigung.

Mit der Zeit vollzogen sich fast unmerklich kleine Veränderungen, darunter Ashs langsames, aber sichtbares Akzeptieren des Todes ihrer Mutter. Sie träumte nicht mehr so oft und aufreibend von Betsy, verlor aber auch etwas von ihrer Schönheit – und Ethan von seiner Hässlichkeit. Dennis war so erleichtert, wieder arbeiten zu gehen, dass er seinen Job als »erfrischend« betrachtete, und Jules versuchte stärker denn je, ihren Kunden, die ihr unveränderlich vorkamen, eine gute Therapeutin zu sein. Aber wenn sie Ash und Ethan betrachtete, wurde sie oft daran erinnert, wie wenig auch sie selbst sich änderte. Ihr Neid blühte zwar nicht länger so, Dennis' verbesserter Zustand hatte ihn verringert, trotzdem war er noch da, gleichsam in Knospenform, inaktiv, und weil er sie nicht mehr so ausfüllte, versuchte sie ihn zu verstehen und las online etwas über den Unterschied zwischen Eifersucht und Neid. Eifersucht bedeutete im Grunde: »Ich will haben, was du hast«, während Neid besagte: »Ich will haben, was du hast, aber ich will es dir wegnehmen, sodass du es nicht mehr haben kannst.« Manchmal in der Vergangenheit hatte sie sich gewünscht, dass Ash und Ethan ihre Gaben weggenommen würden, damit alles ausgeglichen wäre, alles im Gleichgewicht. Aber Jules hatte diese Fantasien nicht mehr. Nichts war mehr schrecklich, alles beherrschbar und manches sogar noch besser als das.

Die Stadt entwickelte sich, die Straßen wurden sauberer, die Obdachlosen von einem eilfertigen Bürgermeister in Aufräumlaune vertrieben. Alle gaben zu, dass der Bürgermeister und seine Gesetze grausam waren, doch jetzt konnte man sich praktisch überall sicher fühlen. Es wurde fast unmöglich, sich in Manhattan noch eine Wohnung zu leisten, und hätte Ethan ihnen nicht das Geld gegeben und den Darlehensvertrag mit unterschrieben, hätten Jules und Dennis wie so viele andere, die sie kannten, wegziehen müssen. Larkin ging in die private Mädchenschule, in die schon ihre Mutter gegangen war, Mo in eine Privatschule in Queens, die so teuer war, dass die meisten Eltern, wenn auch nicht Ethan und Ash, die Stadt verklagen mussten, um einen Großteil der Gebühren zurückzuerhalten. Rory ging in die örtliche staatliche Mittelschule, und das war für den Augenblick okay, aber es würde Probleme geben, wenn es auf die Highschool ging und sie sich an einer der besseren Schulen der Stadt bewerben musste. Sie sei »in Prüfungen nicht gut«, sagte Jules zu Ash, was daran lag, dass Rory nicht daran interessiert war und auch ganz allgemein an der Schule nicht. Sie wollte Försterin werden, und ihre Eltern erklärten ihr, dass sie auch dafür zur Schule müsse, allerdings hatten sie keine Ahnung, was für eine Art von Schulbildung dafür nötig war. Sie wussten tatsächlich nicht, wovon sie redeten. Rory hatte es bisher hauptsächlich durch Ethan und Ash in Wälder geschafft. Bei ihrem Wochenendhaus in Katonah war sie mit einem Stock durch den Wald gezogen und später dann auch von ihrer Ranch in Colorado aus. Rory war glücklich, wenn sie dreckverschmiert war, in Stiefeln steckte und Dinge tat, die mit dem Leben in der Stadt nichts gemein hatten.

Der Anschlag auf das World Trade Center 2001 wirkte für kurze Zeit wie ein Gleichmacher. Fremde redeten miteinander auf der Straße, alle fühlten sich ähnlich benommen, verängstigt und ungeschützt. Jules gab ihren Kunden zum ersten Mal ihre Privatnummer und bekam zahlreiche Anrufe. Das Telefon klingelte beim Abendessen, beim Schlafengehen, ja, selbst noch mitten in der Nacht, und sie hörte Sätze wie: »Jules? Hier ist Janice Klammer. Es tut mir wirklich leid, wenn ich störe, aber Sie sagten, ich könnte anrufen, und ich drehe förmlich durch.« Jules nahm das Telefon mit in ein anderes Zimmer, um ungestört mit ihrer Kundin reden zu können. Sie selbst hatte ebenfalls Angst – es war ein Schock, eine so primitive Wut in solch einem Ausmaß erleben zu müssen –, war aber nie hysterisch. In dieser Krise Therapeutin zu sein, so wurde ihr bewusst, bedeutete eine Art Verschonung. Es war für sie keine Option, sich selbst in Angst zu verkriechen. Sie hatte ihren Kunden dabei zu helfen, nicht völlig den Halt zu verlieren. Sylvia Klein, die Frau, deren Tochter vor Jahren an Brustkrebs gestorben war, hatte sehr große Angst und glaubte damit nicht umgehen zu können. »Wenn es einen weiteren Angriff gibt, Jules«, sagte sie, »und er findet mitten in der Nacht statt, und ich wache auf und höre ihn, werde ich nicht damit umgehen können. Dann werde ich einfach nur schreien.«

»Dann rufen Sie mich an«, sagte Jules. »Ich rechne mit Schreien.«

Als Sylvia Klein anrief, war die Nacht vorbei, aber es war noch früher Morgen in New York City, an einem Wochentag Ende September. Sylvia war auf dem Weg nach New Jersey, um ihre mutterlosen Enkelkinder zu besuchen, und steckte mit dem Wagen kurz vor dem Ausgang des Holland-Tunnels fest. Es ging nichts mehr. Laut einer Radiodurchsage fand weiter vorn ein Polizeieinsatz statt, deshalb der Stau. Sylvia glaubte, jeden Moment getötet zu werden, zu ihrer armen toten Tochter Alison zu kommen und ihren Mann und ihre Enkel nie wiederzusehen. In ihrem blauen Nissan Stanza würde sie getötet werden, durch einen ferngesteuerten Sprengsatz von El Kaida in einem anderen Wagen, der den ganzen Tunnel mit Feuer und Giftgas füllen würde. In ihrem Auto gefangen, auf den Tod wartend, zog sie ihr Handy heraus und hoffte, hier unten ein Netz zu haben. Zum Glück war es so, und sie rief Jules an, die gerade auf ihrem Heimtrainer saß, den sie vor Kurzem erst in die Lücke neben Dennis' Schrank im Schlafzimmer gequetscht hatten.

»Jules«, sagte die Stimme am Telefon. »Ich werde sterben.«

Der Letzte, der etwas Ähnliches zu Jules gesagt hatte, war Dennis damals im Restaurant bei seinem Schlaganfall gewesen, und nachdem Jules geklärt hatte, mit wem sie sprach, sagte sie zu Sylvia das, was sie auch ihm gesagt hatte. »Sie werden nicht sterben«, versicherte sie ihrer panischen Kundin. »Aber ich bleibe am Telefon, ich bin zu Hause, und hier bleibe ich, weil ich nirgends sonst hinmuss.« Und so blieb sie mit Sylvia verbunden und unterhielt sich mit ihr leichthin über dies und das, und als fast eine halbe Stunde vergangen war und ihnen der Stoff auszugehen schien, ermutigte sie Sylvia, eine CD zu hören. »Was haben Sie da? Etwas Gutes?«

»Ich weiß es nicht. Mein Mann kümmert sich um die CDs. Ein paar von ihnen waren Alisons.«

»Welche? Haben Sie was von Julie Andrews?« Jules erinnerte sich daran, wie sich Sylvias Laune bei dem Gedanken an die Liebe ihrer Tochter zu Julie Andrews gebessert hatte.

»Nein, ich glaube nicht. Oh, warten Sie. Ja, hier. *My Fair Lady*.«

»Drehen Sie sie laut auf«, sagte Jules.

»*I could have danced all night*«, sang Julie Andrews, und Sylvia begann mitzusingen und dann auch Jules, und das bebende Stimmentrio hielt zusammen, bis der Verkehr endlich wieder in Gang kam.

Ein paar Tage später in diesem schlimmen Monat räumten Dennis und Jules nach dem Abendessen die Küche auf, und Rory rollte langsam auf ihrem Skateboard durch die Wohnung, um sich nicht an die so verhassten Hausaufgaben setzen zu müssen. Der Fernseher lief, wie er es so oft während jener ersten Wochen tat. Auf allen Kanälen kam dasselbe Material. Auf CNN gab es eine Talkshow, Dennis hielt einen Moment lang inne und schaltete auch schon weiter, aber Jules, die kurz auf den Bildschirm gesehen hatte, hob die Hand und sagte: »Warte, geh noch mal zurück.« Eine blonde Frau Anfang vierzig wurde interviewt, elegant gekleidet, mit großen Goldklunkerohrringen und einem harten, zornigen Gesicht.

»Das ist sie«, sagte Jules schockiert.

»Wer?«, fragte Dennis. Weiße Buchstaben zogen sich über den Bildschirm: »Catherine Krause, Geschäftsführerin von Bayliss Colter.« Das war die Firma, die vierhundertneunundsechzig Angestellte verloren hatte, und vor zwei Wochen, am 12. September, hatte die Geschäftsführerin öffentlich gelobt, die Lohnzahlungen an die Toten nicht einzustellen und die Krankenversicherungen ihrer Familien nicht zu kündigen. Jules hatte von der Frau gelesen, aber noch kein Interview mit ihr gesehen.

»Cathy Kiplinger«, sagte Jules. »O mein Gott. Ich meine, ich bin nicht sicher, aber ich glaube, sie ist es. Ich wünschte, ich könnte Ash anrufen!«, sagte sie. »Aber das wäre zu merkwürdig, und ich weiß nicht, wie sie reagieren würde. Ich rufe Jonah an, hoffentlich ist er zu Hause.« Als sie ihn am anderen Ende hatte, sagte sie: »Oh gut, du bist da. Schalte CNN ein, okay? Du musst mir sagen, ob ich recht habe.«

»Was ist denn?«, fragte Jonah, als er den Fernseher einschaltete und ein Werbespot ins Loft plärrte.

»Warte.«

Als die Sendung weiterging, sah Jonah fünfzehn Sekunden stumm zu, ließ einen langen Seufzer hören und sagte: »Sie ist es, stimmt's?«

Im Hintergrund hörte Jules Robert fragen: »Wer, sie?«

»Ja«, sagte Jules, »ich glaube schon.«

»Ich auch.«

Jules und Jonah blieben die gesamte Stunde am Telefon und starrten wie hypnotisiert das Bild Cathy Kiplingers an, die nach all der Zeit auf dramatische Weise aus der Versenkung auftauchte. Sie wirkte erschöpft, angespannt und aufgebracht, verhielt sich jedoch professionell: Offenbar hatte sie gelernt, in der Öffentlichkeit die Fassung zu bewahren, auch wenn sie aussah, als würde es wahrscheinlich schon bald vorbei damit sein.

»Was antworten Sie Ihren Kritikern?«, fragte der adlernasige Moderator und beugte sich dabei vor, als wollte er sie küssen oder schlagen.

»Dass ich mein Versprechen halten werde.«

»Aber die Witwen und Witwer sagen, das Gegenteil sei der Fall. Die Lohnzahlungen seien eingestellt worden, und sie haben zum schlimmstmöglichen Zeitpunkt in ihrem Leben ihre Krankenversicherung verloren.«

»Es ist einfach so, dass das Geld noch nicht da ist«, sagte Cathy. »Ich hatte gedacht, wir könnten gleich anderswo in begrenzter Form weitermachen, doch das hat sich als unmöglich herausgestellt. Hören Sie, ich bitte die Familien um Geduld. Wie Sie wissen, richten wir einen Hilfsfond ein, aber ich muss alle noch um ein wenig Geduld bitten.«

»Das stimmt«, sagte Jonah. »Ich habe davon gelesen, dass sie gesagt hat, jeder bekäme sein Geld, und dann haben sie die Zahlungen eingestellt.«

»Sie sagt, es sei nicht ihr Fehler«, sagte Jules.

Der Moderator nahm Anrufe entgegen, sagte sanft: »Sprechen Sie jetzt«, und gab sie an Cathy weiter.

»Wir haben Ihnen geglaubt«, sagte eine Frau mit rauer, wütender Stimme. »Wir haben geglaubt, was Sie uns versichert haben. Meine

Familie ist in schlechter Verfassung, nicht nur weil wir trauern, sondern auch weil uns das Geld meines Mannes fehlt. Ist das die Art, wie Sie das Gedenken an die Leute ehren, die für Sie gearbeitet haben? Geht das so?«

»Wir werden uns um Sie kümmern«, sagte Cathy mit ruhiger Stimme. »Bitte, geben Sie uns etwas Zeit.«

»Sie sind eine solche Heuchlerin, es ist unglaublich. Ich meine, Schei...«, sagte die Anruferin, bevor sie abgeschaltet wurde.

Cathy Kiplinger saß ganz still vor der Kamera, und in ihrem Wohnzimmer saßen auch Jules und Dennis ganz still da, genau wie Jonah in seinem Loft. Rory rollte währenddessen selbstvergessen durch die Wohnung und übte sich in neuen Bewegungen. Jules verfolgte, wie Cathy auf ihrem Drehstuhl im Studio aushielt und den Zorn der Ehegatten der ermordeten Angestellten auf sich niedergehen ließ, aber auch etwas Unterstützung von einem Anwalt und einer mütterlichen, leicht schlampig aussehenden Psychotherapeutin erfuhr, die sich regelmäßig an die Nachrichtensendungen verkaufte. Cathy hielt durch, wiederholte die immer gleichen Sätze, mit denen sie um Geduld bat, und schien am Ende der Stunde doch ziemlich mitgenommen. Die letzte Aufnahme von ihr, als die Namen der Mitwirkenden über den Schirm liefen, zeigte sie, wie sie sich kurz die entzündete Nase putzte und den Kopf schüttelte.

Dennis schaltete den Fernseher aus und ging Rory fürs Bett fertig machen. »Bist du noch dran?«, fragte Jonah Jules am Telefon.

»Ja.«

»Und was denkst du?«

»Ich will nicht wie die Therapeutin klingen, diese ›Dr. Adele‹«, sagte Jules, »aber auf mich wirkt es so, als wiederholte Cathy damit fast, was ihr selbst angetan wurde.«

»Das musst du erklären«, sagte Jonah.

»Nun, du weißt, dass sie das Gefühl hatte, bei der Sache mit Goodman von niemandem unterstützt zu werden. Dass sich niemand um sie kümmerte. Also ist es verständlich, dass sie, als es zu dieser enormen Tragödie kommt, die Heldin geben will. Nur dass sie es nicht kann. Das Geld ist noch nicht da. Und so tut sie am Ende diesen Familien an, was sie auch Goodman vorwirft. Und was auch wir ihr, wie sie sagt, angetan haben.«

»Und bin Laden.«

»Genau. Dass wir sie zerstört haben.«

»Du denkst also, es hat sie zerstört?«, fragte Jonah.

»Oh, ich weiß nicht«, sagte Jules leise. »Woher soll ich das wissen?«

»Erinnerst du dich auch nicht mehr so richtig an Goodman?«

»Ich erinnere mich an bestimmte Einzelheiten. Seine sonnenverbrannte Nase. Die Knie. Und seine großen Füße in den Sandalen.«

»Ja, er war ein großer, sexy Bursche«, sagte Jonah.

»Das war er.«

»Ich muss mich zu ihm hingezogen gefühlt haben, allerdings konnte ich damals noch überhaupt nicht damit umgehen«, sagte Jonah. »Ich konnte keinem von euch gestehen, dass ich schwul bin, ich konnte es mir ja selbst kaum eingestehen, wobei ich es weiß Gott von allem Anfang an war. Ich bin schon andersrum auf die Welt gekommen.« Er hielt inne. »Ich frage mich, was für ein Leben er führt«, sagte er dann. Jonah hatte über die Jahre immer mal wieder solche Sätze gesagt. »Und wovon er lebt, wo immer er ist. Cathy hat umgeschaltet und diese enorme Karriere in der Finanzwelt gemacht. Ich weiß nicht, was Goodmans Talent am Ende war, außer es zu verderben. Darin war er großartig.«

»Und als Verführer«, sagte Jules schwach.

»Was denkst du, was da wirklich zwischen ihm und Cathy passiert ist?«

»Jonah«, sagte Jules und wusste kaum, was sie sagen sollte. Sie hatte so lange nicht mehr darüber nachgedacht. »Wir sitzen hier in New York, Wochen nach diesem wahnsinnigen Terroranschlag, und versuchen, das alles zu verarbeiten. Und in *dieser* Situation fragst du mich nach Cathy und Goodman?« Sie wich seiner Frage aus, versuchte sie wegzuschieben und war dabei nicht sehr glaubhaft.

»Entschuldige«, sagte Jonah. »Denkst du nie darüber nach?«

Jules schenkte seiner Frage eine wohlerwogene, gezielte Pause. »Doch«, sagte sie. »Das tue ich.«

Sechzehn

»Wenn ihr mir 1986, nachdem ich meine Diagnose bekommen hatte, gesagt hättet, dass ich im Jahr 2002 noch leben würde, hätte ich euch gefragt, was ihr geraucht habt«, sagte Robert Takahashi dem dunklen, goldenen Bankettsaal und erntete damit ein paar höfliche Lacher und ein leicht unheilvolles rasselndes Husten von den Tischen. »Aber wenn ihr mich im selben Jahr gefragt hättet«, fuhr er fort, »ob eines Tages die beiden Türme unserer Stadt von gekaperten Passagiermaschinen zum Einstürzen gebracht werden würden, hätte ich euch wohl das Gleiche geantwortet.« Früher am Abend, als Robert in Jonahs Loft seine Rede eingeübt hatte, hatte Jonah ihn unterbrochen und gesagt, er verstehe nicht, was der Abstecher in den Terrorismus hier solle, und dass er ihm eher wie ein Reflex vorkomme, Robert hatte jedoch darauf bestanden, dass er nötig sei. »Aber wie ich sechzehn Jahre nach meiner Diagnose ebenfalls weiß«, sagte Robert, »bleibt Aids auch mit Protease-Hemmern und guter Versorgung eine ernste Krankheit, obwohl es nicht mehr unbedingt ein Todesurteil ist. Ich danke Lambda Legal dafür, mir über all die Jahre, die ich wunderbarerweise überlebt habe, einen so großartigen Arbeitsplatz zur Verfügung gestellt zu haben – all diese schreckensvollen Jahre, diese fürchterlich traurigen Jahre bis in diese neue Zeit, die wir, wie ich annehme, die ›ängstlichen Jahre‹ nennen können. Ich selbst bleibe ängstlich, aber auch hoffnungsvoll. Und ich bin sehr lebendig.«

Es gab Applaus, Kaffee wurde nachgeschenkt, in die Gelatinehäubchen ungeliebter Desserts gepiekst, drei Himbeeren wurden gegessen, und es wurde einer weiteren Rede gelauscht, der eines französischen Virologen. Der letzte Beitrag des Abends kam von einer winzigen Aktivistin, einer Nonne, die ihre Faust hob, als sie sich zu dem hohen Mikrofon hinaufbog. Jonah und Robert in ihren guten dunklen Anzügen saßen am vordersten Tisch. Domenica's war zu Beginn des zwanzigsten Jahrhunderts eine Sparkasse gewesen, heute beherbergten die hohen Decken und holzvertäfelten Wände oft Wohltätigkeitsveranstaltungen wie diese. Es war Ende Februar, und in diesem Winter waren viele ähnliche Veranstaltungen in der Stadt abgesagt worden. Niemand hatte das Herz oder die Konzentration, damit weiterzumachen. Aber der Organisator des heutigen Abends hatte so etwas gesagt wie: »Wir werden uns keinesfalls dem Aids-Virus ergeben und schon gar nicht den Terroristen.«

Die Logik war nicht ganz nachzuvollziehen, auf jeden Fall war jedoch so viel Zeit vergangen, dass ein Teil der allgemeinen Unsicherheit verschwunden war. Statt von der ständigen Angst erfüllt zu sein, dass ein weiteres Gebäude zum Einsturz gebracht oder eine Bombe auf dem Times Square explodieren würde, konnte man einen gewissen Trotz verspüren, und so war auch die Stimmung an diesem Abend. Viele der alternden Männer im Raum hatten in den Achtzigern in Läden wie dem Limelight, dem Saint oder der Crisco Disco eng miteinander getanzt, doch dann hatten sich die Reihen gelichtet, und von den Übriggebliebenen waren etliche heute Abend hier, in Business-Anzügen, die Fahne hochhaltend.

Robert Takahashi stand offenbar doch noch nicht kurz davor zu sterben, wenigstens war es nicht sicher. Er hatte lange genug ausgehalten, um die Zeit der Protease-Hemmer zu erleben, und plötzlich konnte der, der das Glück hatte, nicht zu große Nebenwirkungen zu zeigen, noch sehr, sehr lange leben. Niemand, den sie kannten, hatte damit gerechnet, dass so etwas noch zu ihren Lebzeiten geschehen könnte, stattdessen waren alle davon ausgegangen, dass sich das Sterben weiter fortsetzen würde. Natürlich kam es noch immer zu Todesfällen. Die Leute hatten ungeschützten Verkehr, wussten nicht Bescheid, steckten andere an, und in vielen Gegenden dieser Welt konnten sich die Menschen die Medikamente nicht leisten, oder es gab sie dort gar nicht. Und so starb die Welt nach wie vor an Aids, doch es gab Hoffnung. Der Tod wurde oft aufgehalten oder gar zurückgedrängt. Präsident Reagan hatte die Szene vor langer Zeit schon verlassen und war heute ein alter, verwirrter Mann, der sich wahrscheinlich nicht mehr daran erinnerte, wie er sich einmal verhalten hatte, höchstens vielleicht noch an einzelne besondere Glanzstücke seiner langen Präsidentschaft: »Mr Gorbatschow, reißen Sie diese Mauer ab.«

Heute Abend, nachdem er den Eugene-Scharfstein-Preis für politischen Aktivismus in den juristischen Berufen bekommen hatte, blieb Robert nach dem Essen und der Zeremonie noch in der schillernden Bar des Domenica's. Andere, jüngere Männer saßen hier ebenfalls, doch sie hatten kaum einen Blick für ihn und Jonah, die mit ihren über vierzig Jahren für sie zwei elegante Männer einer anderen Generation waren. Beide hatten reichlich getrunken, was Robert eigentlich nicht tun sollte, doch heute war ein besonderer Abend, und so zog er an Jonahs eisblauer Krawatte und sagte: »Du siehst so gut aus in einem Anzug.«

»Danke.«

»So solltest du zur Arbeit gehen. Dann setzt du dich in allen Besprechungen durch, und alle würden es mit dir tun wollen.«

»Niemand zieht sich in meinem Job besonders an, wie du weißt.«

»Das weiß ich nicht. Du erzählst kaum mal was über deine Arbeit.«

»Du fragst kaum mal.«

In all ihren gemeinsamen Jahren hatte Robert Jonah ein einziges Mal bei Gage Systems besucht, und da war die Roboterfirma noch an ihrem alten Standort gewesen. Jonahs neuen, sonnendurchfluteten Arbeitsplatz hatte er nie gesehen. An die Korktafel über dem

Zeichentisch hatte Jonah ein Foto von sich und Robert gepinnt, eines von der weltgrößten Lego-Skulptur und eines von seiner Mutter, wie sie vor etwa einer Million Jahre auf einem Flussboot mit Peter, Paul and Mary gesungen hatte. Aber wenn er fair war, dachte Jonah, war auch er nur einmal in Roberts Kanzlei gewesen. So waren sie eben. Und an den Abenden, an denen sie zusammen waren, war einer von ihnen meist ebenfalls mit etwas beschäftigt, das den anderen nicht mit einschloss. Selbst wenn er bereits nur noch seine Boxershorts fürs Bett trug, hielt Robert oft sein Blackberry in den Händen, schrieb Nachrichten, und Jonah saß am Tisch und sah Entwürfe durch. Die Hälfte der Woche schlief Robert in seiner eigenen Wohnung in der nahen Spring Street.

»Gut siehst du aus«, sagte Robert, beugte sich vor und gab Jonah einen schnellen Kuss. Jonahs Zurückweichen war unmerklich gewesen, wie er hoffte. Robert roch wie ein Whiskeykonzentrat, und selbst unter den besten Umständen war Jonah Bay nie völlig natürlich, wenn es um körperlich demonstratives Verhalten ging.

Robert ließ seine Krawatte los, lehnte sich auf seinem Hocker zurück, und sein Gesichtsausdruck veränderte sich. »Jonah«, sagte er. »Ich muss mit dir reden.«

»Okay.«

»Wir haben damals ganz zu Anfang einen Handel geschlossen, habe ich recht?«

Jonah spürte, wie sich seine Arme und Waden anspannten. »Ich weiß nicht, was du meinst«, sagte er.

»Du konntest nicht gut damit umgehen, mit zu viel von mir. Und das war in Ordnung. Denn ich konnte dir auch nicht viel geben. Ich hatte diese Diagnose, ich sollte sterben, und wir mussten natürlich aufpassen mit dem, was wir taten. Was wir tun. Was okay war, ja.«

»Aber?«

»Aber jetzt, wie du weißt«, sagte Robert mit offensichtlich tiefem Unbehagen, doch er zwang sich weiterzureden, »sieht es so aus, als würde ich nicht unbedingt daran sterben. Und ehrlich gesagt, Jonah, mit der Zeit habe ich gedacht, dass ich was Kompletteres will.«

»Etwas ›Kompletteres‹? Was zum Teufel soll das bedeuten?«

»Ach, du weißt schon … Liebe. Sex. Das volle Programm. Jemanden, der sich ganz in mich reinwirft, körperlich und geistig.«

»Und wo findest du dieses volle Programm, Robert? Diesen Sich-ganz-in-dich-Reinwerfer?«

Robert sah in sein Glas, den einen Punkt, den man in einer Trennungsszene anstarrte, denn als genau das erwies sich die Situation in diesem Moment abscheulicher- und erstaunlicherweise. »Ich habe ihn schon gefunden«, sagte er.

»Du hast ihn gefunden.« Es war eine bittere Feststellung.

»Ja.« Robert sah auf und hielt tapfer Jonahs Blick stand. »Bei einer Vorstandssitzung vor drei Monaten. Er forscht an der Columbia. Er ist positiv.«

Ohne zu denken, sagte Jonah: »Er ist positiv, als Forscher?«

»Er ist HIV-positiv. Wie ich. Wir haben geredet. Es ist uns zugestoßen, Jonah. Es war nicht so gedacht, das sehe ich ein. Aber wir haben … uns frei gefühlt. Es war unglaublich, und ich denke nicht, dass es in unserer Beziehung, deiner und meiner, zu viel Freiheit gegeben hat.«

»Oh, *Freiheit*, das ist die heiß ersehnte Sache. Der heilige Gral. Ungeschützt zu vogeln.«

»Es ist nicht einfach das«, sagte Robert. »Er weiß, was es bedeutet, damit zu leben.«

»Und ich? Ich habe all die Jahre mit dir gelebt.«

»Nein, nicht *mit* mir. Du wolltest nie, dass ich bei dir einziehe. Hör zu, ich bin der Gewinner des diesjährigen Eugene-Scharfstein-Preises, und ich denke, ich verdiene einen Augenblick völliger Ehrlichkeit. Du wolltest immer für dich bleiben, Jonah. Das war deine Entscheidung, nicht meine, und ich habe mich ihr gefügt. Was hätte ich sonst tun sollen?«

Jedes Mal, wenn er Jonahs Namen aussprach, wurde es schlimmer, als wäre Robert eine freundliche, unbeteiligte Person, die mit einem Verurteilten redete. Nach all dieser Zeit war Robert der Überlebende, während Jonah in einem Land zwischen krank und gesund weilte, einem quälenden Fegefeuer, in dem er zurückbleiben musste. »Also gut«, sagte Jonah und sammelte sich. »Was willst du jetzt also?«

»Ich denke, ich sollte gehen«, sagte Robert.

»Gehen? Was heißt das? Zu diesem Typen gehen? Diesem ›Forscher‹?« Er versuchte, dem Wort etwas Sarkastisches zu geben, doch Sarkasmus wirkte in diesem Moment nur unreif.

»Ja.«

Roberts Hand war so kalt von seinem Drink, dass sie sich alles andere als tröstend anfühlte, als er sie auf Jonahs legte. Jonah würde sich an die Fingerspitzen eines Mannes erinnern, der bereits an seinen Forscher, die vor ihm liegende Nacht und alles Nachfolgende dachte, jetzt, da er leben und geliebt werden konnte. Jetzt, da er frei war. Robert Takahashi sagte: »Es war eine sehr schöne Zeit. Wir waren nicht allein. Aber jetzt sollten wir vielleicht sehen, wohin der Wind uns tragen wird, sozusagen.«

Die Straßen von Lower Manhattan glichen in dieser Nacht einem Windkanal. Jonahs Krawatte flog ihm über die Schulter, und er steckte die Hände in die Manteltaschen und fühlte ein altes, fossiles Taschentuch in der einen und ein paar fusselige Münzen und alte Subway-Tokens mit ihrem ausgestanzten fünfeckigen Loch in der anderen. Jonah konnte noch nicht nach Hause gehen. Stattdessen fand er sich vor Ashs und Ethans Tür in der Charles Street wieder, nicht weit von seinem Loft, und drückte die Klingel, die hallend tief im Haus erklang. Eine Sicherheitskamera surrte, nahm

Jonahs Gesicht in den Blick, und aus der Gegensprechanlage ertönte eine Stimme mit jamaikanischem Akzent. »Ja, wer ist da bitte?« Das war Rose, die Kinderfrau.

»Hi, Rose«, sagte Jonah so leichthin wie nur möglich. »Sind Ash und Ethan da? Ich bin's, Jonah Bay.«

»Oh, warten Sie, drehen Sie sich etwas, bitte? Ja, jetzt kann ich Sie erkennen. Sie sind nicht hier, Jonah. Sie sind auf die Ranch nach Colorado geflogen. Aber morgen kommen sie zurück. Ethan hat verschiedene Besprechungen. Kann ich Ihnen helfen?«

»Nein«, sagte er. »Ist schon okay. Sagen Sie ihnen nur, dass ich hier war.«

»Warten Sie bitte einen Moment, ja?«

»Gut.« Jonah blieb auf der Stufe stehen, nicht sicher, warum er warten sollte, doch da öffnete Rose auch schon die schwere Tür und bat ihn hereinzukommen. In der Diele, einem blassen, ruhigen Raum, der sein Licht aus einer versteckten Quelle zu beziehen schien, gab die Kinderfrau Jonah ein kabelloses Telefon. Dann führte sie ihn in ein Wohnzimmer, in dem er noch nie gewesen war, und er setzte sich, immer noch etwas angetrunken und beklommen, auf ein mit pflaumenfarbenem Samt bezogenes Sofa unter das riesige Gemälde eines Vanilleeishörnchens.

»Robert hat mich verlassen«, sagte er mit einem unterdrückten Schluchzer zu Ash.

»Er hat dich *verlassen*?«, fragte Ash. »Bist du sicher? Es war nicht einfach nur ein Streit?«

»Wir haben uns nicht gestritten. Er hat einen anderen.«

»Ich bin schockiert, Jonah.«

»Einen ›Forscher‹. Offenbar bin ich ihm zu zurückhaltend.«

»Das stimmt nicht«, sagte Ash. »Du bist ein sehr liebevoller Mensch. Ich weiß nicht, wovon er redet.« Aber natürlich wusste sie es, sie war nur nett zu ihm. »Wenn ich nach Hause komme«, sagte sie, »bin ich ganz für dich da. Bleib heute Nacht bei uns, ja? Rose und Emanuel richten dir alles her. Ich wünschte, ich wäre bei dir, aber wir sind mit der Besetzung von *Hekuba* hier, zum Proben, und Ethan ist mitgekommen. Du kannst zusammen mit Larkin und Mo frühstücken, wäre das in Ordnung? Sieh für mich nach ihnen. Ich hasse es, nicht bei Mo zu sein. Jede Veränderung des gewohnten Ablaufs macht ihm Probleme.«

Also verbrachte Jonah die Nacht im Gästezimmer im ersten Stock, das seinem Empfinden nach so groß war wie Lincolns Schlafzimmer im Weißen Haus. Er erinnerte sich dunkel an die Polaroids seiner Mutter, als sie dort übernachtet hatte, damals, als Jimmy Carter noch Präsident gewesen war. (Rosalynn Carter hatte *The Wind Will Carry Us* geliebt und ein paar Tränen vergossen, als Susannah es nach dem Essen gesungen hatte.) Am Morgen schien die Sonne auf Jonahs Bett, und jemand klopfte an die Tür. Er setzte sich auf und sagte: »Herein.« Ashs und Ethans Kinder kamen ins Zimmer, und Jonah staunte, wie sehr sie sich in den paar Monaten verändert hatten, seit er zuletzt hier gewesen war. Larkin war hübsch, selbstsicher und eilte auf die Pubertät zu. Mo, der arme Junge, schien sich dagegen unsicher und unwohl zu fühlen, obwohl er einfach nur dastand und nichts tat. Seine Haltung hatte etwas Befremdliches, und er starrte Jonah prüfend an.

»Hallo, ihr zwei«, sagte Jonah und wurde plötzlich verlegen. Er hatte noch nie im Hemd schlafen können und saß mit nacktem Oberkörper da. Sein immer noch langes Haar hatte angefangen zu ergrauen, und er hatte Angst, den Kindern wie ein bedrohlicher, verweiblichter Zigeuner vorzukommen. Aber Jonah hatte immer das Gefühl, dass etwas mit ihm nicht stimmte, ganz gleich, wie viele Leute seine Gesichtszüge, seinen schlanken Körper, seine Entwürfe für Apparaturen, die behinderten Menschen helfen würden, oder einfach nur seinen »Sanftmut« priesen, was ein Wort war, womit dieser zurückhaltende, höfliche Mann zu seinem Ärger viel zu oft charakterisiert wurde.

»Mom und Dad haben gesagt, dass du hier bist, Jonah«, sagte Larkin. »Sie meinen, du sollst mit uns frühstücken, wenn du kannst. Emanuel macht Waffeln, die, wie Mom sagt, zum Sterben gut sind.«

»Ich will aber nicht sterben«, sagte Mo mit bebendem Mund. »Das weißt du doch, Larkin.«

»Ich habe doch nur einen Spaß gemacht, Mo«, sagte seine Schwester und legte ihren Arm um seine Schultern. »Verstehst du? Es war ein Scherz.« Und dann sagte sie über seinen Kopf hinweg zu Jonah: »Er nimmt immer alles so wörtlich wie keiner, den wir je getroffen haben. So können Menschen im Spektrum sein.«

Jonah zog sich an, folgte den Stimmen der Kinder und gelangte ein Stockwerk höher in ihr gut ausgestattetes Spielzimmer. Larkin stand an einer Staffelei und malte eine Landschaft, die offenbar den Blick aus ihrem Zimmer auf der Ranch in Colorado zeigte. Mo lag wie ein weit jüngeres Kind bäuchlings auf dem Teppich und war von so vielen Legosteinen umgeben, als hätte es eine Vulkanexplosion gegeben. Jonah stand staunend da. Vor langer Zeit einmal hatte auch er Lego und alles, was man mit den kleinen Steinen bauen konnte, geliebt. In gewisser Weise war er deshalb ans MIT gegangen und folgte auch bei Gage Systems seinem frühen Interesse daran, was sich verband und was nicht.

»Was baust du da?«, fragte er.

»Einen Müllgreifer«, sagte der Junge, ohne aufzusehen.

»Wie funktioniert er?«, fragte Jonah, ging in die Hocke und ließ sich von Mo Figman demonstrieren, wie seine Erfindung aufgebaut war. Er sah sofort, dass Mo ein instinktives, tiefes Verständnis für Mechanik besaß. Jonah stellte ihm ein paar Fragen zur Funktionalität des Müllgreifers, zu seinem Gebrauch, seiner Form, Haltbarkeit und Ästhetik. Mo erstaunte ihn mit seinen klaren Antworten, war dabei aber auch grimmig. Er liebte sein Lego, verhielt sich jedoch wie ein Arbeiter, wie eines jener arbeitenden Kinder, deren Schicksal Ethan zu seiner Mission gemacht hatte.

Ein wenig später am Frühstückstisch wurde Jonah wie das dritte Kind der Figmans behandelt und nicht wie ein Mann, der vor nur acht Stunden von einem anderen Mann verlassen worden war. Jonah saß mit den Kindern in der Küche und sah hinaus in den Garten und auf eine Mauer, die so mit Ranken überwuchert war, dass sie wie die Unterseite eines Teppichs wirkte. Wie gern wäre er hier aufgewachsen, wie gern hätte er Eltern wie Ash und Ethan gehabt statt seiner Mutter, die sicher voller guter Absichten gewesen war, ihn aber nicht davor hatte schützen können, bestohlen und herabgesetzt zu werden. Susannah lebte immer noch mit ihrem Mann Rick auf der Farm in Dovecote, Vermont, gab Gitarrenunterricht und betete. Sie wurde verehrt dort oben, wurde geliebt und war innerhalb der abgeschlossenen Welt der Vereinigungskirche eine Berühmtheit. Sie versicherte Jonah immer wieder, dass sie ihr Leben dort liebe und es nicht bereue, aus der großen Welt in ihre kleinere gewechselt zu sein. Tagtäglich wurde sie für ihr Talent bewundert, was weit mehr war, als er von sich sagen konnte.

»Geht es dir nicht gut?«, fragte ihn Larkin plötzlich. Jonah war überrascht und wusste nicht recht, was er ihr antworten sollte.

»Warum sollte es ihm nicht gut gehen?«, fragte Mo. »Es ist doch nichts *falsch* mit ihm.«

»Nimm doch nicht alles so wörtlich«, sagte Larkin. »Erinnerst du dich, Mo, dass wir darüber gesprochen haben?«

»Mit geht es gut«, sagte Jonah. »Und wenn du etwas anderes spürst, liegt es daran, dass ich im Moment ein wenig traurig bin.«

»Traurig? Warum?«, sagte Mo und bellte die Worte vor Ungeduld fast heraus.

»Nun, ihr kennt doch Robert, oder?«

»Den Japan-Mann«, sagte Mo. »So nenne ich ihn immer.«

»Oh, tust du das? Nun, er will nicht mehr mein Partner sein, und das ist ein wenig schwer für mich. Er hat es mir gestern Abend gesagt, weshalb ich am Ende hier gelandet bin.« Das Gespräch begann eine seltsame Wende zu nehmen. Warum besprach er sein Liebesleben und seine Trennung hier mit zwei Kindern? Im Übrigen fühlten sich auch die Worte nicht ganz richtig an. Er war noch nie wirklich der Partner von jemandem gewesen.

Larkin sah ihren Bruder an und fixierte ihn auf eine besondere Art, wie sie es eindeutig schon öfter getan hatte.

»Mo«, sagte sie. »Hast du gehört, dass Jonah gesagt hat, er ist traurig?«

»Ja.«

»Was ist darauf jetzt die richtige Antwort?«

Mo ließ den Blick verzweifelt schweifen wie jemand, der die Wände des Klassenzimmers nach einer Antwort auf eine Prüfungsfrage absucht. »Ich weiß es nicht«, sagte er und ließ den Kopf sinken.

»Oh, ist schon gut«, sagte Jonah und legte Mo eine Hand auf die Schulter, die sich ganz hölzern anfühlte, wie die Rückenlehne seines Stuhls.

»Du weißt es«, sagte Larkin sanft. Ihr Bruder sah sie an, saß es aus, wartete darauf, sich zu erinnern, und dann plötzlich hatte er die Antwort.

»Es tut mir *leid*«, sagte Mo.

»Sag es zu Jonah.«

»Es tut mir leid«, sagte Ethans Sohn mit einer Stimme, die sich um Ausdruck bemühte, während Jonah sich nicht um die entsprechenden Gefühle bemühen musste.

Siebzehn

Manny Wunderlich war mit seinen vierundachtzig Jahren noch voller Energie, aber so gut wie blind. Seine Frau Edie war nicht mehr so bei Kräften, konnte aber noch gut sehen. Dennoch waren sie auch gemeinsam nicht länger in der Lage, sich angemessen um ihr Sommercamp zu kümmern, und das wussten sie. Wahrscheinlich hätten sie sich schon vor Jahren ganz aus der Leitung zurückziehen sollen. Die Saison 2010 war gerade vorbei, und Paul Wheelwright, der junge Mann, der ihnen seit ein paar Jahren die Tagesgeschäfte führte, schien der Schwung zu fehlen, die Teilnehmerzahlen gingen stark zurück. Gestern hatten sie ihn hinausgeworfen, ohne Groll, wie sie sagten, aber sie überlegten, im nächsten Jahr einen neuen Weg mit Spirit-in-the-Woods einzuschlagen.

»Manny, Edie«, hatte Paul gesagt, »ich hege schon einen Groll, weil ich versucht habe, dieses Camp für euch neu in Gang zu bringen. In gewisser Weise lebt ihr beide in der Vergangenheit, und das war sehr frustrierend für mich. Spirit-in-the-Woods ist nicht mehr die Art Sommercamp, das sich Kinder im einundzwanzigsten Jahrhundert wünschen. Die Kids heute wollen Technik. Ich weiß, es ist schwer für euch, sich dem zu stellen, aber wenn ihr nicht jemanden findet, der das Camp wirklich in die Gegenwart führt, fürchte ich, wird es nur noch schlimmer werden, und ihr verliert zu viel Geld, um es am Leben zu halten. Ich hätte so viel mehr tun können, wenn ihr mich gelassen hättet.«

»Computerspieldesign«, sagte Manny spöttisch. »Das war deine Idee von ›so viel mehr‹?«

»Nun ja, wir hätten ein Computerlab einrichten können«, sagte

Paul. »Es wäre nicht nur dazu da gewesen, Spiele zu entwickeln oder E-Mails zu schreiben, obwohl die Kinder das natürlich auch gekonnt hätten. Ihre Eltern hätten es sehr gemocht, mit ihnen elektronisch in Verbindung zu bleiben. Und was die Computer ganz allgemein angeht, vergesst nicht, dass mittlerweile überall alles computerisiert ist, nur hier nicht. Den ganzen Sommer über haben die Kinder zum Beispiel im Trickfilm-Schuppen nur auf Papier gezeichnet. Das hat mit der Wirklichkeit nichts mehr zu tun.«

»Der Wirklichkeit?«, fragte Edie beleidigt. »Sag mir, Paul, wie gut hat sich jemand wie Ethan Figman in der Wirklichkeit durchgesetzt? Er hat hier auch auf Papier gezeichnet, oder etwa nicht? Und er hat sich anpassen können, als sich die Dinge veränderten. Wir haben ihm das Fundament gegeben, darauf kommt es an. Das kreative Fundament. Muss denn alles bereits halb professionell sein? Meiner Einschätzung nach geht es ihm gut. Oder vielleicht sogar etwas besser als gut, wie manche Leute sagen würden.«

»Edie, ich bin mir natürlich sehr bewusst, dass Ethan Figman vor langer Zeit hier bei Spirit-in-the-Woods war. Er hat es in so vielen Interviews gesagt, und ihr seid bestimmt äußerst stolz darauf, dass er hier war. Jeder würde das sein. Es ist ebenso erstaunlich wie wunderbar, dass er hier mit seinen Trickfilmen angefangen hat.« Er machte eine Pause. »Warum sprecht ihr ihn nicht an? Ich bin sicher, er wäre mit einem Zuschuss dabei, wenn er wüsste, dass ihr Schwierigkeiten habt. Er und seine Frau würden das Camp wahrscheinlich ganz kaufen. Sie war doch auch hier, oder? Haben sich die beiden hier nicht kennengelernt?«

»Wir würden ihn nie um etwas bitten«, sagte Edie. »Das wäre unfein. Unsere Motive sind rein.«

»Meinetwegen könnt ihr so rein bleiben, wie ihr wollt, aber wenn das Camp untergeht, was habt ihr dann noch? Ein paar Alben mit Fotos von alten Produktionen von *Trauer muss Elektra tragen* mit pickligen Fünfzehnjährigen in den Hauptrollen.«

»Jetzt wirst du unverschämt«, sagte Manny.

»Ich denke nur, dass ihr den Kindern den Zugang zu einigen verfügbaren Hilfsmitteln verweigert«, sagte Paul. »Es ist verrückt, was es mittlerweile alles gibt. Das Internet eröffnet Möglichkeiten für alle. Wenn ein Junge zum Beispiel immer von ... Abbey Road geträumt hat, kann er jetzt plötzlich dort sein. Auf der Straße oder sogar im Aufnahmestudio. Plötzlich kann er eine Art virtuelle Zeitreise unternehmen. Es ist unglaublich, was das für die Vorstellungskraft tun kann.«

Manny schüttelte den Kopf und sagte: »Ach, komm schon. Willst du mir sagen, dass wegen des Internets, wegen der Verfügbarkeit jeder Erfahrung, jeder Laune und jedes Hilfsmittels plötzlich alle Künstler sind? Wenn alle Künstler sind, ist keiner einer.«

»Es ist gut, Prinzipien zu haben, Manny, aber ich denke trotzdem, dass ihr euch der Zeit anpassen müsst«, sagte Paul.

»Das müssen wir«, sagte Edie. »In den Achtzigern mit ihrer Multikulturalität, da haben wir die Entscheidung getroffen, traditionelles westafrikanisches Trommeln ins Programm aufzunehmen, und wie du weißt, ist unser Trommellehrer Momolu seitdem bei uns. Wir waren, um es so auszudrücken, die, die ihm sein Visum beschafft haben.«

»Ja, das ist großartig, Momolu ist wunderbar«, sagte Paul. »Aber Multikulturalität ist einfach. Die habt ihr tatsächlich ins Leben im Camp gebracht, und ich weiß, hier geht es heute viel bunter zu als früher. Nur glaube ich, dass ihr mit der Technologie weit größere Schwierigkeiten habt. Rassisten und Ausländerfeinde denken, die Multikulturalität sei der Feind Amerikas, und ihr denkt, die Technologie sei der Feind der Kunst, was auch nicht wahr ist. Als Ethan Figman im Camp war – wann, Mitte der Siebziger, richtig? –, da gab es diese Technologien noch gar nicht. Jetzt ist das anders, und ihr könnt nicht so tun, als wäre es nicht so. Künstler arbeiten in allen Bereichen mit ungeheuren digitalen Hilfsmitteln.

Komponisten, sogar Maler. Neunzig Prozent aller Schriftsteller arbeiten mit Computern. Ich verstehe ja, dass ihr jemand Neues an meiner Stelle wollt. Aber auch ohne mich werdet ihr ein paar grundsätzliche Veränderungen vornehmen müssen, nicht nur in Bezug auf Computer, sondern ihr müsst euer Angebot auch in andere Richtungen erweitern.«

»Und die wären?«, fragte Manny niedergeschlagen. Er konnte das Gesicht seines Folterers nicht richtig erkennen, er hörte nur dieses entmutigende Sperrfeuer aus Weltuntergangsnachrichten, das einer verschwommenen männlichen Gestalt entwich, die ständig mit dem Kopf schüttelte.

»Nun, zum Beispiel Lamas. Ich habe euch bereits gesagt, ihr könntet einen Workshop in Lama-Pflege anbieten. Das gibt's heute in vielen Camps und ist sehr beliebt. Ganz besonders Mädchen scheinen sich um sie kümmern zu wollen. Es sind klügere Tiere, als ihr denkt, und leicht handhabbar.«

»Danke für den Hinweis«, sagte Manny.

»Und ihr könntet mehr Sport anbieten. Nicht nur Pingpong oder ein gelegentliches Frisbee-Spiel. Ich habe gehört, dass es in einem Kunst-Camp sogar eine Quidditch-Mannschaft gibt«, sagte Paul mit einem leisen Lachen. »Die kunstinteressierten Teenager von heute sind längst nicht mehr so einseitig wie früher. Sie wollen mehr in ihrer Vita stehen haben. Und was das angeht, könntet ihr auch Punkte für Gemeinschaftsdienste verteilen.«

»Wofür?«, rief Edie, die zahere der beiden Wunderlichs. »›Für das Säubern ihres Tipis‹? ›Sie haben Kostüme für *Medea* geschneidert‹? ›Sie haben sich gegenseitig einen Joint drehen geholfen‹?«

»Nein«, sagte Paul geduldig. »Nur für wirkliche Leistungen. Und da ist auch noch etwas anderes: Ihr müsst in die sozialen Medien hinein. Ich verstehe ja, dass euch das Wort in den Ohren wehtut, so geht es mir auch. Ihr braucht nicht nur eine Facebook-Seite, sondern ihr solltet auch auf Twitter vertreten sein.«

»Twitter«, sagte Manny und winkte ab. »Weißt du, was das ist? Das sind Termiten mit Mikrofonen.«

»Es reicht jetzt tatsächlich, Paul«, sagte Edie. »Du hast gesagt, was dir auf der Seele liegt, und wir wissen all die Arbeit, die du getan hast, zu schätzen. Dein letzter Lohn sollte vorn im Büro liegen, und jetzt geh.«

»Wer ist hier unverschämt?«, murmelte Paul Wheelwright und ging kopfschüttelnd davon.

Jules Jacobson-Boyd saß dösend im Bus und ließ ihre Gedanken treiben. Am Abend zuvor war sie mit Dennis zurück nach New York gekommen, nachdem sie Rory zu ihrem letzten Studienjahr an der staatlichen Universität in Oneonta gebracht hatten. Rory hatte sich auf ein Seminar mit einem Titel gefreut, den ihre Eltern nicht verstanden: »Umwelt-Räume«. Wenn sie auch keine Überfliegerin wie Larkin Figman war, hatte Rory ihre Kindheit und Jugend doch gut überstanden, war eine durchschnittliche Studentin und ein ständig in Bewegung befindlicher, begeisterungsfähiger Mensch, der immer draußen in der Welt sein wollte. In Umwelt-Räumen eben. Als sie ins College kam, ging der Auszug von zu Hause sanft und untheatralisch vonstatten. Und mochten die Leute auch sagen, dass die Kinder heute ihr Elternhaus wegen der schrecklichen wirtschaftlichen Lage bis zum sechsundzwanzigsten Lebensjahr nicht endgültig verließen, gab es doch keinerlei Anzeichen dafür, dass Rory zurückmusste oder -wollte. Gelegentlich schneite sie während der Ferien mit ein paar Freundinnen bei ihnen herein, jungen, gut aufgelegten Frauen, die gern draußen und von ihren Eltern nicht ganz zu durchschauen waren. Mit einundfünfzig traten Jules und Dennis in eine für die meisten Leute ruhigere Phase ihres Lebens ein, es ging leicht eine sanfte Steigung hinunter. Dennis fühlte sich mit Stabilivox auch weiterhin wohl, nur dass er an Gewicht zulegte, das er nicht wieder loswurde. Es gefiel ihm, wieder zu arbeiten, und er hatte mittlerweile drei verschiedene Ultraschall-Zeitschriften abonniert und kannte sich so gut aus, dass alle in der Klinik mit ihren Fragen zu ihm kamen.

Jules und Dennis hatten für die Fahrt nach Oneonta ein Auto gemietet, und ihre nüchterne Tochter mit dem krausen dunklen Haar und dem großen, offenen Gesicht hatte sie zum Abschied heftig umarmt. Doch kaum saßen sie im Auto, beugte sich schon eine ihrer Mitbewohnerinnen viel zu weit aus dem Fenster im ersten Stock ihres rosafarbenen, heruntergekommenen Hauses im viktorianischen Stil, das ein Stück vom Campus entfernt lag, und rief: »Rory, schlepp deinen Arsch hier hoch!«

Jules lehnte den Kopf an die Scheibe des Busses, mit dem sie den Broadway hinunter zu ihrer Praxis fuhr, schloss kurz ihre Augen und öffnete sie wieder, und sie wurde sich der Frau ihr gegenüber bewusst. Bald schon sah der ganze Bus zu ihr hin. Alle paar Sekunden schlug sich die Frau kräftig ins Gesicht. Jules betrachtete sie schockiert. Dann nahm die Frau, die neben der Ärmsten saß und sie offenbar begleitete, die Hand der Frau und flüsterte ihr etwas zu. Sie schienen sich tatsächlich zu unterhalten, und die gestörte Frau lächelte und nickte. Kurz herrschte Stille, doch schon befreite die gestörte Frau ihre Hand wieder und schlug sich, *klatsch,* aufs Neue, noch fester diesmal. Wieder redete die andere sanft auf sie ein. Die beiden sahen sich irgendwie ähnlich und waren wahrscheinlich Schwestern. Vielleicht waren sie sogar Zwillinge, und das Gesicht der gestörten Schwester hatte sich mit der Zeit durch die Qualen ihrer Störung verändert, sodass die beiden Frauen sich nicht mehr so sehr glichen.

Jules wusste, dass sie den Blick abwenden sollte und dass es unhöflich war, es nicht zu tun, aber sie konnte sich nicht dazu bringen und wandte ihre stierende Aufmerksamkeit der leise sprechenden Schwester zu. Jules starrte sie an, und während sie das tat, gab sich das jüngere Ich der Frau zu erkennen, und Jules dachte:

Ich kenne dich. Es war eine Art Vision. Jules stand auf und sagte selbstsicher: »Jane!«

Die Frau gegenüber lächelte auch und freute sich offenbar: »Jules!« Jane Zell, Jules' ehemalige Tipi-Genossin aus Spirit-in-the-Woods, stand ebenfalls auf, und sie umarmten einander. Jules erinnerte sich plötzlich an ein spätes Gespräch im Tipi, in dem Jane ihr von ihrer Zwillingsschwester erzählt hatte, die sich durch eine neurologische Störung ohne erkennbaren Grund ständig schlage. »Das ist meine Schwester Nina«, sagte Jane, und Jules sagte Hallo.

Während sich Jules und Jane unterhielten, fuhr Nina mit ihren Schlägen fort. Aber Jane war es gewohnt und schien gefasst und ungestört von ihrer Schwester, als sie kurz zusammenfasste, was in den vergangenen dreißig und mehr Jahren alles geschehen war. »Ich arbeite für eine Stiftung in Boston, die Orchestern Zuschüsse gibt«, sagte sie. »Mein Mann ist Oboist. Ich selbst habe die Musik aufgegeben. Ich war gut, aber nicht *so* gut und wollte doch im Kulturbereich bleiben. An diesem Wochenende bin ich zu einer Konferenz hier und um Nina zu besuchen.« Mit ihren einundfünfzig Jahren hatte Jane Zell immer noch das Leuchten in ihrem Gesicht, das sie früher schon besessen hatte. Es war eine Erleichterung zu sehen, dass es nicht verschwunden war.

»Bist du noch mit jemandem in Kontakt?«, fragte Jules.

»Mit Nancy Mangiari, aber eher sporadisch. Und du, bist du noch mit Ash befreundet?«, sagte Jane.

»Oh ja.« Eine Welle des Stolzes erfüllte Jules, als sie das sagte.

»Das mit Ethan ist schon toll«, sagte Jane. Nina schlug sich jetzt mit noch größerer Wucht, *klatsch, klatsch, klatsch*. Jane beugte sich zu ihr, sagte ein paar Worte und wandte sich wieder der Unterhaltung zu. »Weißt du, wen ich letzte Woche in Boston getroffen habe?«, sagte sie. »Manny und Edie.«

»Wirklich? Wir haben überhaupt keinen Kontakt mehr«, sagte Jules. »Nach unserer Heirat waren mein Mann und ich einmal im

Sommer in New England, aber das war das letzte Mal, dass ich sie gesehen habe. Ich hatte immer die Vorstellung, wenn meine Tochter mal älter wäre, würde sie auch zu Spirit-in-the-Woods fahren, aber sie wollte mit fünfzehn in ein ›Wildnis‹-Camp. Und Ashs Tochter war im Sommer immer mit ihren Eltern unterwegs auf anderen Kontinenten und um mit der Schule zu helfen, die Ethan gegründet hat.«

»Edie sieht noch fast so aus wie früher«, sagte Jane. »Ziemlich stämmig. Manny ist praktisch blind, was traurig ist. Das Camp gibt es noch, es schleppt sich aber so dahin, und sie sagen, sie suchen nach jemandem, der es im nächsten Sommer leitet.«

Jane Zell und ihre Schwester Nina mussten an der nächsten Haltestelle aussteigen, aber vorher gab es noch eine gefühlvolle Umarmung der alten Freundinnen. Nina schlug sich noch ein paarmal, und dann sahen Jules und der ganze Bus zu, wie die beiden Schwestern auf den Broadway ausstiegen. Jules schloss die Augen für das letzte Stück durch den dichten, dahinkriechenden Verkehr, und in ihrem Kopf summte und zischte es. Sie war in ihrem Tipi, im Theater, im Speisesaal, wo es grüne Lasagne gab und einen Salat mit einem Gewirr aus Keimlingen. Sie saß auf dem Hügel und lauschte Susannah Bay, sie war im Trickfilm-Schuppen und spürte den überraschenden Druck von Ethans Lippen, sie war im Jungen-Tipi drei, rauchte einen feuchten Joint und sah Goodman Wolfs behaarte goldene Beine vom oberen Bett herunterbaumeln. Sie war im Improvisationsunterricht, sprach mit einem Flüchtlingsakzent, saß spätabends auf ihrem schmalen Bett und sprach mit Ash, und … sie war so glücklich.

»Hören Sie, es gibt da etwas, worüber wir heute reden müssen«, sagte Jules spät an einem Donnerstagnachmittag zu ihrer Kundin Janice Klammer. Fast ein Monat war seit ihrem zufälligen Zusammentreffen mit Jane Zell vergangen, ein Monat, in dem Jules sich wie in Trance voranbewegt hatte, als folgte sie Befehlen aus einer dunklen Quelle. Von dem Augenblick an, da sie die Möglichkeit gesehen hatte, nach Spirit-in-the-Woods zurückzukehren – an den Ort, an dem sich ihr Leben geöffnet hatte, an dem es übergeflossen war und sie zu Boden geworfen hatte, im Taumel, verändert –, handelte sie schnell. Sie war mit der Idee, sich um den Job zu bewerben, gleich zu Dennis gegangen, und der hatte nachsichtig gelacht, weil er dachte, dass sie es nicht ernst meinte. Drei Tage lang hatten sie darüber geredet, bevor sie Manny und Edie auch nur angerufen hatte, und am Ende dieser drei Tage hatte sie Dennis davon überzeugt, es in Betracht zu ziehen.

Ein paar andere Bewerber waren ebenfalls sentimentale ehemalige Camper. Beim Einstellungsgespräch in einem Hotel in Midtown Manhattan hatten die Wunderlichs auf Jules extrem alt gewirkt, aber das war 1974 schon so gewesen. Edie war immer noch stämmig gebaut und rechthaberisch, und Manny hatte etwas Großväterliches, mit weißen Brauen, die wie Geäst vorstießen, dem man ausweichen musste. Jules stockte der Atem, als sie den Wunderlichs gegenübersaß und ihre vertrauten Stimmen von dem einen oder anderen aus der Vergangenheit berichten hörte.

Nach all dem Schwelgen in Erinnerung, dem Dennis höflich und vermutlich gelangweilt zuhörte, begannen sie darüber zu reden, was der Job alles umfassen würde und wo die Herausforderungen lagen. Das Gespräch dauerte eine Stunde und endete mit übermäßigen Umarmungen durch die Wunderlichs, was ein gutes Zeichen zu sein schien, doch man wusste nie. Dann wartete Jules, und zwei Tage später kam der Anruf mit dem Angebot. Sie hörte die Nachricht in ihrer Praxis zwischen zwei Therapiesitzungen. Edie sagte: »Nun, wir haben mit allen Bewerbern geredet, aber ihr zwei seid die, die wir wollen. Könnt ihr im Frühling nach Belknap ziehen?«

Jules ließ einen Jauchzer hören und hielt sich gleich die Hand vor den Mund. Sie hatte bereits den nächsten Kunden hereingelassen, der nebenan im Wartezimmer saß, und es war nicht unbedingt ideal, seine Therapeutin jauchzen zu hören. Am selben Abend noch nahmen Jules und Dennis das Angebot an. Es war alles völlig unsicher. Sie wurden nur vorläufig eingestellt, und am Ende des Sommers würden sie und die Wunderlichs die Situation neu bewerten und sehen, ob alles zusammenpasste. Dennis hatte die Zusage, wieder in der Klinik in Chinatown anfangen zu können, sollten sie nach dem Sommer in die Stadt zurückkommen. Die Klinik war chronisch unterbesetzt und brauchte ihn. Dennis wusste viel und war wertvoll für sie. Jules allerdings musste ihre Praxis schließen. Es war unmöglich, ihre Kunden so lange in der Luft hängen zu lassen. Sie bot ihnen an, ihnen bei der Suche nach einem neuen Therapeuten zu helfen. Aber auch wenn die Wunderlichs sie zunächst nur für den einen Sommer verpflichten wollten, war Jules doch ziemlich zuversichtlich, und wenn es funktionierte, würde die Leitung des Camps ein Ganzjahresjob werden. Sie und Dennis würden außerhalb der Saison intensiv für Spirit-in-the-Woods trommeln, zukünftige Camp-Besucher finden und die Anmeldungen in die Höhe treiben müssen.

So hatte sie an diesem Morgen also begonnen, ihren Kunden zu eröffnen, dass sie ihre Praxis aufgab und im April aus New York City wegzog. Während der nächsten paar Monate, sagte sie, werde sie mit ihnen noch über alles reden und versuchen, einen Abschluss zu finden, diese unmögliche Sache, die niemand in seinem Leben bisher erfahren hatte, schien es doch immer irgendwo noch eine Öffnung und einen Lichtblitz zu geben. Zwei Kundinnen weinten, darunter Sylvia Klein, aber Sylvia weinte oft, und so war es keine Überraschung. Eine Logopädin namens Nicole fragte, ob sie Jules zum Essen einladen und ihre Freundin werden könne, jetzt, da Jules nicht länger ihre Therapeutin sei. Jules wehrte ab, sagte aber, dass sie das Angebot sehr bewege. Die meisten Gespräche verliefen so, berührend und ein wenig verblüffend. Sie kannte diese Menschen, aber die kannten sie kaum.

Am Ende des Tages kam Janice Klammer, die schon am längsten bei ihr war und jeder neuen Sitzung mit geradezu religiöser Begeisterung entgegensah, auch wenn es den Anschein hatte, dass sie an ihrer Lebensqualität wenig änderten. Janice betrauerte nach wie vor das Fehlen von Intimität in ihrem Leben und sagte, sie sei seit sehr langer Zeit schon nicht mehr berührt worden. Sie lebte allein und ging mit Männern aus, die sie sämtlich als uninteressant beschrieb. Ihre Therapie und ihre Arbeit mit Jules schätzte sie jedoch sehr. Es war der Mittelpunkt ihrer Woche, vielleicht sogar ihres Lebens. »Ich verlasse New York im Frühling«, erklärte Jules ihrer Kundin, und mit einem Mal sorgte sie sich um Janice und fragte sich, was aus ihr werden würde. Würde sie zurechtkommen? Die Stadt ging hart mit alleinstehenden Menschen ab einem gewissen Alter um, die Einsamkeit konnte sehr schmerzhaft sein, und manchmal verloren Frauen und Männer ohne Partner den Anschluss und kapselten sich ab. »Ich schließe meine Praxis.«

»Wie weit werden Sie weg sein?«, fragte Janice. »Erinnern Sie sich an meine Freundin Karen, die mit der Hautflechte? Ihre Therapeutin ist nach Rhinebeck gezogen, und Karen fährt einmal in der Woche mit der Metro-North zu ihr hin. Das könnte ich auch.«

»Ich arbeite nicht länger als Therapeutin.«

»Sind Sie krank?«, fragte Janice nervös.

»Nein, mir geht es gut.«

»Was ist es dann?«

»Ich würde sagen, es ist einer von diesen amerikanischen Fällen eines zweiten Lebens-Aktes«, antwortete Jules.

»Das verstehe ich nicht.«

»Ich werde ein Sommerlager leiten.«

»Ein Sommerlager?«, fragte Janice schockiert. »Dafür geben Sie das hier auf? Was, wenn es nicht funktioniert? Was, wenn Sie feststellen, dass Sie nicht gut darin sind?«

»Das ist wohl immer möglich, wenn man etwas Neues anfängt«, sagte Jules. Aber sie und Dennis hatten alles durchdacht. Ihre Wohnung hier in der Stadt gehörte ihnen, und ihr Gehalt und ihre niedrigen Ausgaben in Belknap würden es ihnen ermöglichen, im Herbst zurückzukommen und bis ins Frühjahr von New York aus für das Camp zu arbeiten. Und dann konnten sie die Wohnung auch für ein paar Monate untervermieten. Und falls sich der Job als Katastrophe entpuppte, entweder nach ihrer oder nach Meinung der Wunderlichs, hatten sie auf jeden Fall ihr Zuhause. Nur Jules' Praxis würde verloren sein.

»Ich kann nicht glauben, dass Sie das tun. Fühlt es sich nicht absurd an?«, fragte Janice. »Und nichts für ungut, aber was hat die Leitung eines Sommercamps mit der Arbeit einer Therapeutin zu tun? Das scheint mir doch etwas völlig anderes zu sein. Meinen Sie nicht auch? Ich kann Sie mir einfach nicht vorstellen, wie Sie morgens die Weckglocke läuten oder *Kumbaya* singen.«

»Ich weiß, das alles scheint aus dem Nichts zu kommen, und ich bin sicher, mir steht noch einiges ins Haus. Aber dennoch«, sagte Jules. Sie sah den heftigen Schmerz in Janices Augen, doch der war da schon so lange, und sosehr sie auch wünschte, ihn vertreiben zu können – bisher hatte sie es nicht geschafft, und jetzt musste es eben dabei bleiben.

Abends im Bett rollte sich Jules übernervös hin und her, und Dennis fragte: »Ist etwas?«

»Wer unternimmt noch solche Veränderungen in unserem Alter? Niemand.«

»Nun, wir sind Pioniere.«

»Ja, richtig, in unserem Planwagen. Und ich lasse meine Kunden im Stich.«

»Du musst dein eigenes Leben leben.«

»Ich meine, nicht nur weil ich sie jetzt verlasse, sondern auch weil ich überhaupt so lange hiergeblieben bin, mich mit ihnen arrangiert und mich für ihre Leben und das, was sie blockiert, interessiert habe. Ich werde sie vermissen, und ich hasse es, sie verlassen zu müssen. Aber die Wahrheit ist wohl, dass ich als Therapeutin kaum begabter bin als als Schauspielerin. Ich bin nicht unbedingt ein Naturtalent.« Sie überlegte einen Moment lang. »Bei Spirit-in-the-Woods schien alles immer so natürlich und automatisch zu gehen. Zumindest kam es mir so vor.«

Jules legte den Kopf auf Dennis' Schulter und wäre wohl so eingeschlafen, hätte er nicht einen kleinen Spaziergang vorgeschlagen, um in einer Kneipe ein Glas zu trinken. »Um zu feiern«, sagte Dennis. »Wie Rory es vorgeschlagen hat.«

»Richtig.« Beide an einem Apparat, hatten sie Rory übers Telefon von ihren Plänen erzählt. Erst hatte ihre Tochter, offensichtlich erschrocken, nichts gesagt. »Wollt ihr zwei mich verarschen?«, kam es schließlich vom anderen Ende.

»Nein«, sagte Dennis, »deine Eltern verarschen dich nicht.«

»Können wir vielleicht bitte den Tonfall etwas ändern?«, fragte Jules. Sie war ein wenig nervös, was Rory tatsächlich denken mochte. Erwachsene Kinder hatten oft Schwierigkeiten, mit grundsätzlichen Änderungen im Leben ihrer Eltern umzugehen, das wusste sie. Sie wollten, dass alles gleich blieb, für immer. In einer idealen Welt ließen sich die Eltern erwachsener Kinder niemals scheiden, verkauften das Haus der Familie nicht und vollzogen keine plötzlichen Veränderungen, weil ihnen danach war. Und das jetzt war eine ziemlich bedeutende Veränderung. Jules wunderte sich nicht, dass Rory schockiert war.

»Das macht ihr ernsthaft?«, fragte Rory.

»Ich denke schon«, sagte Dennis, »und es ist sicher ein ziemlicher Schreck für dich.«

Rory lachte ihr bekanntes tiefes Lachen. »Himmel, Dad, ihr seid doch keine Leute für so was. Solche Veränderungen.«

»Das stimmt, normalerweise nicht.«

»Seid ihr sicher, dass es kein Anfall von verfrühter Demenz ist?«, fragte sie und fügte schnell hinzu: »Das sollte ein Witz sein.«

»Ich denke, wir haben alle unsere Fähigkeiten«, sagte Jules.

»Also gut«, sagte Rory. »Ich meine, das ist mehr als einfach nur okay. Ich gratuliere euch, Leute.«

»Wirst du uns da oben besuchen kommen?«, fragte Jules.

»Aber klar. Vielleicht zum Ende des Sommers. Das will ich sehen. Auf jeden Fall solltet ihr das feiern, okay? Selbst wenn es nur eine Midlife-Crisis oder so was ist, feiern solltet ihr es auf jeden Fall.«

Und so fischten sie, Rorys Rat folgend, die Sachen, die sie vor einer Stunde erst hineingeworfen hatten, wieder aus dem Wäschekorb, zogen sich an und gingen zum Aufzug. Die Straßen draußen wurden weiter nach Osten hin immer belebter. In einer Seitenstraße fanden sie eine kleine Kneipe namens Rocky's, die zu ihrer Überraschung voll besetzt war. Ein paar der männlichen Gäste kamen ihnen bekannt vor, obwohl Jules nicht sagen konnte, warum. Sie und Dennis saßen in einer kleinen roten Nische und tranken ihr Bier. »Wer sind diese Leute?«, fragte er. »Es kommt mir vor, als würden wir sie von irgendwoher kennen. Wie Leute, die einem im Traum begegnen.«

Die Gesichter der Männer wirkten entspannt, sie waren mittelalt und älter, und hier und da waren auch ein paar jüngere, schärfere Züge darunter. Akzente wehten zu ihnen herüber, Fetzen aus Osteuropa und vielleicht auch Irland, Jules konnte nichts genau verorten oder voneinander trennen. »Ich weiß nicht, was für Leute das sind«, sagte sie.

»Moment«, sagte Dennis, »ich aber. Das sind die Pförtner und Portiers aus der Nachbarschaft. Das hier scheint ihr Treffpunkt nach Feierabend zu sein.« Ohne ihre Uniformen und betressten Kappen sahen die Männer völlig anders aus, aber ja, sie waren es, die Mitglieder einer der vielen Subkulturen der Stadt. »Wir hatten noch nie einen Pförtner«, sagte Dennis, »und jetzt werden wir wahrscheinlich auch nie mehr einen bekommen, was ich völlig in Ordnung finde. Ich wollte dir übrigens noch sagen«, fuhr er fort, »wie sehr ich von dir beeindruckt bin. Dass du das tust, meine ich. So impulsiv zu sein. Dass wir da raufziehen und das machen.«

Wenn Dennis auch nie im Camp gewesen war, hatte er über die Jahre doch willig den Überlieferungen gelauscht. Manchmal kam es Jules schon so vor, als wäre er tatsächlich dabei gewesen. Er kannte drei der zentralen Personen und wusste ziemlich viel über einige der anderen. In einem Quiz über die Sommer seiner Frau bei Spirit-in-the-Woods hätte er wahrscheinlich gut abgeschnitten. »*Der Sandkasten* von Edward Albee!«, hätte er korrekt geantwortet. »Ida Steinberg, die Köchin!« Und er hätte genaue Beobachtungen dazu verfassen können, was die Sommer damals und in späteren Jahren für seine Frau bedeutet hatten. Spirit-in-the-Woods war das Camp, das niemals sterben würde, es würde Jules nicht loslassen, deshalb hatte sie sich entschieden, dorthin zurückzukehren und selbst zum Camp zu werden.

Ash, Ethan und Jonah hatten alle begeistert und schockiert zugleich reagiert, als sie ihnen von ihrem Projekt berichtete. »Du wirst da tatsächlich wieder leben?«, fragte Ethan. »Du wirst den Laden leiten und gehst in den Trickfilm-Schuppen? Das ist irre. Mach Fotos.«

»Aus völlig eigennützigen Gründen«, sagte Ash, »würde ich dich am liebsten für immer in der Stadt haben. Aber ich weiß, das ist nicht fair, und es ist ja auch nicht so, als wäre ich viel zu Hause. Ich bin immer irgendwohin unterwegs. Trotzdem ist es schwer, mir vorzustellen, dass du nicht mehr hier bist. Vielleicht ist es das Ende unseres gemeinsamen New Yorker Lebens. Das ist ungeheuerlich.«

»Ich weiß«, sagte Jules. »Für mich fühlt es sich auch so an.«

»Aber es hat auch etwas Rührendes, dass du dort sein und die Fackel tragen wirst«, sagte Ash. »Ich wünschte, ich könnte dich in diesem Sommer besuchen, aber ich führe wieder Regie, und wir werden kaum an der Ostküste sein. Vielleicht können wir ganz zum Ende des Sommers mit etwas Glück noch einen Besuch unterbringen.« Jules wusste, dass Ash und Ethan mit den einwöchigen Meister-Seminaren in Napa beschäftigt waren, zu denen sie auch Mo und eine Betreuerin mitnahmen, bevor er ins Internat zurückmusste. Larkin nahm an einem Sommerprogramm Yales in Prag teil und ihre Eltern wollten sie dort im Anschluss an Napa besuchen. »Im nächsten Sommer dann aber sicher«, sagte Ash. »Du musst mir genau von allem berichten, minutiös. Mach einen virtuellen Rundgang und berichte mir genau, was sich alles verändert hat und was noch wie früher ist. Wirst du entscheiden, was sie aufführen werden? Wirst du wenigstens einige Vorschläge machen? Ich kenne ein paar ausgezeichnete Stücke mit starken Frauenrollen.«

»Ich werde daran denken.«

Jules und Dennis leerten ihre Gläser und gingen hinaus auf die Straße. Die Stadt, dieser Ort, mit dem sie zurechtgekommen waren, statt ihn zu erobern, war selbst um zwei Uhr morgens noch unermüdlich aktiv. Irgendwo weit entfernt schlug Metall gegen Metall. Jules hakte sich bei Dennis unter, und sie gingen zurück zu ihrer Wohnung, durch unscheinbare Straßen, aber Jules sah hinter ihnen bereits Seen und vor ihnen Berge und bevölkerte die Landschaft mit Teenagern und tief über den Wildblumen summenden Hummeln. Mit einem einfachen, aber zweckmäßigen Theater, einem Trickfilm-Schuppen, einem Tanzstudio und verschiedenen unzerstörbaren Tipis aus rohem Holz. Und sie fügte gleich auch noch ein paar Lamas hinzu, denn die Wunderlichs hatten sie gewarnt, dass aus ihnen unbekannten Gründen heute in allen Sommercamps Kurse in Lamapflege angeboten werden müssten. Dabei liebte niemand die armen Tiere mit ihren Gesichtern schmal wie Schuhe. Jules und Dennis würden sich gemeinsam in diese grüne und goldene Welt zwischen Bergen, Pfaden und Bäumen hinauswagen. In den Wäldern würden sie neuen Schwung finden.

Teil drei

DAS DRAMA DES BEGABTEN KINDES

Achtzehn

Es war der letzte Tag im Juni, und das erste Auto kam schon vor neun Uhr morgens. Langsam schob es sich zwischen den steinernen Begrenzungen des großen Tores hindurch, die über die Jahre von immer neuen Moosschichten überzogen worden waren. »Tut mir leid, dass wir so früh kommen«, sang ein Mann aus dem Seitenfenster, als der Wagen vor dem Hauptgebäude vorfuhr. »Die Taconic Mountains waren ein Kinderspiel.« Es war ein Vater, der jedoch deutlich jünger als Jules und Dennis aussah. Die hintere Tür des Wagens öffnete sich, und ein grimmig dreinblickendes Mädchen schlüpfte heraus, das sagen zu wollen schien: Nehmt mich, bitte, nehmt mich. Und so nahmen Jules und Dennis sie. Bald folgten weitere. Eine lange Reihe Autos zog heran, mit aufs Dach geschnallten Truhen und Koffern, die Rückfenster mit jugendlichen Notwendigkeiten zugepackt. Durch ganz New England fuhren heute ähnliche Wagen, allerdings gab es auf dem Rasen von Spirit-in-the-Woods besonders viele Cellos und Fagotte, Gitarren, Verstärker und Taschen voller Tanzausrüstung. Es waren kunstinteressierte Teenager, die hierherkamen, in moderner Ausführung. Sie kamen aus einem breiteren Bevölkerungsspektrum als noch in den Siebzigern, dennoch fühlte sich Jules wie schon damals, als sie selbst hier zum ersten Mal angekommen war, wieder als Außenstehende. Dieses Mal gehörten die Jungen dazu, und die Alten blieben außen vor. Die Gleichung war einfach und klar.

War sie wirklich alt?

Relativ. Aber es war nicht verstörend, sondern vor allem merkwürdig, das erkennen zu müssen. Solange in diesem Sommer nichts

Schreckliches passierte, niemand verloren ging oder bei einer Ofenexplosion verletzt oder gar *getötet* wurde (Jules hatte Albträume, in denen sie die Eltern der Betroffenen anzurufen hatte), musste es ihr keine Sorgen bereiten, wie viel Zeit seit damals vergangen war. Dennis lief mit seinem Klemmbrett herum und half, dass alle im richtigen Tipi landeten. Keiner der Eltern wollte an diesem ersten Tag wieder fahren. Sie standen auf dem Rasen oder halfen ihren Kindern, ihre Sachen aus Taschen und Truhen in die Tipis zu packen. Eine Mutter sagte mit wehmütigem Ausdruck: »Oh, hätte ich doch von diesem Ort gewusst, als ich noch jung war.« Viele Fotos von lächelnden und nicht lächelnden Teenagern wurden gemacht, die ihren Müttern und Vätern einen letzten Aufschub gewährten. Die Eltern würden die Bilder gleich auf Facebook posten. Der Tag zog sich hin, die Sonne neigte sich dem Horizont zu, und Jules und Dennis baten eine Schlagzeugerin, auf den Hügel zu gehen und den Gong ertönen zu lassen, den sie mitgebracht hatte, worauf Dennis durch sein Megafon verkündete: »Jetzt ist es Zeit für die Familien, sich zu verabschieden.«

Irgendwie gelang es ihnen, die Eltern wegzuschicken, und endlich sah das Camp aus, wie es aussehen sollte, nicht mehr leer wie das ganze Frühjahr über, als Jules und Dennis ins Haus der Wunderlichs auf der anderen Straßenseite gezogen waren. Ein Sommercamp für Teenager sei nicht so anstrengend wie eines für jüngere Kinder, hatte Jules in einem Internetforum von Veteranen ihres neuen Berufs erfahren. Kaum jemand leide unter Heimweh oder werde gemobbt. Wahrscheinlich gebe es sexuelle Aktivitäten und auch Drogen, doch das nur versteckt und außerhalb der Kontrollmöglichkeiten. Hauptsächlich, dachte Jules, kamen solche Teenager zu Spirit-in-the-Woods, die einer bestimmten Kunstform nachgehen und mit ähnlich interessierten Altersgenossen zusammen sein wollten. Der Rückgang der Teilnehmerzahlen in den letzten Jahren war jedoch nicht zu übersehen, und ein paar der Tipis standen leer. Die Wunderlichs hatten Jules und Dennis im Winter mit einem Stand zu verschiedenen Camp-Messen geschickt, lauten, öden Veranstaltungen in Highschool-Sporthallen überall im Tristate-Bereich. Eltern und Kinder drängten sich vor anderen Ständen, die »xtreme«-Sport versprachen oder »ein Fußballfest rund um die Uhr, sieben Tage die Woche«. Selbst ein Camp für jugendliche Diabetiker, das fast schon höhnisch »Sugar Lake« hieß, hatte mehr Interessenten als Spirit-in-the-Woods angezogen. In seiner bestehenden Form konnte das Camp nicht viel länger überleben.

»Ich stelle mir vor«, hatte Manny Jules und Dennis erklärt, als die Verträge unterschrieben waren, »dass ihr dem Camp nicht durch teure Computerräume oder sportliche Aktivitäten neues Leben einhaucht – von den Lamas will ich hier nicht reden, die sind okay, aber damit reicht es auch –, eure Leidenschaft und die Erinnerungen, die ihr in die Arbeit einbringt, sollen Spirit-in-the-Woods neu beleben.«

Hähnchenkeulen, Brokkoli und extra festen Tofu in industriellen Mengen zu bestellen, war eine neue Erfahrung, und auch die Instandsetzung des Theaters zu überwachen hatte etwas Befriedigendes, wobei das Gebäude so viel kleiner schien als damals. Dort auf der Bühne zu stehen hatte sich für Jules 1974 angefühlt, als trete sie am Broadway auf, tatsächlich war es nur eine kleine Fläche, deren Boden mit den Überbleibseln alter Markierungen übersät war. Und was die Tipis betraf: Wie konnte man in denen wohnen? Kurz vor Beginn der Saison war Jules ins Jungen-Tipi drei gegangen und hatte sich in der Ecke auf den Boden gesetzt. Alles, was sie wahrnahm, waren der Schmutz und der schwere Geruch der Jahre. Sie stand gleich wieder auf und flüchtete nach draußen. Offenbar brauchte man als Teenager keine frische Luft, man produzierte seine eigene Luft.

Am ersten Abend des Camps führten die Gruppenleiter eine kleine Show auf, in der sie den Campern die einzelnen Workshops und Aktivitäten vorführten, die es den Sommer über geben würde. Der Musiklehrer, ein schlaksiger Typ, der sich Luca T. nannte, spielte in der Empfangshalle Klavier, und die anderen sangen ein Lied, das sie gemeinsam geschrieben hatten:

*»Die Ba-tik ist ein ganz besond'rer Tick
Und das Glasblasen nichts für Angsthasen …«*

Am Ende waren alle ziemlich aufgedreht, und es hielt kaum mehr einen auf den Stühlen. Dennis und Jules standen am Mikrofon und machten ein paar Bemerkungen dazu, wie toll dieser Sommer werden würde. Jules sagte: »Ich war früher selbst hier im Camp«, doch ihre Worte gingen im allgemeinen Tumult unter, und als sie es noch einmal wiederholte, sah sie, dass es den jungen Leuten da unten völlig egal war, ob sie, diese mittelalte Frau mit dem Pullover über dem T-Shirt und den weichen, verschwommenen Gesichtszügen ihrer Mütter, früher selbst einmal eine Camperin gewesen war wie sie. Es interessierte sie nicht, oder sie glaubten es nicht. Denn wenn sie es glaubten, müssten sie denken, dass sie eines Tages auch einmal so weich und verschwommen aussehen würden.

»Der Sommer wird super«, sagte Dennis, als er ans Mikro trat. »Ihr werdet es sehen.« Es gefiel ihm, hier zu sein und zu erleben, wovon Jules all die Jahre über geredet hatte, und das Camp machte ihm auch klar, wie hart die Stadt gewesen war, mit ihren unnachgiebigen Oberflächen und dem ständigen Kampf um mehr und mehr Geld, nur um den Kopf oben zu behalten. Die Stadt war nichts für die Bedächtigen und Langsamen, hier oben in Belknap wohnten sie umsonst im großen Haus der Wunderlichs, und ihr Job war unkompliziert. Da musste sich niemand verbiegen.

Ash hatte gesagt, sie beneide sie um ihre Entscheidung, ein einfacheres Leben zu leben, und natürlich auch darum, an den Ort zurückzukehren, den sie einst so geliebt hatte. Man bekomme fast nie im Leben die Gelegenheit, so etwas zu tun. Natürlich, sagte Ash, *müssten* Jules und Dennis den Job jetzt annehmen, auch wenn es bedeute, dass sie ihr ganzes Leben damit auf den Kopf stellten. »Wenn ihr in den Zug einmal eingestiegen seid«, sagte Ash und meinte damit, dass sie die Wunderlichs kontaktiert und mit ihnen gesprochen hatten, »könnt ihr nicht mehr aussteigen. Was sonst könnt ihr tun? Das Angebot *nicht* annehmen? Ich wünschte mir so, dass Ethan und ich mit euch da hochziehen könnten.« Das war eine Lüge, eine Freundschaftslüge. Ash führte gerade Regie bei einer Version der *Katze auf dem heißen Blechdach* mit vertauschten Geschlechterrollen. Die zentrale Figur hieß jetzt »Big Mommy«. Darüber hinaus standen bereits weitere Theaterprojekte für sie an, und sie würde das alles niemals für Spirit-in-the-Woods aufgeben, genauso wenig wie Ethan seine Arbeit, aber sie verstand, warum Jules und Dennis es tun wollten.

Dann wurde die Bestuhlung zur Seite geräumt, hastig eine DJ-Anlage aufgestellt, und schon wummerte Musik durch den langen Raum. Jules kannte nicht eines der Stücke. Es war schreiender, schlitternder Techno, in den zufällig gelegentlich eine menschliche Stimme schnitt. Der DJ, eine Bassspielerin – elektrisch – namens Kit Campbell, war fünfzehn, klein, anziehend und begabt. Sie hatte kurzes, abstehendes Haar und eine bleiche Haut. So winzig sie sein mochte, sie war doch stilgerecht gekleidet, trug tief hängende Shorts und ungeschnürte Kampfstiefel. Es war ihr erster Sommer hier, und die anderen Kids schienen sich zu ihr hingezogen zu fühlen. Am Ende des Abends wurde sie von ein paar Camp-Bewohnern umringt, einem wenig attraktiven weißen Mädchen, einem attraktiven schwarzen Mädchen und zwei Jungen, einer mit einem Lidstrich, der andere ein Gockel, großtuerisch und mit einer umgedrehten Baseballkappe. Gemeinsam gingen sie hinaus, die Mädchen stießen die Hüften gegeneinander, und die Jungen vergruben die Hände in den Taschen, ein gemischtes Welpenknäuel.

Jules und Dennis gingen mit ihren Taschenlampen über den dunklen Rasen und folgten den jungen Leuten, die kreuz und quer vor ihnen herliefen, herumsprangen und lauthals miteinander kommunizierten. Jules wünschte, sie könnte ihre Taschenlampe fallen lassen und zu ihnen aufschließen, doch da gehörte sie nicht hin, und so blieb sie bei ihrem Mann, dem es, das sah sie, gefiel, so langsam allein mit ihr durch die Nacht zu laufen. Weiter oben gingen die Mädchen in die eine und die Jungen in die andere Richtung. Jules fragte sich, ob sich einige von ihnen bereits für später verabredet hatten, was sie und Dennis als Lagerleiter eigentlich zu verhindern hatten. Dabei ging es hier im Camp letztlich nicht um Sex, sondern um das Ende des kindlichen Alleinseins, dieses Einsam-in-seinem-Bett-Liegens, das bis in die Pubertät hineinreichte, wenn die Einsamkeit plötzlich unerträglich wurde und du jede Stunde des Tages und der Nacht mit jemandem zusammen sein wolltest.

Dennis stand neben ihr, schaltete seine Taschenlampe aus und zog die unverschlossene Tür des wunderlichschen Hauses auf. »Zu einem gemeinsam vereinbarten Zeitpunkt setzen wir uns am Ende des Sommers wieder zusammen und sehen, wo wir stehen«, hatte Edie gesagt, bevor sie mit Manny in das Cottage gezogen war, das die beiden in Maine gemietet hatten. Fürs Erste hatten die Wunderlichs all ihre Besitztümer im Haus gelassen, dessen Wände eine Feier der Vergangenheit waren, der Sommer hier im Camp und einer vergessenen Zeit in Greenwich Village. Camper wurden niemals ins Haus eingeladen, und als Jules mit Dennis im April nach Belknap gekommen war, hatte sie sein Inneres zum ersten Mal gesehen.

»Bist du nicht froh, heute Nacht nicht in ein Tipi zu müssen?«, fragte Dennis, als sie den düsteren Eingang betraten und das Deckenlicht einschalteten. »Du bist erwachsen und kannst in einem richtigen Haus schlafen.«

»Ja, Gott sei Dank«, sagte Jules, vor allem weil sie ihm nicht widersprechen wollte. Sie wollte nicht in einem der Tipis wohnen, aber auch nicht unbedingt in diesem Haus. Sie fühlte sich rastlos, und ihr wurde bewusst, dass man auf dem Land abends nirgends hingehen konnte, es sei denn, man wollte durch die Dunkelheit wandern. Bis zu diesem Abend hatte sie das nicht so empfunden. Die Stadt gab einem wenigstens die Möglichkeit, noch auszugehen: Wenn man nicht schlafen konnte, gab es rund um die Uhr geöffnete Diner. Nicht, dass Jules in ihrem Leben oft davon Gebrauch gemacht hätte, doch jetzt saßen sie und Dennis hier in diesem Haus, den ganzen Sommer über, vielleicht auf Jahre, vielleicht für immer. Sie fragte sich, was wohl in den Tipis geschah. Vielleicht sollte sie in dieser Woche abends freiwillig eine Patrouille übernehmen, bevor sie zu Bett ging, wobei das eigentlich die Sache der Gruppenleiter war.

Oben im Schlafzimmer legte sich Dennis auf die Seite des hohen, alten Betts, die er im April für sich in Anspruch genommen hatte: Mannys Seite. Da hatten auf Mannys Nachttisch noch verschiedene männliche Utensilien gelegen: Nagelknipser und eine fast leere Tube Creme gegen Fußpilz. »Und?«, fragte Dennis, als Jules ins Bett stieg und das Licht ausschaltete. »Der Anfang war okay, oder?«

»Ja, das werden wir den Leuten erzählen: ›Der Anfang war okay.‹ Und dann kommt die schreckliche Geschichte.«

»Die Ofen-Tragödie.«

»Die Keimling-Tragödie.«

»Sie sahen so unschuldig aus, diese Keimlinge«, sagte Dennis. »Die Kinder haben sie nur so auf ihre Teller gehäuft. Hätten wir es nur geahnt!«

Sie lachten zögerlich, als könnten sie so die Möglichkeit einer Katastrophe abwenden. Von jetzt an waren sie für alles verantwortlich, egal, was geschah. Sie hatten bereits ein paar E-Mails von Eltern bekommen. »Ich werde Rory anrufen«, sagte Jules. »Sie wollte, dass ich ihr gleich berichte, wie es läuft.«

»Sag ihr, ich mochte ihre E-Mail«, sagte Dennis. »Die mit dem Link zu all den Sommercamp-Witzen. Etliche Pointen mit Bären und Latrinen.«

Manny und Edie hatten ihnen einen Crashkurs für die Leitung eines Sommercamps gegeben, und natürlich war das Wort »Sicherheit« dabei immer wieder aufgetaucht. Das Gelände musste ein sicherer Ort sein, zu dem Außenstehende keinen Zugang hatten, und Camper wie Belegschaft hatten mit der Ausrüstung in den Werkstätten sachgemäß umzugehen. Es gab zahllose Sorgen und ebenso viele Regelungen für Notfälle, dennoch ließen sich viele der untergeordneten Aufgaben an die unterbezahlten, aber gut gestimmten Gruppenleiter delegieren, die von überall aus den Vereinigten Staaten und sogar aus Australien hergekommen waren. Amerikanische Sommercamps waren immer voller australischer Helfer. Jules hatte kurz die leider unrealistische Vorstellung gehegt, dass sich Rory vielleicht mit anstellen lassen wollte, doch sie verbrachte den Sommer lieber mit ihren Freundinnen in Oneonta, wo sie im Kindergarten einer Fabrik jobbte. Sie hatte allerdings versprochen, sie zum Ende der Saison zu besuchen, »um eure Midlife-Crisis live zu bewundern, Mom«, hatte sie in einer E-Mail geschrieben.

Der Gedanke, Rory heute Abend anzurufen, schien mit einem Mal weniger dringlich. Rory wollte ihre Mutter glücklich wissen, das war alles. Sie würden nur wie gewohnt ein paar Worte austauschen und wieder auflegen. Ihre Welten waren so weit voneinander entfernt: der Fabrikkindergarten und der Traum von Kunst. Sie mussten heute Abend nicht mehr telefonieren, sie konnten auch morgen reden. Jules und Dennis drehten sich zueinander hin, wegen der Merkwürdigkeit ihres neuen Lebens wie auch allem anderen sonst. Sie wollten Bewegung und Vergessen. Sie wollten Sex, der ihnen im Gegensatz zu den Kids auf der anderen Seite der Straße erlaubt war, die Nacht für Nacht für sich liegen mussten, die Körper in einer Vorahnung verkrampft, während die Gruppenleiter mit ihren tanzenden, zudringlichen Taschenlampen um ihre Tipis patrouillierten. Dennis stützte sich auf einen Ellbogen und reckte den Kopf in ihre Richtung. Sein schwarzes Haar war in den letzten Monaten zunehmend von Grau durchsetzt worden, und sein immer schon haariger Körper wirkte mittlerweile wie ein Stück Waldboden voller silbriger Nadeln und sich verfärbender Blätter. In seinem Alter akzeptierte man das. Jules musste an ihre Mutter denken, die allein in ihrem Haus in Underhill lag. Ihre Vierziger hatte sie allein verbracht, ihre Fünfziger, ihre Sechziger und dann auch ihre Siebziger! All die Jahrzehnte allein und voller Schmerz, genau wie die Teenager auf der anderen Seite der Straße, jedoch ohne die Beruhigung, dass das alles wahrscheinlich mit einer glückseligen sexuellen Salve enden würde. Warum hatte ihre Mutter sich nie mehr mit einem Mann getroffen? Wie hatte sie ohne Sex oder Liebe leben können? Sex konnte Liebe sein oder wenigstens doch, wie jetzt, eine sehr gute Zerstreuung.

Dennis' Mund öffnete sich, sein Kopf neigte sich vor, und seine große Hand umschloss eine von Jules' Brüsten, die wie ein schief hängendes Schmuckstück nach unten wies. Isadora Topfeldt hatte vor langer Zeit behauptet, Dennis sei »unkompliziert«, was nicht stimmte, es war nur so, dass er sich weniger bestimmend vorkam. Er war hier in Belknap, weil sie es so wollte und ihn überzeugt hatte, dass es funktionieren könne. Ihr Umzug befriedigte so viele vernachlässigte Bedürfnisse. Dennis umschloss ihre Brust, strich ihr über den Arm und fragte etwas nervös: »Bist du glücklich?« Er wünschte sich, dass seine immer wieder neidvolle Frau endlich, endlich vollständig glücklich sein würde. Glücklich und voller Energie. Er wartete nicht auf ihre Antwort, sondern drehte sie von sich weg, auf die Seite, das Gesicht fast vor Edie Wunderlichs Nachttisch, auf dem das sehr alte, gerahmte Foto einer jungen Frau und eines jungen Mannes stand, eines Paares, das auf einem Dach über der Stadt seiner Lebenslust Ausdruck gab. Dennis brachte sich hinter Jules in Position und begann, mit einer unverständlichen Silbe der Anerkennung und der kürzesten aller Ouvertüren in sie einzudringen. Ihre eigene unmittelbare Reaktion machte sie verlegen, als hätte sich einer der Teenager aus dem Camp gegenüber unbemerkt ins Haus geschlichen, stünde in der Tür zu ihrem dunklen Zimmer, träte von einem Bein aufs andere und beobachtete diesen so unwahrscheinlichen geschlechtlichen Vorgang zwischen zwei Menschen in ihren Fünfzigern. Jeden Moment musste der schlaksige Teenager leise sagen: »Ähm, Entschuldigung? Jules? Dennis? Ein Junge in meinem Tipi hat Nasenbluten, und es hört nicht auf.«

Aber die Camper blieben auf der anderen Seite der Straße und hatten kein Interesse, sie zu überqueren. Sollte etwas vorfallen, würde einer der Gruppenleiter anrufen. Das schwere rote Wahlscheibentelefon stand klingelbereit auf Dennis' Nachttisch. Während der kommenden acht Wochen würde es sie zweifellos einmal nachts aus dem Schlaf reißen. Manny und Edie hatten sie gewarnt, dass es mindestens einmal im Sommer klingele, und manchmal sei es eine ernste Sache. Heute, in der ersten Nacht, rief niemand an, und sie waren allein in ihrem stöhnenden alten Ahornbett. Der Sex zwischen diesen beiden mittelalten Menschen, die nicht so alt wie die Wunderlichs, aber ganz sicher keine Teenager mehr waren, schien keinen anderen Grund als die Lust oder ein Der-Welt-entfliehen-Wollen zu haben. Jules wusste, dass Dennis der Gedanke erregte, sie sei völlig glücklich und das, was sie jetzt hatten, annehmbar und befriedigend. Ein gutes Leben. Aber sie sah sich aus der Perspektive des eingebildeten Teenagers in der Tür und war sich zu sehr bewusst, was sie und Dennis gerade taten, wie alt sie waren und wo. Sie wusste nicht, ob sie schon glücklich war. Sie hatte wirklich keine Ahnung.

»Jetzt du«, sagte er in ihren Nacken, als sein Herz wieder normal schlug.

»Nein, ist schon in Ordnung.« Ihre Gedanken hatten sie von ihm weggetragen.

»Wirklich? Aber es ist so schön«, sagte Dennis. »Wir könnten weitermachen, es gefällt mir.«

Nein, sie wollte nicht mehr. Sie sagte, sie sei müde, und es schien tatsächlich so zu sein. Sie musste schlafen. Am Morgen, als Jules aufwachte, war Dennis bereits drüben, um den Tag einzuläuten, der mit der alten Aufwach-Musik begann, Haydns Paukenschlag-Sinfonie. Über Jahrzehnte hatten die Wunderlichs diese Tradition beibehalten. Jules zog sich an, trat vors Haus und über die Straße, ging über den Rasen und folgte den Küchen- und Frühstücksgerüchen. Der Speisesaal war bereits halb belebt, verschlafene Teenager trugen ihre Schüsseln zu den Haferflockenterrinen und Müsligläsern. Mädchen wollten wissen, wo es Sojamilch gab, und ein Junge flüsterte dramatisch: »*Latte. Latte.*« Niemand war schon richtig wach. Nachdem sie sich versichert hatte, dass die Küchenhelfer ihre Zeitkarten abgestempelt hatten und sie selbst nicht wirklich gebraucht wurde, setzte sich Jules an einen Tisch mit ernsten jungen Mädchen, sämtlich Tänzerinnen.

»Wie ist es denn bisher?«, fragte sie.

»Ein Mücken-Dorado«, sagte Noelle Russo aus Chevy Chase, Maryland, und zeigte ihren Arm, auf dem bereits eine Reihe knopfgroßer rosafarbener Stiche zu sehen war.

»Vielleicht ist ein Loch in eurem Fliegengitter«, sagte Jules. »Ich schicke jemanden, damit er nachsieht.«

»Mein Dad sagt, man muss hier nichts machen«, sagte Noelles Tipi-Mitbewohnerin Samantha Cain aus Pittsburgh. »Stimmt das? Ich muss keinen Schwimmunterricht nehmen oder so was?«

»Es gibt keine Pflichtveranstaltungen. Tut, was euch interessiert. Um zehn könnt ihr euch einschreiben. Gebt eure ersten drei Wünsche für verschiedene Zeiten an.«

Die Mädchen nickten befriedigt. Jules sah, dass so gut wie keine von ihnen viel aß und alle eher symbolische Mengen auf ihrem Teller hatten. Wahrscheinlich war sie gleich in ein Nest von Essstörungen gestolpert. Tänzerinnen – kein Wunder.

»Und? Immer noch glücklich?«, fragte Dennis Jules eines Nachmittags in der zweiten Woche, während er mit ihr zwischen den Bäumen herumspazierte. Sie kamen am Trickfilm-Schuppen vorbei, in dem noch Licht brannte: Ein paar Kids waren über das Ende ihres Kurses hinaus geblieben und standen mit ihrer Kursleiterin um einen Tisch herum, einer jungen Frau namens Preeti Singh, der aktuellen Nachfolgerin von Old Mo Templeton.

»Ich bin vor allem erleichtert, was alles machbar ist«, sagte Jules. »Ich hatte wirklich Angst, dass wir nicht damit fertigwerden würden, weil wir nicht kompetent genug und der Aufgabe nicht gewachsen sind.«

»Du bist sehr kompetent«, sagte er.

»Zu viel des Lobes.«

Sie gingen durch den Wald und aus dem hinteren Tor hinaus. Es war nach halb fünf. Um diese Zeit war es im Camp ziemlich ruhig, die Leute duschten, übten auf ihren Instrumenten, lagen im Gras oder führten Dinge zu Ende, die sie nicht so einfach liegen lassen konnten. Jules und Dennis gingen den Kilometer den Hang hinunter in die Stadt. Belknap hatte sich seit den Siebzigern kaum verändert, mit ein paar Ausnahmen. Gleich am ersten Tag, als sie im Frühjahr angekommen waren, hatten sie feststellen müssen, dass die Bäckerei mit dem Heidelbeerkuchen vor Jahren geschlossen und durch einen Handyladen ersetzt worden war. Aber den Kramladen gab es noch und auch das Langdon Hull Psychiatric Hospital. Da war Dennis nach seinem Zusammenbruch im College gewesen, aber er hatte sich erholt und auch die Depression nach Absetzung der MAOI überwunden. Seitdem ging es ihm gut, er fühlte sich nicht eingeschränkt und war nicht wirklich in Gefahr, einen Rückfall zu erleiden. Aber als sie an dem kleinen weißen Schild mit dem Pfeil in Richtung Krankenhaus vorbeikamen, taten sie dennoch so, als wäre es nicht da, als wäre das ganze Krankenhaus nicht da – als ginge sie das alles nichts an.

Dennis kaufte zwei Eiskaffees, und sie setzten sich auf eine Bank in der Main Street. Augenblicke später schon klingelte sein Handy, und er sprach leise hinein. »Sie brauchen uns«, sagte er, nachdem er es wieder zugeklappt hatte. »Der Generator ist ausgefallen, und keiner scheint zu wissen, was zu tun ist.«

»Weißt *du* es?«

»Manny und Edie haben uns eine ganze Bibel mit Telefonnummern dagelassen. Wir suchen die richtige heraus und rufen an. Aber wir können nicht hier sitzen, Eiskaffee trinken, über das Leben nachdenken und das Camp ohne Strom lassen.« Sie standen auf und gingen langsam zurück in die Richtung, aus der sie gekommen waren. Auf dem Weg zurück in das im Dämmerlicht liegende Camp sammelten sich die Mücken in kleinen Steppenhexen-Formationen, und wenigstens zwei Geigen waren bei einer kurzen Probe vor dem Abendessen zu hören, eine spielte ein Scherzo, die andere etwas Langsames und Getragenes, während anderswo auf dem Gelände ein Schlagzeuger ein feuriges Solo hinlegte.

Von jetzt an gab es jeden Tag kleinere oder größere Überraschungen, Dinge, die kaputtgingen, Probleme, gelegentlich einen Streit zwischen einem Kursleiter und einem der Kids. Noelle Russo, das Mädchen mit den Mückenstichen, entpuppte sich als schwer magersüchtig und verbrachte mehrere Nächte auf der Krankenstation. Sie war eine hoch talentierte Tänzerin, hart zu sich selbst, und trainierte, bis sie zusammenklappte. Die Nachricht drang bis ins Haus auf der anderen Straßenseite hinüber, dass sie sich heftig in einen der Gruppenleiter verliebt habe, der für die Theaterrequisiten verantwortlich war. Guy, so hieß der Junge, war ein rothaariger, harmloser Student aus Canberry mit Piratenringen in beiden Ohren. Dennis setzte sich mit ihm zusammen und kam zu der

Überzeugung, dass Guy Noelle in keiner Weise ermutigt hatte oder ihre Gefühle erwiderte. Natürlich war es ihm aufgefallen, doch er hatte sich weder Noelle noch den anderen Campern gegenüber etwas anmerken lassen.

Manchmal ging Jules zu einem Besuch ins Mädchen-Tipi vier und hoffte, dass Noelle da war. Jules setzte sich für ein paar Minuten auf eines der Betten und war sich bewusst, dass sie mit ihrem Hereinkommen jedes bedeutungsvollere Gespräch zu einem vorschnellen Ende gebracht hatte. »Wie geht es denn so?«, fragte sie in die Runde, und die Mädchen erzählten ihr von den Stücken, in denen sie mitspielten, und den Vasen, die sie töpferten. Kit, das beliebte, androgyne Mädchen, zeigte ihr die winzige Meerkatze, die es sich im Frühjahr auf den Fußknöchel hatte tätowieren lassen. Noelle ärgerte sich über die Camp-Krankenschwester, die darauf bestand, dass sie täglich weit mehr Kalorien zu sich nahm, sonst müsse sie gehen. »Ich kann nicht zurück nach Hause«, sagte Noelle. »Jetzt, wo ich hier war und weiß, wie es ist, kann ich unmöglich wieder weg. Haben Sie irgendeine Vorstellung davon, wie es da ist, wo ich herkomme? In Chevy Chase, Maryland?«

»Absolut keine. Wie ist es denn?«

»Alle sind so konventionell«, sagte Noelle. »Ihre Vorstellung von experimenteller Musik besteht in einer A-cappella-Version von *Moondance*. Ich kann einfach nicht glauben, dass ich da leben soll. Warum mussten sich meine Eltern von allen Orten dieser Welt gerade den aussuchen? Es scheint so willkürlich. Ich ertrage es nicht.«

»Alles, was du tust, fühlt sich lange Zeit unglaublich langsam an«, sagte Jules. »Aber wenn du später zurückblickst, viel später, glaubst du, es ist wie im Flug vergangen.«

»Das hilft mir jetzt auch nicht viel«, sagte Noelle.

»Da wirst du recht haben.«

»Sie schicken mich nicht zurück, oder, Jules?«

»Nun, eines Tage schon.«

»Nicht bevor der Sommer vorbei ist. Ich liebe es hier. Wenn dieses Camp ein Junge oder ein Mädchen wäre, ganz gleich, ich würde ihn oder es heiraten. Vielleicht wird es ja eines Tages erlaubt, *Orte* zu heiraten. Wenn es so kommt, heirate ich den hier.«

»Noelle, hör auf zu reden«, sagte Kit, die bäuchlings auf dem Bett über ihnen lag und einen nackten Arm nach unten baumeln ließ. »Ich habe das Gefühl, ich bin in einen Karnickelbau gefallen. Du redest und redest, und ich versuche zu lesen und / oder zu schlafen.«

»Ich rede so viel, weil ich Jules begreiflich machen will, dass sie mich nicht nach Hause schicken darf. Die Schwester hat keinen Schimmer, was Kalorien angeht. Ich kenne mich da weit besser aus.«

»Nun«, sagte Jules, »heute Abend gibt es eine super Lasagne, und ich hoffe, du probierst sie.« Noelle verzog das Gesicht auf eine Weise, die Jules klarmachte, dass kein Bissen Lasagne je ihre Lippen überqueren würde.

»Ich esse, was du nicht willst«, sagte Kit. Ein drittes Mädchen kam mit einer Kesselpauke herein. »Wo sollen wir denn mit dem Ding hin?«, fragte Kit, und die Mädchen begannen eine Diskussion über Musikinstrumente und darüber, wo sie im Camp am besten unterzubringen waren.

Samantha platzte herein, frisch geduscht und in ein Badetuch gewickelt, und rief laut schallend: »Pantene-Haarspülung hat genau die gleiche Konsistenz wie *Sperma*!«, bevor sie sah, dass Jules da war. Alle verstummten sofort und lachten dann entsetzt. Jules nahm die Gelegenheit wahr, um zu gehen.

Sie brauchten sie und brauchten sie nicht. Sie hatten ihre eigene Gesellschaft gebildet, und es rührte Jules an und zermürbte sie gleichzeitig, sie funktionieren zu sehen. Was sie überraschte, war, dass niemand Schwierigkeiten zu haben schien, nach dem zu fragen, was er brauchte. Dennis und Jules wurden immer wieder um alle möglichen Dinge angegangen. Jules spazierte zum Beispiel ganz allein über das Gelände, lauschte einem aus der Musikscheune schallenden Konzert oder dachte gerade an nichts weiter, wenn eine Stimme nach ihr rief: »Jules?« Oder, was wahrscheinlicher war: »Jules!« Und dann: »Oben bei den Mädchen ist ein Klo verstopft. Sind sicher wieder mal die Super-Tampons, und keiner kann diesen Gummisauger finden.«

Sie nahmen an, dass die Lagerleiterin an ihren verstopften Klos genauso interessiert war wie an ihren künstlerischen Kreationen. Sie hatte interessiert, besorgt und immer bereit zu sein. Die Gruppenleiter waren viel beschäftigt, doch die Leiter des Camps ebenfalls. Hatten sich die Wunderlichs während all der Jahre hier als etwas Besonderes gefühlt, oder hatten sie einfach ihre Rolle als Kultur- und Klempner-Experten akzeptiert? Sie wünschte, sie könnte sie fragen, wollte die beiden da oben in Maine jedoch nicht stören, wo sie laut einer vor ein paar Tagen angekommenen Postkarte gut damit beschäftigt waren, Muscheln zu sammeln und zu »dösen«. Sie hatten die Probleme der Camp-Leitung Jules und Dennis übertragen und wollten nicht weiter damit behelligt werden.

Jules wurde klar, dass der Job wahrscheinlich nie sonderlich kreativ gewesen war. Die Wunderlichs danach zu fragen, war ihr bisher nicht in den Sinn gekommen. »Als Sie das Camp leiteten, haben Sie sich da kreativ erfüllt gefühlt?« Irgendwie ärgerte es sie, dass die beiden ihr und Dennis nichts dazu gesagt hatten. »Ihnen ist doch bewusst, dass ein nicht ganz unbedeutender Teil Ihres Jobs darin bestehen wird, dafür zu sorgen, dass die Großbestellungen von Greeleys Farmen tatsächlich pünktlich eintreffen, oder? Auf das Küchenpersonal können Sie sich da nicht verlassen.« Aber selbst wenn Manny und Edie es gesagt hätten, wäre Jules überzeugt gewesen, dass es das wert sei und sie genug anderes dafür zurückbekommen würden. Und manchmal war es auch so. Als sie die neue

Produktion von *Marat/Sade* im Theater sah, war sie völlig hingerissen. Dennis schien diese Augenblicke zu spüren und griff im Dunkel nach ihrer Hand. Die ganze Zeit war sie zurück zu diesem Ort geschwommen, ohne sicher zu sein, ob sie ihn je erreichen und ob er, dank der Gewissenhaftigkeit der Wunderlichs, noch so sein würde wie früher. Es war, als wären Manny und Edie Kuratoren der Kunst gewesen, Wahrer einer Vergangenheit, die, wenn sie nicht sorgsam erhalten wurde, wie eine vergessene Zivilisation verloren ginge.

Das war es: Die Wunderlichs waren Bewahrer, keine Künstler. Jules hatte eine Künstlerin sein wollen. Der Unterschied war hier in der Dunkelheit des Theaters zu spüren, als sie zwischen Campern und Gruppenleitern auf einer der harten Holzbänke saß und der dynamischen Kit Campbell auf der Bühne zusah, diesem Mädchen, das sonst in Kampfstiefeln und tief hängenden Shorts herumlief und in dem Stoff, aus dem sie ihr eine Robe geschneidert hatten, geradezu majestätisch wirkte. Die Zuschauer flüsterten sich zu, dass sie es bestimmt weit bringen und berühmt werden würde, ein *Star*.

Als das Stück beendet war, musste entweder Dennis oder Jules auf die Bühne, um ein paar langweilige Ankündigungen zu machen. Die seltsame Schönheit des Stückes und die Größe von Kits Leistung hatten noch kaum gewürdigt werden können, aber die Leiter des Camps mussten vortreten und den Zauber des Augenblicks durchbrechen. »Willst du?«, fragte Dennis. Jules schüttelte den Kopf. Sie ging zur Tür und in den Abend hinaus, allein, während ihr Mann auf die Bühne kletterte und alle daran erinnerte, dass das Camp eine erdnussfreie Zone war.

Neunzehn

Die »Meister-Seminare« waren in einem Verzweiflungsanfall so genannt worden. Ethan Figman wusste, dass der Name protzig klang, doch als es mit dem Projekt losgegangen war, war ihm gesagt worden, dass er sich gleich für einen Namen entscheiden müsse, und der Mehrheit der Direktoriumsmitglieder hatte er gefallen, also hatte Ethan resigniert zugestimmt. Jetzt prangte der Name überall im Erholungs- und Konferenzzentrum Strutter Oak in Napa, Kalifornien, in Groteskschrift an den Wänden. Eine Woche lang belegten die Seminare wie schon in den vorangegangenen zwei Jahren das gesamte Zentrum, und noch nie in der Geschichte Strutter Oaks hatte es hier so eine Konzentration berühmter Persönlichkeiten gegeben. Das Direktorium war bei den Eröffnungsveranstaltungen etwas erfolgs- und punschtrunken gewesen und hatte die Namen wieder und wieder hinausposaunt, das Unerreichbare greifbar erscheinen lassen und am Ende, gegen Mitternacht, in der Hitze des Gefechts sogar noch zwei *Tote* genannt, die der Liste achtlos hinzugefügt wurden.

Jetzt stand Ethan im hell erleuchteten Korridor vor dem großen Speisesaal des Zentrums. Teilnehmer versammelten sich, hielten das Programmheft in den Händen, das tatsächlich so etwas wie ein schön gestalteter Katalog war, und sahen insgeheim zu Ethan und dem verdienten alten Astronauten Wick Mallard hinüber, der den Blick auf die Wand gerichtet hielt und in sein Handy sprach. Nicht weit entfernt standen zwei Helfer und redeten in ihre Headsets, was sie wie Astronauten wirken ließ. Alle hier waren privilegiert, waren es gewohnt dazuzugehören, und Ethan rechtfertigte die Übersättigung mit Leuten aus der Welt der Superreichen damit, dass sämtliche Erträge der Seminare in die Kasse der Anti-Kinderarbeit-Initiative flossen. Als er, gefolgt von seiner Assistentin Caitlin Dodge, über den eleganten breiten Korridor ging, winkten ihm einige Teilnehmer schüchtern zu, und einige versuchten, ihn in ein Gespräch zu verwickeln, doch er ließ sich nicht aufhalten.

»Mr Figman«, sagte ein Junge, der bei seinen Eltern stand, die für ihren Neunjährigen absurderweise die volle Gebühr bezahlt hatten, damit er an den Seminaren teilnehmen konnte. Geschickt schoben sie den Jungen in Ethans Weg, und er senkte den Kopf, als schämte er sich für die Aufdringlichkeit seiner Eltern.

»Du kannst es ihm ruhig sagen«, forderte ihn seine Mutter auf. »Los doch.«

»Nein, vergiss es.«

»Es ist schon in Ordnung«, sagte sie.

»Ich bin auch ein Trickfilmzeichner«, sagte der Junge leise.

»Was? Du bist ein Trickfilmer? Nun, das ist schön, mach weiter so«, sagte Ethan. »Es ist ein toller Job. Aber im Ernst, so wie es heute zugeht«, fügte er aus einem unbekannten Grund noch hinzu, »solltest du dir vielleicht überlegen, ob du nicht doch etwas anderes machen willst.«

»Keine Trickfilme?«, fragte die Mutter besorgt, wartete auf Ethans Antwort und war begierig zu erfahren, was für eine Kurskorrektur er vorschlug. »Vielleicht etwas Verwandtes?«

»Nein. Private Unternehmensbeteiligungen sind eine weit bessere Idee.«

»Sie wollen ihn auf den Arm nehmen«, sagte die Mutter. »Das sehe ich doch.« Und an ihren Sohn gewandt sagte sie unsicher: »Dylan, er wollte einen Scherz machen.«

Ethan lächelte nur und ging weiter. Er konnte nicht einmal sagen, warum er den Jungen und seine Mutter so behandelt hatte. Es war ein bisschen gemein von ihm gewesen. Wahrscheinlich war es das Beste, dem Jungen das nächste Mal, wenn er ihn sah, ein Notizbuch zu schenken, ihm eines von den klobigen Dingern in die Hand zu drücken, in denen er selbst ständig herummalte, und einfach nur zu sagen: »Hier.« Der Junge würde begeistert sein, genau wie die Eltern – »Benutze es nicht, bewahre es nur auf!«, würde seine Mutter ihm sagen –, und Ethan hätte seinen Fehler ausgewetzt. Er wollte versuchen, daran zu denken, wusste jedoch, dass er es wahrscheinlich vergessen würde und die Familie am Ende der Woche abreisen und denken würde, dass Ethan Figman ganz und gar nicht war, was er zu sein schien. Er war nicht wie Wally Figman, der Junge, der vor Ideen nur so platzte, sondern glich eher ein bisschen Wallys griesgrämigem Vater. Sicher, Ethan stand während dieser Woche unter Druck. Er wohnte mit Ash in einer riesigen Suite, mit Mo und Mos derzeitiger Betreuerin Heather auf der anderen Seite des Flurs. Mo hatte nichts zu tun, selbst an diesem Ort, an dem es alles zu tun gab. Ethan hatte gestern versucht, seinen Sohn in ein Seminar zur Funktionsweise von Trickfilmen zu schicken, das von drei von ihm geförderten jungen Trickfilmern geleitet wurde, aber Mo hatte mitten in der Veranstaltung die Ruhe verloren und war hinausgelaufen.

Ethan fragte Caitlin Dodge: »Hat sich mein Freund schon angemeldet?«

»Lassen Sie mich sehen ... Ja, vor einer halben Stunde. Er wartet in der Bewirtungssuite.«

Sie bogen um die Ecke, Ethan trat durch verschiedene Feuertüren und vertauschte kurz den Luxus des mit schweren Holzbalken dekorierten, rustikalen Konferenzzentrums mit dem industriellen Ambiente der Feuertreppe. Für den Zugang zur Bewirtungssuite brauchte man eine spezielle Karte, Caitlin Dodge zog sie durch den Leser und ließ Ethan zuerst eintreten. Ein ehemaliger Unterstaatssekretär saß in einem ledernen Ohrensessel und döste mit halb geöffnetem Mund vor sich hin. Zwei Bedienstete standen am

Büfett bereit, und da beim Fenster stand Jonah, der offenbar von Gage Systems, seinem Arbeitgeber, hergeschickt worden war, um einige der Technologievorträge zu verfolgen. Ethan hatte Jonah natürlich eingeladen, sein Gast zu sein, und Jonahs Chef war begeistert, dass er Zugang zu Ethan Figman und den Meister-Seminaren hatte. Er hoffte, dass vielleicht schon im nächsten Jahr jemand von Gage – vielleicht sogar Jonah? – eingeladen wurde, um einige Innovationen für Behinderte vorzustellen.

Die beiden Männer umarmten sich heftig und schlugen sich freundschaftlich auf den Rücken. Beide waren jetzt zweiundfünfzig, der eine dick mit sich lichtendem Haar, der andere schlank und grau. »Ist alles nach deinem Geschmack?«, fragte Ethan.

»Was hast du mir gegeben, die Königssuite? Oder ist es die Sultanssuite? Es ist sehr luxuriös.«

»Es ist die Winzerbüttensuite. Ich wollte, dass du dich wohlfühlst.«

»Ich fühle mich nie wohl.«

»Das haben wir gemeinsam«, sagte Ethan, und die beiden lächelten sich an. »Ich freue mich so, dass du tatsächlich gekommen bist.«

»Es war nicht allzu schwer, meine Firma zu überzeugen. Dein Name öffnet Türen.«

»Genau, ich bin der Chefportier«, sagte Ethan. »Hör zu, Ash ist oben in unserer Suite und arbeitet. Sie versucht, tagsüber möglichst viel zu schaffen, aber wir essen heute Abend zusammen. Sie freut sich so, dass du da bist. Mo ist auch hier, im Moment irgendwo draußen auf dem Weingut, begleitet von seiner heiligen Betreuerin.« Ethan ging zum Fenster und sah hinaus, Jonah trat neben ihn. Weit in der Ferne, wo die Sonne zwischen den Wolken hervorbrach, waren zwei Gestalten zwischen den Reben zu sehen. Vielleicht waren es zwei Arbeiter, aber vielleicht waren es auch Mo und seine Betreuerin. Es war schwer zu sagen. »Jules und Dennis konnten nicht kommen«, sagte Ethan und wandte sich wieder vom Fenster ab. »Aber das wirst du wissen. Spirit-in-the-Woods, wie verrückt ist das eigentlich? Alle Wege führen zu Spirit-in-the-Woods.«

»Ich weiß«, sagte Jonah. »Sie war so aufgeregt, wieder hinzukommen. Das Camp war eine so große Sache für sie. Ich wünschte, ich könnte sie diesen Sommer besuchen, aber ich habe keinen Urlaub mehr. Fahrt ihr hin, Ash und du? Ich wette, es würde euch einen ganz schönen Stich versetzen.«

»Das würde es. Vielleicht fahren wir am Ende des Sommers einen Tag hin. Wir versuchen es, aber erst besuchen wir Larkin in Prag, und dann muss ich wegen der Keberhasilan nach Asien, du weißt schon, die Schule. Und natürlich ist da auch noch das Studio.«

Caitlin trat näher und sagte: »Ethan, jemand namens Renee sagt, Sie haben zugestimmt, ein Gespräch anzumoderieren?«

»Verflixt, das habe ich. Kommst du zurecht?«, fragte Ethan. »Nicht im kosmischen Sinn, meine ich.«

»Ist schon okay.« Jonah wirkte immer noch unsicher. »He, da ist das verdammte Bambi«, hatte Goodman einmal gesagt, als Jonah ins Tipi kam. Und es stimmte, wenn man die Leute mit Disney-Figuren verglich, würde Jonah Bambi sein. Mutterlos, anmutig, unauffällig. Ethan war Jiminy Cricket, die nervige kleine Grille, Pinocchios Gewissen, allerdings in einer ruhigeren, dicklicheren Version, und er wollte, dass es für Jonah eine wundervolle Woche wurde. Caitlin hängte Jonah einen Zugangspass für alle Bereiche um den Hals und gab ihm eine Broschüre, in der alles stand, was er wissen musste. Die Männer verabredeten sich für später zu einem Drink und dann zum Abendessen mit Ash und ein paar Vortragenden. Ethan sagte, Jonah solle während des Tages in so viele Seminare und Präsentationen gehen, wie er wolle. Oder nirgends hin. Er könne auch eine Massage mit heißen Steinen in seiner Suite bekommen, wenn ihm das lieber sei, und dann seinem Chef erzählen, er habe viel dazugelernt.

»Ich werde mir die heißen Steine schenken«, sagte Jonah. »Mich interessiert der Vortrag von Wick Mallard. Ich weiß noch, wie er die Raumstation reparieren musste. Das war so dramatisch.«

»Der ist um zwei«, sagte Caitlin Dodge. »Er hat einen virtuellen Schwerelosigkeitsstuhl mitgebracht, der unglaublich sein soll.«

»Okay, ich bin dabei«, sagte Jonah.

Sie klopften sich auf die unbeholfene Weise mittelalter Männer auf den Rücken, die sich eigentlich umarmen wollten, das jedoch gerade erst getan hatten. Dazu kam der Schwul-hetero-Gegensatz, der auf Ethan immer eine leicht hinderliche Wirkung hatte. Aber schön blieb schön, man musste sich nur Ash ansehen. In der Disney-Hierarchie würde sie immer Schneewittchen sein. Eine rätselhafte, traurige Schönheit, wie auch die Jonahs, war immer faszinierend, ganz gleich, im Gewand welchen Geschlechts. Ethan liebte seinen alten Freund und hätte jetzt gern mit Ash über ihn geredet oder vielleicht auch mit Jules. Er hielt kurz inne und fragte sich, welche Disney-Figur Jules war, bis er begriff, dass Disney keine Frauen, Mädchen oder Tiere geschaffen hatte, die wie sie waren.

Es war ein Sirenenlied. So beschrieb es sich Jonah Bay später selbst. Er ging, ohne weiter nachzudenken, in Richtung des Vortragsraums von Wick Mallard, dem Astronauten, und konnte die lange Schlange sehen, die sich vor den geschlossenen Türen des Ballsaals gebildet hatte. Ein paar Ordner hielten sich ihre Handys ans Ohr, und die Gruppe der Wartenden wirkte lebhaft und gespannt. Es waren hauptsächlich Männer. Der Gedanke, einem Astronauten zuzuhören, der von seinen Erfahrungen im Weltraum berichtete, schien eine beneidenswerte Gelegenheit, in die Weite des Alls einzudringen, zudem bot der angeblich erstaunliche Schwerelosigkeitsstuhl ein weiteres Faszinosum. Jonah wollte sich ebenfalls anstellen, als unversehens ein Schwall Musik den Korridor heraufwogte, nachdem jemand weiter unten kurz die Tür eines anderen Saales geöffnet hatte. Es war akustische Musik, schrill, und sie klang irgendwie vertraut, selbst in den wenigen Sekunden, in denen die Tür geöffnet war. Aus Neugier ging er hinüber. Auf dem Schild draußen stand: »Neuerfindung: Die Schaffung eines zweiten Selbst«, und Jonah schlüpfte hinein. Er wusste nicht, warum er es tat, und es kam ihm nicht mal in den Sinn, sich darüber zu wundern.

Der Saal war keiner der ganz großen, jedoch voller Leute, und die etwa hundert Zuschauer blickten aufmerksam zu dem schweren, alten, Banjo spielenden Mann oben auf der Bühne hinauf. Jonah ging weiter vor und setzte sich vor die Wand. Der alte Mann sang in ein Headset-Mikro:

»... und der Ozean, der gehört mir, nur mir.
Ich will ihn echt mit keinem teilen ...
Ich weiß, ihr denkt, ich bin ganz ungeheuer selfish ...
Aber kennt ihr einen ... netten ... shellfish?«

Es gab eine lange, verschmitzte Pause, während der das Publikum wissend lachte. Unter den wohlhabenden, gut informierten Zuhörern befanden sich etliche, die einmal müde junge Eltern gewesen waren, und der Text dieses Liedes, das sie ihren Kindern vorgespielt hatten, war ihnen über die Jahre im Gedächtnis geblieben. Tatsächlich jedoch war der Sänger in seiner früheren Inkarnation als Mitglied einer Sechziger-Jahre-Folkband mit knappen, klaren Harmonien weit erfolgreicher gewesen – sein Solo-Erfolg danach hatte nur kurz gewährt. Aber dann, viel später, hatte er sich offenbar neu erfunden, gleich zweimal, genauer gesagt: in zwei verschiedenen Nebenbereichen. Zunächst war da die Kindermusik, in der er als Big Barry bekannt und mit einem einzelnen Hit mittelmäßig erfolgreich wurde, und vor Kurzem war die Umweltschützer-Szene dazugekommen. Beides waren Welten – wie die der Bürgerkriegsnostalgiker, der Neonazis oder die der empfindsamen Dichter –, deren Hauptakteure für Leute, die nicht dazugehörten, gänzlich unbekannt blieben. Die anderen Teilnehmer oben auf der Bühne, die sich ebenfalls ein neues »zweites Selbst« geschaffen hatten, waren ein ehemaliger Rennfahrer, der durch einen Unfall erblindet war und sein Leben heute der Straßensicherheit widmete, sowie ein Farmer, der für den Senat kandidierte. Der Sänger sang weiter, die Stimme leicht und tief, und Jonah, der schnell aus seiner Versunkenheit erwachte, begriff, wer es war.

Barry Claimes hatte die Idee des selbstsüchtigen Schalentiers, das Jonah erfunden hatte, sehr gemocht, sein Lied auf Band aufgenommen und für später zurückgelegt, für das nächste Jahrhundert, wie sich herausstellen sollte, lange nachdem sich die Whistlers aufgelöst hatten und in Vergessenheit geraten waren und auch lange nach Barrys kurzer Solokarriere, die von einem Stück, seinem Vietnam-Song, getragen worden war: *Sag ihnen, dass du nicht gehst (mein Junge)*, der ebenfalls auf einer Idee, dem Text und der Musik von Jonah basierte.

Aber das Lied gehört mir, dachte Jonah, als er den *Selfish Shellfish* hörte und sah, wie nostalgisch das Publikum darauf reagierte. *Es gehört mir*. Natürlich wollte er es jetzt nicht, wollte nichts damit anfangen oder denken, dass das, was er da hörte, besonders gut war, doch die Tatsache, dass er es geschaffen und es ihm gestohlen worden war und er sich im Endeffekt deswegen von der Musik abgewandt hatte, saß ihm wie ein drängender Kloß im Hals. Es war unmöglich zu sagen, aber er hätte als Musiker großen Erfolg haben können, besonders mit der Band, in der er am MIT gespielt hatte, Seymour Glass, die auch heute, dreißig Jahre später, noch aktiv war. Jonah hatte wirkliches Talent besessen, doch was war Talent ohne Zuversicht, Selbstvertrauen, »Besitz«, wie die Leute etwas hochtrabend, aber vielleicht auch zutreffend sagten?

Der Saitenschlag wurde lauter, während Barry Claimes, »Big

Barry«, mit dem Lied aus der Sicht eines ungeheuer selbstsüchtigen Schalentiers fortfuhr, das offenbar nichts teilen wollte und alles verdreckte und so die Züge des ölabhängigen, große Geschäfte liebenden Amerikas verkörperte. Big Barrys fette Hand schlug auf das Banjo ein, während er immer weiter diese groteske Gier bejammerte, sich mit aller Energie in den Song hineinwarf und in die Rolle der so merkwürdigen wie schlauen Erfindung des elfjährigen Jonah Bay schlüpfte, des *Selfish Shellfish*. Er schloss mit einem Banjo-Feuerwerk, und das Publikum applaudierte.

Jonah wollte aufstehen und gehen, doch da sagte der Moderator: »Wie sah nun der Weg aus, der Sie von einem erfolgreichen Folksänger zu einem Sänger von Kinderliedern und Umweltaktivisten gemacht hat?«

»Nun, wenn Sie zurück an den Anfang gehen, die Sechzigerjahre waren eine Zeit des Auf- und Umbruchs«, sagte Barry Claimes. »Ich weiß, es ist ein Klischee, aber es trifft zu, ich war dabei und habe selbst ganz sicher einiges auf- und umgebrochen. Meine erste Gruppe waren die Whistlers, wie einige von Ihnen vielleicht noch wissen werden.« Das Publikum antwortete mit einem freundlichen Applaus. »Und dann bin ich allein los«, fuhr er fort, »und hatte 1971 einen Hit mit einem Protestsong gegen den Vietnamkrieg. Kann hier jemand noch so weit zurückdenken und mir den Titel nennen?«

»*Sag ihnen, dass du nicht gehst (mein Junge)!*«, rief ein Mann.

»Ausgezeichnet, ausgezeichnet. Aber damals, wissen Sie, also ich nahm an, dass es damit für mich aus war. Ich habe ein paar Jahre ausgesetzt, von meinen Verkäufen gelebt, herumgegammelt und auf meinem Banjo herumgeklimpert. Dann habe ich angefangen, mit Kinderliedern herumzustümpern, weil ich immer schon von der natürlichen Spontaneität von Kindern fasziniert war. Sie lassen sich nicht verscheißern. Und als sich meine Arbeit mit ihnen als erfolgreich erwies, habe ich mir ein Hausboot gekauft und bin damit herumgeschippert, habe gesehen, was mit dem Ozean passiert, und es hat mich krank gemacht. Ich konnte die Gier der Ölgesellschaften und der hilfreichen Politiker nicht verwinden, die sich alle in einem Bett wälzten und verantwortlich waren für die Zerstörung der Natur und den Tod dieser außergewöhnlichen Seetiere. Und dann begriff ich, dass einige meiner Lieder auch in Sachen Umwelt eine Wirkung haben konnten. So wird ein Aktivist geboren. Wenn Sie sich also zum zweiten oder dritten Mal in Ihrem Leben neu erfinden wollen«, sagte er, »müssen Sie es aus einem Grund heraus tun. Und vorzugsweise keinem selbstsüchtigen – wie ein gewisser *Shellfish*, den ich kenne.«

Jonah, der während dieser kurzen Rede kaum geatmet hatte, fühlte, wie sich seine Kehle und seine Brust zusammenzogen, und als Barry seine letzten Worte gesagt hatte und der Stab an den Kandidaten für den Senat weitergereicht wurde, drängte er zurück nach draußen auf den Korridor. Noch ein Stück weiter den Gang hinunter war eine Herrentoilette, und er schloss sich in einer Kabine ein und sank auf die Klobrille. Lange Zeit saß er so da und versuchte, sich zu erholen und nachzudenken. Irgendwann öffnete sich die Tür nach draußen, und die Stimmen zweier Männer drangen zu ihm herein.

»… richtig toll. Das ist alles Markenbildung. Ich engagiere mich bei TEDx, kennen Sie das? Wir tragen die Erfahrungen mit den TED-Konferenzen hinein in die Gemeinden. Hier ist meine Karte. Ich würde Ihnen gern mehr darüber erzählen.«

»Ah, danke.«

Die Männer traten an zwei Urinale, und Jonah hörte das stereofone Plätschern. Es gab noch einige Höflichkeiten, Hände wurden gewaschen, Handtrockner dröhnten, und endlich öffnete sich die Tür wieder, und einer der Männer ging hinaus. Jonah linste durch den schmalen senkrechten Spalt neben der Tür seiner Toilettenkabine. Er sah einen Teil von Barry Claimes' breitem Rücken vor den Waschbecken, die schwarze Seidenweste und die dünne weiße Planktonschicht Haar, die er sich quer über den Schädel gekämmt hatte. Big Barry griff nach dem Banjo, das an den Waschbecken lehnte, hängte es sich um und ging hinaus.

Jonah folgte ihm über die rustikalen Gänge des Erholungs- und Konferenzzentrums Strutter Oak, hielt ausreichend Abstand und versuchte, wie jemand zu wirken, der auf dem Weg in ein Seminar war. Hin und wieder senkte er den Blick auf das Programm, das Caitlin Dodge ihm gegeben hatte. Barry Claimes trat in einen Aufzug, und Jonah folgte ihm zusammen mit drei anderen Männern, sodass er kaum auffiel. Alle drückten die Knöpfe unterschiedlicher Stockwerke. *Ping,* tönte es, und ein paar Leute verließen den Aufzug. Noch mal: *Ping.* Im dritten Stock stieg Barry aus, Jonah folgte ihm. Das ehemalige Mitglied der Whistlers pfiff vor sich hin und strebte auf sein Hotelzimmer zu. Barry schob die Schlüsselkarte durch das Lesegerät an seiner Tür, aber Jonah war sich sicher, dass er nicht sofort vorspringen musste. Barry war alt, langsam und fahrig, er würde seine Karte bestimmt ein zweites Mal durch den Leser ziehen müssen, und so war es. Als das grüne Licht aufleuchtete, war Jonah direkt hinter ihm. Niemand war auf dem Flur, keiner sah, dass Jonah mit ins Zimmer schlüpfte, bevor sich die Tür wieder schloss. Noch im Durchgang drehte Barry Claimes sich um, und der Mund in seinem eingefallenen Altmännergesicht öffnete sich erschreckt.

»Was wollen Sie?«, fragte er, aber die schwere Tür hatte sich bereits mit einem saugenden Geräusch geschlossen, und Jonah hob die Hände und schob ihn tiefer ins Zimmer hinein. »Ich hole meine Brieftasche«, sagte Barry. »Stehen Sie unter Drogen? Meth?«

Natürlich erkannte Barry Claimes ihn nicht. Sosehr sich Jonah immer noch in der eigenen Kindheit gefangen fühlte, für alle anderen war er doch ein erwachsener Mann. Selbst die mittleren Jahre hatte er bereits hinter sich, und nun steuerte er auf jenes Alter zu, von dem niemand gern sprach. Für Jonahs Altersgenossen war das Beste bereits Vergangenheit. Mittlerweile sollten sie sein, wer sie eigentlich waren, und würdevoll und unauffällig für den Rest ihrer Tage so bleiben.

»Ich bin's, du kranker Dreckskerl«, sagte Jonah. Er stieß Big Barry gegen die Wand, und Big Barry stieß zurück und warf ihn gegen die Schranktür. Jonah antwortete auf die gleiche Weise, und so schlugen sie zwischen den Wänden hin und her, und das Krachen und Trampeln wurde von angestrengtem Keuchen begleitet, während sie ins eigentliche Zimmer stolperten. Hier gewann Jonah die Oberhand, stieß Big Barry aufs Bett, sprang auf ihn und drückte ihn auf die Matratze. Jonahs schlanker Körper hockte auf allen vieren über der aufgeschwemmten Meereskreatur Barry Claimes. Falls Barry ein Schalentier war, war er ein auf den Sand gespülter Pfeilschwanzkrebs, rund und uralt. Sein Gesicht war gerötet, voller Pusteln und Flecken, und die Augen hinter seiner Benjamin-Franklin-Brille waren so wässrig blau, wie sie es schon in den Siebzigern gewesen waren.

»Wer?«, fragte Barry. Er kniff panisch die Augen zusammen, dann erschlaffte sein Gesicht und bekam fast etwas Nachdenkliches. »O mein Gott, Jonah«, sagte er. »Jonah Bay. Du hast mich zu Tode erschreckt.« Er blinzelte Jonah an und wunderte sich leise: »Dein Haar ist grau. Sogar deins schon.«

Es war, als hätte er das Gefühl, jetzt, da er wusste, dass es Jonah war, keine Angst mehr haben zu müssen. Jonah dachte an den Sex mit Robert Takahashi und daran, wie auch einer von ihnen gelegentlich auf allen vieren dagehockt hatte, während der andere unter ihm lag, wie der Löwe und die Zigeunerin auf dem Gemälde von Rousseau. Jonah wollte Barry Claimes keine Sekunde des Ausruhens schenken, er hatte keinerlei Mitleid mit ihm, auch wenn Barry wie einer der vielen Überlebenden aus den Sechzigern aussah, die in der PBS-Dokumentation *Sie kamen, sie sahen, sie schrammel-*

ten auftauchten, die rund um die Uhr ausgestrahlt zu werden schien, weil die Leute offenbar nicht genug von dem bekommen konnten, was sie verloren hatten, auch wenn sie es gar nicht länger wollten.

Jonah drückte Barry ein Knie in den Leib, und Barry ließ ein Geräusch tiefen organischen Schmerzes hören, worauf Jonah mit dem Knie noch etwas tiefer stieß und spürte, wie sich darunter frei treibende Objekte verschoben. Aber dann war Barry plötzlich wieder auf den Beinen. Brüllend. »Ich wollte ein Vater für dich sein«, keuchte er. »Dir das Banjospielen beibringen. Dich ermutigen. Das warst du nicht gewohnt.«

»Ein Vater, der sein Kind unter Drogen setzt?«, sagte Jonah und langte nach dem Nächstbesten, was er zu fassen bekam. Es war das Banjo, mit dem er weit ausholte und Barry Claimes ins Gesicht schlug. Es gab ein schreckliches, gongartig vibrierendes Geräusch.

»Himmel, Jonah«, rief Barry mit nasaler Stimme. Die beiden waren ähnlich erschreckt. Barry taumelte zurück gegen das Bett und hielt sich beide Hände vors Gesicht. Da war etwas Blut. Die Geste war zu viel für Jonah. Dass wir das wenige, das wir haben, schützen müssen, schien nur zu wahr, und den instinktiven Versuch, es zu tun, würde er nicht einmal Barry Claimes verweigern. Wahrscheinlich hatte er ihm die Nase gebrochen, aber sicher nicht den Wangenknochen, und er hatte ihm auch nicht das Augenlicht genommen oder das Gehirn in diesem selbstbezogenen Kopf geschädigt. Ein Banjo war nicht die beste Waffe, die Folkmusik hatte ja auch kaum Kraft. Den Krieg in Südostasien hatte sie zumindest nicht stoppen können, sosehr die Songs die Leute auch vereinigt hatten, voller Leidenschaft hatten sie ihnen gelauscht, in riesigen Menschenansammlungen oder allein. Und jetzt hatte das Banjo einen Mann verletzt, aber es hatte ihn nicht umgebracht, was vielleicht ganz gut so war.

»Oh Himmel«, sagte Barry immer wieder. »Ich bin ... verletzt. Was ist denn bloß los mit dir, Jonah?«, fragte er mit erstickter, rauer Stimme.

»Was mit mir *los* ist? Das fragst du mich ernsthaft?«

»Ja. Was für ein Mensch ist aus dir geworden? Bist du immer so?«

»Hör auf zu reden, Barry, okay? Halt einfach die Schnauze.«

Jonah ging ins Bad und wusch sich die Hände mit der winzig kleinen, blattförmigen Seife, die in der Seifenschale lag. Es war etwas Blut auf seinem Ärmel, aber nicht viel. Er sah Barrys Kulturbeutel auf der Marmorplatte stehen. Der Beutel stand offen und ließ die Dinge in ihm sehen, die diesem ältlichen Mann gehörten, der jedes Jahr viele Wochen unterwegs war. Jonah sah ein Pillenfläschchen mit der Aufschrift »Lipitor, 40 mg«, einen Asthma-Inhalator und, o Gott, eine Dose Tuck Pads, die »unmittelbare Erleichterung bei Jucken und Beschwerden in Zusammenhang mit Hämorrhoiden« bringen sollten. All die kleinen Utensilien dieser sich neu erfindenden Person. Ganz gleich, was du in deinem Leben gemacht hast, wie sehr du gegen den Krieg zu Felde gezogen bist, wie viel du für den Schutz der Ozeane getan hast, ganz gleich, wie viele Ideen du einem kleinen, schüchternen Jungen geklaut und wie sehr du ihn zerebral geschädigt hast und dass du ihn lebenslang an den Rand einer Überstimulation gebracht hast, am Ende bleiben die kleinen bis kleinsten Details, die dich zu dem machen, der du nun einmal bist. Jonah verließ das Bad und war sicher, dass Barry Claimes nicht die Security rufen würde. Barry würde nicht wollen, dass das publik wurde, nicht jetzt, da es ihm gelungen war, sich ein letztes Mal neu zu erfinden und lange nach dem Ende der Folkmusik bis ins einundzwanzigste Jahrhundert hinein rentabel zu bleiben. Wo es doch so schwer war, von seinen eigenen Kreationen zu leben. Als in den Neunzigern alle möglichen berühmten Popsongs in Werbeclips Eingang fanden, gingen Kunst und Kommerz eine ewige Ehe ein. Aber die Folkmusik war immer wieder gerettet worden und kam auch jetzt wieder auf ihre Weise zurück. Sie war kein beherrschendes Genre mehr, doch die Samen wurden überallhin geblasen, und wie alle andere Musik auch wurden Folksongs »geteilt«, auf YouTube gezeigt und erreichten alle nur erdenklichen Winkel der Welt. Die meisten Folksänger verdienten, wie alle anderen Sänger auch, eher wenig, und es war scheußlich unfair und oft sogar kriminell, doch ihre Musik wurde zumindest gespielt. Jonah wünschte, seine Mutter wüsste davon. Er hoffte es. Er wollte es ihr sagen.

Barry saß auf dem Bett und sah sich im Spiegel des Toilettentischs an. »Sieh mich an, meine Nase wird noch weiter anschwellen. Ich kann mich hier so nicht mehr sehen lassen. Ich werde mich aus dem Staub machen müssen.« Wütend wandte er sich Jonah zu, schien dann aber nachdenklich zu werden. »Du warst so ein kreativer Junge. So frei. Es war großartig, das zu sehen.«

»Oh, hör auf.«

»Ich habe für dich getan, was ich konnte«, sagte Barry. »Um dich hatte sich nie jemand gekümmert oder dich ermutigt, es war nicht dein Fehler. Deine Mutter hatte eine tolle Stimme, aber es ist traurig, was mit ihr geschehen ist.«

»Nein, ist es nicht«, sagte Jonah. Er wollte kein Wort mehr von Barry Claimes hören. Er hatte ihm auch selbst nichts mehr zu sagen und ging zur Tür. Aber dort drehte er noch einmal um und griff sich aus einem Impuls heraus das Banjo. Dann erst ging er aus dem Zimmer. Jonahs Kopf und seine Hände zitterten, als er mit dem Aufzug auf sein eigenes Stockwerk fuhr. Er lief kreuz und quer durch die Winzerbüttensuite, um sich zu beruhigen, da spürte er sein Handy an der Leiste vibrieren. Er zog es aus der Tasche und sah, dass es eine unbekannte Nummer war, also antwortete er vorsichtig und hörte eine Frauenstimme, die sagte: »Hey, Jonah, hier ist Caitlin Dodge. Ethan dachte, Sie könnten ihn im Blue

Horse Vineyard zu einem Drink treffen. Wenn es Ihnen passt, holt Sie jemand in zwanzig Minuten ab. Okay?«

Jonah willigte ein, obwohl das wahrscheinlich ein Fehler war. Er duschte schnell, ging zum Vordereingang des Konferenzzentrums, und Minuten später hielt ein schwarzer Prius am Bordstein. Ein Fahrer stieg aus, öffnete den hinteren Schlag, und Jonah stieg ein. Er zitterte immer noch so sehr, dass er sich fest gegen die Tür lehnen musste, um es zu unterdrücken.

»Wie war Ihr Tag, Sir?«, fragte der Fahrer. »Haben Sie einen der Vorträge besucht?«

»Ja.«

»Da muss ein Astronaut mit so einem Schwerelosigkeitsstuhl gewesen sein. Haben Sie den ausprobieren können?«

Jonah machte eine Pause. »Ja, das habe ich.«

»Wie hat es sich angefühlt, Sir?«

Jonah richtete sich etwas auf. »Erst war es furchteinflößend«, sagte er, »weil Sie keine Vorstellung haben, was mit Ihnen geschehen wird.«

»Oh, das verstehe ich«, sagte der Fahrer und nickte. »Die Vorahnung.«

»Aber nach einer Weile wird Ihnen bewusst, dass es virtuell ist, und dann macht man einfach mit. Und irgendwie verändert es etwas«, sagte Jonah.

»Spüren Sie die Wirkung also immer noch?«, fragte der Fahrer.

»Ja, ich spüre sie noch.«

Im Patio des Blue Horse Vineyard saßen alle bis auf Ethan Figman mit ihren großen Weingläsern und kleinen Tellern Pecorino und Oliven in der Sonne. Ethan hatte sich in den Schatten eines Sonnenschirms zurückgezogen. Von überall sahen die Teilnehmer der Veranstaltung zu ihm herüber, aber niemand näherte sich dem Tisch. Jonah setzte sich Ethan gegenüber, er zitterte immer noch. Man musste es merken, oder? Als der Wein kam, »ein spitzbübischer Syrah«, wie der Kellner bemerkte, bevor er gnädigerweise wieder verschwand, wollte Jonah das Glas in einem Zug austrinken, hielt dann aber inne, als er sah, wie Ethan ihn anstarrte.

»Was?«, fragte Jonah.

»Immer langsam, so trinkt man keinen Wein. Mann, du bist ja wie ein Kind mit einem Glas *Milch*. Du hast praktisch einen Weinbart.«

Jonah stellte das Glas ab, nahm eine Olive und versuchte, so zu tun, als interessiere sie ihn. Aber seine Hand zitterte, die glitschige Olive fiel auf den Boden des Patios und hüpfte wie ein Flummi in die Büsche. »Entschuldige«, sagte Jonah, hob die Hand vors Gesicht und ließ einen unterdrückten Schluchzer hören. Ethan stand erschreckt auf und setzte sich auf den Stuhl neben ihm. So wandten sie den anderen Leuten auf dem Patio den Rücken zu. Ihr Blick ging hinaus auf ruhige, sonnenbeschienene Felder voller Reben und dürrer Stecken.

»Sag mir, was los ist«, sagte Ethan.

»Das kann ich nicht.«

»Oh, nun mach schon.«

»Ich habe etwas getan, was ich nicht rückgängig machen kann, okay? Etwas, was gar nicht zu mir passt. Auch wenn du jetzt wahrscheinlich denkst, dass du sowieso nicht weißt, was zu mir passt und was nicht. Du hast nie gewollt, dass ich dir was von mir erzähle oder dir etwas beichte.«

»Warum hätte ich?«, fragte Ethan. »Ich bin nicht katholisch, sondern ein beleibter Jude. Trotzdem weiß ich, dass du dich nicht so fühlen musst, Jonah. Wenn du unglücklich bist oder denkst, du weißt nicht weiter …«

»Ja, so ist es.«

»Dann kannst du etwas dagegen tun. Du warst schon einmal in so einer Situation. Erinnerst du dich an deinen heiligen Vater,

Reverend Moon? *Reverend Moon wird uns tragen …?*« Jonah schaffte ein kleines, zurückhaltendes Lächeln. »Ich weiß nicht, was du getan zu haben glaubst«, sagte Ethan, »aber ich kann nicht glauben, dass es sich nicht reparieren lässt.« Er brütete ein paar Sekunden. »Geht es um eine Beziehung?«, fragte er.

»Nein, so was habe ich nicht mehr«, sagte Jonah. »Weißt du nicht, dass ich ein Mönch bin?«

»Nein, das wusste ich nicht«, sagte Ethan. »Ich weiß nur, was du erzählst. Nach dem Bruch zwischen dir und Robert haben Ash und ich uns ziemlich Sorgen gemacht. Wir wollten nicht, dass du allein bist. Aber du hast dich mit keinem von den Typen getroffen, die sie kannte, diesen Schauspielern.«

»Ich habe nach Robert keine richtige Beziehung mehr gewollt«, sagte Jonah. »Es gab gelegentlich etwas, du weißt schon, aber es wird mir schnell zu viel. Und wenn du es wirklich wissen willst, es ist einfach nicht mehr so dringlich mit dem Sex. Ich werde älter und konzentriere mich vor allem auf meine Arbeit.«

»Manchmal denke ich, unsere Arbeit ist die große Entschuldigung für alles«, sagte Ethan. »Und dann denke ich wieder, es ist ganz und gar nicht so. Vielleicht *ist* sie ja viel interessanter als alles andere, Beziehungen eingeschlossen.«

»Oh, ich kann kaum glauben, dass du deine Arbeit für interessanter als Ash und die Kinder hältst.«

Ethan stieß mit den Fingern zwischen die Pecorino-Würfel, trennte zwei von den anderen und stopfte sie sich in den Mund. »Ich liebe meine Familie. Natürlich liebe ich sie. Ash und Larkin und Mo«, sagte er und gab dabei jedem Namen bewusst das gleiche Gewicht. »Trotzdem denke ich die ganze Zeit an meine Arbeit. Es geht dabei nicht darum, mich zu beschäftigen. Ich meine, natürlich lenkt sie von den Dingen ab, die ich nicht ändern kann, und sie brauchen mich im Studio. Wenn ich wie diese Woche nicht da bin, rudern alle wild mit den Armen. Aber der Hauptgrund ist, dass es toll ist, an sie zu denken. Es gibt immer wieder Neues.« Er sah Jonah an und sagte: »Wenn du schon keine gute Beziehung mit einer anderen Person haben kannst, sollte es wenigstens mit der Arbeit funktionieren. Deine Arbeit sollte sich anfühlen wie … ein unglaublicher Mensch neben dir im Bett.«

Jonah lachte auf und sagte: »Also so fühlt sie sich für mich ganz sicher nicht an. Ich widme ihr meine Zeit, aber sie interessiert mich nicht genug.«

»Wie kann das sein? Du hast mir die Entwürfe gezeigt, an denen du sitzt, und ich habe mir die Website angesehen und herumgeklickt, und da gibt es so viel. So viele Sachen, die gemacht werden. Und du hast immer gern Dinge gebaut, du hast von ihnen erzählt, als du noch am MIT warst, und ich hatte keinen Schimmer, wovon zum Teufel du da redetest, das war mir alles viel zu hoch. Und was du jetzt machst, Apparaturen für schwer behinderte Leute zu entwickeln, das ist doch auch wichtig, oder? Den Leuten das Leben erträglich zu machen, damit sie morgens aufstehen und in dieser Welt leben wollen und nicht verzweifeln oder sich gar wünschen, sie würden nicht mehr leben oder sonst was.«

»Ich wäre gerne Musiker geworden«, sagte Jonah knapp und war erschreckt über die eigenen Worte.

»Und warum hast du es nicht getan?«, sagte Ethan. »Was hat dich davon abgehalten?«

Jonah sah zu Boden, unfähig, Ethans Blick zu erwidern, der viel zu mitfühlend war, um ihn in dieser Situation ertragen zu können. »Da ist etwas geschehen«, sagte Jonah. »Als ich noch ganz jung war, bevor wir uns kennengelernt haben. Da war da dieser Typ – wer, ist egal –, er hat mich unter Drogen gesetzt und versucht, mir Liedtexte und Melodien zu entlocken, kleine musikalische Ideen. Ich hatte keine Ahnung. Er hat mir meine Ideen gestohlen, meine Musik, sie selbst benutzt und Geld damit verdient. Und ich habe mich lange so gefühlt, als wäre ich neurologisch kaputt. Ich hatte

Halluzinationen, aber die gingen Gott sei Dank weg. Ich habe dann zwar noch Gitarre gespielt, aber hauptsächlich weil ich nun mal eine hatte. Es war unmöglich, die Musik zu meinem Leben zu machen. Sie war mir weggenommen worden.«

»Das ist eine fürchterliche Geschichte«, sagte Ethan. »Es tut mir wirklich leid – und auch, dass ich es bis heute nicht gewusst habe. Ich weiß kaum, was ich sagen soll.«

Jonah zuckte mit den Schultern. »Das alles ist lange her«, sagte er.

»Ich will jetzt nicht gefühllos klingen«, sagte Ethan, »aber du könntest doch noch immer Musik machen, oder?«

»Wie meinst du das?«

»Nun, könntest du nicht einfach ... spielen?«

»Einfach spielen?«

»Ja, für dich oder mit Freunden. Du weißt schon, so wie Dennis und seine Freunde im Park Football spielen, obwohl sie nicht in Bestform sind. Aber sie mögen es, einige von ihnen sind gut, und den anderen gefällt das Spiel. Und mit Musik machen es die Leute genauso. Sie holen ihre Instrumente raus, wann immer sie zusammenkommen. Muss es unbedingt ein Job sein? Und was deinen tatsächlichen Job angeht: Du *magst* Maschinen- und Robotertechnik. Musst du deine Arbeit wie einen Trostpreis betrachten? Was, wenn du wieder für dich spielen würdest, Jonah? Nicht tagsüber, wenn du Geld verdienen musst, nicht um berühmt zu werden, sondern ohne Manager und eine feste Richtung. Was, wenn du einfach *spielen* würdest? Wäre es nicht möglich, dass du dann auch deinen Job mehr magst, weil du ihn nicht mehr als etwas betrachten musst, das insgeheim etwas ganz anderes ersetzt? Liege ich jetzt völlig daneben?«

»Er hat mir meine Musik gestohlen, Ethan. Er hat sie gestohlen, sie mir weggenommen.«

»Er hat sie dir bestimmt nicht komplett gestohlen«, sagte Ethan. »Einiges davon, okay. Aber Musik ist kein einzelnes Ding. Da ist wahrscheinlich noch mehr.«

Eine Stunde später lag Jonah auf dem Bett seiner Suite, leicht alkoholisiert und benommen, und ließ den Blick über den riesigen Flachbildfernseher, Napa draußen vor dem Fenster und den Bademantel mit den Meister-Seminar-Insignien gleiten. Dann erinnerte er sich an das Banjo, stand auf, holte es und setzte sich damit auf den Rand des Betts. Er spielte, bis es Zeit zum Essen war, und rief Songs in sich wach, die tief in seinem Dinosaurierhirn verborgen lagen, Songs, von denen er nicht wusste, dass er sie je gelernt hatte, die er aber, wie es schien, kannte.

Zwanzig

Mitte des Sommers war immer noch nichts Schreckliches passiert, und Jules und Dennis gratulierten sich gegenseitig, allerdings nur sehr leise, weil sie es nicht beschreien wollten. Eines Nachmittags dann kamen ein paar ernste, stille Geigenspieler von einem Spaziergang im Wald zurück und sagten, sie hätten jemanden gesehen. Der Schwimm- und der Töpferlehrer wurden losgeschickt, um zu sehen, ob es unbefugte Eindringlinge gab, und die beiden berichteten, dass sie zwei junge Kletterer getroffen hätten, einen Mann und eine Frau, die aus den Bergen gekommen wären und auf dem Gelände des Camps einen Halt eingelegt hätten, um auszuruhen und neue Kräfte zu sammeln. So etwas kam öfter vor. Der Rand des Waldes gehörte zwar noch zum Camp, wurde aber auch schon mal von Leuten wie den beiden Kletterern durchquert, und wenn sie keinen Ärger machten, beschwerte sich niemand darüber. Gelegentlich, hatten die Wunderlichs erzählt, hatten sie die örtliche Polizei gebeten, nach dem Rechten zu sehen, denn man durfte kein Risiko eingehen, wenn es darum ging, die Sicherheit von Minderjährigen zu gewährleisten.

Der Sommer mit seinen täglichen Aufgaben schritt fort. Ein Camper, ein Hornspieler aus New York City, hatte das Lager bereits vor der Zeit wieder verlassen, weil er das Programm und alles hasste und keinen Tag länger bleiben wollte. Niemand weinte ihm eine Träne nach. Aber als die Tänzerin Noelle Russo Anfang August nach dem Abendessen hinter dem Tanzstudio ertappt wurde, wie sie sich einen Finger in den Hals steckte und sich in die Büsche erbrach, wurde der örtliche Arzt gerufen und zusammen mit ihm und der Krankenschwester des Camps entschieden, dass Noelle nach Hause fahren solle.

Am Abend vor ihrer Abreise wurde es in ihrem Tipi dramatisch: Offenbar bildeten die anderen Mädchen einen Ring um sie, als sollte sie ins Gefängnis oder die Hölle geschickt werden. Noelle, die ihre Besitztümer hastig in ihre Truhe gepackt hatte, weinte und sagte: »Warum tun sie mir das an? Mir geht es gut. Wer immer mich verraten hat, übertreibt maßlos.« Ihre Freundinnen zogen ins Büro und bettelten Jules und Dennis an, Noelle bleiben zu lassen, doch die mussten Nein sagen, so sehr sie es auch bedauerten. »Es ist nicht sicher«, hatte die Krankenschwester gesagt. »Sie braucht eine bessere Betreuung.«

Nachts im Bett hörte Jules ein Geräusch von irgendwo weit weg, wahrscheinlich noch auf dem Gelände des Camps, konnte es jedoch nicht genauer zuordnen. Selbst Dennis wachte auf. Jules rechnete damit, dass einer der Gruppenleiter anrufen würde, und gerade als sie das dachte, klingelte das rote Telefon auf Dennis' Nachttisch auch schon. Es war der erste nächtliche Anruf dieses Sommers, sie hatten ihn erwartet. Preeti Singh, die sowohl für den Trickfilm-Schuppen als auch für die Lamas zuständig war, meldete sich am anderen Ende. »Etwas ist mit den Lamas passiert«, sagte sie. »Können Sie kommen?«

Dennis und Jules zogen Mäntel über die Pyjamas und eilten mit ihren Taschenlampen nach draußen.

Beide Lamas waren aus ihrem Pferch verschwunden. Preeti hatte es auf ihrer letzten Runde bemerkt. »Aber wer würde die wollen?«, sagte sie. »Doch höchstens irgendein kranker Vivisektionist.«

Die Belegschaft wurde in alle Richtungen geschickt, um die Tiere zu finden. Die Mädchen und Jungen in ihren Tipis hörten schnell, was da draußen vorging, und kamen in Pyjamas, Shorts und T-Shirts heraus, um sich an der Suche zu beteiligen. Es war Mitternacht, ein fast voller gelber Mond hing am Himmel, und das gesamte Camp war auf dem Rasen, den Feldern, beim See und am Pool. »Hier drüben!«, rief schließlich die Stimme eines Mädchens, und Jules rannte in die Richtung, aus der die Stimme kam. Die Lichtkegel von etwa zwanzig Taschenlampen fielen auf die beiden Lamas, die dicht aneinandergedrängt auf dem Pfad hinunter zu den Kunststudios standen. Beide hatte ein Schild um ihre langen Hälse hängen: »*Noelle soll bleiben!*« stand auf dem einen und auf dem anderen: »*Es ist so verdammt unfair!*«

Die verschreckten Lamas wurden zurück in ihren Pferch gebracht. Da fiel jemandem auf, dass auch Noelle verschwunden war, und die Suche begann von Neuem. Jules fühlte die Angst wie einen Stich tief im Leib. Sie trugen die Verantwortung, sie und Dennis. »Noelle!«, rief sie mit schluckender Stimme. Sie sah den See vor sich, stellte sich vor, wie er einen Menschen in sich aufnehmen konnte, und geriet unversehens in Panik.

»Noelle!«, brüllte Dennis.

»Noelle! Noelle!«, rief das ganze Camp. Die Taschenlampen flammten wieder auf, und die Teenager waren aufgeregt und fasziniert von dem Drama, das sie nun schon zum zweiten Mal in dieser Nacht umfing. Guy, der Gruppenleiter mit den Piratenohrringen, in den Noelle so verknallt war, stand mitten auf dem Weg und rief lauter als alle anderen, klar erkennbar an seinem starken australischen Akzent. »Noelle! Wo zum Teufel bist du? Ich bin's, Guy! Komm schon, Noelle, hör auf damit!«

Alle lauschten und dachten, Guy könne sie aus ihrem Versteck locken. Und so war es. Zögerlich kam sie aus dem Wald geraschelt. Jules und Dennis sahen zu, wie das vogelzarte, zerbrechliche Mädchen zu dem jungen Australier ging, der es in die Arme schloss, beruhigend auf es einredete und zu Jules und Dennis hinübersah, deren Aufgabe es war, es zu übernehmen. Später saß Jules auf dem Rand von Noelles Bett, während die anderen Mädchen aufgeregt in der Nähe standen und dem Gespräch der beiden lauschten.

»Dabei wollte ich, dass dieser Sommer gut wird«, sagte Noelle und vergoss immer noch ein paar Tränen.

»Aber es war doch auch nicht so schlecht, oder?«, fragte Jules. Noelle nickte. »Oh ja. Ich habe getanzt«, sagte sie. »Ich habe mehr getanzt als im ganzen Schuljahr. Da muss ich immer Dinge tun, die ich hasse und die nichts mit meinem Leben zu tun haben.«

»Das kenne ich«, sagte Jules. »Das kenne ich nur zu gut.«

Noelle lag auf ihrem Kissen und schloss die Augen. »Das mit den Lamas tut mir leid«, sagte sie. »Ich wollte nur noch etwas tun. Ich wollte den Lamas die Schilder umhängen, damit alle sie am Morgen sähen, und dann sind sie aus dem Pferch gelaufen, und ich konnte sie nicht wieder einfangen. Ich wollte ihnen nicht wehtun.«

»Ihnen ist nichts passiert.«

»Ich hoffe, es geht ihnen gut, und dass Sie nicht denken, Sie wissen schon, die beiden sollten nicht mehr hier sein. Sie gehören zum Camp.«

»Ja«, sagte Samantha. »Die Lamas gehören hierher.«

Nein, das tun sie nicht, wollte Jules sagen, doch natürlich war es so. Wenn die Mädchen einmal an diesen Sommer zurückdachten, würden sie mit allem anderen auch die Lamas wieder vor sich sehen. Sie würden immer ein besonderes Verhältnis zu Lamas haben, deren nichtssagende Gesichter eine Zeit in ihrem Leben wachriefen, die wie keine andere gewesen war. Einen Beginn, gefüllt mit Kunst, Freundinnen, Jungen … Lamas. Das Tipi war klein wie ein Fingerhut, aber richtig für diese Mädchen. Jules ließ sie dort zurück, damit sie ihre Freundin trösten konnten, die in aller Frühe zum Flughafen nach Boston gebracht werden würde, von wo sie zu ihren wartenden, sich sorgenden Eltern fliegen sollte. Das Camp hatte seinen Notfall erlebt, aber niemand war umgekommen.

Am nächsten Morgen war Noelle bereits abgereist. Dennis schaltete die Paukenschlag-Sinfonie ein, und die Musik wehte über das Camp, doch das wachte nur langsam auf, war noch müde von den

Aufregungen der Nacht und spürte doch schon, wie heiß der Tag werden würde. Bis jetzt war der Sommer eher mild gewesen, der Voraussage nach sollten nun jedoch ein paar heiße Tage folgen, und das heute würde der erste sein. Gegen Mittag waren es über dreißig Grad, worauf die Kurse unterbrochen wurden und es zusätzliche Zeit am Pool gab. Die Kids waren allerdings keine großen Schwimmer und hingen wie müde Aale im Wasser.

Der Koch machte Himbeermilch-Sorbet in langen metallenen Behältern. Die Camper stolperten in den Speisesaal, die Hitze hatte sie schlapp gemacht, und niemand aß sehr viel. An diesem ersten heißen Nachmittag draußen im Wald, wo sie den *Sommernachtstraum* einübten, erzählten der Junge und das Mädchen, die Puck und Hermia spielten, ihrer Kursleiterin, sie hätten einen Mann an einen Baum urinieren sehen. Als die Kursleiterin den Mann suchen ging, war er verschwunden, und so sagte Dennis, er und Jules würden die Situation erkunden. Es war eine unangenehme Aufgabe an einem so schwülen, heißen Tag. Über dem Wald lag ständiges Mückensummen, und Dennis und Jules waren beide noch müde nach der unruhigen Nacht. Sie trennten sich und gingen langsam durch die Hitze.

Jules stieß schon bald auf den Wanderer. »Hallo!«, rief sie mit, wie sie hoffte, zwangloser Stimme. Der Mann lehnte an einem Baum und trank aus einer Bierflasche. Er war noch jung, etwa Anfang zwanzig, und auf seinem Gesicht lag eine wilde Aufmerksamkeit. Er wirkte schmutzig, und Jules dachte, dass sie besser vorsichtig war. Dennis war nicht da, wenn auch sicher nicht weit weg. »Waren Sie in den Bergen?«, fragte sie, obwohl nichts von einer Kletterausrüstung zu sehen war.

»Ich bleibe in der Gegend«, sagte der junge Mann sachlich.

»Das Gelände hier gehört zu einem Sommercamp«, sagte Jules mit so lockerer und freundlicher Stimme, wie sie nur konnte. »Hierher verlaufen sich öfter Leute, die das nicht wissen. Ich glaube, wir müssen die Grenzen besser markieren.«

»Viel besser«, sagte der Mann. »Ich dachte, das hier sei öffentliches Gelände. Ein Platz, wo wir ein paar Tage und Nächte verbringen könnten.«

Sie war sicher, dass mit ihm etwas nicht stimmte, und erinnerte sich daran, wie ihr einmal ein Psychiatriepatient Angst gemacht hatte, ein aufgewühlter junger Mann, der die Luft senkrecht mit den Händen zerteilte, während er von seiner Mutter sprach. »Es ist ja nichts passiert«, sagte Jules. »Es ist nur eben kein öffentliches Gelände. Ein paar Kilometer südlich gibt es ein zum Campen ausgewiesenes Gebiet. Ich glaube, Sie brauchen eine Erlaubnis, um dort zu übernachten, aber die bekommen Sie im Touristenbüro in der Stadt, und da sollte man Ihnen auch den Weg erklären können.«

Äste knackten, und ein zweiter Mann kam heran. Er wirkte völlig gelassen, war viel älter, groß, gebeugt, faltig und hatte kurzes graues Haar. Sein Gesicht sah aus wie ein Holzschnitt, es war das Gesicht eines Rauchers. Er schien etwas sagen zu wollen, sein Mund öffnete sich, und sie sah seinen goldenen Schneidezahn. Vater und Sohn, überlegte sie und dann: Nein.

Sie erkannte ihn immer noch nicht. Die Schönheit war aus seinem Gesicht verschwunden, wie durch viele grausame Prozeduren daraus entfernt. Er wirkte heruntergekommen, als hätte er sich schon lange nicht mehr um sein Äußeres gekümmert. Sie dachte: *Das ist ein Augenblick der Fremdheit*, ohne dass sie zu sagen gewusst hätte, warum sie das dachte, und dann, als sie sah, wie er sie betrachtete, träge und wenig überrascht, dabei vielleicht ganz leicht amüsiert, erkannte sie ihn, konnte es jedoch kaum glauben. Bis er sprach. Da war sie sicher. »Jacobson?«, sagte er. »Ich habe mich schon gefragt, wann du auftauchen würdest.«

Sie starrte Goodman Wolf an, als wäre er ein Tier, das sich verlaufen hatte und in einen Wald geraten war, in dem es nicht sein sollte. Beide waren sie Tiere, die sich verlaufen hatten. Beide hatten sie hier nichts verloren, und doch waren sie hier.

Der junge Mann sah zwischen ihnen hin und her und sagte schließlich: »Du kennst sie, John?«

»Ja, ich kenne sie.«

»Hat Ash dir erzählt, dass ich jetzt hier lebe?«, fragte Jules.

»Oh ja.« Er kniff die Augen ein wenig zusammen und legte den Kopf leicht zur Seite. »Wie? Du denkst, *deswegen* bin ich hier? Wegen dir? Das ist süß«, sagte er. »Aber ich habe den Ozean nicht wegen dir überquert, Jacobson. Die Sicherheitsmaßnahmen sind seit ... du weißt schon, ziemlich streng. Ich habe nicht mal Ash gesagt, dass ich komme. Sie weiß von nichts. Ich habe eine Vorstandsentscheidung getroffen.«

Goodman formte die Worte, als wären sie witzig, doch das waren sie nicht. Jules spürte, wie sie rot wurde, ihr Gesicht heizte sich bis zum Haaransatz auf, gab alles preis und ließ ihr keine Würde. Ein Mann wie Goodman würde sich nie zu einer Frau wie Jules hingezogen fühlen, doch endlich unterschieden sie sich da nicht mehr: Jules fühlte sich auch zu ihm nicht mehr hingezogen. Sein Goldzahn zeigte sich erneut, als die Lippe hochfuhr, und sie fragte sich, wie es sein konnte, dass er das für attraktiv hielt. Es war das Gegenteil: schäbig, grob. Er präsentierte sich, als sähe er immer noch gut aus, dabei war von seinem guten Aussehen nichts geblieben. Goodman schien das jedoch nicht zu wissen, niemand hatte es ihm gesagt. Vielleicht hatte es niemand übers Herz gebracht. Oder vielleicht kannte er auch kaum noch jemanden, der ihn damals gekannt hatte. Er stocherte in der Erde herum, sie senkte den Blick und sah einen Zehennagel aus den abgewetzten Sandalen ragen, ein dickes gelbes Horn.

»Was willst du plötzlich hier?«, fragte Jules. »Ich kapiere das nicht.«

»Es war kein plötzlicher Entschluss«, sagte Goodman ruhig. »Ich hatte immer schon vor, in eine der Ortschaften in den Bergen zu ziehen.«

»Aber wie könntest du das?«, fragte Jules. »Wie sollte das gehen?«

Goodman zuckte mit den Schultern. »Ich weiß nicht«, sagte er. »Ich habe es mir nur immer wieder vorgestellt. Ich bin auf die Immobilienseiten im Internet gegangen und hab all diese Häuser gesehen, echt billige Scheißdinger. Es war nur eine Fantasie, nicht mehr, und dann hat Ash mir erzählt, dass *du* wieder hergezogen bist, und ich dachte, vielleicht ist das jetzt das, was man tun sollte. So eine Zeitgeist-Kiste, weißt du? Und vielleicht, wenn ich alles hinbekomme, lässt sich Lady Figman ja überzeugen, mir zu helfen.«

»Ich kann nur staunen«, sagte Jules.

»Das könnte ich auch über dich sagen.«

»Das ist nicht das Gleiche«, sagte sie scharf. »Absolut nicht. Du wolltest mich also besuchen? Einfach so durch die Haustür?«

»Ich war heute Morgen schon mal da, bin so vorbei und hab hineingelinst, dich jedoch nicht gesehen. Ich habe überhaupt keinen gesehen, den ich kannte«, sagte er, als hätte ihn das verblüfft. »Alles neue Leute.« Dann sah er sie an und sagte: »Und? Wie ist es für dich? Ist es das, wovon du geträumt hast, und mehr?«

»Das tut nichts zur Sache«, sagte Jules. Sie wollte nicht, dass er auch nur irgendetwas über ihr Leben erfuhr, wie es sich anfühlte, zurück zu sein, oder warum sie gekommen war. »Hör zu, du solltest wirklich nicht hier sein.«

»Du meinst *hier* hier?«, sagte Goodman. »Oder ganz allgemein hier?«

»Komm schon, du weißt, was ich meine.« Sie sah zu seinem Freund hinüber, den das alles völlig zu verwirren schien, und dann begriff sie, dass sich die beiden kaum kannten.

»John«, sagte der junge Mann. »Du sagtest, wir würden uns etwas zu essen besorgen.«

»Das werden wir, ganz ruhig.«

»Wo habt ihr zwei euch kennengelernt?«, fragte Jules neugierig. »Und wann?«

»Gestern in der Stadt. Er heißt Martin«, sagte Goodman. »Er ist ein verdammt großer Künstler. Ein Grafiker. Ich habe ihm ein paar Ratschläge gegeben. Die Leute werden versuchen, ihn auszunutzen. Ich hab ihm gesagt, er soll vorsichtig sein und sich nicht gleich an den niedrigsten Bieter verkaufen. Er soll sich Zeit nehmen und sein Talent sich entwickeln lassen. Habe ich das nicht gesagt, Martin?« Goodman Wolf, der Flüchtling mit dem Goldzahn, war jetzt Künstlerberater?

»Ja«, sagte der junge Mann.

»Es ist ein verdammt guter Rat«, sagte Goodman. »Vergiss ihn nicht.«

Büsche raschelten, und es kam noch jemand. Jules drehte sich um und sah Dennis herankommen, massig wie ein Bär. Sie wollte zu ihm hinüberlaufen, hatte aber das Gefühl, besser nicht zu viel von sich zeigen zu sollen. »Hallo«, sagte Dennis und musterte die beiden von Kopf bis Fuß. »Was ist hier los?«

Goodman musterte ihn ebenfalls ganz offen, sah Dennis' dicken, mittelalten Bauch unter dem T-Shirt, seine brombeerhaarigen Beine, die Arbeitsstiefel mit den weißen Socken und die Shorts. Es war der ganz normale Camp-Leiter-Look, nicht das bohemehafte Aussehen, das Manny Wunderlich immer gepflegt hatte, sondern ganz und gar Dennis, der Ehemann.

»Sie sind ihr Mann?«, sagte Goodman.

»Was geht hier vor?«, fragte Dennis.

»Ich habe etwas entdeckt«, sagte Jules und versuchte, Dennis per Gedankenübertragung eine Nachricht zu senden, aber er verstand immer noch nicht, sondern schien einfach nur verblüfft. »Das ist Ashs Bruder«, sagte sie. Sie wollte Goodmans Namen immer noch nicht aussprechen, ihn nicht entlarven.

»Ernsthaft?«, fragte Dennis.

»Ernsthaft«, sagte Goodman.

Dennis verspürte diesem Mann gegenüber keinerlei Verpflichtung durch Vergangenes, im Gegenteil. Goodman rief gleich eine Abneigung in ihm hervor, obwohl er vor allem erbärmlich wirkte. »Sie sollten nicht hier sein«, sagte Dennis.

»Yeah, das hat mir Ihre Frau auch schon gesagt«, antwortete Goodman Wolf.

»Okay, ich mache hier keinen Spaß«, sagte Dennis. »Soweit ich weiß, liegt gegen Sie ein Haftbefehl vor.«

»Wow, Mann«, sagte Goodman. »Das ist ewig her.«

»Wollen wir das vertiefen?«, fragte Dennis. »Das können wir gerne. Ich bin dazu bereit.«

»Dennis«, sagte Jules so tonlos, wie sie nur konnte.

Ihr Mann holte sein Handy heraus und sagte: »Ich habe hier im Wald ein Netz. Ich rufe an.«

»Schon gut, aufhören«, sagte Goodman, sein Blick war wacher geworden. Martin sah ihn fragend an.

»Was heißt das alles?«, fragte er. »Ich verstehe rein gar nichts.«

»Offenbar muss ich gehen, Mann«, sagte Goodman, und er trat vor, fasste Martins Arm, schüttelte seine Hand und umarmte ihn.

»Aber wir wollten uns etwas zu essen besorgen.«

»Viel Glück mit deiner Arbeit. Verschleudere sie nicht.«

»Verschwinde hier, verdammt noch mal, Goodman«, sagte Dennis. »Und nicht nur aus dem Lager. Geh dahin, wo du herkommst. Geh zurück in dein Leben da. Ich mache wirklich keinen Spaß.«

Goodman nickte ihm zu, sah Jules an und sagte: »Jacobson, da hast du ja einen richtigen Mann.« Der Zahn blitzte ein letztes Mal auf, aber als er sich umgedreht hatte und wegging, wurden seine Schritte schneller und dann verwandelte er sich in ein Tier, das vor seinen Jägern davonlief, ein verwundetes Tier, das einmal ein Junge gewesen war und aus einer verwunschenen Unglücksquelle getrunken hatte. Jules schlang die Arme um sich und wünschte sich, dass

Dennis zu ihr käme und sie an sich drückte, aber er sah sie nicht einmal an. Er redete mit Martin.

»Woher kommst du?«, fragte er.

»Aus Ringe, New Hampshire.«

»Und was machst du hier?« Dennis' Stimme war sanft und tief. Jules dachte, dass er womöglich einen Arm um Martin legen würde und nicht um sie.

»Ich hatte ein paar Probleme«, sagte Martin mit unbestimmter Stimme. »Es gibt hier ein Krankenhaus.«

Dennis nickte schnell. »Langton Hull.«

»Aber da haben sie nichts für mich getan. Zu viele Pillen, also bin ich gegangen. Es war allein meine Entscheidung«, fügte er hinzu.

»Okay, du bist da also rausspaziert«, sagte Dennis. »Und dann hast du diesen Kerl getroffen?«

»John. Ja, an der Bushaltestelle. Ich wollte wegfahren, vielleicht nach Hause, und er unterhielt sich mit mir und zeigte echtes Interesse. Er war gerade aus einem anderen Bus gestiegen. Also bin ich mit ihm zu diesem Camp gegangen. Er sagte, es sei für Künstler.«

»Das stimmt«, hatte Jules das Gefühl, sagen zu müssen.

»Hör zu, ich war auch schon in Langton Hull«, sagte Dennis. »Sie werden dir da helfen, okay? Du solltest zurückgehen und ihnen eine Chance geben.«

Martin überlegte. »Ich habe wirklich Hunger«, sagte er schließlich, als sei das die Entscheidung.

Dennis steckte das Handy zurück in die Tasche und sagte zu Jules: »Ich bringe ihn hin. Du gehst allein zurück, in Ordnung? Die werden sich langsam fragen, wo wir sind.«

Sie sah die beiden Männer in die Gegenrichtung gehen, weg vom Camp, hin zur Stadt. Goodman war längst irgendwo weit weg, wurde kleiner, würde bald schon in einen Bus steigen, in ein Flugzeug, davonfliegen, nach Hause. Vielleicht bekam er am Flughafen ein letztes großes amerikanisches Essen, einen verdammten Hamburger mit Pommes frites, und sah sich unter all den Reisenden um, von denen die meisten wahrscheinlich irgendwo erwartet wurden. Jules' Herz schlug heftig, und sie nahm ihr eigenes Handy und sah, dass sie Empfang hatte, zwei Balken, was reichen sollte. Ashs Handynumner war als Kurzwahl eingespeichert. So oft schon hatte Jules sie über die Jahre angerufen, wenn Ash mit Ethan auf Reisen war, allein unterwegs war oder Goodman in Europa getroffen hatte. Jetzt waren Ash und Ethan in Prag, wo Larkin mit ihrem Yale-Sommerprogramm war. Dort war es Abend. Das Telefon klingelte auf die internationale Art, laut, schnell und hart.

Ash nahm ab, ihre Stimme schien aus einem zischenden Wasserrohrsystem zu kommen. »Ich bin's«, sagte Jules.

»Jules? Oh, warte einen Moment, ich bin im Auto. Ich wer…« Ihre Stimme verschwand für einen Augenblick. »…fon«, sagte sie.

»Was? Ich höre dich nicht richtig. Ich habe nur ›fon‹ verstanden.«

»Entschuldige. Ist es so besser? Ist alles in Ordnung?«, fragte Ash.

»Hör zu, ich muss dir etwas erzählen. Ich habe Goodman gesehen«, sagte Jules hastig. »Hier im *Camp*, er ist aus Island hergekommen und wollte sich Häuser ansehen. Er sagte, er hätte dir nichts davon gesagt. Es ist völlig verrückt. Dennis hat ihn angeschrien, und Goodman ist weggerannt. Ich glaube, er fliegt zurück nach Reykjavík. Es war schrecklich. Er sieht so anders aus, Ash«, sagte sie. »Das hast du mir nicht erzählt.« Am anderen Ende war es still. »Ist alles okay?«, fragte Jules. »Ich weiß, es ist völlig irre. Ash?«

Immer noch war es still in der Leitung, dann hörte sie jemanden im Hintergrund reden. Jules hörte: »Nein, ich werde es dir erzählen. Ja, Island.« Und dann sagte eine männliche Stimme etwas zu Ash, aufgeregt, aber alles wurde von diesem internationalen Zischen überlagert, und Jules verstand kein einziges Wort.

»Hallo?«, sagte Jules. »Hallo?«

Aber Ash sprach mit Ethan, nicht mit ihr. »Gib mir eine Sekunde«, sagte Ash angespannt zu ihm, »und ich erzähle es dir. Ja«, sagte sie. »Goodman. Jules hat von Goodman gesprochen. In Ordnung, Ethan, in Ordnung. Bitte, hör auf.« Ihre Stimme klang flehentlich, und dann kam sie wieder ans Telefon und begann zu weinen. »Ich muss Schluss machen, Jules«, sagte sie. »Du bist über die Freisprechanlage gekommen, und Ethan ist hier.«

»O Gott«, rutschte es Jules heraus, und dann war der Anruf beendet.

Sie eilte aus dem Wald, lief schnell, rannte und fand an diesem heißen, gewöhnlichen Nachmittag instinktiv zurück auf den Rasen. Einige Teenager saßen unter den Bäumen, spielten auf ihren Instrumenten und winkten ihr zu. Den Abend über hockte sie im Theater und sah von den Campern geschriebene Einakter, am nächsten Mittag ertrug sie ein Barbecue, bei dem ein Hackbrett-Trio Nirvana-Songs auf selbst gebauten Instrumenten spielte, und die ganze Zeit trug sie ihr Handy in der Tasche und wartete darauf, dass es vibrierte und Ash am anderen Ende war. Als Ash am nächsten Morgen beim Frühstück dann tatsächlich anrief, sagte sie: »Jules? Kannst du reden?«

Das Zischen in der Verbindung war wieder da. Jules stand abrupt vom Tisch auf, wo sie mit zwei Jungen gesessen hatte, Schauspielern, die sich vor ihren Augen ineinander zu verlieben schienen. »Ja«, sagte Jules ins Telefon, ging quer durch den Speisesaal und durch die Fliegentür hinaus in den Hof, wo es ruhig und sie allein war. »Wo bist du?«

»Auf dem Prager Flughafen. Ich fliege zurück. Ethan und ich haben uns getrennt.«

»Was?«

»Ja. Als wir zurück im Hotel waren, ging es los, grundsätzlich, wegen unserer Ehe. Er sagt, es sei nicht nur die Lüge, die er nicht ertrage, sondern das, was sich dahinter verstecke.«

»Was denn?«

»Oh, dass das Versprechen meinen Eltern gegenüber bedeute, dass ich sie ihm vorziehe. Er sagte, das habe er immer schon gespürt, und jetzt bestätige es sich. Als wäre ich noch ein kleines Mädchen. Er war so herablassend, Jules! Und das habe ich ihm auch gesagt.«

»Das klingt schrecklich«, sagte Jules.

»Das war es auch. Ich habe mich wieder und wieder wegen Goodman bei ihm entschuldigt, aber er hat es ignoriert und nicht von meiner Familie aufgehört. Am Ende dann habe ich ihm vorgeworfen, dass er die Dinge nie aus meiner Sicht zu sehen versuche und keine Ahnung habe, was es bedeutet, mit ihm verheiratet zu sein.«

»Wie meinst du das?«

»Dass alle um ihn herum katzbuckeln und er sich so wichtig nimmt. Es ist so anstrengend. Und er sagte: ›Oh, tut mir leid, dass es so eine Qual ist, mit Firmenjets zu fliegen, nicht an die kleinen, langweiligen Details des Alltags denken zu müssen und mehr Geld zu haben als alle, die wir kennen.‹ Und ich habe gesagt: ›Denkst du, dass es mir darum geht?‹ Da hat er dann ziemlich schnell einen Rückzieher gemacht, weil er weiß, dass ich nicht so bin, aber mittlerweile hatten wir alle möglichen gestörten Dinge zueinander gesagt.« Ashs Stimme wurde zunehmend manisch, während Jules vor allem zuhörte. »Ich habe ihm erklärt, dass ich meine Arbeit noch nie wirklich mochte. Und mitten in unserem Streit denkt er nun plötzlich, er muss das widerlegen, und macht mir Komplimente. Er sagt: ›Du weißt, wie sehr mir der Abend mit den Einaktern gefallen hat, die du auf die Bühne gebracht hast.‹ Und ich sage: ›Gott, Ethan, hör auf! Hör auf, irgendwelche vagen Nettigkeiten zu sagen, weil du zeigen willst, dass du mich respektierst.‹ Und er gab zu, dass ich damit recht hatte. Ich weiß, dass ich ihn langweile, Jules, und er zu nett ist, es mir zu sagen. Dass er das mit Goodman erfahren hat, hat etwas aufgebrochen, was schon lange zwischen uns war. Zum Beispiel, dass Ethan so wenig Zeit mit Mo verbringt. Ich weiß, dass es ihn ernsthaft nervt, wie viel Zeit ich für Mo aufbringe, für seine Ausbildung, seine Behandlung und seine beruflichen Pläne. Kannst du das glauben? Jemand muss sich schließlich um ihn kümmern, und ich weiß, Ethan Figman tut es nicht. Trotzdem ist er auch noch eifersüchtig, das schwöre ich dir, weil ich Mo so viel Aufmerksamkeit schenke und weiß, was ich tun muss, und er nicht. Das hat er praktisch zugegeben. Wir standen in unserem Hotelzimmer und haben uns angeschrien, und jetzt ist es aus. Es wurde schon wieder hell, als wir das entschieden haben, da waren wir so erschöpft, dass wir praktisch zusammengebrochen sind. Aber es war ein gemeinsamer Entschluss.« Mit einem Mal verstummte sie.

»Komm schon, Ash, das kannst du nicht ernst meinen«, sagte Jules heftig gestikulierend, und ein paar der Camper sahen neugierig und besorgt zu ihr hinaus.

»Doch, das tue ich«, sagte Ash. »Wir haben uns einfach zu viel ins Gesicht gesagt.«

»Aber ihr liebt euch. Ihr seid dieses Superpaar, ihr gehört zusammen, und das kann nicht einfach nicht mehr so sein.«

Es gab ein leises Geräusch, wie man es hört, wenn der Drang zu weinen zu groß ist, um ihm nachgeben zu können. Endlich fasste sich Ash wieder und sagte: »Es ist vorbei, Jules. Es ist vorbei.«

Wenn man unbeabsichtigterweise verantwortlich ist für das Scheitern der Ehe seiner ältesten und besten Freunde, ist es so gut wie unmöglich, an etwas anderes zu denken. Das spürte Jules in diesen letzten Sommerwochen in Spirit-in-the-Woods, während sie sich um die alltäglichen Notwendigkeiten des Camps zu kümmern hatte, aber den Kopf nicht dafür frei hatte. Ethan und Ash trennten sich wirklich. Ash begleitete ihn nicht auf die geplante

Asienreise. Zurück aus Prag, blieb sie ein paar Tage in New York, hielt es aber nicht allein im Haus aus und flog mitten im August auf die Ranch in Colorado. Mo und die gesamte Besetzung ihrer nächsten Produktion nahm sie mit und umgab sich mit Skripten, Arbeit und der Sorge um ihren Sohn.

»Ich muss mich eine Weile zurückziehen«, erklärte Ash, »und darf nicht an etwas denken, was mich an alles erinnert.« Die Leute, meinte sie. »Ich melde mich«, sagte sie, doch das tat sie nicht, und als Jules anrief, schwor sie, es habe nichts damit zu tun, dass Ethan am Ende durch Jules von Goodman erfahren habe. Sie sei nicht wütend auf Jules, ganz und gar nicht. Sie müsse nur allein sein. Ash war verzweifelt, und so wenig typisch es auch für sie war, sich nicht bei Jules auszuheulen, sie rief nicht an.

Jules überlegte, wie sie und Dennis es geschafft hatten, hierher nach Belknap, Massachusetts, zu kommen, an diesen überbordenden, wunderbaren Ort ihres früheren Lebens, dessen Haken jedoch darin zu bestehen schien, dass sie, zurückgekehrt, die Freunde, die sie hier gewonnen hatte, nicht mehr zu Gesicht bekam. »Ruf Ethan an«, sagte Dennis, als sie eines Abends im Haus der Wunderlichs saßen und E-Mails von Eltern beantworteten, von denen weit mehr kamen, als sie es sich je hätten vorstellen können. Hätte Jules einen Anruf von ihrer Mutter bekommen, als sie damals hier im Camp war, hätte sie sich in Grund und Boden geschämt und wäre wütend gewesen. Aber die Eltern heute wussten sich nicht zurückzuhalten. Sie wollten wissen, an welchen Kursen ihre Kinder teilnahmen und ob sie eine Rolle in einem Stück bekommen hatten. »Sprich mit ihm«, sagte Dennis, ohne von seinem Laptop aufzusehen. In neun Tagen würde das Camp zu Ende gehen, und morgen schon sollten die Wunderlichs aus Maine kommen, um mit ihnen das geplante Gespräch um ihren weiteren Verbleib hier zu führen. Jules hatte keine Ahnung, was sie sagen würden. Irgendwer würde ihnen bestimmt erzählen, was mit den Lamas geschehen war. Von

Noelles unglücklicher Abreise wussten sie bereits. Wer sollte wissen, was sie von Jules' und Dennis' Arbeit hielten, aber Jules war immer noch so betroffen von Ashs und Ethans Trennung und ihrer eigenen Rolle dabei, dass sie kaum den Kopf frei dafür hatte, über das Camp nachzudenken.

»Ich kann Ethan nicht anrufen«, sagte sie. »Ich bin sicher, er ist fürchterlich wütend auf mich, weil ich von Goodman wusste und ihm nichts gesagt habe.«

»So wütend kann er gar nicht auf dich sein. Nicht für so lange.«

»Und warum nicht?«

»Das weißt du«, sagte Dennis.

Die Wunderlichs kamen am nächsten Nachmittag während der Freistunde, und Jules und Dennis führten sie herum und zeigten ihnen die gesunden, fruchtbringenden Aktivitäten, die überall stattfanden. Man musste kaum etwas tun, um die Kids in Gruppen aufzuteilen und sie dazu zu bringen, Kostüme zu nähen oder Veranstaltungen zu planen. »Wir haben das Camp nicht ruiniert«, sagte Dennis leichthin. »Noch nicht.« Manny mit seinen anarchischen Brauen und Edie mit ihrem großen Strohhut wirkten wie gutmütige Großeltern, die ihre Enkel besuchen, und sie nickten und lächelten zustimmend bei allem, was sie sahen.

Beim Essen saßen die vier an ihrem eigenen Tisch gleich beim Fenster. »Es sieht alles sehr gut aus«, sagte Manny, »und es scheint ganz so, als wäre es kein Fehler gewesen, das Camp in eure Hände zu geben.«

»Das stimmt«, sagte auch Edie. »Wir hatten schon überlegt, eine andere Richtung einzuschlagen, aber wir sind froh, dass wir uns für euch entschieden haben.«

»Uff«, sagte Dennis, und er und Jules lachten verlegen. Eine Weile lang sagte niemand etwas.

»Wir glauben, es läuft so gut«, sagte Manny, »dass wir euch gerne ein neues Angebot machen würden.«

»Oh, Junge«, sagte Dennis. »Okay.« Ihn freute das Lob, war er doch kaum je einmal für seine Arbeit gelobt worden, und Jules sah, wie geneigt für alles Weitere es ihn machte. Lob konnte befriedigender sein als die Arbeit selbst.

»Wir würden euch gerne für fünf weitere Jahre verpflichten«, sagte Manny. »Mit einem Fünfjahresvertrag. Die Konditionen haben wir aufgeschrieben. In fünf Jahren könnt ihr das Camp auf den Weg bringen, den ihr für richtig haltet. Ein Jahr ist nichts. Ein Jahr ist nur ein erstes Hineinschnuppern. In fünf Jahren könnt ihr das Camp so ausrichten, wie es euch gefällt, und wir müssen uns keine Sorgen mehr darum machen. Wir können uns ganz zurückziehen. Das ist ehrlich gesagt eine Erleichterung für uns. Wir waren in all den Jahren so mit dem Camp verwoben und haben uns noch um die kleinste Einzelheit gekümmert. Vielleicht können wir jetzt noch einmal etwas anderes tun. Schlafen zum Beispiel.«

»Oder ich lasse mir endlich meine Fußballen operieren«, sagte Edie. »Ich habe mich zu lange nicht darum gekümmert. Meine Füße sehen schon nicht mehr menschlich aus, eher wie Hufe.«

»Stimmt«, sagte er. »So sehen sie aus.«

»Danke, Liebling«, sagte Edie, und die beiden lächelten sich zu.

»Als wir das Camp gründeten, dachten wir, wir könnten so eine Art Utopia schaffen«, sagte Manny. »Lange war es auch so. Als du hier warst, Jules, war es doch toll, oder? Und das war schon lange nach der Blütezeit.«

»Ich bin neugierig, Manny: Welches Jahr würdest du für das beste halten?«, fragte Edie, und einen Moment lang waren es nur die beiden, die über diese Frage nachdachten. »'61?«

»Vielleicht auch '62«, sagte Manny. »Ja, das war ein gutes Jahr.«

»Da hast du recht«, sagt Edie, und sie nickten in der Erinnerung an jene Zeit.

»Die späten Sechziger waren natürlich auch aufregend«, sagte Manny. »Ein paar von den Campern wollten das Büro besetzen. Sie nannten sich ›SWDG, Spirit-in-the-Woods für eine demokratische Gesellschaft‹. Ich musste so lachen. Und dann hatten wir eine Weile den Ärger mit LSD, erinnerst du dich?«

»Der Harfenspieler auf dem Sprungbrett, um drei Uhr morgens«, sagte Edie, und wieder nickten sich die beiden zu, nachdenklich, wissend.

»In den Achtzigern dann«, sagte Manny und sah Jules und Dennis wieder an, »wollten die Kids plötzlich nur noch diese verdammten Musikvideos drehen, und immer wenn es etwas Neues gab, mussten wir uns mit Händen und Füßen dagegen wehren.«

»Fünf Jahre, das klingt gut«, sagte Dennis unversehens, und Jules sah ihn überrascht an. »Nein?«, fragte er sie. »Tut es das nicht?«

»Dennis, das müssen wir erst besprechen«, sagte sie, und er sah sie verblüfft und finster an und wandte sich dann den Wunderlichs zu.

»Ich persönlich fühle mich geehrt, dass ihr mit unserer Arbeit so zufrieden seid«, sagte Dennis.

Jules spürte, wie sich ihr Gesicht erhitzte. »Ja, danke, Manny, Edie. Wir besprechen uns, dann reden wir weiter.«

Später, als die Wunderlichs gegangen und das gesamte Camp bei einem Poetry-Slam war, standen Jules und Dennis im Dämmerlicht auf dem Hügel. »Ich weiß nicht mehr, was du denkst«, sagte er zu ihr. »Erst willst du herkommen, und ich sage, ja, gut, du willst zurück zu deinen Wurzeln, lass es uns probieren. Und dann bekommst du die Möglichkeit, etwas Bleibendes daraus zu machen, und da wird dir bewusst, dass du es doch nicht willst. Weil du nur an deine Freunde denkst. Was ist mit uns? Wir haben unsere Jobs aufgegeben, Jules. Du hast deine Praxis zugemacht. Wir haben die Stadt verlassen und sind wegen deiner Idee hergekommen.«

»Es ist nicht so, wie ich es mir vorgestellt habe«, sagte sie.

»Und was hast du dir vorgestellt? Dass du die komischen Rollen in den Stücken spielen würdest? Und alle wieder zu dir hinsehen würden?«

»Nein«, sagte sie.

»Ich glaube, genau das hast du gedacht«, sagte Dennis. »Ich habe es gewusst, aber du warst so begeistert, dass ich dir nicht dazwischenkommen wollte.«

»Was willst du von mir, Dennis?«, sagte sie. »Meine Freunde haben sich wegen mir getrennt. Darf ich da nicht betroffen sein?«

»Nicht wegen dir«, sagte er. »*Sie* haben sich getrennt. Und *du* bist hier. Du leitest ein Sommercamp. Du sollst das Budget mit mir aufstellen, den Newsletter schreiben und den Eltern mailen, wie brillant ihre Söhne und Töchter sind. Stattdessen bist du tief in dir selbst verloren, auf eine erbärmliche Weise.«

»Oh, erbärmlich?«

»Eindeutig. Sieh dich doch an. Wenn ich nur daran denke, wie rot du geworden bist, als diese Null, dieser Bruder von Ash, hier im Wald aufgetaucht ist.«

»Das war ein Reflex«, sagte Jules.

»Von dem hattest du die ganze Zeit geredet? Als ich den Jungen zurück ins Krankenhaus gebracht habe, hat er mir alles über Goodman, ich meine, *John*, erzählt, und dass er ihm mit seiner Arbeit helfen würde. Ich meine, verdammt noch mal! Was haben die Wolfs ihren Kindern vorgemacht? Ihr seid so was Besonderes, dass die normalen Regeln für euch nicht gelten? Weißt du was? Alle sind erwachsen, alle sind alt geworden, und die normalen Regeln gelten auch für *sie*.«

»Warum bist du so wütend auf mich?«, sagte Jules. »Weil ich keinen Fünfjahresvertrag unterschreiben will? Du bist einfach nur aus dem Häuschen, weil dich jemand will«, sagte sie, obwohl sie wusste, dass das gemein war, aber sie konnte nicht anders. »Dass jemand sagt, ja, ja, dazu bist du fähig, und wir sind mit deiner Leistung zufrieden. Dass du nicht mehr in Gefahr bist, zurück in deine Depression zu verfallen und irgendeiner armen Frau zu erzählen, dass sie womöglich an Leberkrebs sterben wird.«

»Das stimmt«, sagte Dennis. »Mir hat bisher kaum einer gesagt, wie toll ich bin. Und die Wahrheit ist, dass ihr auch alle nicht so toll seid. Deine Freunde: diese Goldzahn-Null, seine verlogene Schwester mit ihren so wertvollen Stücken, die ich nie verstanden habe, und der großartige Ethan, die du anbetest wie nichts sonst auf der Welt. Die Wahrheit aber ist: *Sie sind nicht so interessant.*«

»Das habe ich nie behauptet.«

»Von nichts anderem hast du geredet. Von nichts anderem. Ich war der gutmütige Ehemann, und du bist ihnen immer noch verfallen und investierst so viel mehr in sie als in uns.«

»Das stimmt nicht.«

»Du wolltest hierher zurückkommen«, sagte Dennis, »doch es hat sich als harte Arbeit erwiesen, und keiner von euch hat hier je hart gearbeitet. Alles war locker und ein Spaß. Und weißt du, warum? Nicht weil *das Camp* so toll war. Gut, es ist absolut okay. Wir führen Stücke auf! Die Kids tanzen! Wir fördern den inneren Glasbläser in ihnen, und ich schicke E-Mails an die Eltern, die ihre Kinder in den Glasbläserkurs bringen wollen. Eltern lieben glasblasende Kinder, oder? Und was ist mit glasblasenden Erwachsenen? Wenn ihre Kinder auch mit dreißig noch Glas blasen, sind sie für ihre Eltern Versager.« Dennis keuchte, er war voller Wut. »Dieses Camp ist absolut okay, Jules, aber es gibt auch eine Menge anderer Camps, wenigstens war das früher so. Und wenn du in ein anderes gekommen wärst, hättest du völlig andere Leute getroffen und dich mit ihnen angefreundet. So ist es nun mal. Ja, du hattest Glück herzukommen. Aber das Aufregendste, als du hier warst, war nicht das Camp, sondern dein Alter: Du warst jung. Das war das Beste.«

»Nein, es war nicht nur das«, sagte Jules. »Du warst damals nicht hier. Es hat etwas in mir verändert. Dieser Ort, dieser besondere Ort, hat etwas verändert.«

»In Ordnung«, sagte Dennis. »Dann hat er es eben. Er hat dir das Gefühl gegeben, etwas Besonderes zu sein. Was weiß denn ich, vielleicht hat er ja tatsächlich etwas Besonderes aus dir gemacht. Etwas Besonderes sein – das wollen alle. Aber, Himmel, ist das wirklich die Hauptsache? Das Wichtigste auf der Welt? Die meisten Menschen haben keine außergewöhnlichen Talente. Was sollen sie machen? Sich umbringen? Ist das die Lösung für *mich*? Ich bin Ultraschalltechniker und habe etwa eine Minute lang ein Sommercamp geleitet. Ich lerne schnell. Ich eigne mir Dinge an und pauke, um meine absolute Mittelmäßigkeit auszugleichen.«

»Hör auf«, sagte Jules. »Sag nicht, dass du nichts Besonderes bist.«

»Du behandelst mich zumindest nicht so«, sagte er. Sein Gesicht brannte, genau wie ihres. Sie wollte ihn berühren, doch er entwand sich ihr und wich ihrem Blick aus.

In dieser Nacht schlief Dennis unten auf dem alten, stockigen Sofa im Wohnzimmer, und tags darauf lehnten sie das Angebot der Wunderlichs offiziell ab. »Sag du es ihnen. Ich möchte es nicht«, sagte Dennis. Manny und Edie waren verblüfft und enttäuscht, aber nicht vernichtet. Offenbar gab es noch andere Ehemalige, die den Job wollten. Viele wollten zurück. Eine Frau, die hier in den Achtzigern komplizierte Mosaike entworfen hatte, wollte es unbedingt probieren, und die Wunderlichs würden ihr und ihrer Partnerin die Leitung übertragen. Die beiden waren von Beginn an eine ernsthafte Alternative zu Jules und Dennis gewesen.

Das Camp würde sich auf seine eigene Weise weiterentwickeln. Teenager würden zu Beginn des Sommers durchs Tor hereinströmen und am Ende wieder hinaus, weinend und gestärkt. Sie würden Glas blasen, tanzen und singen, solange sie konnten, und später würden die, die nicht wirklich außergewöhnlich gut waren, wieder damit aufhören oder es nur noch hin und wieder für sich selbst tun. Die, die damit weitermachten – und vielleicht war es auch nur ein Einziger oder eine Einzige –, würden die Ausnahme sein. Der Überschwang verging, nur der kleine, heiß glühende Kern wirklichen Talents blieb bestehen und wurde hoch in die Luft gehoben, damit die Welt ihn sehen konnte.

Einundzwanzig

Die Klinik in Chinatown war froh, Dennis zurückzubekommen, da sie immer noch schreckliche Personalsorgen hatte, aber Jules hatte keinen Job, in den sie zurückkehren konnte. Die Therapeutin, mit der sie sich die Praxis geteilt hatte, bot ihr an, Kunden an sie weiterzuempfehlen, und Jules dankte ihr, doch ihr graute davor, noch einmal von vorn anzufangen. Sie hatte weder die Energie dafür noch den Glauben. Sie vermisste ihre alten Kunden, aber die würden nicht zurückkommen. Sie waren weg, einige bei einem anderen Therapeuten, andere ohne. Janice Klammer hatte Jules einen netten Brief geschrieben, dass sie die Frau sehr möge, mit der sie jetzt arbeite. Jules hatte sie ihr empfohlen. Eine Kollegin drängte Jules, ihre Dienste auf verschiedenen Psychotherapie-Websites anzubieten, und als sie es tat und sich als »einfühlsame, unvoreingenommene Therapeutin mit einem besonderen Interesse im kreativen Bereich« beschrieb, fühlte sie sich unwohl, als lüge sie.

Die Websites brachten nichts, ihre Praxis füllte sich nicht wieder. Abends saßen sich Jules und Dennis an ihrem kleinen Küchentisch gegenüber und aßen oft irgendein Take-away-Essen. Sie hatten notdürftig Frieden geschlossen, als sie Belknap verließen, beide waren zu abgespannt, um ihren Streit fortzuführen. Da Jules' Arbeit sich nicht wieder entwickelte, machte Dennis Überstunden. Nach der Katastrophe bei Metro Care war er äußerst wachsam geworden, seine Wachsamkeit erhöhte seine Kompetenz, und er war gefragt. Da ohne Jules' Einkommen das Geld nicht reichte, bat er um eine deutliche Gehaltserhöhung und war verblüfft, als er sie bekam.

In einer Ehe, das wussten sie beide, gab es Phasen, in denen einer der Partner schwächelte, und dann musste der andere die Dinge zusammenhalten. Jules hatte es nach Dennis' Schlaganfall und während seiner Depression getan, jetzt übernahm er diese Rolle und beklagte sich nicht. Jules machte sich große Sorgen, was ihre Arbeit anging, doch Ashs und Ethans Trennung lag ihr genauso auf der Seele. Wieder und wieder mailte sie Ash, die immer noch auf der Ranch in Colorado war, und bekniete sie, wenigstens mit ihr zu telefonieren. Tatsächlich hatten sie ein paarmal geredet, aber nur oberflächlich. Ash war unglücklich.

Rory verstand nicht ganz, warum ihre Mutter den Camp-Job aufgegeben hatte, sorgte sich darum, ob sie etwas anderes in New York fand, und rief öfter als gewöhnlich an. »Keine Angst«, sagte Jules, »wir werden auch weiter deine Studiengebühren bezahlen können, falls du da unsicher bist.«

»Daran denke ich nicht«, sagte Rory. »Ich denke an dich, Mom. Es ist komisch, dass du nicht arbeitest. Du hattest immer deine Kunden. Ganz egal, was war, du hast an deine Kunden gedacht.«

»Und auch an dich, mein Schatz.«

»Das weiß ich doch. Das meine ich nicht. Ich meine, dass du wirklich in deiner Arbeit aufgegangen bist und es seltsam ist, dass du jetzt irgendwie … zwischen den Dingen stehst.«

»Ja, das ist ein guter Ausdruck dafür«, sagte Jules.

»Okay, ich mache jetzt besser Schluss«, sagte Rory. »Bei uns steigt eine Party.«

»Bei euch steigt immer eine Party«, sagte ihre Mutter. Jemand kreischte im Hintergrund oben in Oneonta, und Rory lachte und legte auf, bevor Jules ihr viel Spaß wünschen und sagen konnte, sie solle vorsichtig sein.

Eines Tages in dieser merkwürdigen fahlen Zeit rief Jules' Mutter an und sagte: »Ich habe Neuigkeiten, ich verkaufe das Haus.« Es sei an der Zeit für sie, in eine kleinere Wohnung zu ziehen, in

Underhill. Eigentlich hätte sie das schon vor Jahren tun sollen, sagte Lois Jacobson, doch sie habe es nie in Angriff nehmen wollen. Konnte Jules kommen und ihr den Keller ausräumen helfen? Ihre Schwester Ellen würde auch da sein.

Früh an einem Wochentag nahm Jules die Long Island Railroad hinaus nach Underhill, und als sie auf den Bahnsteig trat, sah sie ihre Mutter auf dem Parkplatz neben ihrem winzigen Kompaktwagen stehen. Lois war kleiner geworden, ihr Rückgrat war um ein paar Zentimeter geschrumpft. Ihr Haar war mittlerweile taubenweiß, sie ging aber immer noch jede Woche einmal in den Friseursalon, in den sie schon früher gegangen war und in dem Jules damals ihre schreckliche Dauerwelle bekommen hatte. So stand Lois mit ihrem frisch gemachten weißen Haar und im Regenmantel da und sah aus wie eine Großmutter, die sie ja auch war. Jules ging die Stufen zum Parkplatz hinunter, und als sie ihre Mutter umarmte, widerstand sie dem Drang, sie wie eine Puppe in die Höhe zu heben.

Ellen saß hinten, und die Schwestern griffen in einer Annäherung an eine Umarmung nach einander. Ellen und Jules waren sich über die Jahre immer ähnlicher geworden. Ellen wohnte mit ihrem Mann Mark nur zwanzig Minuten entfernt und sah ihre Mutter häufig. Die beiden standen sich sehr nahe. Jules dagegen hatte die Familie verlassen und war in die Stadt gegangen, die mitunter wie ein anderes Land wirken konnte. Weder Lois noch Ellen kamen häufig nach Manhattan. Underhill hatte sich ziemlich herausgemacht, und es gab jetzt zwei thailändische Restaurants und eine Buchhandlung mit Café. Lois Jacobson hatte das Haus am Cindy Drive, so gut es ging, instand gehalten, aber es musste gestrichen werden, und der Briefkasten hing immer noch schräg da. Der Gedanke, dass ihre Mutter Abend für Abend allein in dieses Haus kam, reichte Jules, um Lois in die Arme nehmen zu wollen und sie zu fragen, wie sie das all die Jahre geschafft hatte. Sie gingen in die

Küche, und Lois machte etwas zu essen, mit Zutaten aus einem Bioladen, der gerade in der Stadt eröffnet hatte – »Gott sei Dank«, sagte Lois.

»Mom, du kaufst Bioprodukte?«, fragte Jules.

»Ja. Ist das so überraschend?«

»Ja!«, riefen beide Töchter – beide *Mädchen*, so empfanden sie sich, wenn sie wieder einmal gemeinsam zu Hause waren.

»Wer bist du?«, fragte Jules. »Gib mir meine richtige Mutter zurück. Die, die uns mit Green-Giant-Tiefkühlmais gefüttert hat, als wir klein waren.«

»Und Libby's Dosenpfirsichen«, sagte Ellen, und sie sahen einander an und lachten. Nach dem Essen ging ihre Mutter gleich nach unten in den Keller, während Jules und Ellen die Küche aufräumten. Ellen und Mark führten eine enge Ehe. Sie hatten sich gegen Kinder entschieden, wohnten in einem kleinen, hübschen Haus und würden im nächsten Jahr eine Kreuzfahrt durch die Karibik unternehmen. »Was machst du jetzt, wo du deine Praxis nicht mehr hast?«, fragte Ellen.

»Ich weiß es nicht. Ich strecke die Fühler aus. Aber mir muss bald etwas einfallen.«

»Es tut mir leid, dass das mit dem Camp nichts geworden ist«, sagte Ellen. »Ich kann mich noch erinnern. All die Kids, die da herumrannten.«

»Nach meinem ersten Sommer dort bin ich mit einer ziemlich großen Klappe zurückgekehrt, glaube ich«, sagte Jules. »Es tut mir leid, wenn ich schrecklich war«, fügte sie hinzu und wurde unerwartet emotional. »Ich habe so angegeben. Tut mir leid, wenn ich dich damals eifersüchtig gemacht habe.«

Ellen nahm einen Teller vom Tisch und stellte ihn in die avocadofarbene, offenbar unzerstörbare Spülmaschine ihrer Kindheit. »Warum hätte ich eifersüchtig sein sollen?«, fragte sie.

»Oh, weil ich nicht aufhören konnte, von meinen Freunden zu

erzählen, vom Camp, von den Wolfs und allem. Ich dachte, dass du deswegen, du weißt schon, mir gegenüber etwas kühl warst.«

Ellen sagte: »Nein, ich habe dich so kühl behandelt, weil ich eine Zicke war. Das haben alle zu spüren gekriegt. Ist dir das nie aufgefallen? Mom war froh, als ich nach dem College endlich ausgezogen bin. Mark ärgert mich heute noch manchmal und sagt, ich bin mal wieder im ›Überzicken-Modus‹, und dann versuche ich, mich etwas zu zügeln. Aber so bin ich nun mal, ich kann nicht wirklich was daran ändern. Nein, mach dir keine Sorgen, Jules. Ich war nie eifersüchtig auf dich.«

Die Straßen um das Gebäude mit dem Trickfilm-Schuppen in Midtown Manhattan waren tagsüber voller geschäftigen Lebens, abends und nachts jedoch ruhig und charakterlos. So gut wie alle flohen am Ende des Arbeitstages, und an einem Donnerstagabend im Dezember trat Jules etwa um sieben Uhr in eine riesige, kalte Eingangshalle mit lauter abgesperrten Aufzügen und einer Minimalbesetzung an Sicherheitsleuten. Ethans Assistentin Caitlin Dodge hatte ein paar Tage zuvor angerufen und gesagt, Ethan würde gern wissen, ob sie in dieser Woche Zeit für ein Abendessen hätte. Der Anruf kam im nassen Herzen des Winters, als Jules ihre Tage damit verbrachte, sich auf Anzeigen für Teilzeitjobs in Krankenhäusern zu bewerben. Nur einmal wurde sie zu einem Gespräch eingeladen. Mit über fünfzig war es schwer, die Wunschkandidatin zu sein. Sie und Dennis sprachen kaum einmal darüber, was sie machen sollte, obwohl es immer dringlicher wurde, dass sie eine Arbeit fand. Wenn er abends nach Hause kam, saß sie am Computer und beantwortete Anzeigen oder schrieb ihre Vita um. Jules hatte das Gefühl, ohne Freunde zu sein. Ash war nach wie vor im fernen Colorado, und Jonah wurde sehr von seiner Arbeit in Anspruch genommen – im Übrigen machte er jetzt offenbar samstagabends Musik, zusammen mit einem Mitglied von Seymour Glass und dreien seiner Freunde.

Ein paar Therapeutinnen mailten Jules und luden sie zu einem ihrer Treffen ein. Jules ging einmal hin. Die Frauen trafen sich in einer Kneipe und klagten, die neue zentral geführte Versorgung mache alles kaputt, und dann tranken sie zu viel und gingen mit einem Gefühl der Hilflosigkeit nach Hause.

Als dann plötzlich Caitlin Dodge anrief, hätte Jules in den Hörer schreien mögen. Jemand musste sie retten, obwohl sie nie zu hoffen gewagt hatte, dass es Ethan sein könnte. Sie hatte befürchtet, er würde nie wieder etwas mit ihr zu tun haben wollen, doch jetzt hatte er sich aus irgendeinem Grund wieder gemeldet.

Im Korridor vor dem Eingang zum Studio sagte Jules ihren Namen in die Gegensprechanlage und wartete neben einer Glaswand, bis ein Assistent kam und sie abholte. Das Studio war um diese Zeit nicht mehr hell erleuchtet, aber immer noch geschäftig. Jules sah die Leute über ihre Tische gebeugt, diskutierend, in Bewegung.

Ethan saß hinter der Glaswand seines Büros am Schreibtisch. Jules hatte ihn seit dem Frühjahr, kurz bevor sie und Dennis nach Belknap gezogen waren, nicht mehr gesehen. Sein Haar sah kaum gekämmt aus, und er starrte auf den Computerbildschirm, womöglich schon seit Stunden. Auf dem Sofa saß Mo über ein Banjo gebeugt und spielte eifrig. Die Pubertät hatte Mo Figman kaum weitergeholfen, er war ein knochiger Junge gewesen, empfindlich und gereizt, und jetzt, mit neunzehn, steckte er in einem Männerkörper und wirkte ungelenk und rastlos.

Jules ging zum Büro und klopfte leise ans Glas. »Hallo«, sagte sie.

Mo hörte auf zu spielen und stand schnell auf, als hätte sie ihm einen Schreck eingejagt. »Da ist Jules, Dad«, sagte er mit dünner Stimme.

»Das sehe ich«, sagte Ethan und stand hinter der großen alten Kupferplatte auf, die ihm als Schreibtisch diente.

Sie war nicht sicher, wen von den beiden sie zuerst begrüßen sollte, und so ging sie zu Mo, der jedoch keine Hände schütteln oder umarmt werden wollte. Sie nickten einander zu und verbeugten sich fast ein wenig. »Hi, Mo, wie geht's? Was macht die Schule?«, fragte sie.

»Ich bin für ein paar Tage zu Hause«, sagte er und fügte wie eingeübt hinzu: »Ich mag die Schule nicht, aber was sonst sollte ich machen?«

»Oh«, sagte sie. »Das tut mir leid. Ich habe die Schule auch nicht gemocht. Ich mochte das Camp. Hey, ich wusste gar nicht, dass du Banjo spielst.«

»Jonah Bay hat angefangen, mir Stunden zu geben, über Skype«, sagte Mo mit plötzlicher Energie. »Das hat er mir geschenkt.« Er hielt das Instrument vor sich hin, und Jules bewunderte den verblichenen Regenbogen auf der abgegriffenen Oberfläche.

Mo lächelte schnell, und dann kam eine schicke junge Frau ins Büro und fragte: »Bist du so weit, Mo?«

»Ja«, sagte er, steckte das Banjo in eine Tasche und wandte sich zum Gehen, aber Ethan sagte: »Warte, warte. Du wirst doch nicht einfach so gehen?«

»Entschuldige, Dad.« Mo seufzte, rückte die Schultern zurecht, reckte den Hals auf eine komische Weise und wandte sich Jules zu. Er sah ihr in die Augen, was seine gesamte Energie in Anspruch zu nehmen schien. »Auf Wiedersehen, es war schön, dich zu sehen«, sagte er und blickte zu Ethan hinüber. »Bis später, Dad. War das jetzt besser?«

»Sehr viel besser«, sagte Ethan. Er streckte die Arme aus, um Mo an sich zu drücken, der es ertrug und dabei die Augen schloss, als schieße er mit einem Schlitten einen Berg hinunter und rechne unten mit einer Kollision.

Als er gegangen war, wandte sich Ethan Jules zu, und ihre Umarmung war nicht weniger unbeholfen. Auch Jules schloss die Augen.

Dann trat sie einen Schritt zurück und sah ihn an, und es war fast schlimmer, dass er nicht wütend auf sie zu sein schien. »Hallo«, sagte sie.

»Hallo.«

»Ich wusste nicht, wann ich von dir hören würde«, sagte Jules. »Ich nahm an, dass du wütend auf mich bist.«

»Nein, aber das alles hat mich ganz schön mitgenommen. Ich musste mich erst mal wieder beruhigen.«

»Und bist du jetzt ruhig?«

»Ich bin der Dalai Lama«, sagte er. »Siehst du das nicht?« Aber es war schwer, seine wirkliche Stimmung einzuschätzen. Er sah vor allem zerzaust und mürrisch aus. »Gehen wir was essen«, sagte Ethan, und statt das Gebäude zu verlassen, stiegen sie eine erbebende metallene Wendeltreppe hinauf in einen ihr noch unbekannten Raum.

»Das ist wie in einem Traum, in dem du herausfindest, dass es ein Zimmer in deiner Wohnung gibt, das du noch nicht kanntest«, sagte sie, als sie in dem andersweltlichen, loftartigen Raum standen, der extra für Ethan gestaltet worden war. Er erzählte ihr, dass er hier über die Jahre immer wieder übernachtet habe, wenn es wieder einmal spät geworden sei. Das sei zwar nicht erlaubt, schließlich sei es ein Bürogebäude, doch das störe ihn nicht.

Ein Wintereintopf köchelte in einem Topf in der offenen Küche, und Ethan brachte zwei Teller davon an den Esstisch. Er und Jules setzten sich einander gegenüber; hinter ihm zog sich eine dunkle Fensterfront hin. »Ich habe Mo fast ein Jahr nicht gesehen, glaube ich«, sagte sie, während sie aßen. »Er wird ein gut aussehender Junge, er hat eine Menge von Ash in sich.«

»Das haben sie beide, und es freut mich für sie. Mo kommt gewöhnlich gerne für ein paar Tage aus dem Internat nach Hause, aber jetzt, wo Ash und ich getrennt leben, ist es schwierig für ihn. Er versteht nicht, warum wir das machen. Ich habe versucht, ihn zu beschäftigen und ihm etwas zu tun zu geben, aber er wird sehr schnell unruhig. Ich habe ihn die Post sortieren und in die Fächer der Leute legen lassen, nur hat er die Briefe manchmal geöffnet und einmal ein ganzes Bündel weggeworfen. Alle behandeln ihn sehr nett, doch er bringt zu viel durcheinander. Bis dreiundzwanzig kann er im Internat bleiben, und wer weiß, was wir dann tun. Es macht mir Angst, es nicht zu wissen.«

»Bis er dreiundzwanzig ist, dauert es noch etwas«, sagte Jules. »Das musst du jetzt noch nicht klären.«

»Ich muss alles klären.«

»Musst du nicht.«

»Ich bin völlig im Eimer, Jules. Alles ist in ein Loch gekippt. Das große Trennungsloch. Ich denke, da hatte sich was aufgestaut.«

»Warte«, sagte Jules. »Bevor wir auf dieses Thema kommen, könnten wir da vielleicht meine Rolle in der Sache klären? Dass auch ich von Goodman gewusst habe? Lass uns bitte darüber sprechen.«

Ethan winkte ab. »Was hättest du denn tun sollen? Du hast es der Familie versprochen und standest ihnen gegenüber allein da. Das verstehe ich. Ich bin sicher, Ash hat dir bis in alle Einzelheiten von unserem Streit in jener Nacht berichtet«, fuhr er fort. »Ich selbst erinnere mich kaum, was ich alles gesagt habe, ich weiß nur noch, dass es darum ging, dass sie ihre Familie über mich stellt. Hat sie das erzählt?«

»Ja.«

»Und sie hatte auch einiges über mich zu sagen. Sie hat sich nicht unbedingt zurückgehalten. Seitdem versuchen wir, wenn es um die Kinder geht, einen freundlichen Ton zu finden und nicht gleich wieder von vorn anzufangen, aber an eines muss ich immer wieder denken: Ash ist eine große feministische Regisseurin, und doch hat sie nie ernsthaft Cathy Kiplingers Version der Geschehnisse mit Goodman damals in Betracht gezogen. Das war nie ein

Widerspruch für sie. Ihr Bruder war eine eigene Kategorie und hatte nichts mit ihrem Engagement zu tun. Sie ist in der Lage, das alles voneinander getrennt zu halten. Andererseits: In vielem ist sie einfach großartig. Sie ist für Mo eine wunderbare Mutter, während ich als Vater völlig versagt habe. Sie zeigt Freude, wenn er ins Zimmer kommt, und verliert niemals die Geduld mit ihm. Warum ärgert mich das? Bin ich tatsächlich so ein Baby, dass ich alle Aufmerksamkeit brauche? Oder erinnert es mich einfach an meine Schrecklichkeit? Ash hat viele erstaunliche Eigenschaften, ohne Frage. Sie hat uns ein fürsorgliches, schönes Zuhause geschenkt, in dem alle immer sein wollten. Es ist schwer, sich nicht in sie zu verlieben. Sie gibt sich mit allem so eine Mühe. So ist sie erzogen worden. Ihre Mutter war auch so, mit all der Kocherei«, sagte er. »Die arme Betsy.«

»Die arme Betsy«, sagte auch Jules. »Ich denke oft an sie.«

Einen Moment lang stand der Tod von Betsy Wolf zwischen ihnen. »Ich weiß, Ash denkt, ihre Eltern haben sie so unter Druck gesetzt. Sie sollte für die Kultur sorgen und gleichzeitig erfolgreich sein«, sagte Ethan. »Dabei hatten sie es selbst mit der Kunst und der Kultur gar nicht so. Bei Drexel Burnham ging es allein ums Geld. Aber ihr Klagen über den Druck – ich meine, irgendwann reicht es doch mal, oder? Ich sehe das mittlerweile so: Solange dich niemand foltert, dich nicht vergewaltigt, in einen Keller sperrt oder mit zwölf, dreizehn zur Fabrikarbeit zwingt, wenn das alles nicht zutrifft, dann denke ich so ein bisschen: *Mensch, reiß dich zusammen.* Als ich mit der Kinderarbeitssache angefangen habe und Ash sah, was ich gesehen hatte, war sie ernsthaft mitgenommen. Trotzdem konnte sie in vieler Hinsicht das Drama ihrer eigenen Familie nicht hinter sich lassen. Das verstehe ich ja auch, die Vergangenheit ist hartnäckig. Das trifft auch auf mich zu. Alle haben wir eine Arie über unser Leben zu singen, und das ist nun mal ihre. Sie hat den Gedanken so verinnerlicht, das gute Kind zu sein, das produzierende, die Eltern zufriedenstellende Kind, dass es dann auch das lügende Kind zu sein bedeutete. Das Kind, das seinen schrecklichen Bruder beschützt.«

»Du hältst ihn für schrecklich? Du denkst, er hat Cathy vergewaltigt?«, fragte Jules mit lauter werdender Stimme.

»Nun, zu aggressiv war er eindeutig«, sagte Ethan. »Er konnte sich nicht vorstellen, dass sie nicht weitermachen wollte. Niemand hat ihn je zurückgewiesen, alle waren immer nur entzückt von ihm, wenigstens im Camp. Und dazu kam dann Cathys Aufmerksamkeitsbedürfnis. Das war eine böse Kombination. Also ja, ich bin mir ziemlich sicher, dass er was gemacht hat. Ich denke, er hat es getan.« Ethan machte eine Pause und korrigierte sich: »Mein erwachsenes Ich denkt das.« Dann sah er Jules an, als warte er darauf, dass sie zu ihm aufschloss und ihr passives Teenager-Ich hinter sich ließ, das sich zu lange zwischen Wissen und Nicht-Wissen hin- und hergedrückt hatte.

»Aber nichts von alledem existiert noch«, sagte Jules. »Das ist das Unwirkliche.«

»Ich weiß«, sagte Ethan. »Die beiden Detectives sind nicht mehr da, erinnerst du dich noch an sie? Der ältere ist pensioniert, und der jüngere, Manfredo, der ist an einem Herzinfarkt gestorben. Ich habe ihn über die Jahre immer wieder wie unter Zwang gegoogelt und wollte wissen, ob er noch bei der Kripo ist und immer noch insgeheim am Fall Goodman Wolf arbeitet. Vielleicht hat ihn das Googeln getötet«, sagte Ethan. »Hast du dir das schon mal überlegt? Du googelst die Leute wieder und wieder, bis du eines Tages feststellst, dass sie tot sind.«

»Selbst die Tavern on the Green gibt es nicht mehr«, sagte Jules.

»Richtig. Und Goodman ist ruiniert, nehme ich an.« Ethan machte eine Pause und sammelte sich. »Ist er noch, du weißt schon, attraktiv für dich?«, fragte er mit plötzlich förmlicher Stimme. »Hast du etwas empfunden, als du ihn im Wald gesehen hast?«

»Gott, nein. Nichts. Nur Scham.«

Ethan nickte, als erleichtere ihn das. »Was Cathy betrifft«, sagte er, »so glaube ich, der geht es ganz gut.«

»Woher weißt du das?«

»Weil ich sie getroffen habe.«

»Ernsthaft? Wann? Weiß Ash davon?«

Ethan schüttelte den Kopf. »Nein. Zum ersten Mal habe ich sie nach dem 11. September wieder kontaktiert, als sie in den Nachrichten gekreuzigt wurde. Ich hatte eines von den Interviews mit ihr gesehen. Die Leute riefen im Fernsehstudio an, um sie anzuschreien. Ich wusste, dass sie es war. Ich hatte ihr Leben ein wenig verfolgt und wusste, sie hatte einen Deutschen geheiratet, Krause hieß er. Und im Fernsehen saß sie da und nahm alles hin. Es hat mich erschüttert, und ich habe mir ihre E-Mail-Adresse besorgt und ihr geschrieben, einfach Hallo gesagt. Sie antwortete gleich, und wir haben uns getroffen. Aber sie schien aufs Neue traumatisiert. Irgendwann redete sie von einem Hilfsfonds für die Familien, und ich habe ihr einen Scheck ausgestellt.«

»Das überrascht mich nicht.«

»Ich glaube, ich fühlte mich schuldig. Wir haben sie fallen gelassen.«

»Ich habe den Artikel über sie gelesen anlässlich des zehnten Jahrestags der Angriffe«, sagte Jules. »Ich hasse diesen Ausdruck: ›die Angriffe‹. Es ist so jargonhaft. Am Ende hat sie den Familien die Krankenversicherung bezahlt, oder? Durch Boni oder so? Und einige haben sich entschuldigt, weil sie so aggressiv gewesen waren.«

»Es hat ein paar Jahre gedauert«, sagte Ethan, »und es war ganz offenbar kompliziert, aber sie hat es geschafft.«

»Triffst du sie noch?«

Er schüttelte den Kopf. »Wir haben uns noch eine Weile gemailt, und ich habe ihr geschrieben, als das mit den Krankenversicherungen für die Familien durch war. Wie schon gesagt, ich glaube, es geht ihr gut. Sie sagt, sie habe einen sehr guten Ehemann. Ich habe sie nach Troy gefragt, und sie sagte, sie hätten sich endgültig getrennt, als sie achtzehn war. Viele Jahre später, da war sie um die dreißig, hat sie ihn tanzen sehen. Sie hat sich in den Zuschauerraum vom Alvin Ailey gesetzt, und er war großartig. Und statt sich wegen ihres eigenen Lebens und ihrer Probleme zu ärgern, etwa dass sie nicht professionell tanzen konnte, hat sie sich selbst völlig vergessen. Sie sagte, es habe genau das mit ihr gemacht, was Kunst tun solle. Sie war völlig gefesselt. Die Sache mit Goodman, die hat sie definitiv traumatisiert. Also ja, ich glaube, er hat sie vergewaltigt. Aber es ist viel Zeit vergangen. Das ist der Hauptpunkt: die Zeit.«

»Vielleicht ist es das, was auch ihr braucht, Ash und du«, sagte Jules. »Zeit. Ich weiß, das sagen immer alle, und ich behaupte gar nicht, dass es besonders revolutionär oder originell ist.« Ethan antwortete darauf nicht, und so saßen sie eine Weile da, und dann stand er mit einem lauten Knarzen seines Stuhles auf, ging zu einem Schrank und holte eine Flasche Dessertwein heraus. Jules folgte ihm zu der langen, grauen Couch, wo sie den süßen, goldenen Wein tranken. Der Geschmack hätte auch ihren früheren Teenager-Ichs gefallen, es war ein Wein für Menschen, die gerade erst in die Erwachsenenwelt eintraten.

»Er ist wieder auf Island«, sagte er. »So viel hat Ash mir gesagt.«

»Das wusste ich nicht, aber ich habe es mir gedacht. Ethan, du solltest ihn sehen. Es ist wirklich schrecklich, er wirkt so aus allem herausgefallen. Ich wollte mit Ash darüber sprechen, über alles. Aber sie will im Moment nicht mit mir reden. Ich fühle mich ziemlich isoliert.«

»Du hast Dennis.« Jules zuckte mit den Schultern und verzog das Gesicht, und Ethan sagte: »Was? Hast du ihn nicht? Was soll das Gesicht?«

»Bei uns läuft es nicht so. Erst wollte ich, dass wir unsere Jobs aufgeben, und dann wollte ich das Camp nicht mehr. Ich mag die Gesellschaft von Teenagern, aber er hat recht: Ich wollte nicht dort sein, ohne zu ihnen zu gehören. Tatsächlich bin ich mit den Verkorksten am besten zurechtgekommen, und jetzt sind wir wieder in der Stadt, und ich habe keinen Job, und Dennis kommt für alles auf. Ich turne irgendwie nur herum und versuche, mir zu überlegen, was ich machen soll. Ich habe das Gefühl, ich habe das Schiff in mehr als nur einer Hinsicht verpasst.«

»Du unterschätzt dich immer«, sagte Ethan. »Warum ist das so? Ich habe gleich gesehen, wie du bist. Gleich am ersten Abend im Jungen-Tipi. Du warst staubtrocken.«

»Und unbeholfen.«

»Okay, trocken und unbeholfen. Unbeholfen und trocken. Dafür habe ich eine Schwäche. Aber vielleicht taugt die Kombination eher für einen Jungen.«

»Ja«, sagte sie. »Das ist definitiv so. Unbeholfen und trocken zu sein ist nichts für ein Mädchen. Es macht alles nur schwierig.«

»Ich möchte nicht, dass es schwierig für dich ist.« Er rückte näher an sie heran und berührte ihr Haar, was nicht so außergewöhnlich schien. Sie hatte das Gefühl, was immer er jetzt täte, würde sich nicht außergewöhnlich anfühlen. Ethan beugte sich vor und küsste sie auf den Mund, und als er es tat, wachte Jules' Mädchen-Ich in ihr auf und traf auf das Ich der mittelalten Frau. Sie erinnerte sich daran, wie Ethan vor langer Zeit versucht hatte, sie mit dem Tod ihres Vaters durcheinanderzubringen, weil er hoffte, sie so für sich entflammen zu können. Dieses Mal wurde der Augenblick von goldenem Wein abgeschwächt, und sie saßen nicht im alten Trickfilm-Schuppen, sondern im neuen. Ethan war reich und sie nicht. Er tat, was er liebte, und sie, was sie konnte, und dennoch glichen sie sich. Sie waren *beide* unbeholfen und trocken. Ihr Kuss besiegelte ihre Ähnlichkeit. Ihre Münder bewegten sich aufeinander. Erst war da nur das Empfinden des sanften Drucks, und es fühlte sich nicht schlecht an, doch dann begriff Jules, dass sie sich auch bei diesem neuen Durchlauf des Kusses bewusst wurde, dass Ethan etwas sauer schmeckte und roch, als zerfalle der Zucker des Weins bereits. Oder vielleicht war es auch so, dass sein Mund ein unbekanntes Inneres war und sie wusste, dass sie nicht dort sein sollte – dass es nicht ihr gehörte und sie dort nicht sein *wollte*. Wie erstaunlich, so weit zu kommen und diese Gelegenheit zu einem »zweiten Lauf«, wie Rory immer sagte, zu haben, und dann fühlte es sich exakt wie beim ersten Mal an. Nicht einfach ähnlich, sondern absolut genauso.

Als sie sich von ihm zurückzog, machten ihre Münder ein leises Geräusch. Es war ein Ächzen, ein Seufzen – ein *Strohhalmknacken*, dachte sie. Jules wandte den Blick ab, und ohne ein Wort zogen sich die beiden an die Enden des Sofas zurück. Sie konnte Ethan Figman nicht küssen, seinen Körper berühren, mit ihm schlafen oder sonst etwas Körperliches mit ihm tun. Er versuchte es immer wieder und wollte sehen, wie weit er gehen konnte. Er war wie die Maus, von der Jules gesagt hatte, sie sei ihnen aus der alten Wohnung gefolgt. Aber sie ließ ihn immer noch nicht. Weil er ihr nicht gehörte.

Dennis, dachte sie, roch manchmal auch etwas giftig von dem Stabilivox, dabei aber auf seltsame Art und Weise anziehend. Und er sprühte nicht vor Ironie und Kreativität. Jules fragte sich, was er in diesem Augenblick machte, spätabends an diesem Wochentag. Seit dem Sommer gingen sie distanziert und freundlich miteinander um. Sex gab es so gut wie keinen, kaum einen Kuss, dafür eine Menge nette, neutrale Gespräche. Er war immer noch wütend auf sie, weil sie Belknap wieder hatte verlassen wollen, obwohl das Camp gut verlaufen war. Wahrscheinlich saß er im Bett, hatte den Sportsender eingeschaltet und hielt das *Journal of Diagnostic*

Medical Sonography auf dem Schoß. Und Jules und Ethan saßen in diesem für ein Bürogebäude unerwartet loftartigen Raum und sahen einander von den Enden des langen Sofas aus an.

»Ich muss jetzt gehen«, sagte sie.

»Ich habe es versucht«, sagte Ethan. »Es ist nur so, dass ich derzeit nicht wirklich weiß, wie ich am besten leben soll. Ich weiß es ehrlich nicht.«

»Es ist immer kompliziert.«

»Nein«, sagte er. »Es ist anders. Ich habe etwas.«

»Was soll das heißen, du *hast* etwas?«

»Ein Melanom«, sagte er.

Sie sah ihn eindringlich an. »Wo?«, fragte sie ungläubig und klang fast zornig. Sie musste daran denken, wie ihr Vater eines Abends in ihr Zimmer gekommen war und ihr gesagt hatte, dass er krank sei und in die Klinik müsse. Sie hatte an ihrem kleinen Rollschreibtisch gesessen und einen Aufsatz über ein Buch geschrieben, und mit einem Mal wirkten ihr Tisch, das Papier und der Stift in ihrer Hand völlig absurd, wie schwerelose Objekte im Weltraum.

»Es tut nichts zur Sache«, sagte Ethan, »aber wenn du schon fragst, hier oben.« Er klopfte sich auf den Kopf, beugte ihn vor und schob die Haare auseinander, sodass sie einen kleinen Verband auf seinem Schädel sehen konnte. »Offenbar ist der Krebs schon im Lymphsystem.«

»Wann hast du es entdeckt?«, fragte sie, und ihre Stimme war plötzlich kaum mehr hörbar.

»Im Herbst. Es juckte, und ich habe mich gekratzt, und dann hat es etwas geblutet. Es gab eine Kruste, und ich dachte, es ist nichts, doch dann stellte sich heraus, dass da ein Fleck war, der schon lange da gewesen sein musste. Ich hatte ihn nur noch nie bemerkt.«

»Warst du allein, als du ihn gefunden hast?«, fragte sie. »Oder war jemand bei dir? Wem hast du es erzählt?«

»Niemandem«, sagte er. »Ich habe es für mich behalten.«
»Ash weiß nichts davon?«
Er schüttelte den Kopf.
»Ethan, du musst es ihr sagen.«
»Warum?«, fragte er. »Offenbar ist es erlaubt, wichtige Informationen vor dem Ehepartner geheim zu halten.«
»Sie muss dir helfen.«
»Vielleicht kannst du das auch. Denn offen gesagt«, er zwang sich ein kleines Lächeln ab, »ist es zum Teil auch deine Schuld, Jules. In dem ersten Sommer damals hast du mir gesagt, dass ich den Jeanshut abnehmen solle, damit sähe ich aus wie Paddington Bär. Und so hat die Sonne all die Jahre …«
»Hör auf, das ist ganz und gar nicht lustig.«
Er begriff gleich, dass er das nicht hätte sagen dürfen. Es hatte etwas Gefühlloses, und Gefühllosigkeit war das Letzte, was er ihr gegenüber je empfunden hatte. »Du wirst behandelt, richtig?«, fragte sie. »Du hast was unternommen, eine Chemotherapie?«
»Ja«, sagte er. »Zwei Zyklen. Hat allerdings noch keine Wirkung gezeigt, aber sie haben Hoffnung.«
»Was kommt als Nächstes?«
»Ein anderes Mittel«, sagte er. »Montag geht es wieder los.«
»Ethan, du musst es Ash sagen. Sie wird das Kommando übernehmen und sich um dich kümmern wollen. So ist sie.«
Ethans Gesicht blieb unbewegt. »Ich glaube nicht«, sagte er. Und dann, leiser, erklärte er ihr: »Du bist die Richtige dafür.«
»Bin ich nicht.«
»Doch, das bist du.«
Sie konnte diesen Volley nicht noch einmal retournieren, und sie dachte: *Okay, dann bin ich es. Ich bin es und war es immer. Dieses Leben hat auf mich gewartet, mit regelmäßigem Herzschlag, und ich habe es nicht angenommen.*
Aber mittlerweile wusste sie, dass man seinen Seelenverwandten

nicht heiraten musste, man musste nicht mal einen *Interessanten* heiraten. Man musste nicht immer vor Charisma und Witz sprühen, die Rakete sein, die alle zum Lachen brachte, mit der alle ins Bett wollten oder die ein Stück schrieb und für ihre Rolle darin stehende Ovationen bekam. Man konnte von seiner Besessenheit ablassen, *interessant* sein zu wollen. Die Definition, auch das wusste sie, änderte sich sowieso und hatte es auch für sie getan.

Früher einmal war der Schritt auf die Bühne wie ein Zaubertrank für ein fünfzehnjähriges Mädchen gewesen, dessen Vater gerade gestorben war. Julie Jacobson, der Pudelkopf aus Underhill im Staat New York, war in Spirit-in-the-Woods ins Leben geholt worden. Doch das lag so viele Generationen hinter diesen beiden mittelalten Menschen in ihren weiten, weichen Häuten, die da so spät noch saßen und redeten. »Ethan, ich komme mit dir, wohin immer du willst«, sagte sie. »Ich habe im Moment keine Arbeit, aber Zeit. Ich werde mit zu deinen Terminen und Behandlungen gehen. Ist es das, was du möchtest?«

Er nickte und schloss erleichtert die Augen. »Ja, das möchte ich sehr. Danke.«

»In Ordnung«, sagte Jules. »Aber du musst Ash anrufen und mit ihr reden. Du hast ihr einiges zu erzählen.«

»Was?«

»Sie kann am Ende nicht die Einzige sein, die etwas falsch gemacht hat. Ich sehe ja, dass sie dir nicht von Goodman erzählt und wie viel das zwischen euch losgetreten hat. Aber es ist Ash, und du liebst sie, und deshalb musst du ihr auch erzählen, du weißt schon, wie du dich in dem Hotelzimmer versteckt hast, statt mit ihr und Mo ins Yale Child Study Center zu fahren.«

»O mein Gott.«

»Und wenn der Zeitpunkt richtig ist, solltest du ihr auch erzählen, dass du mit Cathy Kontakt hattest und ihr Geld gegeben hast. Und natürlich musst du ihr sagen, dass du krank bist.«

»Himmel, Jules, jetzt trägst du aber alles zusammen.«
»Ja, und mit ihr musst du es bereden, nicht mit mir.«

Dennis war eingeschlafen, bevor Jules nach Hause kam, wobei er es auf jene merkwürdige Weise abstritt, in der Leute oft abstreiten, geschlafen zu haben. Auf seinem Gesicht war exakt das gerippte Veloursmuster ihres alten Wohnzimmersofas zu erkennen, und Jules stellte sich vor, wie er bis gerade eben, in die Polster gedrückt, dagelegen und geschlafen hatte, allerdings so leicht, dass er schnaufend aufgewacht war, als er ihren Schlüssel im Schloss gehört hatte. Es war fast Mitternacht. Sie hatte das Angebot, von Ethans Fahrer gebracht zu werden, abgelehnt und gesagt, sie mache lieber einen kleinen Spaziergang. Die Nacht war kalt, es schneite unablässig, und der Wind wehte ihr die Flocken ins Gesicht. Es war eine Erleichterung, ein paar Blocks durch die verlassenen Straßen zu gehen, bevor sie in die Subway hinabstieg.

»Was ist passiert?«, fragte Dennis und sah sie eigentümlich an.
»Etwas ist passiert.«
»Dein Gesicht ist ganz zerknittert«, sagte Jules. Sie zog ihren schneefeuchten Mantel aus und setzte sich aufs Sofa, das noch Dennis' Wärme ausstrahlte.
»Du erzählst es mir nicht?«, fragte er.
»Ich erzähle es dir«, sagte sie. »Obwohl ich es nicht wirklich will.« Und dann, mit so wenig Betonung wie möglich, es aus Selbstschutz alles etwas auf Distanz haltend, wie es auch Ethan ihr gegenüber getan hatte, erzählte sie ihm vom Melanom ihres alten Freundes. Sie sagte ihm nichts von dem Kuss, denn der hatte sich bereits von selbst erledigt und war verschwunden. Dennis saß reglos da, hörte zu und sagte schließlich: »Oh. Scheiße. Aber es ist Ethan, und er wird sich die beste Behandlung besorgen, die es gibt. Er wird tun, was er kann.«
»Ich weiß.«

»Und was ist mit dir?«, sagte Dennis. »Kommst du damit zurecht?«

Er streckte die Hand aus und berührte ihr Haar, genauso wie Ethan es getan hatte. Es war eine der Basisgesten aus dem männlichen Arsenal, sie war Männern wie angeboren. Jules ließ sich gegen die mächtige Brust ihres Mannes fallen, und Dennis zwang sich ganz ins Wachsein zurück. Er zwang ihre Ehe zurück und zog seine Frau an sich. Dennis war da, immer noch da, und das, so sagte sie sich, als sie so an ihn gelehnt dasaß, war kein kleines Talent.

Zweiundzwanzig

Die beiden Paare trafen sich in diesem Winter noch zweimal zum Essen, und beim ersten Mal war auch Jonah dabei. Beide Male gingen sie in dasselbe ungezwungene, leise Restaurant und aßen früh, weil Ethan durch seine Chemotherapie zu müde wurde. Er war high von dem Marihuana, das sie ihm gegen die Übelkeit verschrieben hatten, und lächelte Jules leicht verrückt über den Tisch hinweg an. Bei ihrem allerersten Zusammentreffen damals hatte er einen fürchterlich nassen Joint gedreht. Die Joints heute produzierte jemand anderes, sie waren fest, dünn und hatten es in sich. Er rauchte viel in letzter Zeit, wusste Jules. Alle bewegten sich langsam und vorsichtig, eingeschlossen in ihrem kleinen privaten Freundeskreis. Ash und Ethan hatten wieder zusammengefunden. Ash schien aber immer noch Angst zu haben, ihre Ehe könnte auseinanderbrechen, und so saß sie neben ihm und hatte ihre Hand auf seiner liegen. Sie und Jules sahen einander nicht sehr oft allein. Sie waren um die Ungezwungenheit ihrer Mädchenfreundschaft oder auch der zwischen zwei Frauen, die über Sex und ihre Ehen sprachen, über Kunst und Kinder, die Wahlen und was *dann* kommen würde, zu beneiden gewesen, nur war das im Moment nichts mehr, was die eine oder die andere wollte. Sie hatten von vornherein gewusst, dass sie das Ungezwungene einmal verlieren und betrauern würden. Als Jonah mit zum Essen kam, erzählte Ash allen, wie er Mo das Banjospielen beibrachte. »Ich weiß nicht, ob er tatsächlich viel lernt«, sagte Ash, »aber er scheint es wirklich zu versuchen.«

»Er lernt eindeutig etwas«, sagte Jonah. Er war nur zweimal zu ihnen nach Hause gekommen, um Mo dort eine Stunde zu geben, als er aus dem Internat da war, und arbeitete über Skype mit ihm weiter. Die Distanz und die bloße visuelle Anwesenheit Jonahs auf dem Bildschirm waren beruhigend für Mo. Jonah hatte beim Essen mit den Freunden eine Gitarre dabei und entschuldigte sich, dass er früher gehen müsse, da er sich noch mit ein paar Musikern in Greenpoint in Brooklyn treffen und nicht zu spät kommen wolle.

Ethan begann im Frühling zu sterben, wobei es zunächst nur Ash sah. Er hatte Gewicht verloren und war blass, aber es war nicht zu auffällig, und da er sich in so vielen Projekten engagierte, begriff niemand ganz, wie es um ihn stand. Er war oft nicht im Studio, aber seine Mitarbeiter erledigten die dort anfallenden Dinge. Aus dem Haus in der Charles Street deckte er die Leute mit E-Mails ein und übertrieb es dabei manchmal. Er traf erste Vorbereitungen für die nächsten Meister-Seminare, sprach seine Stimmen für die Serie in ein hochempfindliches Aufnahmegerät, das er zu Hause hatte installieren lassen, und diktierte ein Memo an das Network wegen einer kleinen Auseinandersetzung um angeblich kontroverses Material in einer der letzten Folgen von *Figland*, das eine Energy-Drink-Firma damit hatte drohen lassen, ihre Werbespots zurückzuziehen.

Es gab Gerüchte draußen in der Welt, Ethan Figman sei krank, doch niemand konnte sagen, wie schlimm es war. Alle hatten doch Krebs, das war die einhellige Meinung. Krebs war nicht mehr so erschreckend, und ein Melanom schien sowieso nicht so schlimm wie, sagen wir, Bauchspeicheldrüsenkrebs. Ethan hatte immer darauf bestanden, dass es die Dinge, die man tat, waren, die einen in der Welt und am Leben hielten. Arbeit, hatte er mal gesagt, sei der Anti-Tod. Jules, die begriff, dass sie dem zustimmte, hatte ebenfalls zurück in einen Job gefunden. Die Jugendgruppen des Child and Family Centers in Nord-Manhattan trafen sich in einem jener grauen, düsteren Allzweckräume mit Klappstuhlstapeln an den Seiten und einer uralten Piñata an der Decke, die vor Jahren schon zerschlagen und geplündert worden war. Das Licht im Raum war schlecht, und die Teenager saßen zu Anfang müde im Kreis, wachten dann aber auf, und am Ende der Stunde weinte ein Mädchen wegen seines Alkoholiker-Vaters, ein anderes nahm es in den Arm, und ein Junge stieg auf einen Stuhl und holte endlich die alte, kaputte Piñata von der Decke. Die mütterliche Leiterin des Zentrums, eine Mrs Kalb, die Jules versuchsweise angestellt hatte, saß seitlich auf ihrem Klappstuhl und machte sich Notizen.

Hinterher in ihrem Büro hatte Mrs Kalb bemerkt, dass Jules »eine enorme Zuneigung für junge, verstörte Menschen« zu haben scheine, und Jules sagte gleich, ja, das stimme. Und so leitete sie jetzt zwei Gruppen, die sich zweimal in der Woche für zwei Stunden trafen. Zum Ende des Jahres sollten zwei weitere Gruppen hinzukommen. Die Bezahlung war lausig, aber Jules' und Dennis' Ausgaben waren nicht hoch. Rorys Studiengebühren waren bezahlbar, und bald schon würde sie das College beenden, wobei Gott allein wusste, ob es da draußen einen Job für sie gab. Das war es, was alle Eltern mit Kindern im College-Alter umtrieb, alle waren voller Angst, ihre Kinder könnten keinen Job finden und in die Statistik derer eingehen, die auf ewig zu Hause in ihren Kinderzimmern zwischen ihren Postern und Pokalen wohnen blieben. Allen wurde ausgeredet, Geisteswissenschaften zu studieren, waren die doch ohne Zukunft. Vor ein paar Jahren war Jules einmal in einem von Ashs Stücken im Theater gewesen. Bei der anschließenden Gesprächsrunde, in der sich die Autorin und Ash als Regisseurin den Fragen des Publikums stellten, war eine Frau aufgestanden und hatte gesagt: »Das ist eine Frage an Ms Wolf. Meine Tochter möchte auch Regisseurin werden. Sie bewirbt sich gerade für ein entsprechendes Studium, aber ich weiß sehr gut, dass es da keine Jobs gibt und sie wahrscheinlich mit ihren Träumen Schiffbruch erleiden wird. Sollte ich sie nicht ermutigen, etwas anderes zu tun und sich einen anderen Bereich zu suchen, bevor zu viel

Zeit vergeht?« Und Ash hatte der Mutter geantwortet: »Wenn sie Regisseurin werden will, muss sie es wirklich, wirklich unbedingt wollen. Das ist das Erste. Wenn es nicht so ist, hat es keinen Sinn, sich das alles anzutun, denn es kann unglaublich schwer und entmutigend sein. Aber wenn sie es wirklich unbedingt will und ein Talent dafür zu haben scheint, dann, denke ich, sollten Sie ihr sagen: ›Das ist wundervoll.‹ Denn diese Welt und ihre Wirklichkeit werden Ihrer Tochter auf ihrem Weg wahrscheinlich schwer zusetzen. Eine Mutter sollte das nicht.«

Das Publikum hatte spontan applaudiert, und Ash wirkte sehr zufrieden, genau wie die Mutter. Jules hätte gern gewusst, was aus der Tochter geworden war. Hatte sie es versucht? Ihr selbst ging es mit einer Tochter wie Rory gut, die für einen Nationalpark arbeiten wollte und keines von diesen kreativen Kindern war, die hinter der Theke von Chipotle endeten.

Ethan freute sich, als er hörte, dass Jules einen neuen Job hatte, den sie mochte. »Ich wünschte, ich könnte in eine deiner Gruppen kommen und zuhören«, sagte er. »Ich würde dich gern in Aktion sehen. Vielleicht sollte ich so tun, als wäre ich einer deiner Teenager.«

Beim zweiten der beiden Abendessen in diesem Winter sagte Ethan im schwachen Kerzenlicht etwas über den Tisch zu Jules, das sie nicht verstand. Sie legte sich eine Hand ans Ohr, doch in dem Moment fasste Dennis nach ihrer anderen Hand, und sie wandten sich wieder ihren Partnern zu.

Nachdem sich auch der letzte Chemozyklus als »enttäuschend« erwiesen hatte, beschlossen Ethan und Ash, es mit alternativen Behandlungsmethoden zu versuchen, und flogen in die Schweiz. In Genf gab es eine Klinik, die ihnen von Freunden Duncans und Shylas empfohlen worden war. »Da gibt es die Toblerone-Kur«, sagte Ethan am Abend vor dem Abflug zu Jules, so sarkastisch wie schicksalsergeben. In der Schweiz dann fühlte er sich von den harten, nicht ausreichend getesteten Mitteln derart vergiftet, dass er die Behandlung nach fünf von geplanten einundzwanzig Tagen abbrach. Wieder zu Hause, kapselten er und Ash sich ab und wollten niemanden sehen, nicht einmal Jules, der die fehlende Kommunikation äußerst naheging. »Lass mich wissen, wie der weitere Schlachtplan aussieht«, schrieb sie an Ash. »Mach ich«, antwortete ihre Freundin, war aber nicht überzeugend. Jules schrieb E-Mails direkt an Ethan und berichtete ihm zum Beispiel, was in der Gruppe »Scheidungskinder« beredet worden war. »Du könntest der Gruppe ebenfalls beitreten«, schrieb sie. »Du bist schließlich auch ein Scheidungskind. Im Übrigen haben sie laut dem Wissenschaftsteil der *Times* die offizielle Altersgrenze für die Adoleszenz neu festgelegt, auf zweiundfünfzig! Das hast du gerade geschafft!!!« Sie war großzügig mit ihren Ausrufezeichen, von denen jedes verzweifelter und lauter als sein Vorgänger war.

Niemand sagte einem, dass die Familie in Zeiten der Krise alle Freundschaften übertrumpfen durfte. Ethans und Ashs Kinder wurden von ihrer Mutter mitten in der Woche nach Hause gerufen. Larkin war fast schon hysterisch vor Sorge und brauchte Clonazepam, das Ash ihr im Verlaufe des Tages verabreichte, um am Ende auch selbst eine Tablette zu nehmen. Larkin hatte sich in New Haven eine Tätowierung stechen lassen, die von der Schulter aus den linken Arm hinunterreichte. Es war ein Reigen aus *Figland*-Figuren, der eine Hommage an ihren Vater sein sollte, doch alles, was der sagen konnte, als er es sah, war: »Himmel, was hast du dir denn dabei bloß gedacht?«, woraufhin Larkin zu weinen begann, ihre Eltern habe es nie interessiert, was sie wolle, sie hätten immer nur ihren eigenen Willen durchgesetzt. »Das stimmt nicht«, sagte Ash, die eine großartige Mutter für ihre Kinder gewesen war. Da brach Larkin zusammen und sagte, natürlich sei Ash eine gute Mutter gewesen und sie wisse nicht mehr, was sie sage. Ash weinte jetzt ebenfalls, und Mo, der erst vor ein paar Stunden aus dem Internat gebracht worden war, verunsicherten all die ungezügelten Emotionen derart, dass er in seinem Zimmer verschwand, die Tür zuschlug und nicht wieder herauskam.

Später konnten seine Eltern ihn Banjo spielen hören. »Mo«, sagte Ethan, der vor dem Zimmer stand und sich nichts mehr wünschte, als den Flur hinunter und zurück ins Bett gehen zu können. »Bitte, komm heraus.« Er drückte die Klinke, doch die Tür war abgeschlossen.

»Ich will nicht, Dad. Ich mag nicht, was hier vorgeht.«

»Hier geht nichts vor«, sagte Ethan. »Ich habe mich über deine Schwester aufgeregt, wegen ihrer Tätowierung, aber es ist ihr Körper, und sie wollte ihre Liebe ausdrücken. Ich hätte sie nicht anschreien dürfen. Komm schon. Ich bin dein Vater, und ich möchte mit dir zusammen sein.« Er zwang sich, diese Worte zu sagen, und zwang sich auch, sie ernst zu meinen, so wie Jules es ihm ausdrücklich gesagt hatte. Einen Moment noch blieb die Tür verschlossen, dann öffnete sie sich. Mo stand auf der Schwelle, Fleisch von Ethan Figmans Fleisch. »Liebe deinen Sohn«, sagte Jules ihm immer. *Liebe ihn, liebe ihn.* Sie hatte ihm Liebesnachrichten geschickt, die er in Mo hineingießen sollte, und jetzt, immer noch voller Übelkeit von seinem letzten Medikamentenversuch, sagte er: »Darf ich hereinkommen?« Mo war überrascht, weil sein Vater selten zu ihm kam, aber Ethan trat ins Zimmer und setzte sich auf das Fußende des Betts. »Was hast du gespielt?«, fragte er.

»Ein Lied. Hör zu«, sagte Mo. Und dann, mit Unterbrechungen, wenn es nötig war, mit Fehlern, aber ohne aufzugeben, arbeitete er sich langsam durch eine Instrumentalversion von *The Wind Will Carry Us*, die Saiten hoben sich und brachten die einzelnen Töne zusammen. Als er fertig war, sagte Mo: »Dad, hat es dir nicht gefallen? Dad, *weinst* du?«

Die Familie blieb eine ganze Woche im Haus zusammen. Es wurde für sie gekocht, Pakete wurden gebracht, Quittungen unterschrieben, und zweimal kam eine Onkologie-Schwester. Immer noch wussten nur sehr wenige Leute, wie es tatsächlich stand. Selbst Jules, uptown mit Dennis in ihrer Wohnung, begriff nicht, was vorging. »Denkst du, sie finden einen Weg?«, fragte sie ihn.

»Ich weiß es nicht«, sagte er.

»Doch, das weißt du. Du hast bei deiner Arbeit die ganze Zeit mit Krebs zu tun, und du liest all die Zeitschriften. Sag es mir. Sag mir, was du denkst.«

Dennis sah ihr in die Augen. Es war Morgen, beide waren wach und standen in ihrem gemeinsamen Bad Seite an Seite vor dem Waschbecken. Jules hatte, sosehr sie es sich auch wünschte, in ihrer Ehe nie ein eigenes Bad bekommen. Dennis rasierte sich und zog einen Weg durch das dunkle Haar auf seiner Wange. Wenn er am Abend von der Arbeit zurückkäme, würde es längst nachgewachsen sein. Er wirkte traurig mit seinem halben Bart und den Rasierschaumflecken, legte den Rasierer seitlich aufs Waschbecken und sagte: »Wenn es in beiden Lungenflügeln ist, wie du sagst, dann nicht. Dann glaube ich nicht, dass sie noch etwas für ihn tun können. Wenigstens nichts, von dem ich wüsste, aber ich bin nur ein Ultraschalltechniker und kein Arzt«, fühlte er sich veranlasst hinzuzufügen.

»Oh, du weißt eine Menge, Dennis«, sagte Jules. »Was mir die ganze Zeit im Kopf herumgeht, woran ich immer wieder denken muss, ist die Vorstellung, dass er nie die Chance bekommen wird, als Old Ethan Figman bekannt zu sein.«

»Als wer?«

»Wie Old Mo Templeton«, sagte sie, und es klang fast wie ein Wehklagen.

»Richtig. Disneys zehnter alter Mann.«

Dennis ging an diesem Morgen zur Arbeit, und Jules ging zur Arbeit, es war ein ganz gewöhnlicher Tag. Überall versuchte der Frühling, durch die Ritzen zu dringen, und die Jugendlichen in

Jules' Gruppe waren ausgesprochen aufgekratzt und kokett. Sie waren alle kürzlich aus stationärer Behandlung entlassen worden. Es herrschte eine gute Stimmung in den tristen Räumlichkeiten des Psychotherapeutischen Gesundheitszentrums. Ein Junge namens J. T., der unter Dysmorphophobie litt, hatte eine Schachtel Entenmanns Himbeer-Plunderkuchen mitgebracht. Wenn man den zwanzig Sekunden in die Mikrowelle stelle, sagte er, nicht mehr und nicht weniger, sei er eine Speise »für die Götter«. J. T. und zwei Mädchen rannten den Flur hinunter zur Mikrowelle in der kleinen Küche, und in der kurzen Auszeit, bis die Gruppe wieder zusammenkam, erinnerte sich Jules an den Heidelbeerkuchen damals in ihrem Tipi und daran, dass jemand gesagt hatte, er schmecke nach Sex, was immer das zu bedeuten hatte. Die Gruppe versammelte sich wieder, und die Kids erzählten von ihren Medikationen, ihren Eltern, ihren Freunden, ihrem Die-Haut-Aufritzen, ihrer Bulimie und von ihren empfindlichen, hektischen Leben.

Beim Mittagessen mit ihrer Vorgesetzten, Mrs Kalb, in dem einen Lokal im Viertel, das in Ordnung war und in dem alle Mitarbeiter des Zentrums Caesar's Salad aßen, fing Jules' Handy an zu vibrieren. Es war Ash. Noch als Jules ihren Anruf in dem vollen, dunkelgrün ausgemalten Restaurant mit dem laufenden Fernseher oben an der Wand annahm, hatte sie keine Angst, denn es war Tag, und ein bei Tag vibrierendes Handy war gutartig. Aber Ash sagte mit leiser, aber gut hörbarer Stimme: »Jules? Ich bin's. Hör zu. Ethan hatte heute Morgen einen Herzinfarkt, und sie konnten ihn nicht wiederbeleben.«

Und sogar jetzt noch dachte Jules für ein paar Sekunden, er könnte sich wieder erholen. Sie musste daran denken, wie ihre Mutter spätnachts aus dem Krankenhaus auf Long Island gekommen war, die Tasche schwer auf den Boden fallen gelassen hatte und zu ihr und Ellen gesagt hatte: »Oh, Mädchen, Dad hat's nicht geschafft«, und Jules hatte gerufen: »Können sie nicht was anderes probieren?«

Es gab nichts, was man für diese lange Reihe Toter noch tun konnte. Für diese Seelen. Ethans Herz hatte aufgehört zu schlagen, womöglich wegen des Medikaments, das er in der Schweiz probiert hatte, oder wegen all der anderen Mittel vorher. Es war ein massiver Infarkt gewesen, während er im Bett saß und frühstückte; gestorben war er im Krankenwagen. Nachdem Jules ein paar Minuten mit Ash gesprochen hatte, ohne Mantel draußen in der Kälte, kam sie zurück nach drinnen und erzählte Mrs Kalb tonlos, was sie gerade erfahren hatte. Mrs Kalb sagte: »Lassen Sie mich Ihre Gruppe absagen, meine Liebe. Sie sind zu aufgewühlt dafür. Gehen Sie nach Hause.« Doch Jules wollte nicht.

Als sie den Kids sagte, dass ihr Freund gestorben sei, umringten sie ihre Therapeutin wie einen Maibaum. Ein großer, phobischer südamerikanischer Junge namens Hector umarmte sie, und ein winziges Mädchen mit einem Gesicht, das so stark gepierct war, dass es aussah wie ein schwarzes Brett voller alter Nadeln und Klammern, fing an zu weinen und sagte: »Jules! Jules! Sie müssen Ihren Freund so geliebt haben!«

Alle sagten immer wieder: »Es tut uns so leid wegen Ihrem Freund!«, und ihr wurde schließlich bewusst, dass sie das Wort »Freund« für eine abschwächende Umschreibung hielten, und vielleicht war es das ja auch. »Freund« war so ein umfassender Begriff, und in diesem Fall umfasste er sehr viel, einschließlich etlicher Widersprüche. Sie hatte nie Ethans Penis gesehen und er nicht ihre Brüste. *Was sagt das schon?*, dachte sie und wünschte sich doch irgendwie, dass sie sich ihm noch zeigen und ihm sagen könnte: »Siehst du? Viel hast du nicht verpasst.«

Abends gingen sie und Dennis zum Haus in der Charles Street und blieben dort über Nacht. Alle waren bis in den Morgen hinein wach, sämtliche Lichter brannten. »Was soll ich jetzt machen?«, fragte Ash um vier Uhr morgens. Sie saß im Nachthemd auf der Treppe und rauchte. »Als wir so viele Monate getrennt waren …

Ich habe es nicht ertragen. Ich war so einsam. Und jetzt ist es wieder so.«

»Ich werde dir helfen«, sagte Jules.

»Wirst du das?«, fragte Ash dankbar wie ein Kind, und Jules sagte, ja, das werde sie, immer, und auch wenn beide nicht wussten, was das bedeutete, schien es bereits seine Wirkung zu tun.

Ashs Vater kam morgens. Obwohl er gebrechlich wirkte und wegen seiner Knie mit einem Stock ging, umarmte er seine weinende Tochter so fest, als wollte er sie in einem Sturm am Boden halten. Und dann kamen Ethans seit Langem geschiedene Eltern, zufällig gleichzeitig, wütend aufeinander und beide übergewichtig und zerzaust. Sie fingen gleich an zu weinen, stritten und verabschiedeten sich schnell wieder. Jonah kam ebenfalls, und während der Tage bis zur Beerdigung und der Planung einer größeren Gedenkveranstaltung, die in einem Monat stattfinden sollte, schienen sie sich um so viele Einzelheiten kümmern zu müssen. Larkin und Mo brauchten Aufmerksamkeit, und vor allem Larkin musste beruhigt werden. Jules beobachtete oft aus dem Augenwinkel, was Dennis tat. Einmal rief er auf Ashs Bitte hin eine Reihe ihrer Freunde und Freundinnen an, dann saß er da und sah Jonah und Mo beim Gitarre- und Banjospielen zu. Er brachte allen Kaffee und machte sich so nützlich, wie er nur konnte. Das Haus fühlte sich wie eine kleine, erschöpfte Welt fern vom Lärm da draußen an.

Am Abend vor der Beerdigung standen plötzlich Duncan und Shyla in der Tür. *Was machen die denn hier?*, dachte Jules. *Der Schwanz und die Fotze!* Selbst jetzt noch, nach Ethans Tod, würde sie sich ihn mit Ash und diesen Leuten teilen müssen. Aber Duncan und Shyla waren so tief getroffen wie alle anderen auch. Duncans Gesicht verzog sich immer wieder zu einem Ausdruck erschrockenen, fortdauernden Elends, und am Ende blieben alle lange auf, tranken und versuchten wenig erfolgreich, sich zu trösten. Sie schliefen in Sesseln und auf Sofas ein, und am Morgen kam das Hauspersonal auf Zehenspitzen herein und sammelte Flaschen, Gläser und zerknüllte Taschentücher ein. Jemand wischte eine Fläche ab, die mit etwas bedeckt war, das sich nicht identifizieren ließ.

Alle fragten sich schließlich, was mit Ethans Geld passieren würde, an wen es gehen würde und wie viel es war. Für seine Familie würde natürlich gesorgt sein. Wenn Mo zu alt für sein Internat wurde, würde er in eine Gemeinschaft ziehen, die ihn nicht überforderte und in der er die Dinge tun konnte, die ihn interessierten. Larkin würde die Möglichkeit haben, eine Weile ihre Wünsche zu erkunden, bevor sie zur Uni ging oder sich hinsetzte und einen frühreifen, wütenden autobiografischen Roman schrieb. Etliches von Ethans Geld ging sicher an seine Anti-Kinderarbeit-Initiative und andere Wohltätigkeitsorganisationen.

Aber da waren auch seine engsten Freunde, und niemand wusste, wie seine finanziellen Pläne für sie aussahen. Zwei Monate vor seinem Tod hatte Ethan seinem Vermögensanwalt Larry Braff gegenüber einen etwas undurchsichtigen Witz gemacht. »Ich weiß nicht«, hatte Ethan gesagt, als sie ein paar Stunden lang verschiedene Papiere durchsahen. »Ich denke, es birgt Gefahren, seinen Freunden zu viel Geld zu hinterlassen.«

»Das ist wohl so.«

»Sie könnten es ›Das Drama des begabten Erwachsenen‹ nennen«, sagte Ethan, »und ich meine ›begabt‹ hier im übertragenen Sinn. Wie in ›eine Gabe bekommen haben‹. Vielleicht wird der begabte Erwachsene ein Kind und bleibt für immer eines, wegen der Gabe. Ist das Ihrer Erfahrung nach so, Larry?«

Der Anwalt betrachtete Ethan durch seine randlose Brille und sagte: »Vergeben Sie mir meine Ignoranz, Ethan, aber diese ›Drama‹-Sache – ich weiß tatsächlich nicht, worauf Sie sich damit beziehen. Hat das einen spezifischen Hintergrund? Könnten Sie mir das erklären?«

»Ist schon gut«, sagte Ethan. »Ich habe nur laut gedacht. Kein Grund zur Sorge. Ich knobele das schon aus.« So wusste niemand, was er entschieden hatte, und niemand fragte. Alles zu seiner Zeit.

Einen Monat nach Ethans Tod rief Ash an, mit der Jules wieder täglich telefonierte, und sagte, sie habe sich endlich darangemacht, Ethans Büro aufzuräumen, und dass sie ihr etwas mit einem Boten schicke, auf das sie dabei gestoßen sei und das Jules vielleicht gerne haben würde. »Ich kann dir allerdings nicht wirklich sagen, was du davon halten wirst«, sagte sie. »Aber es gehört eher dir als mir.«

Das Paket kam, ein großes, braunes Papierquadrat. Jules war allein zu Hause, als der Bote klingelte. Dennis war im Park und trat ein wenig gegen einen Ball, »dem Tod einen Tritt versetzen«, hatte er gesagt. Abends spät würde Rory mit dem Bus kommen und eine Woche bleiben. »Ich bin einfach gern bei euch«, hatte sie ihren Eltern erklärt, doch die wussten, dass es ein Opfer für sie war, aus der Welt ihrer Freunde zu ihrer Mutter und ihrem Vater zu kommen. Rory tat es, um sie aufzumuntern und gut zu ihnen zu sein. Jules und Dennis erwarteten ihre Rückkehr, als wäre sie Jesus und würde alles ins Lot bringen.

Nachdem sie für das Paket vorn in der Diele unterschrieben hatte, riss Jules es dort auch gleich auf. Drinnen waren ein paar zusammengeheftete, gefaltete Blätter Papier, und sie öffnete sie und sah, dass es sich um das Storyboard für einen kurzen Trickfilm handelte, der offenbar nie produziert worden war. Sie erkannte gleich, wie alt die Zeichnungen waren. Es lag nicht nur daran, dass das Papier alt wirkte, Ethans Stil hatte sich über die Jahre geändert, seine Gesichter waren weit charakteristischer geworden. Ganz zu Anfang waren die Bleistiftstriche noch wild und ungezähmt, als lieferte sich seine Hand ein ständiges Rennen mit seinem Kopf. Das erste Bild, sorgfältig gezeichnet, zeigte einen Jungen und ein Mädchen, die klar als Ethan und Jules zu erkennen waren. Sie waren etwa fünfzehn, standen unter einer Kiefer, und Mondlicht schien auf ihre einfachen, dümmlichen Gesichter. Der Junge sah das Mädchen dabei völlig hingerissen an.

»Also was denkst du?«, wollte er wissen. »Gibt es eine Chance, dass du's dir noch mal überlegst?«

Und das Mädchen sagte: »Können wir *biiiitte* von was anderem reden?«

Das nächste Bild zeigte, wie sie einen Hügel hinauftrotteten. »Gut, worüber willst du denn reden?«, fragte er sie.

»Ist dir je aufgefallen, dass Bleistifte wie Collies aussehen?«, sagte sie, und ein großer Bleistift No. 2 erschien, mit dem Gesicht eines Hundes, das Maul offen und jaulend.

»Nein, noch nie«, sagte Ethan auf dem nächsten Bild. Die beiden Figuren erreichten den Gipfel des Hügels und traten zwischen die Bäume. *Oh wie tragisch, oh wie tragisch*, dachte der Junge, doch er lächelte dabei vor sich hin. *Oh welche Freude, welche Freude.* Herzen und Sterne explodierten in der Dunkelheit über ihren Köpfen.

Die zusammengehefteten Blätter lagen ein paar Tage auf dem kleinen Tisch vorn in der Diele der Jacobson-Boyds, genau dort, wo auch jedes Jahr der Weihnachtsbrief von Ash und Ethan gelegen hatte. Jules stand immer wieder da und sah sich die Zeichnungen an. Endlich verstaute sie die Blätter in der Kommode im Wohnzimmer, wo sie die wenigen Dinge aufbewahrte, die mit dieser Zeit ihres Leben zu tun hatten. Da waren die persönlich unterschriebenen, spiralgebundenen Spirit-in-the-Woods-Jahrbücher aus drei aufeinanderfolgenden Sommern und die Luftaufnahme vom Camp und ihnen allen aus dem zweiten Sommer. Darauf hatte Ethan die Füße auf Jules' Kopf, Jules' Füße standen auf Goodmans Kopf und immer so weiter. Und war es nicht immer so? Dass sich Körperteile nicht unbedingt so anordneten, wie man es wollte, sondern alle ein wenig *verrückt* waren, als wäre die Welt selbst ein Trickfilm über Sehnsucht und Neid, Selbsthass und Großartigkeit, Versagen und Erfolg? Eine seltsame, endlose Schleife aus Cartoons, die man sich immer weiter ansehen musste, weil dieser Bilderkreislauf, trotz allem, was man mittlerweile wusste, immer noch so interessant war.

Dank

Verschiedene Leute – Freunde, Experten und oft auch befreundete Experten – haben mich an ihrem Wissen und ihren Beobachtungen teilhaben lassen, und dafür bin ich ihnen dankbar. Dazu gehören Debra Solomon, Greg Hodes von WME, Lisa Ferentz, LCSW-C, Sandra Leong, M.D., Kent Sepkowicz, M.D., David France und Jay Weiner. Sheree Fitch, Jennifer Gilmore, Adam Gopnik, Mary Gordon, Gabriel Panek, Suzzy Roche, Stacy Schiff, Peter Smith und Rebecca Traister – sie alle sind einfühlsame Leser, deren Rat ein Glück für mich ist. Großen Dank schulde ich auch meiner herausragenden Agentin Suzanne Gluck. Und wieder einmal stehe ich auch in der Schuld meiner zutiefst weisen, großzügigen Lektorin Sarah McGrath sowie in der von Jynne Martin, Sarah Stein und allen anderen bei Riverhead, einschlicßlich des ausgezeichneten und, ja, feministischen Verlegers Geoffrey Kloske. Wie immer auch herzlichen Dank an Ilene Young. Und natürlich in Liebe mein Dank an Richard.